de 1951

...me, as coisas sol...
...sabes de Paris. Creio q...
...uns dias, até as mal...
...daqui parto para Lisboa,
...telegrafarei logo que saib...
... Aqui não faz fr...
... à noite, com...
...
... mas mais que...
...desejo viajar em avião...
..., Por isso, começou p...
...a escrever uns "poem...
... ... alguns ... ...
... "Figueira" ...
... — Peço-lhes d...
...qui por me parecer...

... saudades ...
...que aqui existem — o pr...
... Totais, por sobre ...
... cheiro finíssimo — ...
... paixões passam...) C...

Cecília Meireles *Poesia Completa*

Edição do centenário

Organização, apresentação e estabelecimento de texto
Antonio Carlos Secchin

Cecília Meireles

Poesia Completa Volume II

Organização: *Antonio Carlos Secchin*

2ª impressão

EDITORA
NOVA
FRONTEIRA

© para edições em brochura, para vendas em livrarias, pontos alternativos, crediário e reembolso postal no Brasil, Portugal e demais países de língua portuguesa, da EDITORA NOVA FRONTEIRA S.A.

© para quaisquer outras modalidades de edição, reprodução e utilização atualmente conhecidas ou que venham a ser futuramente desenvolvidas, do condomínio dos titulares dos direitos do Autor.
Todos os direitos reservados. Nenhuma parte desta obra pode ser apropriada e estocada em sistema de banco de dados ou processo similar, em qualquer forma ou meio, seja eletrônico, de fotocópia, gravação etc., sem a permissão do detentor do copirraite.

EDITORA NOVA FRONTEIRA S.A.
Rua Bambina, 25 – Botafogo
CEP 22251-050 – Rio de Janeiro – RJ – Brasil
Tel: (21) 2131-1111 – Fax: (21) 2286-6755
http://www.novafronteira.com.br
e-mail: sac@novafronteira.com.br

Edição:
Izabel Aleixo
Daniele Cajueiro

Revisão:
Gustavo Penha
Eni Valentim Torres
Glória Braga Onelley
Cláudia Ajúz

Rediagramação e finalização:
Filigrana Desenhos Gráficos

Capa e projeto gráfico:
Adriana Moreno

Desenho da capa:
Auto-retrato de Cecília Meireles

Desenho da folha de rosto:
Cecília Meireles por Arpad Szenes

CIP-Brasil. Catalogação-na-fonte
Sindicato Nacional dos Editores de Livros, RJ.

M453p	Meireles, Cecília, 1901-1964
	    Poesia completa / Cecília Meireles. – Rio de Janeiro : Nova Fronteira, 2001.
	
	    ISBN 85-209-1218-4
	
	    1. Poesia brasileira. I. Título.
	
	                                          CDD 869.91
	                                          CDU 869.0(81)-1

Poesia Completa
Cecília Meireles

Volume I

Apresentação
Cecília Meireles e o tempo inteiriço
Notícia biográfica
Caderno de imagens
Bibliografia de Cecília Meireles
Bibliografia crítica e comentada de Cecília Meireles

Parte I

Espectros (1919)
Nunca Mais... e Poema dos Poemas (1923)
Baladas para El-Rei (1925)
Cânticos (1927)
A Festa das Letras (1937)
Morena, Pena de Amor (1939)
Viagem (1939)
Vaga Música (1942)
Mar Absoluto e Outros Poemas (1945)
Retrato Natural (1949)
Amor em Leonoreta (1951)
Doze Noturnos da Holanda & O Aeronauta (1952)
Romanceiro da Inconfidência (1953)

Volume II

Poemas Escritos na Índia (1953)
Pequeno Oratório de Santa Clara (1955)
Pistóia, Cemitério Militar Brasileiro (1955)
Canções (1956)
Poemas Italianos (1953-1956)
Romance de Santa Cecília (1957)
Oratório de Santa Maria Egipcíaca (1957)
Metal Rosicler (1960)
Solombra (1963)
Sonhos (1950-1963)
Poemas de Viagens (1940-1964)
O Estudante Empírico (1959-1964)
Ou Isto ou Aquilo (1964)
Crônica Trovada da Cidade de Sam Sebastiam (1965)

Parte II

Dispersos (1918-1964)

Sumário

Poemas Escritos na Índia, 971

Lei do passante, 974; Rosa do deserto, 975; Som da Índia, 976; Multidão, 977; Pobreza, 978; Canção do menino que dorme, 979; Participação, 980; Os cavalinhos de Delhi, 981; Tarde amarela e azul, 982; Cidade seca, 984; Humildade, 984; Mahatma Gandhi, 986; Manhã de Bangalore, 987; Banho dos búfalos, 989; Bazar, 990; Adolescente, 992; Poeira, 993; Lembrança de Patna, 994; Passeio, 995; Bem de madrugada, 997; Menino, 998; Santidade, 1000; Canavial, 1001; Os jumentinhos, 1003; Horizonte, 1004; Fala, 1004; Turquesa d'água, 1006; Música, 1007; Estudantes, 1008; O elefante, 1009; Zimbório, 1010; Cego em Haiderabade, 1011; Canção para Sarojíni, 1012; Pedras, 1013; Aparecimento, 1014; Cavalariças, 1015; Parada, 1016; Manhã, 1018; Tecelagem de Aurangabade, 1019; Romãs, 1020; Ganges, 1021; Deusa, 1022; Cançãozinha para Tagore, 1023; Ventania, 1024; Golconda, 1027; Desenho colorido, 1028; Jaipur, 1028; Página, 1030; Loja do astrólogo, 1031; Família hindu, 1032; Canto aos bordadores de Cachemir, 1033; Mulheres de Puri, 1034; Tempestade, 1035; Taj-Mahal, 1036; Cançãozinha de Haiderabade, 1038; Anoitecer, 1039; Marinha, 1039; Adeuses, 1040; Praia do fim do mundo, 1042

Pequeno Oratório de Santa Clara, 1043

Serenata, 1046; Convite, 1046; Eco, 1047; Clara, 1048; Fuga, 1049; Perseguição, 1049; Volta, 1050; Vida, 1051; Milagre, 1052; Fim, 1052; Voz, 1053; Luz, 1054; Glória, 1055

Pistóia, Cemitério Militar Brasileiro, 1057

Eles vieram felizes, como 1060

Canções, 1063

CANÇÕES: *Se não houvesse montanhas!* 1068; *Inesperadamente* 1068; *Como os passivos afogados* 1069; *Muitos campos tênues* 1070; *Já não tenho lágrimas:* 1071; *Respiro teu nome.* 1072; *Venturosa de sonhar-te,* 1073; *Entre lágrimas se fala* 1074; *Longe, meus amores,*

1075; *Na ponta do morro*, 1076; *Abriu-se a janela* 1077; *Como num exílio*, 1078; *Há um nome que nos estremece*, 1079; *De um lado cantava o sol*, 1080; *Ribeira da minha vida*, 1081; *Formou-se uma rosa* 1082; *Por que nome chamaremos* 1083; *Cavalo branco* 1084; *Aqui sobre a noite* 1085; *Se estive no mundo* 1086; *De que são feitos os dias?* 1087; *Assim moro em meu sonho:* 1088; *Virgem, no teu coração*, 1089; *Ó peso do coração!* 1090; *Homem que descansas à sombra das árvores*, 1090; *Quando meu rosto contemplo*, 1091; *Dai-me algumas palavras*, 1091; *Ó noite, negro piano* 1092; *O rosto em que me encontro* 1092; *Como estão as montanhas* 1093; *De longe te hei de amar* 1094; *Lá, na raiz das lágrimas*, 1095; *Os sonhos são flores altas* 1096; *Se me atravessas a espada*, 1097; *Eu vejo o dia, o mês, o ano*, 1098; *Dos campos do Relativo* 1098; *Única sobrevivente* 1099; *Amor, ventura*, 1100; *Tenho pena de estar contigo*, 1101; Ciclo do Sabiá: I. *Não me adianta dizer nada*, 1104; II. *Vi descer a tempestade*, 1105; III. *E é de novo madrugada*, 1106; IV. *Já não há mais dias novos*, 1107; Jogos olímpicos: Auriga, 1110; Trapezista, 1110; Nadador, 1111; Equilibrista, 1111; Aedo, 1112

Poemas Italianos, 1115

Discurso ao ignoto romano, 1118; Oleogravura napolitana, 1119; Ceres abandonada, 1121; Ritmo de Nápoles, 1122; Mural risonho, 1123; Florista, 1124; Namorados, 1125; Primeiro pássaro, 1126; Arco, 1127; Coliseu, 1128; Alabastro, 1129; Natureza quase viva, 1130; Adeus a Roma, 1131; Granja, 1132; Pompéia, 1133; O que me disse o morto de Pompéia, 1134; Descrição (Jardim de água), 1135; Pompéia, 1137; Roma, 1137; *Cave Canem*, 1138; Assembléia de Pórfiro, 1139; *Via Appia*, 1140; Cores, 1141; *Fontana di Trevi*, 1142; Geografia, 1142; Habitantes de Roma, 1144; Muros de Roma, 1145; Espólio, 1146; "*Writ in Water...*", 1147; *Ah! Santa Maria...*, 1148; Lustre, 1149; Caminhante, 1150; Nova Madona em Sorrento, 1151; Chuva no Palácio dos Doges, 1153; Roma, 1154; Os aquedutos, 1155; Mensagem, 1156; O Santo, 1157; Pedras de Florença, 1159; Prenúncio em Pompéia, 1160; Adolescente romano, 1161; Diana, 1162; Pintura de Veneza, 1163; Canção de Sorrento, 1163; Voto, 1164

Romance de Santa Cecília, 1167

Era de família patrícia, 1170

Oratório de Santa Maria Egipcíaca, 1177

I. Cenário de Alexandria, 1180; II. Cenário de Alexandria, 1189; III. Cenário de Jerusalém, 1192; IV. Cenário do deserto, 1196; V. Cenário do deserto, 1197; VI. Cenário do deserto, 1199; VII. Cenário do deserto, 1203

Metal Rosicler, 1205

1. *Não perguntavam por mim*, 1209; 2. *Uns passeiam descansados* 1210; 3. *O gosto da vida equórea* 1211; 4. *Não fiz o que mais queria.* 1212; 5. *Estudo a morte, agora* 1213; 6. *Parecia bela:* 1214; 7. *Ai, senhor, os cavalos são outros*, 1214; 8. *À beira d'água moro*, 1215; 9. *Falou-me o afinador de pianos, esse* 1216; 10. *Em colcha florida* 1216; 11. *Chuva fina*, 1217; 12. *Quem me quiser maltratar*, 1218; 13. *Levam-me estes sonhos por estranhas landas*, 1219; 14. *Oh, quanto me pesa* 1220; 15. *Pelos vales de teus olhos* 1221; 16. *Sono sobre a chuva* 1222; 17. *Espera-se o anestesiado* 1223; 18. *Pois o enfermo é triste e doce* 1224; 19. *Asas tênues do éter* 1225; 20. *Tristes* 1226; 21. *Vão-se acabar os cavalos!* 1228; 22. *Um pranto existe, delicado*, 1229; 23. *Chovem duas chuvas:* 1230; 24. *Uma pessoa adormece:* 1230; 25. *Com sua agulha sonora* 1231; 26. *Mais louvareis a rosa, se prestardes* 1232; 27. *Nas quatro esquinas estava a morte*, 1232; 28. *Sob os verdes trevos que a tarde* 1234; 29. *A bailarina era tão grande* 1235; 30. *No alto da montanha já quase chuvosa* 1237; 31. *Como os senhores já morreram* 1237; 32. *Parecia que ia morrendo* 1238; 33. *Na almofada de borlas*, 1239; 34. *Assim n'água entraste* 1241; 35. *Embora chames burguesa*, 1242; 36. *Não temos bens, não temos terra* 1242; 37. *Os anjos vêm abrir os portões da alta noite*, 1243; 38. *Não sobre peito ou companhia humana:* 1244; 39. *Mirávamos a jovem lagartixa transparente*, 1245; 40. *Eis o pastor pequenino*, 1246; 41. *Cada palavra uma folha* 1247; 42. *Apenas uma sandália* 1247; 43. *Ficava o cavalo branco* 1248; 44. *Houve um poema*, 1249; 45. *Se um pássaro cantar dentro da noite* 1250; 46. *Em seda tão delida*, 1250; 47. *Cai a voz do Arcanjo.* 1251; 48. *Cinza pisamos, cinza.* 1252; 49. *Esperávamos pelo menino* 1253; 50. *Ao longe, amantes infelizes*, 1254; 51. *Trazei-me pinhos e trigos* 1255; *Negra pedra, copiosa mina* 1257

Solombra, 1259

Vens sobre noites sempre. E onde vives? Que flama 1263; *Pelas ondas do mar, pelas ervas e as pedras,* 1263; *Há mil rostos na terra: e agora não consigo* 1264; *Quero uma solidão, quero um silêncio,* 1265; *Falar contigo. Andar lentamente falando* 1265; *Para pensar em ti todas as horas fogem:* 1266; *Caminho pelo acaso dos meus muros,* 1267; *Arco de pedra, torre em nuvens embutida,* 1267; *O gosto da Beleza em meu lábio descansa:* 1268; *Só tu sabes usar tão diáfano mistério:* 1269; *Falo de ti como se um morto apaixonado* 1269; *O que amamos está sempre longe de nós:* 1270; *Como trabalha o tempo elaborando o quartzo,* 1271; *Nuvens dos olhos meus, de altas chuvas paradas* 1271; *As palavras estão com seus pulsos imóveis,* 1272; *Ó luz da noite, descobrindo a cor submersa* 1273; *Eu sou essa pessoa a quem o vento chama,* 1273; *Isto que vou cantando é já levado* 1274; *Se agora me esquecer, nada que a vista alcança* 1275; *Quero roubar à morte esses rostos de nácar,* 1275; *Há um lábio sobre a noite: um lábio sem palavra.* 1276; *Sobre um passo de luz outro passo de sombra.* 1277; *Entre mil dores palpitava a flor antiga,* 1277; *Tomo nos olhos delicadamente* 1278 *Uma vida cantada me rodeia.* 1279; *Dizei-me vosso nome! Acendei vossa ausência!* 1279; *Esse rosto na sombra, esse olhar na memória,* 1280; *Esses adeuses que caíam pelos mares,* 1281

Sonhos, 1283

Reparei que a poeira se misturava às nuvens, 1285; Em algum lugar me encontro deitada, 1286; Apontamentos, 1287; Sonho de Maria Alice, 1288; Sonho com plantas e gestos amáveis, 1288; Venho do Sono, 1289; Sonhei um sonho, 1290; Sonhei com a bela moça que está longe, 1290; A moça pecadora apareceu-me de branco, 1291; Uma noite me balancei no céu, 1292; Outro dia sonhei que o coche fúnebre, 1293; Também já sonhei com uma ponte colorida, 1293; Sonho com carneirinhos e falas meigas, 1294; Abracemos a noite, 1295; Pelo luar azul, entre montes e águas, 1296; Saio do sonho, da noite, do absurdo, 1297; Uma flor voava, 1298; Estudo na loja do sonho, 1299; Cerejas na prata, 1300; Por fluidos países passeio, 1301; Com agulhas de prata, 1302; Dormirei para avistar-te, 1303; Onde estão as violetas?, 1304; Menina do sonho, 1305; Meus amigos de vento e nuvem, 1307; Meninas sonhadas, 1308; Aqui estou nos vales da terra, 1309; Por detrás do muro, 1310; Ó mármore de ar, 1311;

Discurso de sonho, 1313; Eu vi na verdade o céu romper-se, 1313; Em sonho anunciam a minha morte, 1314; Sais pelo sonho como de um casulo e voas, 1315; Sonho de sepulcro, 1316; Um navio dá voltas em canais sinuosos, 1317; Rua, 1318; Desenhos do sonho, 1319; Pela flor amarela viajaremos, 1320; Sonho sofrimento. Enlaçados, 1321; Trinta anos no vale de exílios da sombra, 1322; Cavalgávamos uns cavalos, 1323; Na Ponte dos Vestidos de Gaze, 1324

Poemas de Viagens, 1325

Old Square, 1327; *New Orleans*, 1329; Balada a Philip Muir, 1330; U.S.A. – 1940, 1331; Corrida mexicana, 1363; Casa de Gonzaga, 1364; Canção para Van Gogh, 1366; Desenhos da Holanda, 1367; Brisa da beira do Minho, 1371; Queluz, 1372; Poema entrelaçado, 1373; Alentejo, 1375; Três canções da Espanha, 1376; Imagem, 1378; Paris, 1379; Fênix marroquina, 1380; Tarde, inverno, lua, 1381; Havia, na Suíça, a linda menina, 1383; Os dois lados do realejo, 1384; Pesca do arenque, 1385; Desenho, 1386; Interlúdio terrestre, 1387; Catedral, 1389; Meninos líricos, 1390; Festa, 1391; Paisagem com figuras, 1393; Shakúntala, 1395; Infelizmente, falharam as fotografias, 1396; Castelo de Maurício, 1396; Estudo de figura, 1399; Cântico à Índia pacífica, 1399; Dois apontamentos para Fayek Niculá, 1401; Pastoral I, 1403; Pastoral II, 1405; Pastoral III, 1405; Pastoral IV, 1406; Pastoral V, 1407; Pastoral VI, 1408; Pastoral VII, 1409; Pastoral VIII, 1410; Canção fluvial, 1411; Festa dos tabuleiros em Tomar, 1412; Um soldado santo, 1413; Pedras de Jerusalém, 1415; Saudação a Eilath, 1416; Rua dos rostos perdidos, 1420; Os chineses deixaram na mesa, 1421; Rios, 1421; O aquário, 1422; Sobre as muralhas do mar, 1424; Bela cidade de prata, pálida, 1425; Dança cósmica, 1426; Tempo, 1428; Pequena suíte, 1428; Breve elegia ao Pandit Nehru, 1431

Estudante Empírico, 1433

Anatomia, 1435; Mapa de anatomia: o Olho, 1436; Todas as coisas têm nome, 1437; Não sei distinguir no céu as várias constelações, 1438; Tradução, 1439; O sol está numa tal posição, 1440; A noite, 1441; Hoje desaprendo o que tinha aprendido até ontem, 1442; Mimetismo, 1443; Com as minhas lições bem aprendidas, 1444; No fruto quase amadurecido, 1446; Por enquanto, devoro apenas, 1446; Traspassamos o cristal, 1448; Vista aérea, 1449; Cátedras, 1450;

Hora do chá, 1451; O estudante empírico, 1452; Ginástica, 1453; O quadro-negro, 1454; Desenho, 1455; Espaço, 1456 Levantam-se do mar os planetas, 1457; Que densidades, que obediência, 1457; Para que a escrita seja legível, 1458; Sob as árvores da infância, altíssimas, passearemos, 1459; O globo, 1460

Ou Isto ou Aquilo, 1461

PRIMEIRA PARTE: Colar de Carolina, 1466; Pescaria, 1466; Moda da menina trombuda, 1467; O cavalinho branco, 1468; Jogo de bola, 1469; Tanta tinta, 1470; Bolhas, 1470; Leilão de jardim, 1471; Rio na sombra, 1473; Os carneirinhos, 1473; A bailarina, 1474; O mosquito escreve, 1475; A lua é do Raul, 1476; Sonhos da menina, 1477; Rômulo rema, 1478; O menino azul, 1479; As meninas, 1480; O último andar, 1481; As duas velhinhas, 1482; Ou isto ou aquilo, 1483; SEGUNDA PARTE: A flor amarela, 1486; O vestido de Laura, 1486; Uma palmada bem dada, 1487; A chácara do Chico Bolacha, 1489; A avó do menino, 1490; Canção da flor da pimenta, 1491; Para ir à Lua, 1492; Lua depois da chuva, 1492; Figurinhas, 1493; Passarinho no sapé, 1495; A pombinha da mata, 1496; O sonho e a fronha, 1497; A língua do nhem, 1498; O menino dos ff e rr, 1499; Canção de Dulce, 1500; Na sacada da casa, 1500; Cantiga para adormecer Lúlu, 1501; A folha na festa, 1503; Cantiga da babá, 1504; Enchente, 1505; O chão e o pão, 1506; Jardim da igreja, 1506; Canção, 1507; Roda na rua, 1508; Procissão de pelúcia, 1508; Pregão do vendedor de lima, 1510; O tempo do temporal, 1510; Sonho de Olga, 1511; O violão e o vilão, 1512; A égua e a água, 1513; Rola a chuva, 1514; O lagarto medroso, 1515; Uma flor quebrada, 1516; Os pescadores e as suas filhas, 1517; O eco, 1518; O Santo no monte, 1518

Crônica Trovada, 1521

O lugar, 1524; Araribóia visita o governador Salema, 1525; Canção da indiazinha, 1526; Canção do Canindé, 1527; Canto do Acauã, 1528; Convívio, 1529; Cronista enamorado do sagüim, 1531; Estácio de Saa, 1532; Estácio de Saa flechado em Uruçumirim, 1534; Delírio e morte de Estácio de Saa, 1535; Gesta de Men de Saa, 1536; Glorificação de Estácio de Saa, 1542; História de Anchieta, 1543; Oropacan, 1545;

Poema dos inocentes tamoios, 1547; Retiro Espiritual de Men de Saa, 1550; Meditação sobre o Inferno, 1553; Retrato de Cunhambebe, 1556; S. Sebastião entre as canoas, 1558

Parte II

Dispersos, 1561

Aranhol, 1565; Casulo, 1565; O canto da jandaia, 1569; Sombra, 1570; Poemas, 1571; Carnaval, 1573; Poema, 1574; Saudação à menina de Portugal, 1575 ; Pensamento, 1578; Tão dolorida, tão dolorida..., 1578; Galiza, quem te alcançara, 1579; Adozinda, 1581; Apolo! Júpiter! Vênus!, 1585; Pequeno poema fúnebre, 1586; Os três bois, 1587; Serenata para Verlaine, 1588; Poema do nome perdido, 1589; Ascensão, 1590; Calmamente recolheremos estas palavras, 1592; Alguém se torna presente, 1593; De repente, a amargura sobe, 1594; Meu parente disse consigo, 1595; O peixe, 1597; Súbita vigília, 1600; Vão saindo da tua cabeça as campinas sangrentas, 1601; Prelúdio da monção, 1602; A moura e o vento, 1605; Ninguém me venha dar vida, 1606; Canção, 1607; Elegia sobre a morte de Gandhi, 1608; Cidade colonial, 1611; Pequeno poema de Ouro Preto, 1613; 1º improviso, 1613; 2º improviso, 1614; Monólogo de Olímpia, 1616; Poema na água, 1619; Antieclesiaste, 1621; Écloga, 1621; Briônia, 1622; Homeopatia, 1623; Acônito 30, 1624; Etusa, 1625; Um pássaro pia sob a chuva noturna, 1626; Poemas do meninozinho, 1626; Sereia em terra, 1628; Improviso, 1629; Não se chora apenas..., 1630; Eternidade inútil, 1631; Discurso, 1632; Canção, 1633; Réquiem, 1634; Canção de outono, 1635; Pergunto-te onde se acha a minha vida, 1636; Luar póstumo, 1636; Fábula, 1637; O morto, 1638; Música, 1639; Epigramas, 1640; Supérfluo, 1641; Desenho quase oriental, 1642; Chega o verão, 1643; Retrato de mulher triste, 1644; Sala de espera, 1644; Soneto antigo, 1645; Dois poemas mais ou menos obsoletos, que deviam ter sido bordados numa tapeçaria que não existiu, 1646; Música matinal, 1648; Papéis, 1649; Das minhas mãos, que são tão firmes, 1652; Vitrola, 1653; Sem corpo nenhum, 1653; Fala-me agora, que estou cansado, 1654; Profundidade da insônia, 1655; Epitáfio, 1657; A festa foi no alto do mundo, 1657; Papéis, 1662; Aqui chegaram, Senhor, as cegas, 1663; O rio farfalha as vestes escuras, 1664; Duração, 1664; Fragmento, 1665; Concerto, 1665; Longe, 1667; Os soterrados, 1672; Este odor da tarde, quando começa o cansaço dos homens, 1673; Exausta, Espírito, exausta,

1674; Não: já não falo de ti, já não sei de saudades, 1675; Para Lúcia Machado de Almeida, 1676; Dias da rosa, 1677; Prelúdio, 1678; Para os livros, cujo perfume, 1679; Tomar a substância do dia, 1681; Cantigas, 1681; Máquina de lavar roupa, 1682; Consultório, 1684; O prisioneiro, 1685; Bebiam os homens, 1686; Papéis, 1688; Quero ir-me embora daqui!, 1689; Romance de uma Dona muito velha, 1690; Entre a bruma opaca, 1692; Canção, 1693; Que jamais seja um sofrimento, 1694; Desenhos, 1694; Abajur de Lina, 1696; Recado aos amigos distantes, 1697; Munumail, 1698; À memória de José Bruges, 1705; Romance açoriano, 1706; Recitativo próximo a um poeta morto, 1707; À margem do prato com o peixe pintado, 1713; Rosa escrita, 1714; "São Jerônimo, Santa Bárbara Virgem...", 1716; Campo na Índia, 1717; Tenho nos lábios o dia, 1718; O carrasco, 1719; Chuva, 1720; Paisagem e silêncio, 1720; As pérolas, 1722; Conheço a residência da dor, 1722; Disposições finais, 1723; Visitação, 1724; Espelho cego, 1725; Esta que em silêncio, 1726; Ah, se recuperássemos tudo o que amamos e perdemos!, 1727; Vento sul, 1728; Lei, 1729; Humildade, 1730; Improviso à janela, 1731; Novo improviso à janela, 1732; A lágrima que se acumula..., 1732; A ninguém preciso dizer adeus, 1733; Até quando terás, minha alma, esta doçura, 1733; Sobrevivência, 1734; Neste longo exercício de alma..., 1734; Passado, 1735; Canção, 1736; Felizes os que podem mover facilmente os olhos, sem os ver transbordar, 1737; Papéis, 1738; Desenho sem título, 1741; Mensagem a um desconhecido, 1742; Com pena penso em ti, que não me atendes, 1742; Diálogos do jardim, 1743; Tempestade, 1745; Manuel em pelote domingueiro, 1746; Inscrição, 1748; Banho imaginário, 1749; Inscrição, 1750; Inscrição natalícia, 1752; Elegia dos boêmios, 1753; Arqueologia, 1757; Prisão, 1759; Esta vaga infelicidade, 1760; Cantar ao cantor, 1762; O jardim sobre a mata, 1763; Pregão do infortúnio, 1764; O chapéu impossível, 1765; Não há mais daqueles dias extensos, 1766; Contaria uma história simples, 1767; Tarde de chuva, 1768; Oh! como está triste aquele, 1770; Dona Lília, 1770; Sobre a floresta verde, 1772; A lua, 1772; Fábula, 1773; A palmeira, 1773; Zodíaco, 1774; Mapa falso, 1775; Hoje, é a voz do pássaro a minha companhia, 1776; O mundo dos homens envolve-me, 1777; Eis o menino de sal, 1777; Como se morre de velhice, 1779; Discurso aos infiéis, 1780; Fotografia do poeta morto, 1781; Manhã de chuva na infância, 1782; Tarde de chuva na infância, 1783; Santo Humberto, 1784; Biografia, 1785; Como alguém que acordou muito tarde, 1786; A morta, 1786; A velhice pede desculpas, 1788; Da solidão, 1789; Pelo horizonte de areias, 1791; Astrologia, 1791; A mocidade gasta em lágrimas inúteis, 1792; Dei de comer aos pássaros, 1793; Tudo isso agora é como um som de outro idioma, 1794; Navio no ar, 1794; Arlequim, 1796; Exercício com rosa, amor, música e morte, 1797; Sombra da fama, 1798; A sombra, 1799; Elegia, 1800; Juramento, 1801; Agora, 1802; A diferença é que não temos os endereços, 1803; Elegia, 1804; Esgueiro-me por entre a pedra e a nuvem, 1806; Canção, 1807; Canção das vítimas, 1808; Além das paredes, dos móveis, 1809; Flor jogada ao rio, 1810; Campeonato, 1810; Rua dos rostos perdidos, 1811; Passagem do misterioso, 1812; Cavalo à música, 1813; Disse-me o cego na estrada, 1814; Morte da formiga, 1815; Captura do dançarino, 1816; O adolescente só por belo, 1817; Arena, 1817; Mensagens, 1819; Como alguém que encontrou um povo em ruínas, 1819; O mártir, 1820; Aurora, 1822; Balada do pobre morto, 1823; Jardim do precioso, 1824; Canção, 1825; Adeus — não para alguma separação, 1826; Canto, 1826; Por muitas esquinas, 1828; Nesse lugar certamente nos encontraremos, Poeta, 1829; Máquina breve, 1830; Hoje, a alegria são estes jasmineiros, 1831; "Todas as aves do mundo de amor cantavam...", 1832; O pássaro mágico, 1833; Menestréis tão conhecidos, 1834; Pedido da rosa sábia, 1835; Procurarei meu rosto na água, nos vidros, nos olhos alheios, 1836; Canção, 1837; Quem leva a donzela, 1837; Essas doces mortes visitam-nos quando?, 1839; Rosa, 1840; Não vamos começar a cantar, 1840; Coroa altiva, 1841; Serva sou: mas que serviço, 1842; Tristeza gloriosa, 1842; Confessor medieval, 1843; Negra terra consolante, 1844; Para onde é que vão os versos, 1845; Ida e volta, 1846; Hieróglifo, 1846; Vigília das mães, 1847; Falai de Deus com a clareza, 1848; Canção, 1849; Tudo isto é um tempo de rápidas inconstâncias, 1850; Borboleta violenta, 1851; Copo da puma de prata, 1852; Família, 1853; A desconhecida, 1854; O mártir agonizante chora, 1855; Os elefantes negros, 1856; Manhã clara, 1857; Habitamos este arquipélago, 1858; As borboletas brancas, 1859; Gato na garagem, 1860; Motorista sonhador, 1861; Miniatura do duque de Breslau, 1864; Esboço de cantiga, 1865; Alba foliácea, 1866; Vamos, vamos ser trovadores agora, 1867; O que um dia foi imagem, 1868; Chovia muito esta noite, 1869; Agora, 1871; Eis a casa, 1872; O bisavô contava libras, 1874; "Cata, cata, que é viagem da Índia...", 1876; Adivinhação do personagem, 1880; Personagem, 1882; Esta impaciência que me divide, 1884; Meus amores muitos, 1885; Morte no aquário, 1886; Somos três, 1887; Do mar onde as colunas rolam, 1889; A tarde toda de chuvas suspensas, 1890; O verso melancólico, 1892; Uma pequena aldeia, 1893; Fecharam-se as casas, 1894; Vai chover, 1896; Terrina, 1897; A enxurrada, 1898; Meus dias foram aquelas romãs brunidas, 1900; Há delicadas músicas de harpa e de cravo, 1900; Agora tenho um braço de gesso, 1901; Se os anjos falarem, 1903; Vivian Leigh no Rio em tarde de maio, 1903; Quarto de hospital, 1905; E assim passamos a tarde, 1906; Estou na idade em que se morre, 1906; Canção de Taxfin, 1907; Navegação, 1908; Tapeçaria de Dame Gisèle, 1909; Meu pasto é depois do dia, dos horizontes, 1910; Lição de história, 1912; Mulher de leque, 1915; Do mar ao céu para onde sobem, 1915; A sombra da abelha, 1916; Aquele cordeirinho que eu vi nascer, 1917; Ó meu Deus, 1918; Os homens rústicos rezavam, 1918; Chovia e eu estava como numa floresta de harpas, 1919; Os vivos afastam os vivos, 1919; Glórias do vento, 1920; E agora que farei do velho céu azul e das longas montanhas, 1921; Sepulcro, 1922; Já não sou eu, mas a flor, 1923; A cama era uma barca, 1923; As escadas medievais, sem balaústre e sem patamares, 1925; É preciso não esquecer nada, 1926; Ainda havia soluços, 1926; Tentativa, 1927; Écloga, 1928; Deito-me à sombra dos meus cabelos, 1929; Desenhos, 1931; Vinde, ó anjos, com as vossas espadas, 1932; Os mortos sobem as escadas, 1932; Morro do que há no mundo, 1933; Plantaremos estes arbustos, 1934; Aquele que aproxima os que sempre estarão, 1934; Epitáfio, 1935; Dizei-me com poucas palavras, 1936; Urnas e brisas, 1936; Ai, que se nos foi a vida em cavalgar..., 1937; Por essas ruas que não têm chão, 1937; Horário de trabalho, 1938; Viagem nas cores, 1939; Rua da Estrela, 1940; Cantar de vero amor, 1942; Cantata da cidade do Rio de Janeiro: I / A fundação, 1944; II / O século XVII, 1946; III / O século XVIII, 1946; IV / O século XIX, 1947; V / O século XX; Todos acordamos tristes e impacientes, 1950; Parusia, 1950; Vôo, 1951; Rimancim para Lélia Frota, 1952; O pássaro obediente, 1954; Linha reta, 1954; Casa antiga, 1955; Tempo de Gisèle, 1956; Três orquídeas, 1957

Índice de titulos e primeiros versos, 1959

CECILIA MEIRELES

POEMAS
ESCRITOS
NA ÍNDIA

LIVRARIA SÃO JOSÉ

Poemas escritos na Índia. Rio de Janeiro: Livraria São José, [1961]. 167 p.

Na página anterior:
capa da primeira edição de *Poemas escritos na Índia*.

Poemas Escritos na Índia
(1953)

Lei do passante

Passante quase enamorado,
nem livre nem prisioneiro,
constantemente arrebatado,
— fiel? saudoso? amante? alheio? —
a escutar o chamado,
o apelo do mundo inteiro,
nos contrastes de cada lado...

Chega?

Passante quase enamorado,
já divinamente afeito
a amar sem ter de ser amado,
porque o tempo é traiçoeiro
e tudo lhe é tirado
repentinamente do leito,
malgrado seu querer, malgrado...

Passa?

Passante quase enamorado,
pelos campos do inverdadeiro,
onde o futuro é já passado...
— Lúcido, calmo, satisfeito,
— fiel? saudoso? amante? alheio? —
só de horizontes convidado...

Volta?

Rosa do deserto

Eu vi a rosa do deserto
ainda de estrelas orvalhada:
era a alvorada.

Por mais que parecesse perto,
não vinha daqueles lugares
de céus e mares.

Os aéreos muros do dia
punham diamantes na paisagem:
clara miragem.

E a voz dos Profetas batia
contra imensas portas de vento
seu chamamento.

Reis-touros e deusas-hienas
brandiam seus perfis de outrora
à ardente aurora.

Trágicas e divinas cenas
ali jaziam soterradas,
sem madrugadas.

Eu vi a rosa do deserto:
a exata rosa, a ígnea medida
da humana vida.

Eu vi o mundo recoberto
pela manhã de claridade
da incandescente eternidade.

Som da Índia

Talvez seja o encantador de serpentes!

Mas nossos olhos não chegam a esses lugares
de onde vem sua música.

(São uns lugares de luar, de rio, de pedra noturna,
onde o sonho do mundo apaziguado repousa.)

Mas talvez seja ele.

As serpentes, em redor, suspenderão sua vida,
arrebatadas.

(Oh! elevai-nos do chão por onde rastejamos!)

E muito longe o nosso pensamento em serpentes se eleva
na aérea música azul que a flauta ondula.

Por um momento, o universo, a vida
podem ser apenas este pequeno som
enigmático

entre a noite imóvel
e o nosso ouvido.

Multidão

Mais que as ondas do largo oceano
e que as nuvens nos altos ventos,
corre a multidão.

Mais que o fogo em floresta seca,
luminosos, flutuantes, desfrisados vestidos
resvalam sucessivos,
entre as pregas, os laços, as pontas soltas
dos embaralhados turbantes.

Aonde vão esses passos pressurosos, Bhai?
A que encontro? a que chamado?
em que lugar? por que motivo?

Bhai, nós, que parecemos parados,
por acaso estaremos também,
sem o sentirmos,
correndo, correndo assim, Bhai, para tão longe,
sem querermos, sem sabermos para onde,
como água, nuvem, fogo?

Bhai, quem nos espera, quem nos receberá,
quem tem pena de nós,

cegos, absurdos, erráticos,
a desabarmos pelas muralhas do tempo?

Pobreza

Não descera de coluna ou pórtico,
apesar de tão velho;
nem era de pedra,
assim áspero de rugas;
nem de ferro,
embora tão negro.

Não era uma escultura,
ainda que tão nítido,
seco,
modelado em fundas pregas de pó.

Não era inventado, sonhado,
mas vivo, existente,
imóvel testemunha.

Sua voz quase imperceptível
parecia cantar — parecia rezar
e apenas suplicava.
E tinha o mundo em seus olhos de opala.

Ninguém lhe dava nada.
Não o viam? Não podiam?
Passavam. Passávamos.

Ele estava de mãos postas
e, ao pedir, abençoava.

Era um homem tão antigo
que parecia imortal.
Tão pobre
que parecia divino.

Canção do menino que dorme

Quente é a noite,
o vento não vem.
E o menino dorme tão bem!

Menino de rosto de tâmara,
tênue como a palha do arroz,
os bosques da noite vão tirando sonhos
de dentro de cada flor.

Águas tranqüilas, com búfalos mansos,
elefantes de arco-íris na tromba.
Pássaros que cantam nas varandas verdes
das mangueiras redondas.

Ah, os macaquinhos do tempo de Rama
constroem rendadas pontes de bambu,
menino de luz e colírio,
são de ouro e de açúcar os pavões azuis!

Poemas Escritos na Índia

Passam como deusas noivas escondidas
em cortinas de seda encarnada:
em volta são grades e grades de música,
de dança, de flores, de véus de ouro e prata.

Quente é a noite,
o vento não vem.
E o menino dorme tão bem!

Oh, a monção que levanta as nuvens,
que faz explodir os trovões,
não leva os meninos de retrós e sândalo,
tênues como a palha do arroz!

Participação

De longe, podia-se avistar o zimbório e os minaretes
e mesmo ouvir a voz da oração.

De perto, recebia-se nos braços
aquela arquitetura de arcos e escadas,
mármores reluzentes e tetos cobertos de ouro.

De mais perto, encontrava-se cada pássaro
embrechado nas paredes,
cada ramo e cada flor,
e a fina renda de pedra que bordava a tarde azul.

Mas só de muito perto se podia sentir a sombra das mãos
que outrora houveram afeiçoado
coloridos minerais
para aqueles desenhos perfeitos.
E o perfil inclinado do artesão,
ido no tempo anônimo,
um dia ali de face enamorada em seu trabalho,
servo indefeso.

E só de infinitamente perto se podia ouvir
a velha voz do amor naquelas salas.
(Ó jorros de água, finíssimas harpas!)
E os nomes de Deus, inúmeros,
em lábios, paredes, almas...

(Ó longas lágrimas, finíssimos arroios!)

Pobreza, riqueza,
trabalho, morte, amor,
tudo é feito de lágrimas.

Os cavalinhos de Delhi

Entre palácios cor-de-rosa,
ao longo dos verdes jardins,
correm os cavalinhos bizarros,
os leves, ataviados cavalinhos de Delhi.

Plumas, flores, colares, xales,
tudo que enfeita a vida está aqui:
penachos de cores brilhantes,
ramais de pedras azuis,
bordados, correntes, pingentes...

Chispam os olhos dos cavalinhos
entre borlas e franjas:
entre laços e flores cintilam os dentes claros
dos leves, ágeis cavalinhos de Delhi.

Os cavalinhos de Delhi são como belas princesas morenas
de flor no cabelo,
aprisionadas em sedas e jóias
ou como dançarinos abrindo e fechando véus dourados
e sacudindo suas pulseiras de bogari.

Mas de repente disparam com seus carrinhos encarnados
e parecem cometas loucos, dando voltas pelas ruas,
os caprichosos cavalinhos de Delhi.

Tarde amarela e azul

Viajo entre poços cavados na terra seca.
Na amarela terra seca.
Poços e poços de um lado e de outro.

Sáris amarelos e azuis,
homens envoltos em velhos panos amarelados,
crianças morenas e dóceis;

tudo se mistura aos veneráveis bois
que sobem e descem em redor dos poços.

Dourados campos solitários,
longas e longas extensões cor de mostarda.
São flores?
Lua do crepúsculo abrindo no céu jardins aéreos,
nuvens de opalas delicadas.

Poços e poços. E mulheres carregando ramos ainda com folhas,
árvores caminhantes ao longo da tarde silenciosa.

Passeiam os pavões, reluzentes e felizes.
Caminham os búfalos mansos, de chifres encaracolados.
Caminham os búfalos ao lado dos homens: uma só família.

E os ruivos camelos aparecem como colinas levantando-se,
e passam pela última claridade do crepúsculo.

Todas as coisas do mundo:
homens, flores, animais, água, céu...

Quem está cantando muito longe uma pequena cantiga?

De uma exígua moita,
sai de repente um bando de pássaros:
como um fogo de artifício todo de estrelas azuis.

(E o deserto está próximo.)

Cidade seca

A estrada — pó de açafrão que o vento desmancha.
E quem passa?

O esqueleto visível do poço com suas escadas antigas.
E quem chega?

Pelos palácios vazios, paredes de nácar, de espelhos baços.
E quem entra?

Chuva nenhuma, jamais. Os rios de outrora — vales de poeira.
E quem olha?

Ainda rósea, e crespa de inscrições, de arcos, pórticos, varandas,
a cidade admirável é um cravo seco na mão do sol reclinado.
Do sol que ainda a beija, antes de morrer, também.

Humildade

Varre o chão de cócoras.
Humilde.
Vergada.
Adolescente anciã.

Na palha, no pó
seu velho sári inscreve
mensagens de sol
com o tênue galão dourado.

Prata nas narinas,
nas orelhas,
nos dedos,
nos pulsos.

Pulseiras nos pés.

Uma pobreza resplandecente.

Toda negra:
frágil escultura de carvão.

Toda negra:
e cheia de centelhas.

Varre seu próprio rastro.

Apanha as folhas do jardim
aos punhados,
primeiro;
uma
por
uma
por fim.

Depois desaparece,
tímida,
como um pássaro numa árvore.

Recolhe à sombra
suas luzes:
ouro,
prata,
azul.
E seu negrume.

O dia entrando em noite.
A vida sendo morte.
O som virando silêncio.

Mahatma Gandhi

986

Nas grandes paredes solenes, olhando,
o Mahatma.

Longe no bosque, adorado entre incensos,
o Mahatma.

Nas escolas, entre os meninos que brincam,
o Mahatma.

Em frente do céu, coberto de flores,
o Mahatma.

Na vaca, na praia, no sal, na oração,
o Mahatma.

De alto a baixo, de mar a mar, em mil idiomas,
o Mahatma.

Construtor da esperança, mestre da liberdade,
o Mahatma.

Noite e dia, nos poços, nos campos, no sol e na lua,
o Mahatma.

No trabalho, no sonho, falando lúcido,
o Mahatma.

De dentro da morte falando vivo,
o Mahatma.

Na bandeira aberta a um vento de música,
o Mahatma.

Cidades e aldeias escutam atentas:
é o Mahatma.

Manhã de Bangalore

Auriceleste manhã com as estrelas diluídas
numa luz nova.

Um suspirar de galos através dos campos,
lá onde invisíveis cabanas acordam,

cinzentas e obscuras,
porém cheias de deuses sob os tetos de palha.

Auriceleste manhã com a brisa da montanha,
a rósea brisa,
desenhando seus giros de libélula
no horizonte de gaze.

Deslizam bois brancos e enormes
de chifres dourados
— oscilantes cítaras
com borlas vermelhas nas pontas.

As primeiras mulheres assomam à janela do dia,
já cheias de pulseiras e campainhas,
entreabrindo seus véus como cortinas da aurora.

E o caminho vai sendo pontuado
de estrelas douradas,
aqui, ali, além,
no bojo dos vasos de cobre,
os vasos de cobre polido que elas carregam
como coroas.

Ai, frescura de rios matinais,
de panos brancos que ondulam ao sol!

Alegrias de água, sussurros de árvores.
O perfil do primeiro pássaro.

E a bela moça morena, com uma rosa na mão
e os dentes cintilantes.

Banho dos búfalos

Na água viscosa, cheia de folhas,
com franjas róseas da madrugada,
entram meninos levando búfalos.

Búfalos negros, curvos e mansos,
— oh, movimentos seculares! —
odres de leite, sonho e silêncio.

Cheia de folhas, a água viscosa
brilha em seus flancos e no torcido
esculturado lírio dos chifres.

Sobem e descem pela água densa,
finos e esbeltos, por entre as flores,
estes meninos quase inumanos,

com o ar de jovens guias de cegos,
— oh, leves formas seculares —
tão desprendidos de peso e tempo!

O dia límpido, azul e verde
vai levantando seus muros claros
enquanto brincam na água viscosa

estes meninos, por entre as flores,
longe de tudo quanto há no mundo,
estes meninos como sem nome,

nesta divina pobreza antiga,
banhando os dóceis, imensos búfalos
— oh, madrugadas seculares!

Bazar

Panos flutuantes de todas as cores
às portas do vento, no umbral da tarde.

E olhos negros.

Jardins bordados: roupas, sandálias
como escrínios de seda para alfanjes.

E negros olhos.

Molhos de penas de pavão. Colares de nardo
a morrerem do próprio perfume
entre tufos de fios de ouro.

E os delicadíssimos dedos.

Pratos de doces verdes e cor-de-rosa:
pistache, coco, amêndoa, *gulab*.

Lábios de veludo.

Caixas, bandejas, aguamanil, sineta,
e o mundo do *bídri*: noite de chumbo e lua.

E olhos negros. E negros olhos.

Pingentes, borlas, ébano e laca,
feltros vermelhos, pulseiras de mica,
filigranas de marfim e ar.

E os dedos delicadíssimos.

Cestos cheios de grãos. Frigideiras enormes.
Grandes colheres. Muita fumaça. Muitos pastéis.

Lábios de veludo.

Corolas de turbantes. Brinquedos. Tapetes.
O homem que cose à máquina, o que lê as Escrituras.

Olhos negros.

Portais encarnados, cor de mostarda, verdes.
Velhos ourives. Ai, Golconda!
E uma voz bordando músicas trêmulas.

Negros olhos.

Bigodes. Balanças. Barros, alumínios.
Muitas bicicletas: porém o passo rítmico das mulheres majestosas.

Aromas de fruta, incenso, flor, óleo fervente.

Sedas voando pelo céu.

E os nossos olhos. Os nossos ouvidos. Nossas mãos.
(Objetos banais.)

Adolescente

As solas dos teus pés.
As solas dos teus pés pintadas de vermelho.

De teus pés correndo no verde chão do parque.

As solas dos teus pés brilhando e desaparecendo
sob a orla dourada da seda azul.

(A moça brincava sozinha,
bailava assim, por entre as árvores...)

As campainhas dos tornozelos, pingos d'água
sobre as flores dos teus pés pintados de vermelho.

As solas dos teus pés, pintadas de vermelho,
duas pétalas no tempo.
Duas pétalas rolando para o fim do mundo, ah!

Abaixavam-se, levantavam-se
as solas dos teus pés, pintadas de vermelho.

E no parque os pavões, também vestidos de sol e céu,
clamavam para os horizontes seus anúncios,
transcendentes e tristes.

As solas dos teus pés correndo para longe,
duas pequenas labaredas.

(A moça brincava sozinha,
ia e vinha assim, com o ar, com a luz...)

Os teus pequenos pés.
O parque.
O mundo.
A solidão.

Poeira

Por mais que sacuda os cabelos,
por mais que sacuda os vestidos,
a poeira dos caminhos jaz em mim.

A poeira dos mendigos, em cinza e trapos,
dos jardins mortos de sede,
dos bazares tristes, com a seda a murchar ao sol,
a poeira dos mármores foscos,
dos zimbórios tombados,

dos muros despidos de ornatos,
saqueados num tempo vil.

A poeira dos mansos búfalos em redor das cabanas,
das rodas dos carros, em ruas tumultuosas,
do fundo dos rios extintos,
de dentro dos poços vazios,
das salas desabitadas, de espelhos baços,

a poeira das janelas despedaçadas,
das varandas em ruína,
dos quintais onde os meninozinhos
brincam nus entre redondas mangueiras.

A poeira das asas dos corvos
nutridos da poeira dos mortos,
entre a poeira do céu e da terra.

Corvos nutridos da poeira do mundo.

Da poeira da poeira.

Lembrança de Patna

Tudo era humilde em Patna:
torneiras secas,
cortinados tristes,
salas sonolentas.

Mas as flores de ervilha cheiravam com a violência
de um pássaro que dá todo o seu canto.

As ruas, modestas.
O campo, submisso:
as batatas pareciam apenas torrões mais duros.

As casas, simples,
as pessoas, tímidas.
Tudo era só bondade e pobreza.

Mas as flores de ervilha cheiravam com a violência
de uma cascata despenhada.

As flores de ervilha enchiam com o seu perfume toda a cidade,
penetravam no museu, animavam os velhos retratos,
dançavam pelas ruas, frescas e policromas,
alegravam o céu e a terra,
coroavam a tarde com seus ramos apaixonados.

As flores de ervilha mandavam mensagens
até o fundo do rio
para as afogadas, saudosas grandezas remotas de Patna.

Passeio

 Agora a tarde está cercada de leões de fogo,
  ao longo das tamareiras,

mas quando o calor desmaiar em cinza,
iremos ouvir o tênue rumor fresco da água,
— de onde vem? de onde vem? —
iremos passear em redor do túmulo,

ó suave amiga, ó nuvem de musselina branca!

Iremos ouvir sobre o silêncio do tempo
o suspiro da água,
— de onde vem? de onde vem? —
enquanto os pobres adormecem,
escondidos nas suas barbas,
reclinados nas plantas.

No meio da noite morna,
os pobres dormem pelo jardim:
cama de flores,
cortinas de aragem,
o silêncio tecendo sonhos.

Ouviremos a frescura da água,
ó suave amiga, ó nuvem de musselina branca!
— de onde vem? de onde vem? —

Pisaremos com extrema delicadeza,
sem o menor sussurro,

porque os pobres estão sonhando.

Bem de madrugada

Bem de madrugada,
vamos ver os homens lavrarem os campos.

Antes que o sol derrame
torrentes de fogo, vamos ver os homens,
bem de madrugada,
em seu trabalho eterno.

Muito de madrugada,
vamos ver os bois, reis da terra de outrora.

Vamos ver o mistério
dos cestos, das rodas, da terra entreaberta,
muito de madrugada,
e os ritos seculares.

Bem de madrugada.
Deuses? Sacerdotes? Mágicos? Patriarcas?

Dormimos e sonhamos?
Os homens esposam terra, semente, água,
bem de madrugada,
com reverentes gestos.

Muito de madrugada.
Quando a sombra dos bois é impalpável charrua.

Poemas Escritos na Índia

E há um silêncio redondo:
úmida suspira a terra perfumada
entre horizontes de ouro.

Bem de madrugada.

Menino

Trouxe um menino.
Apanhei-o no bazar de ouro e prata,
onde as jóias são como as folhas de mangueiras:
milhares, milhares.

Tudo ensurdecia: pulseiras, campainhas,
brincos de pingentes,
argolas para os tornozelos, correntes com guizos,
enfeites para tranças, corações com pedra sangrenta,
diamantes para a narina.

Mas eu só trouxe a criança.

Apanhei-a entre os carrinhos de comida,
grãos dourados, gomos de cana,
bolinhos fumegantes,
frutos de toda casta,
biscoitos de pistache e rosa,
açúcar em nuvens de algodão.

Trouxe o menino.
Apanhei-o entre mulheres morenas, lânguidas,
sonâmbulas.
Entre velhos de barbas imensas, que recitam versículos.
Entre mercadores distraídos, de cócoras,
que fazem subir e descer douradas balanças.

Montes verdes, azuis, vermelhos: condimentos, colírio,
e óleo de *gulab*, rosa, rosa
para as tranças de seda negra.

Trouxe o meninozinho:
tem um sinal de carvão na testa
e furos nas orelhas
para muitos talismãs:
não ouvirá canto de sereia, nem sedução de demônio:
calúnia, mentira, lisonja,
ofensa ou engano das palavras humanas.

Trouxe o meninozinho — mas só na memória.
Menino que vai ser surdo, tão surdo
que jamais saberá deste meu doce amor.

As palavras rolarão sobre a sua alma
como pérola em veludo: sem qualquer som.

Trouxe o meninozinho nas minhas pálpebras:
um menino oriental, ainda de colo,
com os olhos negros circundados de colírio,

um menino que adormece com tinidos de pingentes de prata,
balanços de camelo.
Muito pobre, muito sujinho, de muito longe,
ainda do mundo dos anjos do Oriente:
enrolado em si mesmo,
pensativa crisálida
na confusão do bazar.

Santidade

O Santo passou por aqui.
Tudo ficou bom para sempre,
tal foi sua santidade.

Tudo sem temor.

Até os pássaros, sensíveis e inquietos,
aqui são calmos, comem à nossa mesa,
pousam nos nossos ombros,
e em sua memória não há noção do mal.

Os pássaros não se assustam, não temem,
porque entre os muros dos séculos
andam os passos e as palavras do Santo:
alma e ar do mundo,
som no instinto dos pássaros.

Os pássaros tentam mesmo pousar
nos ventiladores em movimento.

E caem despedaçados de confiança,
aos nossos pés,
os serenos pássaros ainda mornos.

O Santo passou por aqui.
Sua sombra perdura além de qualquer morte.

Oh, entre os muros dos séculos
o ouvido do Santo percebe
a queda humilde
de qualquer vida.

O Santo continua a passar e a ficar para sempre:
podemos tomar nas mãos, pesar, medir,
a notícia da sua santidade,

num pequeno pássaro morto.

Canavial

Cinza.
Branco.
São as moles espadas de zinco
do canavial.

Pardo.
Cinza.
São as rodas dos carros cansados
do canavial.

Poemas Escritos na Índia

Preto.
Pardo.
São as perninhas finas de crianças
no canavial.

Cinza.
Branco.
São as canas, as canas cortadas
no canavial.

Pardo.
Preto.
É o caminho que vamos pisando
no canavial.

Preto.
Cinza.
É a poeira do vento fugindo
do canavial.

Pardo.
Pardo.
São os moldes de açúcar já pronto
no canavial.

Branco.
Branco.
É a risada festiva das crianças
no canavial.

Os jumentinhos

Então, à tarde, vêm os jumentinhos
de movimentos um pouco alquebrados,
cinzentos, brancos — e carregados
com as grandes trouxas dos lavadeiros.

Jumentinhos menores que as trouxas
e que os meninos que os vão tangendo:
o pêlo áspero, o olho redondo,
jumentinhos-anões, incansáveis,
no ofício que cumprem, dóceis, compreensivos,
por entre pedras, cabanas, ladeiras,
sem o suspiro e a queixa dos homens.

Ó terra pobre, humilde, pensativa,
com os aéreos, versáteis, celestes canteiros
vespertinos de flores de luz e de vento!

As mães contam histórias à sombra dos templos
para meninos tênues, fluidos como nuvens.
E no último reflexo dourado dos jarros
os rostos diurnos vão sendo apagados.

Onde vão descansar os amoráveis jumentinhos,
pequenos, cinzentos, um pouco alquebrados,
que olham para o chão, modestos e calmos,
já sem trouxas às costas, esperando o seu destino?

Como vão dormir estes jumentinhos mansos,
depois dos caminhos, no fim do trabalho?

Que vão sonhar agora estes jumentinhos cinzentos,
de imóveis pestanas brancas, discretos e sossegados,
quando a aldeia estiver quieta, ao clarão da lua,
como um rio sem margens, sem roupas, sem braços...?

Horizonte

A terra toda seca. Os rios — valas amarelas.
O pó que o vento levantava. O suor que caía do nosso rosto.
A solidão que abria os braços até o céu: memória e silêncio.
Muito longe o horizonte: uma faixa vermelha.
O sol baço de névoa e pó. O sol que os monges de Ajanta viram
quando lavraram seus mosteiros nestas rochas.
Sobre o horizonte ardente, o desenho das tamareiras,
a longa fila das tamareiras consolando o olhar do viajante
depois do deserto, do calor, do pó, da solidão.
Para que lábios serão seu doce fruto?
Sobre os duros trabalhos do mundo,
a paz, a misericórdia de eternos pensamentos.

Fala

"Já tivemos Gautama e Gandhi
e hoje temos Vinoba Bhave.

Não sei bem por onde se encontra:
mas está sempre em toda parte.

Diz aos ricos: 'Amai os pobres!'
Diz aos pobres: 'Amai os ricos!'
Pede um campo como quem pede
um grão de arroz para um faminto.
Sua sombra pelas estradas
é a sombra de um deus escondido.

Nós trataremos desta terra
tão velha, seca e abandonada:
os bois conversarão com ela
fábulas de semente e de água.
Tudo será verde e luzente:
mais grãos, mais leite, casas novas.
Em nossos dedos de esperança,
muito trabalho desabrocha.

Cantaremos com mais clareza,
dançaremos com outro brilho,
acendendo com luzes de hoje
o perfume de óleos antigos.

Quando os ricos amam os pobres,
quando os pobres amam os ricos,
a roda do amor vai prendendo
o céu e a terra no seu giro:
os demônios desaparecem
e os homens são todos amigos.

Já tivemos Gautama e Gandhi
e hoje temos Vinoba Bhave.
Procurai-o (não sei por onde):
ele está sempre em toda parte."

Turquesa d'água

As imensas rochas cinzentas
fechavam aquela turquesa d'água
num broche de chumbo.

E vinha o vento pelas altas fragas,
pelos muros de pedra,
escarpas calcinadas,
o vento de Golconda,
com seus dedos de areia
que conheceram rubis e esmeraldas
e diamantes grandes como dálias.

E vinha o vento, a gemer,
inquieto e cego,
o vento aventureiro.

Sentava-se ali na cinza das pedras,
à beira do lago.

Era uma lágrima, aquela turquesa,
única,

redonda,
azul.

Lágrima do vento.

Música

Ia tão longe aquela música, Bhai!
E o luar brilhava. Mas, por mais que o luar brilhasse,
não se sabia quem tocava e em que lugar.

Pelos degraus daquela música, Bhai,
podia-se ir além do mundo, além das formas,
e do arabesco das estrelas pelo céu.

Quem tocaria pela solidão, Bhai,
na clara noite — toda azul como o deus Krishna —
alheio a tudo, reclinado contra o mar!

Ia tão longe a tênue música, Bhai!
E era no entanto uma pequena melodia
tímida, triste, em dois ou três límpidos sons.

Tão frágil sopro em flauta rústica, Bhai!
— como o da vida em nossos lábios provisórios...
— amor? queixume, pensamento? — nomes no ar...

Ele tocava sem saber que o ouvido, Bhai,
podia haver acompanhado esse momento
da sua rápida presença em frágil voz.

E ia tão longe aquela música, Bhai!
Com quem falava, entre a água e a noite? e que dizia?
(Da vida à morte, que dizemos, Bhai, e a quem?)

Estudantes

Derramam-se as estudantes pela praça,
num lampejo de sedas e braceletes;
cestas de flores,
tapete aberto,
caleidoscópio.

Saltam as tranças luzentes,
desenrolam-se os véus,
ofegam as blusas com cores de pedras preciosas.

O vento incha e enrodilha os vastos calções franzidos,
plasma nos corpos adolescentes panos tenuíssimos.
E o sol ofusca os negros olhos cingidos de colírio.

Grande festa na rua matinal,
sob árvores imensas,
entre tabuleiros de bétel
e grãos amarelos.

As estudantes falam com gestos delicados,
com atitudes de estátua,
enleadas em pulseiras,
e nas mãos, com ideogramas de dança,
levantam cadernos, esquadros,
num bailado novo:

e medem a vida
e descrevem o universo.

Que mundo construirão?

O elefante

O rugoso elefante pousa as patas cuidadoso nas pedras,
pedras do imenso caminho, sinuoso e íngreme,
entre as antigas muralhas e as altas frondes,
e vai subindo devagar para o palácio — fatigado patriarca.

O rugoso elefante tem apenas um velho manto amarelo,
manto amarelo esgarçado e pobre, que não se parece
com as coberturas soberbas, os brocados que outrora
envolveram seus ancestrais, portadores de palanquins.

O rugoso elefante é um grande mendigo, e atrás dele vão e vêm
as crianças tênues, de dentes claros, que agitam raminhos
e com voz de brincadeira vão dizendo aos viajantes:
"Bakhshish! Bakhshish! Bakhshish!"
para ganharem alguma pequena moeda negra.

Vão cantando assim. E seus dentes são mesmo pequenas pérolas,
e o elefante protege as crianças com sua sombra,
levanta-as na tromba, ri com os olhos, é um avô complacente,
que vai morrendo entre bondades, alegrias, pobreza, lembranças.

Zimbório

No meio do campo, longe,
o grande zimbório verde e azul vai desaparecer.
Parece um pavão morto.

Dizei-me que nele brilharam
como em penas cambiantes
as várias fases da lua,
carregadas de olhos humanos!

Dizei-me que houve presenças,
vozes fervorosas,
sonhos urgentes,
neste lugar tão longe,
em solitária data!

Mas agora tece o agreste silêncio
uma grade de espinhos cinzentos,
cada vez mais densa;
agulhas de pó, nevoeiro cego.

O grande zimbório vai adernando:
enorme, baça pérola azul e verde,

grande ovo triste de um pássaro mágico,
entre os ombros da areia fosca.

Até o horizonte, o mundo é um deserto redondo,
com o zimbório redondo
e um redondo silêncio.

Tudo vai sendo jamais.
Tudo é para sempre nunca.

Cego em Haiderabade

O cego vai sendo levado pelo menino.
O cego sorri, de olhos fechados, dentes nítidos:
como se visse o lago azul dentro das pedras,
e a mulher que passa, de seda vermelha
e adereço de prata.

Como se visse os bois de chifres dourados
que atravessam a rua, flacidamente.

O cego caminha para onde o menino o leva.
Há o Tchar Minar, a mesquita.
A cidade é igual às moedas de prata
que passam de mão em mão.

A mão do cego vai na mão do menino.
Suas barbas são do vento.
Seus olhos são do sonho.

Talvez esteja vendo o cavalo do Profeta
no meio do Paraíso.

(Valerão nossos olhos lúcidos
essa miragem de secreta delícia?)

Canção para Sarojíni

Passei por aqui.
Como já não podes ver o que estou vendo,
vejo por ti.

Sedas vermelhas para Sarojíni!

Tudo quanto amavas, tudo que cantavas
encontrei aqui,
ouro, prata, véus, marfim, bogari.

Colares de flores para Sarojíni!

Lembrei-me de versos que um dia escreveste
e que um dia li.
Lembrei-me de ti.

Cantai, pregoeiros, para Sarojíni!

Tudo é teu, aqui.
(Falo para aquele Rouxinol da Índia
que não conheci.)

Incensos, queimai-vos para Sarojíni!

Ao mundo que habitas, tão fora daqui,
vão minhas saudades, pássaros da ausência,
sonhando por ti.

Brilhai, luas de ouro, para Sarojíni!

Pedras

Eu vi as pedras nascerem,
do fundo chão descobertas.
Eram brancas, eram róseas
— tênues, suaves pareciam,
mas não eram.

Eram pesadas e densas,
carregadas de destino,
para casas, para templos,
para escadas e colunas,
casas, plintos.

Dava a luz da aurora nelas,
inermes, caladas, claras,
— matéria de que prodígios? —

Poemas Escritos na Índia

ali nascidas e ainda
solitárias.

E ali ficavam expostas
ao mundo e às horas volúveis,
para, submissas e dóceis,
terem outra densidade:
como nuvens.

Aparecimento

A casa cheirava a especiarias
e o copeiro deslizava descalço,
levitava em silêncio
— anjo da aurora entre paredes brancas.

Crepitava na mesa a manga verde
e a esbraseada pimenta.

O dono da casa era ao mesmo tempo
inatual como um rei antigo
e simples e próximo como um parente.

Sua mulher ainda usava um diamante na narina
e em sua cabeça pousavam muitas coroas
de histórias antigas e canções de amor.

E havia a moça, pássaro, princesa,
com uma diáfana voz de sol e flores,
que apenas sussurrava.

Mas no dia seguinte
haveria talvez uma criança.
(Estava ali mesmo, naquele mundo de ouro e seda,
sob aquela diáfana voz de sol e flores.)

Ia nascer amanhã uma criança.

E a casa, no meio do campo,
estendia mil braços ternos e graves
para o céu, para o rio, para o vento,
para o país dos nascimentos,
à espera dessa criança
nua e pequenina,
que apareceria de olhos fechados,
com um breve grito:

já sua alma.

E subiam para Deus fios de incenso, azuis.

Cavalariças

Os cavalos do Marajá
são de seda bruna, são de seda branca,
e estendem o pescoço com imensa doçura,

e alongam olhos humanos e límpidos,
onde se vê numa luz dourada um mundo submerso.

Os olhos dos cavalos são como rios passando.

Os criados alisavam as crinas dos cavalos
como se fossem tranças de mulheres formosas.
Batiam nos seus flancos com certo ar de cumplicidade
de quem se vai precipitar numa aventura.

Os cavalos de estrela na testa baixavam as pálpebras,
e suas pestanas eram uns toldos franjados, tendas de sombra.

Mas sacudiam as crinas, arqueavam o peito,
fremiam, contidos, expressivos,

como se quisessem falar.

Parada

Veremos os jardins perfeitos
e as plantas esmaltadas.

As mulheres ostentarão cascatas de jóias,
vestidas das mais finas sedas,
deixando voar daqui para ali
as andorinhas negras e brancas de seus olhos.

Veremos mil crianças delicadas,
leves como a haste do arroz,

contemplando os elefantes enormes,
os canhões, as viaturas,
esses brinquedos cinzentos,
e os bailarinos cintilantes,
com suas molas rítmicas.

Veremos os velhos com um sorriso de milênios,
embrulhados em sabedoria,
deixando passar o rio da vida,
entre as margens da memória.

E homens altivos,
nitidamente limpos,
frescos do banho matinal,
estarão postados no pórtico de nácar do dia,
como estátuas atentas.

Veremos os homens altivos,
serenos e graves,
com um sangue sem violência
e um coração de liberdade,
olhando a sucessão das cenas,
a história do povo,
o festival da Pátria.

E rodam os carros, e soam as músicas,
e a vida tem dimensões novas, acima da morte.

E uma leve brisa muito alegre
desfaz e refaz sobre os corpos de basalto
as pregas brancas dos panos diáfanos.

Poemas Escritos na Índia

Manhã

Há o sol que chegou cedo à montanha ventosa
e a alva roupa translúcida que os lavadeiros abrem no ar.

Há o som de suas conversas, matinal, risonho, límpido.

Há a crespa voz das águas com mil anéis para mil dedos.

Há a minha vida sob cortinados,
e a sensação da fresca manhã lá fora.

Há minha alma cheia de amor, num mundo que não me pertence.

Há uma saudade secular de infância, ternura, humanidade.

Há um desejo de aqui ficar para sempre, sob os cortinados de tule,
vendo o mosquito escrever seu zumbido com finos traços,
ouvindo lá fora os lavadeiros, com suas cordas, suas histórias,
sentindo o vento levantar para o céu nuvens de roupas...

Unidade, alegria, festa, inocência do mundo.

Manhã clara.
Vozes alegres.
Vento dançarino.

E uma lágrima no meu coração
triste e feliz.

Tecelagem de Aurangabade

Entre os meninos tão nus
e as — tão pobres! — paredes
prossegue, prossegue
um rio de seda.

Velhos dedos magros,
magros dedos negros
afogam e salvam
flores pela seda.

Os lírios são roxos,
os lírios são verdes,
entre as margens pobres
na água lisa da seda.

E os meninos nuzinhos
passam na transparência
do claro rio de flores,
mas evadidos da seda.

Do outro lado da trama,
seus olhos apenas deixam
orvalhos entre as flores,
areias de luz na seda.

Tão finos, os fios de água!
Lírios roxos e verdes.

Poemas Escritos na Índia

E (fora) os meninozinhos
nus (por dentro da seda).

Romãs

Não deixaremos o jardim morrer de sede.
Mali asperge com um pouco d'água as plantas.
Como quem rega? Como quem reza.

Cada vaso recebe cinco ou seis gotas d'água
e mais o amor de Mali, um amor moreno, sério,
de turbante branco.

Não deixaremos o jardim morrer de sede.
Tudo já está calcinado. Pedra, cinza, areia.
Mali sacode a água dos dedos:
sementes de vidro ao sol.

As plantas são magras como donzelas
e assim gentis.

E duas pequenas romãs amadurecem,
rosa e marfim,
num casto vestido de folhas foscas.

Ganges

Eis o Ganges que vem de longe para servir aos homens.

Eis o Ganges que se despede de suas montanhas,
da neve, das florestas, do seu reino milenar.

Eis o Ganges que caminha pelas vastas solidões,
com suas transparentes vestimentas entreabertas,
pisando a areia e a pedra.
Seu claro corpo desliza entre céus e árvores,
de mãos dadas com o vento,
pisando a noite e o dia.

Eis o Ganges que diz adeus à terra,
que saúda os verdes jardins e os negros pântanos,
que recolhe as cinzas dos mortos em seu regaço d'água.

Eis o Ganges que entra respeitoso no pátio de cristal do mar.

Eis o Ganges que sobe as escadas do céu.
Que entrega a Deus a alma dos homens.
Que torna a descer, no seu serviço eterno,
submisso, diligente e puro.

Eis o Ganges. Imenso. Venerável. Patriarcal.

Deusa

Todos queremos ver a Deusa.

Venceremos o exaustivo perfume,
a multidão sofredora,
o êxtase de enfermos e devotos,
perdidos, envolvidos,
embebidos neste calor, neste mormaço,
entre abafados colares de flores inebriantes.

Arde a areia em nossos pés
e o suor desce em franjas pelo nosso rosto.

Entraremos na Mitologia.
Queremos ver a Deusa.
Entre sol e fumaça,
queremos ver Aquela que reina entre os paludes,
a do tenebroso cólera,
a das alastrantes febres.

E ela brilha entre chamas lanceoladas,
com dentes triangulares que ameaçam o mundo.
Balançam-se danças extenuantes, em redor.
Flácidas, pesadas.

Ela resplandece em lugar inviolável,
entre enormes chamas também triangulares:
altos dentes de fogo.

Queremos ver a Deusa.

Estamos todos comprimidos, ofegantes,
promíscuos,
de sinal vermelho na testa,
erguidos nas pontas dos pés.

Todos seremos destruídos por ti,
Deusa!
Somos todos irmãos. Em ti, afinal, irmãos!

Somos agora tristes, dóceis, filiais,
deixando-nos devorar por tua fome,
ó Deusa! ó Morte!

Mas pairamos com asas inolvidáveis
acima de tuas chamas.

Cançãozinha para Tagore

Àquele lado do tempo
onde abre a rosa da aurora,
chegaremos de mãos dadas,
cantando canções de roda
com palavras encantadas.
Para além de hoje e de outrora,
veremos os Reis ocultos,
senhores da Vida toda,
em cuja etérea Cidade

fomos lágrima e saudade
por seus nomes e seus vultos.

Àquele lado do tempo
onde abre a rosa da aurora,
e onde mais do que a ventura
a dor é perfeita e pura,
chegaremos de mãos dadas.

Chegaremos de mãos dadas,
Tagore, ao divino mundo
em que o amor eterno mora
e onde a alma é o sonho profundo
da rosa dentro da aurora.

Chegaremos de mãos dadas
cantando canções de roda.
E então nossa vida toda
será das coisas amadas.

Ventania

Aqui a ventania não dorme,
com suas mãos crepitantes,
seus guizos,
seus adereços de campainhas eóleas.
Dia e noite vagueia pelos parques e pelas ruas
a ventania.

Sacode as alvas roupas que os lavadeiros estendem,
inclina as flores,
levanta as folhas secas,
alisa a poeira amarela,
açula gatos e cães,
revolve os cabelos dos homens,
incha os imensos véus das mulheres de olhos vítreos,
apalpa as areias, as pedras, as sementes caídas,
espia dentro dos ninhos, brune os pequenos ovos,
tufa a penugem dos pássaros,
balança as plantas,
entontece as árvores:
a ventania.

A ventania aqui não se cala.
Mais do que a voz das aves e das águas,
é a sua que se eleva,
rumorejante,
sussurrante,
crepitante,
queixosa,
risonha,
desmesurada.

Que diz às nuvens?
Fala da seda que viu nos teares, harpa luminosa?
Que conta aos jardins?
As flores de ouro e prata e pedra e marfim que encontrou
[de passagem?
Que conta à noite?
As pequenas estrelas na testa das mulheres

e as negras luas de seus plácidos olhos?
Oh, a ventania!

O dia inteiro, a noite inteira, a ventania fala.
De neves, de golfos, de lótus, de búfalos,
de túmulos, de bazares,
de palácios, mendigos, chamas, cavalos, rios, vôos.
Fala nas ruas,
nos quintais,
nos jardins,
nos pátios,
a ventania.

A ventania bate à nossa porta, à nossa janela, e quer entrar,
esta viajante cansada,
a ventania.

A ventania é uma aia com suas trouxas de histórias.
Conta histórias, inventa histórias, baralha histórias.

Nomes, lugares, pessoas, datas,
tudo vai sendo debulhado em lantejoulas.

A ventania é uma aia a bordar os sonhos e as conversas:
dedais de ar, fios de ar, agulhas de ar no ar, nos ares,
pontos de ouro e prata nas sedas da memória.
A ventania.

Golconda

Meu peito é mesmo Golconda:
pássaros estão colhendo
esmeraldas e diamantes
e há caçadores de ronda.

Tumbas de reis e rainhas
vão-se afundando em silêncio
no invencível pó do tempo
dono das saudades minhas.

Cada diamante guardado
é para ladrões inquietos
que partilham as centelhas
do íntegro sol cobiçado.

Ai, que meu peito é Golconda,
com raízes de esmeralda,
com cataratas de luzes
e os assaltantes de ronda.

Cristalino parapeito
da morte! Sombras do mundo,
mãos do roubo, falsos olhos,
passai. — Golconda é o meu peito.

Desenho colorido

Brancas eram as tuas sandálias, Bhai,
brancos os teus vestidos,
e o teu vasto xale de pachemina.

Negros eram os teus olhos, Bhai,
absoluta noite sem estrelas,
noturníssima escuridão
fora do mundo.

Vermelha, a rosa que trazias,
que oferecias juntamente com a aurora,
como recém-cortada do céu.

Em branco, negro e vermelho fica a tua imagem,
Bhai.
Fica o desenho da tua cortesia,
sentido de um mundo antigo
sobrevivendo a todos os desastres:

e a rosa, como tu,
vinha de olhos semicerrados.

Jaipur

Adeus, Jaipur,
adeus, casas cor-de-rosa com ramos brancos,
pórticos, peixes azuis nos arcos de entrada.

Adeus, elefante de língua rósea,
vetusto irmão,
comedor de açúcar,
ancião paciente.

Adeus, Jaipur e espelhos de Amber Palace,
jardins extintos, grades redondas,
mortos olhos que espiavam por essas rendas de mármore.

Adeus, cortejos dourados, música de casamentos,
festa bailada e cintilante das ruas, e trinados de flauta.

Adeus, sacerdote de candeia fumosa,
tantas luzes por tantos bicos,
e os gongos e os sinos e a porta de prata
e a Deusa antiga,
e a existência fora do tempo.

Adeus, pinturas, corredores, mirantes,
muralhas, escadas de castelo, mendigos lá embaixo,
criancinhas que pedem esmola como quem canta.

Adeus, Jaipur.
Adeus, letras do observatório,
pulseiras de prata das mulheres que vendem tangerinas
pelo crepúsculo.
Adeus, fogareiros de almôndegas,
adeus, tarde morna de erva-doce, canela e rosa,
cravo, pistache, açafrão.

Adeus, cores.
Adeus, Jaipur, sandálias, véus,
macio vento de marfim.

Adeus, astrólogo.
Muitos deuses sobre o Palácio do Vento.
(Onde eu devia morar!)
Sobre o Palácio do Vento meus adeuses: pombos esvoaçantes.
Meus adeuses: rouxinóis cantores.
Meus adeuses: nuvens desenroladas.
Meus adeuses: luas, sóis, estrelas, cometas mirando-te.
Mirando-te e partindo,
Jaipur, Jaipur.

Página

Entre mil jorros de arco-íris e entrelaçados arroios,
entre mil flóreos turbantes e faixas vermelhas
e rendas de jaspe e chispas de pássaros
e coleções de flores nunca vistas
— um sorriso brilha,
um gesto pára desenhado
e uma palavra se imprime.

É uma figura, apenas,
na riqueza prolixa
da imensa tarde oriental.

Entre arabescos de mil voltas,
um verso antigo.

Uma palavra imortal, sozinha.
E o resto, a farfalhante floresta
da intricada moldura.

Loja do astrólogo

Era astrólogo ou simples poeta?
Era o vidente do ar.
Tinha uma loja azul-cobalto,
claro céu dentro do bazar.
Teto e paredes só de estrelas:
e a lua no melhor lugar.

Sentado estava e tão sozinho
como ninguém mais quer estar.
Conversava com o céu fictício
que em redor fizera pintar.
Que respostas receberiam
as perguntas do seu olhar?

(Dentro da tarde inesquecível,
houve o céu azul num bazar,
perto da alvura da mesquita,
na fresquidão de Tchar Minar.

Viu-se um homem de além do mundo:
era o vidente do ar!)

Família hindu

Os sáris de seda reluzem
como curvos pavões altivos.
Nas narinas fulgem diamantes
em suaves perfis aquilinos.
Há longas tranças muito negras
e luar e lótus entre os cílios.
Há pimenta, erva-doce e cravo,
crepitando em cada sorriso.

Os dedos bordam movimentos
delicados e pensativos,
como os cisnes em cima da água
e, entre as flores, os passarinhos.
E quando alguém fala é tão doce
como o claro cantar dos rios,
numa sombra de cinamomo,
açafrão, sândalo e colírio.

(Mas quase não se fala nada,
porque falar não é preciso.)

Tudo está coberto de aroma,
em cada gesto existe um rito.

A alma condescende em ser corpo,
abandonar seu paraíso.
Deus consente que os homens venham
a esta intimidade de amigos,
somente por mostrar que se amam,
que estão no mundo, que estão vivos.

Depois, a música se apaga,
diz-se adeus com lábios tranqüilos,
deixa-se a luz, o aroma, a sala,
com os serenos perfis divinos,
sobe-se ao carro dos regressos,
na noite, de negros caminhos...

Canto aos bordadores de Cachemir

Finos dedos ágeis,
como beija-flores,
voais sobre as sedas,
sobre as lãs macias,
com finas agulhas,
 ó bordadores,
semeais primaveras,
recolheis primores.

Os jardins do mundo
aos vossos bordados
não são superiores,
 ó bordadores,

e voais, finos dedos,
para longe, sempre,
para novas sedas,
como beija-flores,
com o bico luzente
de finas agulhas,
 ó bordadores,
atirando fios,
aos fios do arco-íris,
recolhendo cores,
desenhando pontos,
inventando flores
que não morrem nunca,
 ó bordadores,
de sol nem de chuva
nem de outros rigores.

Mulheres de Puri

Quando as estradas ficarem prontas,
mulheres de Puri,
alguém se lembrará de vossos vultos azuis
entre os templos e o mar.

Alguém se lembrará de vosso corpo agachado,
deusas negras de castos peitos nus,
de vossas delgadas mãos a amontoarem pedras
para a construção dos caminhos.

Quando as estradas ficarem prontas,
mulheres de Puri,
alguém se lembrará que está passeando sobre a sombra
de vossos calmos vultos azuis e negros.

Alguém se lembrará de vossos pés diligentes,
com pulseiras de prata clara.
Alguém amará, por vossa causa, o chão de pedra.

E vossos netos falarão de vós,
mulheres de Puri,
como de ídolos complacentes,
benfeitores e anônimos,

e entre os ídolos ficareis, inacreditáveis,
mudas, negras e azuis.

Tempestade

Suspiraram as rosas
e surpreendidas e assustadas
esconderam-se nos seus veludos.

Não eram borboletas!
Nem rouxinóis!
Não eram pavões que passavam pelo jardim.

De um céu ruidoso
caíam essas grandes asas luminosas e inquietas.

Relâmpagos azuis voavam entre os canteiros,
retalhando os lagos.

Tremiam veludos e sedas,
e o pólen delicado,
na noite violenta,
alta demais,
despedaçada,
despedaçante.

Ah, como era impossível
suster a forma das rosas!

Taj-Mahal

Somos todos fantasmas
evaporados entre água e frondes,
com o luar e o zumbido do silêncio,
a música dos insetos,
gaze tensa na solidão.

De vez em quando, uma borbulha d'água:
pérola desabrochada,
súbito jasmim de cristal aos nossos pés.

Fantasmas de magnólias, as cúpulas brancas,
orvalhadas de estrelas, na friagem noturna.

Tudo como através de lágrimas,
com as bordas franjadas de antiguidade,
de indecisos limites,
e um vago aroma vegetal, logo esquecido.

Tudo celeste, inumano, intocável,
subtraindo-se ao olhar, às mãos:
fuga das rendas de alabastro e dos jardins minerais,
com lírios de turquesa e calcedônia
pelas paredes;
fuga das escadas pelos subterrâneos.
E os pés naufragando em sombra.

Eis o sono da rainha adorada:
longo sono sob mil arcos, de eco em eco.
(Fuga das vozes, livres de lábios, independentes,
continuando-se...)

Vêm morrer castamente os bogaris sobre os túmulos.

Movem-se apenas sedas, xales de lã,
alvuras: como sem corpo nenhum.

Tudo mais está imóvel, extático:
mesmo o rio, essa vencida espada d'água:
mesmo o lago, esse rosto dormente.

Entre a morte e a eternidade, o amor,
essa memória para sempre.

Foi uma borbulha d'água que ouvimos?
Uma flor que desabrochou?
Uma lágrima na sombra da noite,
em algum lugar?

Cançãozinha de Haiderabade

Haiderabade:
anel de prata
com a só turquesa
da água parada.
Aro de cinza
e azul represa
aprisionada.

Lua, princesa
do céu, velada,
do arco das nuvens,
mira esta tarde
abandonada!

Haiderabade,
cinza de pedra,
cinza de prata,
círculo, névoa,
turquesa d'água.

Mais nada.

Anoitecer

Ao longo do bazar brilham pequenas luzes.
A roda do último carro faz a sua última volta.
Os búfalos entram pela sombra da noite,
onde se dispersam.
As crianças fecham os olhos sedosos.
As cabanas são como pessoas muito antigas,
sentadas, pensando.

Uma pequena música toca no fim do mundo.

Uma pequena lua desenha-se no alto céu.

Uma pequena brisa cálida
flutua sobre a árvore da aldeia
como o sonho de um pássaro.

Oh, eu queria ficar aqui,
pequenina.

Marinha

O barco é negro sobre o azul.

Sobre o azul, os peixes são negros.

Desenham malhas negras as redes, sobre o azul.

Sobre o azul, os peixes são negros.

Negras são as vozes dos pescadores,
atirando-se palavras no azul.

É o último azul do mar e do céu.

A noite já vem, dos lados de Burma,
toda negra,
molhada de azul:

— a noite que chega também do mar.

Adeuses

Dia de cristal
cercado de vultos brancos:
pés descalços,
finas barbas,
longas vestimentas pregueadas.

Mulheres com olhos de deusas
transbordando um majestoso silêncio.

Luz em copos azuis.
Lábios em oração.
Mãos postas.

Dia de cristal,
claro, dourado,
eóleo.

Foi muito longe,
num palácio de inúmeras varandas,
com árvores cheias de flores pela colina.

O vento subia dos jardins para as salas
com a fluidez de um visitante jovial.

E com que leveza dançava,
abraçado às cortinas, às sedas,
aos véus, à luz!...

Sabíamos que os encontros jamais se repetem,
nem a emoção do alto amor.

Éramos todos de cristal e vento,
de cristal ao vento.

E andavam nuvens de saudade por cima dos jardins.

Tão grande, o mundo!
Tão curta, a vida!
Os países tão distantes!

E alma.
E adeuses.

Poemas Escritos na Índia

Praia do fim do mundo

Neste lugar só de areia,
já não terra, ainda não mar,
poderíamos cantar.

Ó noite, solidão, bruma,
país de estrelas sem voz,
que cantaremos nós?

As sombras nossas na praia
podem ser noite e ser mar,
pelo ar e pela água andar.

Mas o canto, mas o sonho,
de que modo encontrarão
o que não é vão?

Cantemos, porém, amigos,
neste impossível lugar
que não é terra nem mar:

na praia do fim do mundo
que não guardará de nós
sombra nem voz.

CECILIA MEIRELES

PEQUENO ORATÓRIO DE SANTA CLARA

PHILOBIBLION

Pequeno oratório de Santa Clara. Rio de Janeiro, Philobiblion, 1955. 65 p. + Índice. Edição de 320 exemplares em papel Ingres. Gravuras de Manuel Segalá. Exemplares acondicionados num estojo de madeira que imita um oratório.

Na página anterior:
capa da primeira edição de *Pequeno oratório de Santa Clara*.

Pequeno Oratório
de Santa Clara
(1955)

Serenata

Uma voz cantava ao longe
entre o luar e as pedras.
E nos palácios fechados,
entregues às sentinelas,
— exaustas de tantas mortes,
de tantas guerras! —
estremeciam os sonhos
no coração das donzelas.
Ah! que estranha serenata,
eco de invisíveis festas!
A quem se dirigiriam
palavras de amor tão belas,
tão ditosas
(de que divinos poetas?),
como as que andavam lá fora,
pelas ruas e vielas,
— diáfanas, à lua,
— graves, nas pedras...?

Convite

Fechai os olhos, donzelas,
sobre a estranha serenata!
Não é por vós que suspira,
enamorada...
Fala com Dona Pobreza,
o homem que na noite passa.

Por ela se transfigura,
— que é a sua Amada!
Por ela esquece o que tinha:
prestígio, família, casa...
Fechai os olhos, donzelas!
(Mas, se sentis perturbada
pela grande voz da noite
a solidão da alma,
— abandonai o que tendes,
e segui também sem nada
essa flor de juventude
que canta e passa!)

Eco

Cantara ao longe Francisco,
jogral de Deus deslumbrado.
Quem se mirara em seus olhos,
seguira atrás de seu passo!
(Um filho de mercadores
pode ser mais que um fidalgo,
se Deus o espera
com seu comovido abraço...)
Ah! que celeste destino,
ser pobre e andar a seu lado!
Só de perfeita alegria
levar repleto o regaço!
Beijar leprosos,
sem se sentir enojado!

Pequeno Oratório de Santa Clara

Converter homens e bichos!
Falar com os anjos do espaço!...
(Ah! quem fora a sombra, ao menos,
desse jogral deslumbrado!)

Clara

Voz luminosa da noite,
feliz de quem te entendia!
(Num palácio mui guardado,
levantou-se uma menina:
já não pode ser quem era,
tão bem guarnida,
com seus vestidos bordados,
de veludo e musselina;
já não quer saber de noivos:
outra é a sua vida.
Fecha as portas, desce a treva,
que com seu nome ilumina.
Que são lágrimas?
Pelo silêncio caminha...)
Um vasto campo deserto,
a larga estrada divina!
Ah! feliz itinerário!
Sobrenatural partida!

Fuga

Escutai, nobres fidalgos:
a menina que criastes
é uma vaga sombra,
fora de vossa vontade,
livre de enganos
e traves.
É uma estrela que procura
outra vez a Eternidade!
Despida de suas jóias
e de seus faustosos trajes,
inclina a cabeça
com terna humildade.
Cortam-lhe as tranças:
ramo de luz nos altares.
Mais clara do que seu nome,
no fogo da Caridade
queima o que fora e tivera:
— ultrapassa a que criastes!

Perseguição

Já partiram cavaleiros
no encalço da fugitiva.
— Não rireis, ó mercadores,
não rireis da fidalguia!
Iremos buscá-la à força,
morta ou viva!

Pequeno Oratório de Santa Clara

(Dão de esporas aos cavalos,
entre injúria e zombaria.
Passam o portal da igreja,
com olhos acesos de ira.
— Não leveis a mão à espada!
Grande pecado seria!)
E vem a monja.
Só de renúncias vestida!
Ah! Clara, se não falasses,
quem te reconheceria?
Para onde vais tão sem nada,
nessa alegria?

Volta

Voltaram os cavaleiros,
com grande espanto na cara.
Palácios tristes...
Inútil espada...
Que grandes paixões ocultas
nas altas muralhas!
Pasmado, o povo contempla
aquela chegada...
(Longe ficara a menina
que servir a Deus sonhara,
de glórias vãs esquecida,
da família separada.
Força nenhuma

a seus votos a arrancara.
Aos pés de Cristo caía:
não desejava mais nada.)
Olhavam-se os mercadores,
com grande espanto na cara.

Vida

Do pano mais velho usava.
Do pão mais velho comia.
Num leito de vides secas,
e de cilícios vestida,
em travesseiro de pedra,
seu curto sono dormia.
Cada vez mais pobre
tinha de ser sua vida,
entre orações e trabalhos
e milagres que fazia,
a salvar a humanidade
dolorida.
Mãos no altar, a acender luzes,
pés na pedra fria.
Humilde, entre as companheiras;
diante do mal, destemida,
Irmã Clara, em seu mosteiro,
tênue vivia.

Pequeno Oratório de Santa Clara

Milagre

Um dia, veio o Anticristo,
com seus cavalos acesos.
Flechas agudas,
na aljava de cada arqueiro.
Vêm matar e arrasar tudo,
com duros engenhos.
"Irmã Clara, vede, há escadas
sobre os muros do mosteiro!
Soldados de ferro!
Negros sarracenos!"
(Tomou da Hóstia consagrada,
rosto de Deus verdadeiro,
— levantou-a no alto
do parapeito...)
E, na cidade assaltada,
não se viu mais um guerreiro:
ou fugiram a cavalo
ou caíram de joelhos.

Fim

Já quarenta anos passaram:
é uma velhinha, a menina
que, por amor à pobreza,
se despojou do que tinha,
fez-se monja,

e foi com tanta alegria
servir a Deus nos altares,
e, entre luz e ladainha,
rogar pelos pecadores
em agonia.
Já passaram quarenta anos:
e hoje a morte se avizinha.
(Tão doente, o corpo!
A alma, tão festiva!
Os grandes olhos abertos
uma lágrima sustinham:
não se perdesse no mundo
o seu sonho de menina!)

Voz

E a noite inteira, baixinho,
murmurara:
"Levas bom guia contigo,
não te arreceies de nada:
guarda-te o Senhor nos braços,
— e em Seus braços estás salva!
Bendito e louvado seja
Deus, por quem foste criada!..."
E neste falar morria
Irmã Clara,
tão feliz de ter vivido,
tão de amor transfigurada,
que era a morte no seu rosto
como a estrela-d'alva.

Pequeno Oratório de Santa Clara

("Com quem falais tão baixinho,
Bem-aventurada?"
"Com minha alma estou falando...")
Ah! com sua alma falava...

Luz

Por um santo que encontrara,
há tanto tempo,
alegremente deixara
o mundo, de estranho enredo,
para viver pobrezinha,
no maior contentamento,
longe de maldades,
livre de rancor e medo,
a vencer pecados,
a servir enfermos...
Já está morta. E é tão ditosa
como quem sai de um degredo.
O Papa Inocêncio IV
põe-lhe o seu anel no dedo.
Cardeais, abades, bispos
fazem o mesmo.
(Mais que as grandes jóias, brilha
seu nome, no tempo!)

Glória

Já seus olhos se fecharam.
E agora rezam-lhe ofícios.
(Tecem-lhe os anjos grinaldas,
no divino Paraíso.
"Pomba argêntea!" — cantam.
"Estrela claríssima!")
— Irmã Clara, humilde foste,
muito além do que é preciso!...
— O caminho me ensinaste:
o que fiz foi vir contigo...
(Assim conversam, gloriosos,
Santa Clara e São Francisco.
Cantam os anjos alegres:
vede o seu sorriso!)
Que assim partem deste mundo
os santos, com seus serviços.
Entre os humanos tormentos,
são exemplo e aviso,
pois estamos tão cercados
de ciladas e inimigos!
"Santa! Santa! Santa Clara!"
os anjos cantam.

(*E aqui com Deus finalizo.*)

Pequeno Oratório de Santa Clara

CECÍLIA MEIRELES

PISTOIA
CEMITÉRIO MILITAR BRASILEIRO

Philobiblion

Pistóia, cemitério militar brasileiro. Rio de Janeiro, Philobiblion, 1955. Tiragem de 100 exemplares. Xilogravuras de Manuel Segalá.

Na página anterior:
capa da primeira edição de *Pistóia, cemitério militar brasileiro*.

Pistóia,
Cemitério Militar Brasileiro
(1955)

Eles vieram felizes, como
para grandes jogos atléticos:
com um largo sorriso no rosto,
com forte esperança no peito
— porque eram jovens e eram belos.

Marte, porém, soprava fogo
por estes campos e estes ares.
E agora estão na calma terra,
sob estas cruzes e estas flores,
cercados por montanhas suaves.

São como um grupo de meninos
num dormitório sossegado,
com lençóis de nuvens imensas,
e um longo sono sem suspiros,
de profundíssimo cansaço.

Suas armas foram partidas
ao mesmo tempo que seu corpo.
E, se acaso sua alma existe,
com melancolia recorda
o entusiasmo de cada morto.

Este cemitério tão puro
é um dormitório de meninos:
e as mães de muito longe chamam,
entre as mil cortinas do tempo,
cheias de lágrimas, seus filhos.

Chamam por seus nomes, escritos
nas placas destas cruzes brancas.
Mas, com seus ouvidos quebrados,
com seus lábios gastos de morte,
que hão de responder estas crianças?

E as mães esperam que ainda acordem,
como foram, fortes e belos,
depois deste rude exercício,
desta metralha e deste sangue,
destes falsos jogos atléticos.

Entretanto, céu, terra, flores,
é tudo horizontal silêncio.
O que foi chaga, é seiva e aroma,
— do que foi sonho, não se sabe —
e a dor anda longe, no vento...

CANÇÕES

POR

CECÍLIA MEIRELES

1956
LIVROS DE PORTUGAL
RIO DE JANEIRO

Canções. Rio de Janeiro, Livros de Portugal, 1956.
112 p. Desenho de Cecília Meireles.

Na página anterior:
capa da primeira edição de *Canções*.

Canções
(1956)

Canções

Se não houvesse montanhas!
Se não houvesse paredes!
Se o sonho tecesse malhas
e os braços colhessem redes!

Se a noite e o dia passassem
como nuvens, sem cadeias,
e os instantes da memória
fossem vento nas areias!

Se não houvesse saudade,
solidão nem despedida...
Se a vida inteira não fosse,
além de breve, perdida!

Eu tinha um cavalo de asas,
que morreu sem ter pascigo.
E em labirintos se movem
os fantasmas que persigo.

*

Inesperadamente,
a noite se ilumina:
que há uma outra claridade
para o que se imagina.

Que sobre-humana face
vem dos caules da ausência

abrir na noite o sonho
de sua própria essência?

Que saudade se lembra
e, sem querer, murmura
seus vestígios antigos
de secreta ventura?

Que lábio se descerra
e — a tão terna distância! —
conversa amor e morte
com palavras da infância?

O tempo se dissolve:
nada mais é preciso,
desde que te aproximas,
porta do Paraíso!

Há noite? Há vida? Há vozes?
Que espanto nos consome,
de repente, mirando-nos?
(Alma, como é teu nome?)

*

Como os passivos afogados
esperando o tempo da areia,
pelo mar de inúmeros lados
bóio tão venturosa e alheia

que, para mim, a noite e o dia
têm o mesmo sol sem ocaso,
e o que eu queria e não queria
aceitaram seu justo prazo.

E nem me encontra quem me espera
nem o que esperei foi havido,
tanto me ausento desta esfera.

Ó liberdade sem tormento!
(Ó fitas soltas, ó cortinas
levadas por um amplo vento
além de campos e colinas!...)
Vencendo sucessivos planos,
abrindo mundos encobertos,
chegando aos reinos sobre-humanos
onde há jardins para os desertos!

A alma do sonho fez-se ouvido
tão vertiginoso e profundo
que capta o recado perdido
dos ocultos donos do mundo.

*

Muitos campos tênues
que se inclinam pálidos:
flores decadentes
por todos os lados.

Grandes nuvens líricas,
ventos e astros lânguidos
a alta noite fria
clareando e sombreando.

Que vitória etérea
de guerreiros límpidos!
Mira a brava guerra
sonhos decorridos.

Desce no tempo íngreme
o planeta rápido.
Todo de ouro, o instinto
imobilizado.

E os nomes nos túmulos,
frágil cinza vária...
— Quebrados escudos,
abolidas armas.

*

Já não tenho lágrimas:
estão caídas
longe, em vagas margens,
qual mornas ovelhas
recém-nascidas.

Canções

Longe estão caídas,
entre esses montes
de saudades vivas,
de figuras frias,
ai, de que horizontes!

Suspiros montes!
Porém, agora,
talvez não me encontrem.
Pois a alma se esconde,
porque já nem chora.

*

Respiro teu nome.
Que brisa tão pura
súbito circula
no meu coração!

Respiro teu nome.
Repentinamente,
de mim se desprende
a voz da canção.

Respiro teu nome.
Que nome? Procuro...
— Ah! teu nome é tudo.
E é tudo ilusão.

Respiro teu nome.
Sorte. Vida. Tempo.
Meu contentamento
é límpido e vão.

Respiro teu nome.
Mas teu nome passa.
Alto é o sonho. Rasa,
minha breve mão.

*

Venturosa de sonhar-te,
à minha sombra me deito.
(Teu rosto, por toda parte,
mas, amor, só no meu peito!)

— Barqueiro, que céu tão leve!
Barqueiro, que mar parado!
Barqueiro, que enigma breve,
o sonho de ter amado!

Em barca de nuvens sigo:
e o que vou pagando ao vento
para levar-te comigo
é suspiro e pensamento.

— Barqueiro, que doce instante!
Barqueiro, que instante imenso,

não do amado nem do amante:
mas de amar o amor que penso!

*

Entre lágrimas se fala
— e Deus sabe o que se sente!
Mas de longe não se escuta
nem se entende.

A voz é rouca e dorida
e a distância, tão penosa...
Quem sofre já não se espanta:
cala e chora.

Apenas, uma pergunta
às vezes, tímida, ocorre:
para que, noites e dias,
chora e sofre?

Quando amanhã todos formos
a mesma terra perdida,
ninguém saberá das dores
que sofria.

Onde, o lábio sem resposta?
Onde, os olhos ainda cheios...?
Onde, o coração que havia?
Onde, o peito?

De tão longe, não se escuta.
Não se escuta e não se entende.
Deus entre as lágrimas fala:
— não se sente.

*

Longe, meus amores,
tranqüila, guardei-os.
Às vezes, me ocorre:
serão meus, ou alheios?

(A rosa em seu ramo,
o ouro, nos seus veios:
— quem é dono certo,
dono e sem receios?)

Ah, belos amores,
sem fins e sem meios...
Hei de amar-vos menos,
por serdes alheios?

Guardei meus amores.
Perdi-os? Salvei-os?
— Minhas mãos, vazias.
E meus olhos, cheios.

Mais doce é o deserto,
para os meus recreios.
Em tempo de morte,

Canções

que importam amores,
nossos ou alheios?

*

Na ponta do morro,
mulheres descalças
põem flores nas jarras
da capela de ouro.

As jarras são feias,
têm asas quebradas.
Também as toalhas
se esgarçam nas rendas.

As mulheres passam,
com gestos antigos,
entre crucifixos
e auréolas de prata.

Seus gestos são os mesmos
gestos de outras datas,
dentro de outras raças,
longe, noutros templos.

Mas não sabem disso,
e mudam, nas jarras,
as flores e a água
com o jeito submisso

de quem se contenta
em ser sombra vaga
da Vida Sonhada
por toda a existência.

*

Abriu-se a janela
que existia no ar.
Ninguém viu pousar
qualquer sombra nela.

Entre o lago e a lua,
sozinha subia
uma árvore fria,
delicada e nua.

E, de galho em galho,
andavam as loucas,
com cestas e toucas,
em busca de orvalho.

Azuis, os vestidos,
e o rosto coberto
de um luar incerto
— com os traços perdidos.

(Certamente para
que ninguém lembrasse

a dorida face
que amara e chorara...)

As loucas nos ramos
brincavam. E havia
no ar essa alegria
que nunca alcançamos.

Pela madrugada,
desfez-se a janela.
Partiram, com ela,
as sombras do nada.

*

Como num exílio,
como nas guerras,
meu amigo é morto,
sem nenhum conforto,
em longes terras.

Para consolá-lo,
mandei-lhe versos.
Porém, nada acalma
cuidados da alma
no amor dispersos.

Palavras, palavras,
sobre uma vida.
Ai, ninguém socorre!

Meu amigo morre
sem despedida.

Andamos tão longe!
tão separados!
Morto é o meu amigo,
entre um mar antigo
e céus toldados.

Mas tudo é tão belo,
embora triste,
que já não me importa
sua vida morta,
se em mim subsiste.

*

Há um nome que nos estremece,
como quando se corta a flor
e a árvore se torce e padece.

Há um nome que alguém pronuncia
sem qualquer alegria ou dor,
e que, em nós, é dor e alegria.

Um nome que brilha e que passa,
que nos corta em puro esplendor,
que nos deixa em cinza e desgraça.

Nele se acaba a nossa vida,
porque é o nome total do amor
em forma obscura e dolorida.

Há um nome levado no vento.
Palavra. Pequeno rumor
entre a eternidade e o momento.

*

De um lado cantava o sol,
do outro, suspirava a lua.
No meio, brilhava a tua
face de ouro, girassol!

Ó montanha de saudade
a que por acaso vim:
outrora, foste um jardim,
e és, agora, eternidade!

De longe, recordo a cor
da grande manhã perdida.
Morrem nos mares da vida
todos os rios do amor?

Ai! celebro-te em meu peito,
em meu coração de sal,
ó flor sobrenatural,
grande girassol perfeito!

Acabou-se-me o jardim!
Só me resta, do passado,
este relógio dourado
que ainda esperava por mim...

*

Ribeira da minha vida,
por onde agora andarão
meus barcos de ausência e bruma,
com sua tripulação!

Pergunto se estão de volta,
pergunto se ainda se vão.
Ribeira dos meus cuidados,
minha voz é solidão.

Ribeira da minha vida,
por que sinto o coração
morrer-me nestas areias
de antiga recordação?

Hei de ser o mar e o vento,
e a noite, e a constelação
— ribeira dos meus cuidados! —
e a própria navegação.

Ribeira da minha vida,
hei de mudar de aflição:

Canções

não mais despedida ou espera,
mas naufrágio ou salvação.

*

Formou-se uma rosa
em cima do mar:
nem de âmbar nem de água
nem de coral.
Tão longe do mundo,
quem a vê brilhar?
Pétalas de seda,
espinhos de sal.

Barqueiros, levai-me
para esse lugar,
onde gira a rosa
do temporal.
Rosa do canteiro
de verde cristal
nascida de rios
de muito chorar.

Formou-se uma rosa!
A Estrela Polar
é o seu claro espelho
sobrenatural.
Barqueiros, levai-me,
que todo o meu mal

é de seda e espinho
em batalhas no ar...

Barqueiros, levai-me,
que a quero cortar,
prender ao meu peito,
como um sinal
do ardente destino
deste navegar
pelo mundo obscuro
do amor impessoal...

*

Por que nome chamaremos
quando nos sentirmos pálidos
sobre os abismos supremos?

De que rosto, olhar, instante,
veremos brilhar as âncoras
para as mãos agonizantes?

Que salvação vai ser essa,
com tão fortes asas súbitas,
na definitiva pressa?

Ó grande urgência do aflito!
Ecos de misericórdia
procuram lágrima e grito

— andam nas ruas do mundo,
pondo sedas de silêncio
em lábios de moribundo.

*

Cavalo branco
de crinas de ouro
buscando o trevo
entre as margaridas,

que é da fortuna
da donzelinha
solta da sela
em várzeas antigas?

E as velhas fontes
contam histórias,
tristes, risonhas,
de terras perdidas,

e as lavadeiras
detrás dos muros
cantam, muito alto,
chorosas cantigas.

Cavalo branco,
de crinas de ouro,
mostra-me o trevo
entre as margaridas!

*

Aqui sobre a noite,
na cinza das pálpebras,
no meio das rosas,
no sono das aves,
nas franjas da lua,
nas imóveis águas,

aqui, sobre a tênue
seda da saudade,
a perpétua face.

Sozinha contemplo
o ardente milagre.
Ninguém mais te avista,
Verônica suave!
— Desenho do sonho
que a noite reparte.

Por que me apareces
igual à verdade,
ilusória imagem?

Na minha alegria
corre um mar de lágrimas.
Tudo te repete,
na terra e nos ares,
e os meus pensamentos
são só teu retrato.

Em puro silêncio,
luminosa jazes:
tão doce e tão grave!

Fita bem meu rosto,
guarda os olhos pálidos
com rios antigos
por onde viajaste.
Lembra-te da minha
sombra humana, diáfana,

— pode ser que um dia
todos nós passemos
pela Eternidade.

*

Se estive no mundo
ou fora do mundo...?
Mas que lhe respondo,
se o Arcanjo pergunta,
num tempo profundo?

No mundo passava:
porém muito longe.
Por sonhos e amores
me desintegrava.

O mundo não via:
minha permanência

foi, por toda parte,
fantasmagoria.

Dava, mas não tinha.
E, nessa abundância,
nada me ficava:
nem sei se fui minha.

Se estive no mundo
ou fora do mundo?
— Assim me apresento,
se o Arcanjo pergunta
meu nome profundo.

*

De que são feitos os dias?
— De pequenos desejos,
vagarosas saudades,
silenciosas lembranças.

Entre mágoas sombrias,
momentâneos lampejos:
vagas felicidades,
inatuais esperanças.

De loucuras, de crimes,
de pecados, de glórias
— do medo que encadeia
todas essas mudanças.

Canções

Dentro deles vivemos,
dentro deles choramos,
em duros desenlaces
e em sinistras alianças...

*

Assim moro em meu sonho:
como um peixe no mar.
O que sou é o que vejo.
Vejo e sou meu olhar.

Água é o meu próprio corpo,
simplesmente mais denso.
E meu corpo é minha alma,
e o que sinto é o que penso.

Assim vou no meu sonho.
Se outra fui, se perdeu.
É o mundo que me envolve?
Ou sou contorno seu?

Não é noite nem dia,
não é morte nem vida:
é viagem noutro mapa,
sem volta nem partida.

Ó céu da liberdade,
por onde o coração

já nem sofre, sabendo
que bateu sempre em vão.

*

Virgem, no teu coração,
sete espadas encontrei.
Sete vezes sete são
as minhas, segundo a Lei.

(Sangue que corres, por quem
minhas veias deixarás?
Morre-se só. E a ninguém
com o morrer se deixa em paz!)

Num cego mundo sem fim,
é bem que se morra só.
Virgem, lembra-te de mim,
deste meu mísero pó,

que foi coração também,
todo recortado de ais,
e já nem espaço tem
para outras espadas mais!

Virgem, no teu coração,
sete espadas encontrei.
Pelas tuas, chorarão.
Pelas minhas, não chorei.

*

Ó peso do coração!
Na grande noite da vida,
teus pesares que serão?

A sorte amadurecida
resplandece em minha mão:
lúcida, clara, polida.

Nem saudade nem paixão
nem morte nem despedida
seu brilho escurecerão.

Na grande noite da vida
brilha a sorte. O coração,
porém, é dor desmedida.

Maior que a sorte e que a vida...

*

Homem que descansas à sombra das árvores,
com um cesto de frutas cercado de abelhas,
a camisa aberta, o sol derramando
pela tua barba pétalas vermelhas

— vires de tão longe, do reino da Fábula
para adormeceres nesta humilde estrada!
De onde são teus sonhos? De que céus e areias?
Que é da tua vida, ó sultão do nada?

*

Quando meu rosto contemplo,
o espelho se despedaça:
por ver como passa o tempo
e o meu desgosto não passa.

Amargo campo da vida,
quem te semeou com dureza,
que os que não se matam de ira
morrem de pura tristeza?

*

Dai-me algumas palavras,
— porém, somente algumas! —
que às vezes apetece,
pelos jardins da areia,
colher flores de espuma.

Deixai, deixai, secreto,
o silêncio que dorme
às portas da minha alma,
guardando os labirintos
e as esfinges enormes.

(O silêncio caído
com seus firmes oceanos
— onde não há mais nada
dos litorais do mundo
nem do périplo humano!)

*

Ó noite, negro piano
— os sonhos soam longe,
num teclado caído
pelo fundo horizonte.

À música se inclina
o pensamento insone:
em que clave se escreve
o itinerário do homem?

(Mas as brisas celestes
que se abraçam na noite
põem folhas de silêncio
na vaporosa fronte...)

Ó música sonhada
— por que não corresponde
o desenho que vives
à vida que te sonhe...?

*

O rosto em que me encontro
e que a nuvem contempla
vai-se mudando noutro
só pelo que relembra.

De caminhos andados,
se levanta e suspira,

contando sonhos gastos
e palavras perdidas.

Tudo o que parecia,
tudo quanto não era,
tirou-lhe o gosto à vida
e a ternura da terra.

Guardei para o silêncio
os tempos de renúncia:
quando meus sonhos penso,
vejo que sempre é nunca.

E é tão bela a tristeza,
que nem o amor alado
deixará dentro dela
mais que um desenho vago.

(Areia que aparece
dentro de águas que fogem,
sinto que te disperses
pela memória, longe...)

*

Como estão as montanhas
por detrás do horizonte,
e o litoral do sonho
além da nossa fronte;

como, no oceano denso,
a anêmona perfeita
sua estrela desdobra
e o cego abismo aceita;

como, atrás das imagens,
a idéia se desenha,
e o oráculo cintila
na impenetrável brenha;

assim fica encerrada,
assim, desconhecida,
nossa extrema verdade
na noite irreal da vida.

*

De longe te hei de amar
— da tranqüila distância
em que o amor é saudade
e o desejo, constância.

Do divino lugar
onde o bem da existência
é ser eternidade
e parecer ausência.

Quem precisa explicar
o momento e a fragrância

da Rosa, que persuade
sem nenhuma arrogância?

E, no fundo do mar,
a Estrela, sem violência,
cumpre a sua verdade,
alheia à transparência.

*

Lá, na raiz das lágrimas,
a divina memória
dorme sonhos antigos
sem hora de acabar-se.

(Oh! na raiz das lágrimas,
onde tudo é possível,
manselinho, os ciprestes
se recamam de orvalho...)

Lá, na raiz das lágrimas,
lavram os pensamentos
um denso musgo frouxo,
sem rastros de presença.

(Oh! na raiz das lágrimas,
uma areia de estrelas
forma e desmancha praias,
e o horizonte caminha.)

Lá, na raiz das lágrimas,
não existe mais rosa,
não existe mais barca,
não existe mais vento.

(Dorme, tênue memória,
em leito sem limites,
livre de qualquer sonho,
onde tudo é possível!)

*

Os sonhos são flores altas
de umas distantes montanhas
que um dia se alcançarão.

Resta a areia, resta o barro,
pobreza de folha e conchas
em campos de solidão.

A menina da varanda,
com tantas asas nos braços
e borboletas na mão,

viu partirem grandes barcos,
por mares que não são de água
mas sim de recordação.

Os sonhos são flores altas
dentro dos olhos fechadas,
além da imaginação.

A menina da varanda
dormirá sobre os seus ossos.
E os sonhos, flores tão altas,
de seus ossos nascerão.

*

Se me atravessas a espada,
é natural que fique
na carne amargurada
um mudo sangue triste.

Não falaremos mais nada,
pois, de tudo que disse,
resta a alma equivocada
com seu puro convite.

Uma celeste chamada
por alguém que não vive
apagará a culpada
mão com seu duro crime.

Eu, para sempre calada,
acharei muito simples

que a alma eterna dobrada
seja — e (a teus olhos) finde.

(Que a doce loucura amada
do firmamento incline
amor e morte, em cada
noite, nesta planície!)

*

Eu vejo o dia, o mês, o ano,
— por que viver, sem ser preciso?
Eu não te minto, eu não te engano,
eu não te fujo: — eu agonizo.

Como um suspiro em pleno oceano,
digo-te adeus. Deixo-te o aviso
para outro encontro sobre-humano,
à luz de um vago Paraíso.

Sob o divino meridiano,
o sereno lábio conciso
beija o seu dolorido arcano
como se fosse outro sorriso.

*

Dos campos do Relativo
escapei.

Se perguntam como vivo,
que direi?

De um salto firme e tremendo,
— tão de além! —
chega-se onde estou vivendo
sem ninguém.

Gostava de estar contigo:
mas fugi.
Hoje, o que sonho, consigo,
já sem ti.

Verei, como quem sempre ama,
que te vais.
Não se volta, não se chama
nunca mais.

Os campos do Relativo
serão teus.
Se perguntam como vivo?
— De adeus.

*

Única sobrevivente
de uma casa desabada
— só eu me achava acordada.

E recordo a minha gente,
na noite sem madrugada.
Só eu me achava acordada.

Minha morte é diferente:
eles não souberam nada.
Só eu me achava acordada.

Mas quem sabe o que se sente,
entre ir na casa afundada
e ter ficado — acordada!?

*

1100

Amor, ventura,
não tenho.
Mas dor obscura
e tempo.

Deus encoberto
não vejo,
mas perto e certo
o entendo.

Viver, não vivo:
contemplo
meu sonho ativo
e isento.

Que mundo existe,
suspenso,
depois de um triste
degredo?

Não quero o acaso!
E penso:
lavra o meu prazo
que vento?

*

Tenho pena de estar contigo,
de SABER-TE. — Por isso, digo:
Nada se pode comparar
à dor de já não mais te amar.

Escuros dias tinha visto,
e amargas noites sem socorro.
— Nada que fosse igual a isto!

Ficaram-me os olhos na cara,
por muito que chorasse! E morro
vendo quem és, ó imagem cara!

Não merecia tal castigo,
meu coração! Por isso, digo:
Nada se pode comparar
à dor de já não mais te amar!

Ciclo do Sabiá

I

Não me adianta dizer nada,
Sabiá,
porque não nos entendemos.
Mas essa melancolia
da tua queixosa toada,
Sabiá,
bate no meu coração
como batem n'água os remos
que nunca mais voltarão.

O que dizes quando cantas,
Sabiá,
tão bem se ajusta ao que penso,
que mais prefiro escutar-te.
Minhas tristezas são tantas,
Sabiá,
que já nem sei quantas são.
Como é duro, negro, extenso,
o campo da ingratidão!

Não sinto mais no meu peito,
Sabiá,
força para aquele verso
com que outrora me explicava:
e por isso me deleito,
Sabiá,
quando te ouço... Entenderão

os ouvidos do universo
nossa comum solidão?

II

Vi descer a tempestade,
Sabiá,
sobre nuvens tenebrosas.
Os homens, soltos, corriam,
Sabiá...
(De onde lhes vem tal pavor?)
— Presas morriam as rosas,
em seu destino de flor.

Nessa densa tarde escura,
Sabiá,
entre as batalhas do vento,
escutei pela montanha
tua voz tranqüila e pura,
Sabiá,
— perfeita imagem do amor
em cristal de pensamento:
grande, claro e sofredor.

Debrucei-me no ar selvagem,
Sabiá,
para ouvi-la, tão serena,
sem medo do fim do mundo,
proclamar sua mensagem,
Sabiá.

Levarei para onde for
dois perfis da mesma pena:
meu silêncio, teu clamor.

III

E é de novo madrugada,
Sabiá.
Semana sobre semana,
tu, que cantas, serás sempre
o mesmo que ouço, encantada?
Sabiá,
recolho todos os ais
da tua voz sobre-humana,
— mas não sei por onde vais!

E não sei, pois não te avisto,
Sabiá.
Mas, embora te avistasse,
não te reconheceria.
E eu, quem sou? por onde existo?
Sabiá,
não se encontrarão jamais
  tua voz e minha face,
  quase sobrenaturais...

Por quantos remotos dias,
Sabiá,
nossos vagos descendentes
repetirão este jogo,

com suas alegorias?
Sabiá,
de que servem tais sinais?
Que anúncios clarividentes
podem ter vozes mortais?

IV

Já não há mais dias novos,
Sabiá...
O mundo já se acabou.
Não há rios, não há montes,
nem luzes nos horizontes.
Morreram terras e povos,
Sabiá...
(Quem te escutou?)

Plumoso, pequeno, frio,
Sabiá,
teu corpo em que areia jaz?
Que foi mundo, sol e terra,
amor, pensamento, guerra,
morte, coração vazio,
Sabiá?
Não o saberás.

E tu, quem foste, quem eras,
Sabiá,

que não se explica, também?
— Que somos, além dos ossos
e dos terrenos destroços,
e imaginárias quimeras,
Sabiá,
quem somos? quem?

Jogos olímpicos

Auriga

Em silenciosas rodas fulgentes, como deslizas,
ó sol de prata, vencendo em tempo voz e desejo!

Fecho meus olhos, para seguir-te por nuvens lisas,
fugindo branco, de asas abertas, como te vejo.

De quem te lembras? De onde chegaste? De que precisas,
na curva exata que vais traçando com o teu adejo?

Trapezista

De que maneira chegaremos
às brancas portas da Via-Láctea?

Será com asas ou com remos?
Será com os músculos com que saltas?

Leva-me agarrada aos teus ombros
como um cendal para agasalhar-te!

Seremos pássaros ou anjos
atravessando a sombra da tarde!

Deixaremos a terra juntos
e justapostos como metades,

sem o triste pó dos defuntos,
sem qualquer bruma que enlute os ares!

Sem nada de humanos assuntos:
muito mais puros, muito mais graves!

Nadador

O que me encanta é a linha alada
das tuas espáduas, e a curva
que descreves, pássaro da água!

É a tua fina, ágil cintura,
e esse adeus da tua garganta
para cemitérios de espuma!

É a despedida que me encanta,
quando te desprendes ao vento,
fiel à queda, rápida e branda.

E apenas por estar prevendo,
longe, na eternidade da água,
sobreviver teu movimento...

Equilibrista

Alto, pálido vidente,
caminhante do vazio,

cujo solo suficiente
é um frágil, aéreo fio!

Sem transigência nenhuma,
experimentas teu passo,
com levitações de pluma
e rigores de compasso.

No mundo, jogam à sorte,
detrás de formosos muros,
à espera de tua morte
e dos despojos futuros.

E tu, cintilante louco,
vais, entre a nuvem e o solo,
só com teu ritmo — tão pouco!
Estrela no alto do pólo.

Aedo

Nós cinco sabemos de tudo
e estamos sorrindo sem medos,
em cinco rostos absolutos,
na prata de um único espelho.

Rosa imortal e eterna murta
nem pousam no nosso cabelo.
Concentramos na lama o perfume
de que os outros fabricam beijos.

No silêncio dos nossos vultos,
não toca o pressuroso vento,
para que não se incline o lume
dos vigilantes céus acesos.

Somos cinco estranhas colunas
visitadas só pelo tempo,
feitas de dunas e de espumas
— fábulas do humano momento.

Por desamor às criaturas
e outros desamores terrenos,
desabaremos todas juntas:
— Deus fechando os seus cinco dedos.

CECILIA MEIRELES
POEMAS ITALIANOS

COM A VERSÃO ITALIANA
DE EDOARDO BIZZARRI

SÃO PAULO
INSTITUTO CULTURAL ITALO-BRASILEIRO

Poemas italianos. São Paulo: Instituto Cultural Ítalo-Brasileiro, 1968. 157 p. + índice. Texto bilingüe, com a versão italiana e comentários de Edoardo Bizzari. Inclui poemas escritos entre 1953 e 1956. Da edição original excluímos "Pistóia, cemitério militar brasileiro" e "Pequeno oratório de Santa Clara" pelo fato de estes dois textos já terem sido anteriormente publicados como livros autônomos.

Na página anterior:
capa da primeira edição de *Poemas italianos*.

Poemas Italianos
(1953-1956)

Discurso ao ignoto romano

Não está no mármore o teu nome.
Nem teu perfil nem tua face
nada revelam do que foste.
Sabemos só que padeceste,
como acontece a qualquer homem;
que foste vivo e contemplaste
o que jaz entre a alma e o horizonte,
e, com as grandes estrelas, viste
os vácuos do céu, na alta noite.
Cresceste como o bicho e a planta:
— mas sabendo que há amor e morte.
Houve um pensamento pousado
entre as rugas da tua fronte
e, dos teus olhos aos teus lábios,
vê-se da lágrima o recorte.

Por que foi talhado o teu rosto
nessa pedra pálida e suave,
ninguém se lembra. E as mãos que andaram
nessa escultura, ninguém sabe.
Poderoso foste? Do mundo
que desejaste? que alcançaste?
Na raiz das tuas pupilas,
que sonho existiu, na verdade?
Como pensavas que era a vida?
E de ti mesmo que pensaste?
Diante desta bela cabeça,
vendo-a de perfil e de face,

entre os teus olhos e os do artista,
qual terá sido a tua frase?

IGNOTO ROMANO esculpido
por ignota mão, preservando
no silêncio da pedra o antigo
rosto, que encobre a ignota sorte,
parado entre sonho e suspiro,
sem gesto, sem corpo, sem roupas,
sem profissão nem compromisso,
sem dizer a ninguém mais nada
nem do amigo nem do inimigo...

(E todos os homens — ignotos —
com os olhos nesse claro abismo,
sem saberem que estão parados
ante um puro espelho polido!
IGNOTO ROMANO — soletram...
E continuam seu caminho,
certos de terem algum nome,
com pena do desconhecido...)

Abril, 1953

Oleogravura napolitana

Tão gorda que era, a cantora,
que entre mil aplausos veio!

Mas era bela, a cantiga,
levantada entre os seus olhos
e os castelos do seu peito.

Mas era bela, a cantiga,
entre azeite, limões, ostras...
E o garfo enrolava as massas,
e as travessas transbordavam
de frangos e de alcachofras.

O garfo enrolava as massas.
As pessoas que comiam
eram cada vez mais gordas,
e também cantarolavam,
e iam comendo as cantigas.

Eram cada vez mais gordas,
mais alegres, mais felizes.
Os gatos pelas cadeiras
coligiam velhos sonhos
de descendentes de tigres.

Os gatos pelas cadeiras
piscavam para os talheres...
(O Pausilipo sonhava...
No golfo corriam barcos,
cada vez mais para Leste...)

Ceres abandonada

As árvores, secas,
descuidadas plantas.
E a deusa esquecida,
sem mais esperanças,
entre pedras fuscas
e galinhas brancas.

Ruivo pó do tempo
na remota fronte.
Veio de outras eras,
trazida de longe:
— na sombra a deixaram.
Partiram para onde?

O elmo é de Minerva:
— mas, com o Sol no peito,
chamam-na de Ceres.
E seu lábio meigo
sorri sobre o nome,
falso ou verdadeiro.

Cheia de silêncio,
contempla e medita.
E há campos e festas
e feixes de espiga
na pequena cova
de sua pupila.

Seus velhos poderes
ninguém mais recorda.
O modesto plinto
mão nenhuma adorna.
Para os homens vivos,
é uma deusa morta.

Mas o grão dourado
e a olorosa terra
e o boi que desliza
e o sol que se eleva
e o céu sobre-humano
não se esquecem dela.

Fazem-se e refazem-se
os volúveis dias.
No mármore, imóvel,
sempre a deusa é viva,
muito além dos homens
e de suas cinzas.

Ritmo de Nápoles

Atravesso este momento,
transfigurada de outrora,
por muros brancos de estátuas.
Em sonho vou respondendo
ao que dizem noutra língua.
E a lua nasce entre os álamos.

Que haja amor ou desespero,
tudo é como a frágil tinta
desta tarde nestas águas.

Sei que cantam, sei que passam,
que os barcos têm remos verdes
e aquele é o golfo de Nápoles.

Sei que em minha alma há silêncio,
que envolvo em silêncio o mundo
e há primavera nas árvores.

Mural risonho

Divertiam-se as raparigas
de olhos negros e louras tranças,
à meia luz da loja, em volta
de maçãs, pêras e laranjas.

Grandes gargalhadas morriam
sob as mãos límpidas, tão brancas
como lírios que se movessem
entre maçãs, pêras, laranjas.

Tudo porque certos rapazes,
de sonora e clara garganta,
cantando seus nomes, fingiam
tocar maçãs, pêras, laranjas.

(Dança de ninfas e pastores,
entre maçãs, pêras, laranjas,
com sustos e enganos fingidos
e verdadeiras esperanças.)

Florista

Deixai passar pela margem da tarde
a velha florista
que levanta nos braços o fim das flores:
— imenso chapéu de ramos amontoados.

Vede os tristes cravos desfeitos,
e o lábio oscilante da última pétala de rosa.
Os lírios quase líquidos,
moles e túmidos,
prolongam densas lágrimas.

Deixai passar com o fim das flores,
com o fim da vida,
a velha florista,
de saia verde, de xale roxo, de meias grossas,
toda coberta de flores murchas,
de espesso pólen, de mortos espinhos
— canteiro deslizante,
a velha florista,
a escorregar para o ocaso,
lenta e sozinha,
sob os álamos amarelos,

ao longo de muros tão antigos,
como depois de uma grande festa,
de um culto de outrora.

Namorados

No degrau do inverno turvo,
sentaram-se os namorados.
Vai crescendo entre os seus ombros
denso bosque de impossíveis,
com muitos ramos escuros.

Um denso bosque de espinhos
vai crescendo entre os seus lábios.
Pálidas palavras secas,
folhagem de despedidas,
sombra de confusa angústia
na curva jovem da boca,
no doce lugar dos beijos.
Tão perdidos, tão sozinhos
por interiores caminhos!

Diante deles, as estátuas,
eternamente enlaçadas,
gloriosamente desnudas,
profundamente amorosas,
com brilhos de primavera
no etéreo gesto de mármore...

(Festivos corpos de pedra!)

Nos namorados humanos,
o corpo é lento e pesado,
longa rede a escorrer lágrimas
nas vastas areias da alma...

Primeiro pássaro

Chega e canta.
Canta e pára.
Pára e escuta:
com os ouvidos, com os olhos, com as penas.

O silêncio da manhã é um longo muro, ainda,
entre este mundo e o céu.

Escuta e canta.
Canta e pára.
Pára e parte.

Devia ser a primavera.
Mas não houve resposta.

Na solidão se perde o inquieto canto prematuro.
Perde-se no silêncio o antecipado pássaro,
talvez triste.

Arco

As faces estão irreconhecíveis:
e deviam ser belas.
A lembrança das vitórias atenuou-se:
— e, no entanto, eram célebres.

Do imperador que passou, não há vestígios:
— e foi tão poderoso.

Mas o vento que dançava nas pregas do vestido
— e um vento leve! —
continua a dançar ali.

Vede!
E era o vento.
O vento sonhado, apenas.
Ali está preso o vento que sempre foge...

A pedra, que não se move, ondula.
Dança. Para sempre.

E a mão do artista, há muitos séculos,
é também vento.

Poemas Italianos

Coliseu

Cem mil pupilas houve:
— cem mil pupilas fitas na arena.

Os olhos do Imperador, dos patrícios,
dos soldados, da plebe.

Os olhos da mulher formosa que os poetas cantaram.

E os olhos da fera acossada,
do lado oposto.
Os olhos que ainda brilham fulvos,
agora, na eternidade igual de todos.

Cem mil pupilas:
— ilustres, insensatas, ferozes, melancólicas,
vagas, severas, lânguidas...
Cem mil pupilas vêem-se, na poeira da pedra deserta.

Entre corredores e escadas,
o cavo abismo do úmido subsolo
exala os soturnos prazeres da antiguidade:

um vozeiro arcaico vem saindo da sombra,
— ó duras vozes romanas! —
um quente sangue vem golfando,
— ó negro sangue das feras! —
um grande aroma cruel se arredonda nas curvas pedras.
— Ó surdo nome trêmulo da morte!

(Não cairão jamais estas paredes,
pregadas com este sangue e este rugido,
a garra tensa, a goela arqueada em vácuo,
as cordas do humano pasmo sobre o último estertor...)

Cem mil pupilas ficam aqui,
pregadas nas pedras do tempo,
manchadas de fogo e morte,
no fim do dia trágico,
depois daquela ávida e acesa coincidência
quando convergiram nesta arena de angústia,
que hoje é pó de silêncio,
esboroada solidão.

(As pregas dos vestidos deslizaram, frágeis.
E os sorrisos perderam-se, fúteis.
Sobre o enorme espetáculo, que foi o aroma dos cosméticos?)

Alabastro

Memória de horizontes dourados,
franjas de espuma e frisadas conchas.

Barrocos bosques brancos
atravessados de liquens,
resinas, e borboletas de nácar.

Memória de nuvens translúcidas
desabrochadas na auréola
de uma fosforescente lua.

Poemas Italianos

Alabastro.
Alabastro.

Sonhadas coisas
claras e transparentes
no sono submerso da terra.
Pálido arco-íris,
vôo de cisnes, jardins de anêmonas.
Festas brancas de coral.

Ah, os homens refazem seus sonhos
sobre teu sonho, alabastro.

Parede de lágrimas no fim do mundo.
Muro de radiosos fantasmas,
coroas, sagração.
Lúcida a pedra dorme
e inventa espelhos de diamante
para os novos olhos da Aurora.

Natureza quase viva

Velhos muros romanos, apagai-vos,
para que brilhem as cores da primavera:
— margaridas, lírios, rosas.
Cravos rendados.
Tulipas oclusas.
Violetas amontoadas, orvalhadas.
Ramos de prunáceas.

Azaléias e orquídeas.
O olorosíssimo jacinto.

Amarelo, azul, roxo,
encarnado, verde, branco.
Hastes. Fina folhagem.
A água que cai do céu, no segredo da noite.
O perfume que a madrugada revela.

A rubicunda florista cruza os braços,
enrola-se no xale, trêmula de frio.
Na esquina, o vento é ríspido. Foice rápida.

As flores respiram o ar da tarde com delícia.
E ainda não sabem que já estão cortadas.

Nítidas e frescas.
Firmes e lustrosas.
Corno de pórfiro, alabastro, coral:
— pura perfeição, murcha no dia seguinte.
"*Carpe diem*"...

A florista não diz nada. Mas sente-se que pensa
como Horácio, um dia, pensou.

Adeus a Roma

A alcachofra, o vinho, as paredes de pedra,
o gato que brincava com o raio de sol.

(Doce, o inverno! E o perfume dos jacintos, delicadíssimo.)

A cidade estrangeira, dorida de guerras,
altiva em seus brunos muros e palácios
dava sombra de séculos à minha alma.

(Doce, o inverno. E as águas cantavam copiosamente.)

Às eternas estátuas dirigia meu amor sem destino.
Às fontes entregava minhas saudades e lágrimas.
Aos mortos confiava meu coração comovido.
Minha fluidez era a mesma do rio, sem hora marcada.

Passante nenhum me conhecia — como ninguém conhece as ondas.

Podia ficar ali sentada, com meus olhos de solidão e silêncio.

(Doce, o inverno. E um pássaro estranhava o ramo ainda
[sem folhas.)

Mas a vida tomava-me como o vento faz às nuvens.
Impelia-me para longe, mudava o meu lugar no mundo...

Granja

O azul do céu finíssimo... — o azul próximo
da primavera, sobre a flor da amêndoa.
E o leite morno, ainda. E o olor a palha,
a trevo, a campo, a arroios e crepúsculo.

A vaca imensa olhava, como em lágrimas.
Sozinha ali na tarde, ali sozinha.
Iam morrendo as vozes pela granja,
no silêncio e na sombra desdobrando-se...

"Vai nascer esta noite..." — brisas límpidas
flutuavam pela tarde. A vaca imensa
debatia-se, muda. (Sua móvel
forma, pela parede, igual a uma árvore.)

Uma árvore de dores, solitária,
numa terra secreta, além do mundo,
ignorante de sortes, transbordante
de vida generosa, sem presságios...

"Vai nascer esta noite..." Que vigília!
(A mão de Deus sobre o seu manso corpo
— sofredor como o triste corpo humano —
pousaria, talvez, lúcida e tácita...?)

Oh! nascimento anônimo!... Este sangue
palpitante de estrelas, de avencas...

Pompéia

Havia deuses, foro, termas,
jardins, pinturas pelas salas,
cães à porta, e, nas ruas curtas,
figuras, pessoas, palavras.

Veio a cinza sobre os juízes,
sobre as flores, sobre as estátuas,
sobre os cães e sobre as pessoas,
sobre as festas, sobre as desgraças.

Quem ia amar, parou seu beijo.
E igualmente ficou parada
a lágrima à beira dos olhos
diante do horizonte de lava.

A cinza chegou de repente
à cidade despreocupada.
A árvore morta de Pompéia
morreu, também, nas próprias asas.

O que me disse o morto de Pompéia

Levanta-me da cinza em que me encontro,
põe nos meus olhos o seu lume antigo!
Desdobra-me na boca a língua imóvel,
ergue os meus passos, leva-me contigo!
Deixa a morte somente com a minha alma,
para haver seu reflexo no que digo.

Andarei pela terra novamente,
— forma efêmera já desencantada —
recordando a tristeza que sabia,
provando de outro modo a dor passada,

ensinando a sentir o amor que morre,
e a amar todas as máscaras do nada.

E a estar, ao mesmo tempo, longe e perto,
e a ser múltiplo, unânime e indiviso,
porque estive acordado em plena morte,
e sei tudo o que existe e o que é preciso.
Levanta-me da cinza em que me encontro,
para explicar-te o Inferno e o Paraíso!

Desdobra-me na boca a língua imóvel,
que os mortos sabem mais do que os Profetas.
Faze-me andar de novo, isento e livre,
entre as formas dos vivos incompletas.
Dize-me apenas se há quem possa ouvir-me!
Senão, deixa-me estar nas cinzas quietas.

Descrição
(Jardim de água)

No topo da cascata, sussurrante,
debruçavam-se as róseas lavadeiras
sobre as águas de música e diamante.

Ainda vejo as estátuas seculares,
entre os ciprestes espumosos da água
atirada em repuxos pelos ares.

Limo de pedras, musgo, liquens, fria
umidade das horas luminosas
levavam para longe a voz do dia.

Mil repuxos, mil fontes, mil cascatas...
Água que chora e ri, lágrima e canto,
mão diáfana a apagar nomes e datas.

Ainda vejo os degraus, os braços da hera
a entrelaçar em muros, sombra, tempo,
Verão, Inverno, Outono e Primavera...

E a água passava, rápida e sonora
— e onde estais, rosto meu, sonho, saudade,
em que lugar da terra estais agora?

Tudo quanto já fomos é levado
e vamos sendo aos poucos desprendidos
de tudo quanto amamos no passado.

Como em lágrimas foi-se a minha vida
pelas escadas d'água resvalante,
com tanta pressa e tão sem despedida...

Ah! relógio de música e diamante...
No azul do céu, risonhas lavadeiras
iam lavando o transparente dia.

Pompéia

Vós, os que vistes Deus, como ficastes?
boca entreaberta e pálida de mortos,
cinza de grito, arquejo de saudades...

(Esse véu pelos olhos, de cegueira,
esse frio de pasmo sobre a pele,
e a dor da vida, lânguida e imperfeita...)

Vós, os que vistes Deus, e estais sofrendo,
e sentis pelo corpo o que era carne
desencadear-se em puro pensamento,

sois agora um jardim desesperado:
— que o vento que corria era de fogo,
e a água um abismo tumultuoso e amargo.

Deus súbito, imprevisto Deus de assombros,
sem aviso ou perdão. Como ficastes,
vós, os que vistes Deus, e hoje sois outros?

Roma

Morena e ruiva.
Cor da crosta do pão, com tranças de mel.
A subir do rio fulvo, coberta de outono,
colina sobre colina, entre jardins e fontes,
entre colunas e arcos,

entre pontes e portas,
altiva, sem se mirar nas águas lúcidas.

Com a lua e o sol nos flancos,
a amamentá-los, morena e ruiva,
com peitos de barro e bronze.

A olhar para a frente, para longe,
como outrora a loba com os gêmeos.

A esquecer o mundo quebrado atrás de seus passos.

Cave Canem

Cave Canem! — avisa o mosaico,
secularmente precavido.
e agora inútil.

Cave Canem! — repete aos ares cada passante que o lê.

Cave Canem! — circulam as letras de pedra por entre as ruínas.

Mas o cão é uma figura imóvel,
um retrato paciente, em quadradinhos pretos e brancos,
um desenho no chão.

O tesouro da casa, os donos da casa, os amigos e visitantes
viajaram com o seu cão para o cataclisma —

Cave Canem! —
o cataclisma que não hesitou diante do aviso de porta alguma.

Assembléia de Pórfiro

Apenas eu cheguei, carregada de inverno.
Apenas eu respiro nesta fria sala de mármore.
Fria de morte.

Não vos perturbeis, grandes, imóveis, duros bustos de pórfiro,
fino perfil de Augusto,
gorda cabeça de Nero,
imperadores reunidos nesta anacrônica assembléia,
com máscaras cor de mosto,
cor de remoto sangue.

Apenas eu cheguei,
único rosto ainda vivo a mirar vossos rostos.
E em silêncio contemplo.

O Anjo que julga não vem aqui, bem o sabeis.
E, se alguém sabe, sois vós, do que disse o outro Anjo, na
                                                [vossa frente.

Apenas eu cheguei.
Sossegai nos vossos plintos.
Ainda não é o fim do mundo. Ainda não voltareis a respirar,
apesar das perfeitas narinas e dos nítidos lábios.

Pois fui eu que cheguei, apenas:
— uma sombra como tantas que nem vistes,
e que pode pensar em todos vós.
Adeus.
Que o silêncio vos guarde, por enquanto.

Via Appia

Pedras não piso, apenas:
— mas as próprias mãos que aqui as colocaram,
o suor das frontes e as palavras antigas.

Ruínas não vejo, apenas:
— mas os mortos que aqui foram guardados,
com suas coragens e seus medos da vida e da morte.

Viver não vivo, apenas:
— mas de amor envolvo esta brisa e esta poeira,
eu também futura poeira noutra brisa.

Pois não sou esta, apenas:
— mas a de cada instante humano,
em todos os tempos que passaram. E até quando?

Cores

Salvas de ouro fusco.
Muitas salvas na mesa do céu,
nesta mesa de lápis-lazúli,
com brocados roçantes de árvore ainda hibernal
e desenhos de já desabrochante roseira.

Salvas de ouro fusco
onde brilham o ananás e o pêssego:
— veludos fulvos,
curvas e pregas túmidas e rígidas.

A mandarina e a pêra e as uvas de topázio
queimam cuidadosas
baços reflexos de astros amarelos.

Salvas de ouro fusco
e densos cristais de vinho:
— de imóvel, áureo, intacto vinho. Aroma e brasa.

Tudo à espera, entre os vigilantes ciprestes
e as derrubadas colunas,
que as estátuas desçam das arquitraves,
dos jardins, das escadas, das fontes,
e venham reclinar entre os jacintos,
para a merenda vesperal,
a brancura da sua nudez feliz.

(As túnicas de mármore já se entreabrem, ao vento...)

Fontana di Trevi

Aqui me refugio,
nesta frígida forja de cristal,
cheia de chispas de espuma.

Aqui, onde chegam cavalos mitológicos
evadidos dos séculos,
com ferraduras de berilo e de topázio,
e de olhos desvairados
pelo espetáculo do mundo momentâneo.

Agarradas às suas crinas,
irei com eles, quando fugirem,
romperei também os limites da pedra e do tempo,
e chegarei ao remoto mundo dos deuses,
sereno e solene,
para balbuciar aos seus velhos ouvidos
esta humana aventura,
em forma de canção, longa, dorida e calma.

Geografia

Qual é a cidade que, vista ao contrário, está no coração?
Qual é, Dolores, Júlia, Esmeralda,
meninas de outrora, já mortas ou desaparecidas...?
Escrevei à margem do compêndio antigo,
transferido agora para colégios aéreos,

escrevei no quadro-negro da noite,
nos cadernos evaporados das nuvens:
qual é a cidade que, dita ao contrário, está no coração?

Lembrai-vos dos velhos dias terrenos,
dos primeiros dias humanos,
quando principiávamos a brincar com o alfabeto,
quando tomávamos conhecimento do planeta redondo,
a girar no seu eixo de ferro, em cima da mesa...

Lembrai-vos do oceano azul que apenas aprendíamos,
dos nomes dos mares e golfos,
da linha sinuosa dos rios,
dessa palavra que ainda não sabíamos ser tão vasta:
MEDITERRÂNEO...

Dolores, Júlia, Esmeralda,
houve um tempo em que o mundo era apenas o papel
[lustroso do mapa...
Lembrai-vos da vossa vagarosa navegação,
dos nossos felizes, inocentes descobrimentos...

ROMA
AMOR

A cidade aqui está. E o amor?
Que amor? Que amor? — dizei...

Habitantes de Roma

Eis um povo que anda e fala,
diurno e sem mistério,
de altivo perfil, de arrogantes espáduas,
de amplo e superlativo gesto.

Eis um povo de mármore e bronze,
por cima das colunas, entre as águas das fontes,
nos muros dos jardins e parapeitos —
que guarda a atitude e o gesto
e insiste, dia e noite,
no silencioso discurso,
na muda conversação.

Eis um povo de cinza, por toda parte,
um vasto povo subterrâneo,
que se levanta na alta noite de Roma,
que sobe à flor da terra,
que vem de túmulos e catacumbas,
procura a coroa na testa,
a fivela da toga,
o sangue a correr do peito,
o perfume a correr nas tranças...
Um povo que procura os próprios olhos
e que torna a ver a porta, o arco, o cipreste,
a coluna e o muro,
o foro e as termas,
o som da concha monumental do Coliseu,
o rastro dos Anjos entre as feras.

Eis um povo doloroso,
na alta noite acordado,
embebido de luar,
transparente e flutuante,
sobre Roma, sobre Roma,
com voz sem boca, sonho sem eco — todo em pó.

Muros de Roma

Nos muros da urbe desenham-se as árvores
amarelas, ferrugentas, frágeis,
quase fósseis.

Nos muros da urbe desliza o sol da tarde
fria, coroada de vento:
esta límpida e frívola tarde atual.

Nos muros da urbe desenham-se velhas mãos:
mãos de barro e fogo, mãos sem nome,
que ainda não aprenderam a dormir completamente.

Nos muros da urbe, as mãos perpassam, grossas e ágeis,
com negras unhas, duras veias: — perpassam, contornam,
apalpam, calculam aprumo e nível.

Nos muros da urbe dourados de sol,
deslizam as mãos póstumas, douradas de terra.

Umas com as outras conversam as mãos por cima dos muros.
Lembranças do trabalho antigo.
Saudade de construir.

Nos muros da urbe desliza a sombra dos sonhos de hoje,
de horas velozes,
na límpida e frívola tarde atual.

Quando dormirão as mãos diligentes
dos incansáveis antepassados?

Espólio

Homens que ordenaram? Mãos que obedeceram?
Agora, o trabalho está feito!
— levaram colunas, estátuas e portas,
destruíram palácios e templos.
(Não tinham ternura? Não tinham saudade?)
Cumpriam as ordens do tempo.
Matavam-se os deuses, quebrava-se o império,
calavam-se os velhos obreiros.
Para longe foram o pórfiro e o bronze:
— para outros lugares alheios.
E, noutros lugares, o pórfiro e o bronze,
os deuses, o império desfeito,
as velhas colunas, as portas e estátuas
são como um clamor derradeiro,
grito de uma vida que não se vive,
o fim de um acontecimento.

E o Presente, vivo, não prende nem cala
o partido Passado imenso.
As águas contornam de melancolia
o olhar do horizonte, lento...

"Writ in Water..."

Ao "Young English Poet",
na sua sepultura em Roma

Há um nome nas águas:
— um nome de poeta.
Um nome nas fontes
cantantes de Roma,
líquida pulseira
das ninfas de pedra.

Há um nome nas águas:
— um nome de poeta.
Há um nome entre as sombras
dos deuses do Tibre,
coroa de rosas
que a torrente leva.

Há um nome nas águas:
— um nome de poeta.
Som das áureas conchas
nos cristais profundos,

dos ecos de nácar
em gruta secreta.

Há um nome nas águas.
Há o teu nome, Poeta.
Breve assinatura
nas ondas do tempo.
Letra da alma, rápida,
em página eterna.

Ah! Santa Maria...

Por mais que estejas servindo
aperitivos, licores,
teu perfil está falando,
teus olhos estão dizendo
coisas de eras anteriores.

Teu longo nariz de estátua,
tuas pálpebras noturnas
são colunas, arcos, portas
que o tempo salvou de um mundo
quebrado em lápides e urnas.

(*Ah, Santa Maria in Trastevere...*)

Tua carne de alabastro
guarda essa tristeza antiga
dos claros deuses vencidos,

que acham no convívio humano
encantamento e fadiga.

E tuas mãos diligentes,
com rubros dedos de aurora,
escrevem na água e nos copos
velhas saudações romanas
e despedidas de outrora.

    (Ah, Santa Maria in Trastevere...)

Por mais que estejas servindo
licores e aperitivos!
com rosto de eternidade,
és um belo morto alegre
a consolar tristes vivos...

Lustre

Quando o lustre se acendeu,
ninguém pôde falar:
— abriu-se na noite um mundo de cristal,
cantaram pássaros de repente,
azuis e brancos.

Todos pareciam perdidos e pequenos,
sob o jorro de luz sobrenatural.

Todos levantaram os olhos, calados e humildes,
na meia-noite iluminada:
— houve um céu novo, ramagens de jardins,
praias com sereias, conchas, peixes e barcos...

Deuses antigos se levantaram,
orvalhados de ouro e de mar...

Todos ficaram felizes, sob o lustre,
e cada um contemplava suas aparições.

Se o vento batesse, porém,
tudo se tornaria simples areia voante:
— que a aérea festa colorida e luminosa
era apenas de vidro e imaginação.

Ó lustre de angústia e júbilo,
inesperada primavera, ardente fábula...

Caminhante

Ando em ti, Roma de altos ciprestes e largas águas,
como atrás de mim mesma,
algum dia depois da minha morte.

Encontro meus próprios anjos
de asas abertas em cada esquina
e meus olhos com pálpebras de pedra,

em cada fonte:
— cheios até a borda.

Contemplo minhas abatidas colunas,
e a nenhuma porta paro,
e sobre nenhum jardim suspiro mais.

Ando em ti, Roma dos altos sonhos e das largas ruínas,
como depois de mim mesma,
atrás de um outro destino.

Ando, ando, ando,
e sinto a extensão de meus antigos muros
e, com profunda pena,
escuto a longa tuba mitológica
derramando para nuvens efêmeras
dispersas notícias atrasadas
de inútil Glória e possível Amor.

Nova Madona em Sorrento

Ditosos os que chegaram
naquela segunda-feira,
entre suspiros de espuma
e aromas de laranjeira!
Ditosos, porque te viram
postada no alto do muro.

Os cavalos galopavam
com grandes plumas na testa
e laços pelas orelhas,
pois era dia de festa.
Brilhavas, branca e vermelha,
contra o laranjal escuro.

Branco e vermelho, teu rosto,
banhado em água de rosas,
como é próprio da Pascoela!
Ó formosa entre as formosas,
ditosos os que te viram
postada no alto do muro.

Pensaram ver, de repente,
nova Madona esmaltada.
Brilhavas de tal maneira
no alto do muro postada,
que em cada vida de cinza
houve um sonho de ouro puro.

Os cavalos galopavam
com suas plumas e laços.
Teu peito não tinha flores:
— pois não bastavam teus braços?
E os olhos de quem te via
punham chamas, no teu muro.

Chuva no Palácio dos Doges

Como subir a grande escada,
se a chuva cai soberbamente,
toda em cascata derramada?

se a luz foge das galerias,
e um largo vento sopra e envolve
colunas e esculturas frias?

(Perderam-se os passos pelas vastas
salas de festas e de angústias,
dos gestos vãos, das cenas gastas...

Perdem-se os olhos nas figuras
que por cinco lados sustentam
velhas e vencidas bravuras.

Estremece a antiga vidraça
— pássaro de cristal ferido
pelo vento que em frechas passa.

Perde-se a voz entre as espadas,
nas panóplias — no aço dos leques
das lisas lâminas paradas

— no fino adorno dos escudos,
nas armaduras cautelosas,
nos elmos, de perfis agudos,

entre santos, papas, guerreiros,
que em tetos e paredes de ouro
se movem, quase verdadeiros.

Perde-se a vida, nas escuras
prisões de portas poderosas
com sombras de mortas criaturas.

Perde-se a alma, nestes lugares,
com o passado erguido nos muros,
e os deuses visíveis, nos ares...)

E como descer esta escada?
Como ser mortal, novamente,
e aceitar o mundo sem nada?

Como estar vivo, entre estes ventos,
sob esta chuva — desvairado
pelo eco destes aposentos?

Roma

Roma — romã, dourada pele de tijolo,
grãos rubros e túmidos de ocaso:
— compartimentos de séculos
em pórfiro, mármore, bronze, meticuloso mosaico.
Imperadores, santos, mártires, soldados, gente anônima
em cada nicho, em cada alvéolo da antiguidade.

Tudo em lágrimas e sangue,
em tempo acumulado,
em suor de muitos cansaços e guerras,
em coroas de glória,
imensamente longe...

Roma... romã crepuscular, entre o campo e o rio.
As abelhas de pedra sonham-na.
A água das fontes chora-a, lava-a, chora-a...
A Madona aponta-a ao seu Bambino, dolorida.
Bocas de bronze provam-na, com dentes sonoros,
com língua saudosa contam suas fábulas
às novas ondas do Tibre,
às novas águas que passam,
que desmancham pelo caminho
todo esse peso da antiguidade...

Os aquedutos

Pela campanha romana caminha os aquedutos.
Grandes passadas de pedra de horizonte a horizonte.
Despedaçados aquedutos, velhos escravos de mãos dadas
que um dia transportaram a água, eternamente livre.

Os séculos dividiram em grupos a fileira contínua,
quebraram as algemas, interromperam o trabalho.
A água, que corria, parou.
Eles, parados, ainda caminham.

Ainda caminham pela campanha romana os aquedutos em ruína,
dia e noite, dia e noite, nas quatro estações do ano,
até que seja dissipada a última pedra.
Agora conduzem a memória dos tempos e dos homens,
o pensamento dos viajantes que o contemplam,
a lição da vida, nos velhos, inutilizados arcos...

Ó sonho, ó projeto, ó seculares inaugurações!

Mensagem

Agora tenho saudade daquele anônimo guia
que na Itália me acompanhou a uma festa popular.
Mulheres robustas gritavam com força: *"Ecco, ecco, è Giuseppe!"*
"No, sì, no, sì..."
quando o cantor apareceu, com roupas do século XIV.

O guia, meigo e triste, delicadamente sentou-se a meu lado,
verificou se a minha cadeira estava firme,
depois, fitou com melancolia o espetáculo no pátio do castelo.

Então, delicadamente, lhe estendi um saco de balas,
para que se servisse.
Mas docemente levou a palma da mão ao queixo,
e murmurou com extrema gentileza: *"No, grazie..."*
E, mais baixinho, acrescentou "que tinha um dente furado, e
[doía muito..."

Vai para esse guia sincero,
perdido entre as torres de São Giminiano,
a minha terna, humana saudade:
— nunca ninguém me fez tão pura e simples confidência.

O Santo

O casal deixara o campo,
para ver o Santo.

    Falavam que estava intacto
    pelos séculos poupado,
    solenemente vestido,
    como se estivesse vivo,
    apenas como quem sonha,
    sob uma grande redoma
    reclinado.

Para ver o Santo,
o casal veio do campo.

    Quietas, humildes, contritas,
    guardavam as mãos, unidas,
    e a alma ajoelhada nos olhos,
    naquele túmulo postos.
    Mas quando o Santo avistaram,
    tremeram, de mãos crispadas,
    face aflita.

O casal deixara o campo,
para ver o Santo.

        E o Santo já tinha o rosto
        quase inteiramente de osso.
        E, nos dentes descarnados,
        um grave riso macabro.
        O resto era a seda e o brilho
        do seu sagrado vestido
        tão formoso.

Para ver o Santo,
o casal viera do campo.

        E para o campo há voltado,
        de olhos tristes, mudo lábio,
        a duvidar de seus olhos
        e dos sagrados despojos,
        a sustentar a coragem
        de ainda crer na eternidade
        de alma e carne...

O casal deixara o campo
para ver o Santo.

        Também no fundo da terra
        a semente se liberta
        da fina aparência de hoje,
        e parece morta e podre,
        e é mais viva em chão secreto...

Deus é vida e morte. O resto,
mistério.

Para ver o Santo,
o casal mira o seu campo.

Pedras de Florença

Ó pedras de Florença,
onde os dias são mansos
como pombos dormentes,
e as vozes se desmancham
com doce antiguidade...

Viva é sempre a memória
dos poetas, entre estátuas,
e na sombra das pontes,
há uma cinza de encontros...

Ó pedras de Florença,
que o tempo eternamente
contorna, alisa, brune,
torres, *logge*, fachadas...

E não falo das lajes
onde os vivos resvalam,
nem dos muros perfeitos
onde os perfis despertam
a sua eternidade.

Falo das pedras simples
dos frios cemitérios,
esses marmóreos livros
de tão polidas páginas,
dessas letras de adeuses,
de eloqüente saudade,
tão comovida e terna
gentileza das lágrimas.

Ó pedras de Florença,
mãos de lírio pousadas
no horizonte do mundo,
junto à praia das almas...

Prenúncio em Pompéia

Esta conta não pagarás:
— ficará sob uma cinza que não sabes.

Sob a cinza que ainda não sabes
ficará teu filho por nascer
e também os meninos que já sabiam desenhar nos muros.

Ficarão os figos que ontem puseste na cesta.
Ficarão as pinturas da tua sala
e as plantas do teu jardim, de estátuas felizes,
sob a cinza que não sabes.

Os gladiadores anunciados não lutarão
e amanhã não verás, próximo às termas,
a mulher que desejavas.

Tu ficarás com a chave da tua porta na mão;
tu, com o rosto da amada no peito;
amo e servo se unirão, no mesmo grito;
os cães se debaterão com mordaças de lava;
a mão não poderá encontrar a parede;
os olhos não poderão ver a rua.

As cinzas que não sabes voarão sobre Apolo e Ísis.

É uma noite ardente, a que se prepara,
enquanto a luz contorna a coluna e o jato d'água:
— a luz do sol que afaga pela última vez as roseiras verdes.

Adolescente romano

Eis a bela cabeça de bronze do remoto adolescente:
o cabelo é uma franjada coroa como de folhas de oliveira;
as sobrancelhas arredondam guirlandas serenas;
a narina respira o arcaico dia de vida;
há no lábio uma surpresa de sonho quase com forma de palavra.

E como o artista vazou-lhe a íris, tal pupila desmesurada,
cai-lhe sobre todo o rosto uma sombra densa, grave e profunda:
— redondas janelas por onde penetra a face móvel dos séculos,

redondas janelas por onde assoma esse abismo da eternidade,
silencioso, imenso, extático,
onde as imagens todas se apagam.

Que adolescente viveu com sua carne
o espetáculo de alma que o bronze traz de tão longe?

Diana

Do chão dos nascimentos esquecida,
da mão do artista nunca recordada,
alheia à seta, isenta, na caçada,
recebe o sol na pálpebra esculpida,
a água e o vento na túnica pregueada.
O dia e a noite sobre a sua vida
contam-lhe o tempo — e não responde nada.

Quando a flor do seu gesto for partida,
será mais pura e desinteressada,
e ainda mais a amaremos, ofendida,
pelo que foi, na perfeição passada.
Era o ritmo invencível da corrida,
por mais que parecesse estar parada.
Explícita, talvez. Nunca entendida:

— livre no tempo, e em pedra aprisionada.

Pintura de Veneza

E o Canal a oscilar as longas águas plúmbeas,
e a voz do gondoleiro a ecoar em muros úmidos,
a abrir passagem nas estreitas ruas líquidas...

Ouro, negro, escarlate, essas cores da gôndola,
e seu fino perfil, tragicamente lírico:
— harpa, sereia, cimitarra — transformando-se...

Este fundo de mar, estes mortos crustáceos,
este limo, esta sombra, e esta ramagem límpida,
nos remos — franja vã de esmeraldas e pérolas.

Ah! o tempo concentrado entre as pontes e a névoa,
e as escadas à chuva e à solidão levando-nos.
E os olhos cheios de mosaicos e de lágrimas...

Labirintos de calcedônias e crepúsculos.
Guardai meu sonho que deixei sobre relíquias,
na asa dos pombos, e na vasta, insigne púrpura

dos redodendros, fugitivos como pássaros...

Canção de Sorrento

Sorrento, Sorrento,
se eu não voltar mais,
não cuides que é o vento

nos teus laranjais:
é o meu pensamento.

É o meu sonho, isento
de desejos, de ais
ou contentamento,
de ilusões mortais,
Sorrento, Sorrento...

Sorrento, Sorrento,
vou como tu vais
em perfume e vento
pelos laranjais:
mas em pensamento.

Voto

Que em redor de ti os ventos se imobilizem,
Florença,
de asas fechadas.

Que os ventos não gastem as pedras cetinosas
de que foste nascida,
não quebrem o perfil de tuas vivas estátuas,
o rosto de teus palácios,
nenhuma letra das inscrições melodiosas
de teus túmulos.

Que não deslizem os ventos sobre as assinaturas
da tua glória.

Que os ventos não perturbem teu rio dourado,
antigo pensamento sem fim passando.
Que não te desmanchem o vulto de nenhum cipreste
nem a cor de qualquer parede
nem o sonho de altar ou torre,
porta, rua — domicílios secretos de sombras e ecos.

Florença,
que em redor de ti fiquem os ventos de asas fechadas,
e um silêncio azul-cinzento-verde
seja o muro límpido que te contorne
e de onde te contemple um doce amor só de beleza comovido
— Florença florente flor... —
para sempre, para sempre.

Ah, que os ventos não toquem nas tuas fechadas sementes de
[lágrimas.

Poemas Italianos

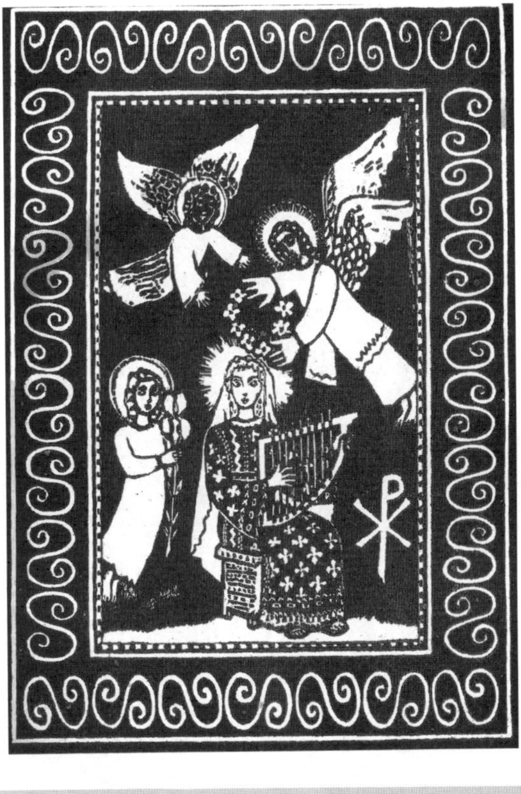

Romance de Santa Cecília. Rio de Janeiro, Philobiblion, 1957. 17 p.
Edição de 200 exemplares numerados e assinados pela autora.
Xilogravuras de Graciela Fuenzalida.

Na página anterior:
capa da primeira edição de *Romance de Santa Cecília*.

Romance de Santa Cecília
(1957)

        Era de família patrícia,
e residia nesta casa.
Em que lugar se sentaria?
Quem ouviu sua voz? e que harpa?
Há sombras de música antiga
no átrio, no corredor, na sala:
ó voz, ó som, ó ar sem morte
suspenso nesta imensa pausa!

Desgostosa dos velhos deuses
e do Evangelho enamorada,
percorria prados celestes:
entre santos e anjos andava.
Medo nenhum toldava a fonte
cantante e fresca de sua alma.
E o ardente sangue de martírio
que os caminhos cristãos alaga
era um rio do paraíso
em que o seu amor navegava.

Que era de família patrícia,
leve de voz, suave de cara.
Estas pedras viram seus olhos,
sua figura delicada.
Nestes etéreos aposentos,
em santidade se inclinava.
O tempo era cheio de horrores,
de perseguições e desgraças;
mas os anjos que aqui se encontram
servos foram de sua graça:

um, as sandálias lhe prendia;
outro, os vestidos lhe bordava;
o terceiro é o que suas tranças
lavava em transparentes águas,
e, depois de as lavar, cobria
com uma cândida toalha.

Sendo de família patrícia
e em idade de ser casada,
foram celebrados os ritos.
E ela entre a terra e o céu pairava.
De cada lado, um grupo de anjos
descendo, para coroá-la.
Dos anjos o mais poderoso
em sua câmara a esperava.

Fitava o esposo a clara esposa;
o cunhado, sua cunhada,
que, toda coberta de estrelas,
entre flores e anjos brilhava.
Levantaram as mãos orantes
e não puderam dizer nada:
e sentiram na própria testa
a luz do céu — fluida cascata:
fulgia a noiva, longe e perto,
rosa do amor intemerata.

E por estes campos romanos
o Evangelho se propagava.
E havia muito sofrimento

marcando a extensão das estradas.
Mas, nas catacumbas secretas,
ressoava a divina palavra,
entre corredores e tochas
e pedras de túmulo e de ara
com letras gregas e desenhos
de peixe, de pomba e de barca.
E os anjos desciam às covas
de onde os santos se levantavam.

Era de família patrícia
e seus deuses abandonara.
E os tiranos a perseguiam
como os caçadores a caça.
E vieram soldados terríveis,
quando ela do banho voltava,
toda perfumada da infância
que o coração lhe embalsamava.
Seu corpo era uma flor tão pura!
Que flor não seria sua alma?

E eis a milícia — o punho, a força —
que no calidário a fechava.
Da oculta fornalha subiam
tênues serpentes de fumaça.
E o mundo fugia a seus olhos,
e ela, cega e imobilizada,
era uma rosa prisioneira
num poço de incertas opalas.

(Mas na cruz de seu gesto orante
o Espírito Santo pousava.)

Era de família patrícia
e da luz de Deus desposada.
Viveu três dias e três noites
no calidário sufocada.
Os anjos vinham socorrê-la:
moviam suas longas asas,
secavam sua lisa fronte,
clareavam-lhe a vista baça,
e esperançavam-lhe os ouvidos
com sobre-humanas alvoradas.

Mas os soldados, entre os anjos,
seu duro perfil recortavam,
e entre as celestes melodias
perpassavam gumes de espadas.
E ela, perdida no nevoeiro,
— ó trêmulas opalas falsas! —
ouve os homens que lhe perguntam
pelo Deus em que acreditava...

... E não sabe se é vida ou sonho
ou morte, essa bruma compacta,
e repete a lição de Cristo,
e em fé seu coração exalta,
e vê que a névoa se dispersa,
e que brilha uma luz mais vasta,

Romance de Santa Cecília

fonte aberta no céu ferido
pelos três golpes de uma adaga.

Fora de família patrícia
e ali seu destino encerrava.
Ao primeiro golpe, caída,
na sua santidade calma,
torce a cabeça e entrega a nuca
para ser logo degolada.
Ao segundo golpe, uma fina
fita de sangue se desata.
Mas nem mesmo o terceiro golpe
a cabeça ao corpo separa.
Porque um anjo lhe ampara a testa,
o segundo os ombros lhe ampara,
e o terceiro detém o sangue
que um colar de rubis ensarta.

Ao primeiro golpe, ela estende
um dos dedos, convicta e exausta,
para dizer que Deus é uno,
pai de toda a Vida criada.
Ao segundo golpe, desdobra
outro dedo, com o que declara
que Jesus Cristo é um só seu Filho,
morto na Cruz por nossa causa.
Ao terceiro golpe, ainda afirma
que a outra pessoa consagrada
é o Espírito Santo. E assim deixa
as mãos na vida eterna — salva.

Virgem Mártir Santa Cecília,
doce romana, rosa casta!
— seu corpo, frio, numa pedra;
em luz, aos pés de Deus, sua alma.
O tempo gasta os outros mortos,
mas a Virgem Mártir não gasta.
Tal como quando foi ferida,
tal como foi assassinada,
depois de séculos e sonhos
nas catacumbas a encontraram.
Nem seu vestido apodrecera
nem seu perfil se desmanchara.
E com seus três dedos dizia,
com seus três dedos afirmava
que há somente um Deus Verdadeiro
em três pessoas consagradas:
Padre, Filho e Espírito Santo,
conforme o Evangelho ensinara.

Era de família patrícia
e esta foi a sua morada.
Virgem Mártir Santa Cecília,
socorre a quem se despedaça,
por amor às coisas divinas,
sob o duro gume de espadas!
Socorre a quem, por sonho puro,
com ferro e fogo o mundo mata!
Protege a quem, devotamente,
relembra o teu nome e relata
a história do teu sacrifício,

— luta do espírito e das armas —
cada 22 de novembro,
que ficou sendo a tua data.

CECÍLIA MEIRELES

*Oratório de
Santa Maria
Egipcíaca*

EDITORA
NOVA
FRONTEIRA

Oratório de Santa Maria Egipcíaca. Rio de Janeiro: Nova Fronteira, 1996. 78 p.
Este texto foi escrito em 1957, fechando a trilogia iniciada pelo *Pequeno oratório de Santa Clara* e seguida pelo *Romance de Santa Cecília*.

Na página anterior:
capa da primeira edição de *Oratório de Santa Maria Egipcíaca*.

Oratório de Santa Maria Egipcíaca
(1957)

Para três vozes
Santa Maria Egipcíaca
Voz Mística
Voz Descritiva
(Narrador invisível. Só aparece no final.)

E coro

E três cenários
Alexandria, Jerusalém e Jordão

I. Cenário de Alexandria

Voz Mística

>Maria do Egito, Maria,
>por que sais de casa,
>por que foges de tua gente
>que vai morrer de melancolia?

Maria Egipcíaca

>Venho para Alexandria.

Voz Mística

>Que vens fazer, Maria,
>sem conhecido, amigo ou parente,
>Maria do Egito, em Alexandria?

Maria Egipcíaca

Fala	Sou rio, serpente,
	corro para onde quero, sozinha.
Canta	para longe corro.
	Sou perfume de óleo fervente,
	ervas, flor, semente
	em viva brasa.
	Do meu fogo morro.

Fala   Não há fogo de sol nascente,
         não há fogo de sol ardente
         que se compare à labareda minha.
         Olha os meus braços que seguem na minha frente,
         finas cordas de seda muito seguras,
         olha o meu vasto cabelo sombrio,
         que é uma vela redonda de noite e de vento.
Canta Olha o meu corpo como um navio
         cortando as horas escuras
         e a louca espuma fosforescente...
         Olha na minha boca o mel das tamareiras...

Voz Mística

Canta Cala-te, Maria,
         faze da tua beleza
         uma estrela acesa,
         enquanto esperas
         a luz do dia...

Maria Egipcíaca

Fala   Minhas pernas são altas, leves e ligeiras,
         são minhas pálpebras tendas franjadas
         e a sombra das caravanas se deita nas minhas olheiras.
         Há nos meus olhos verdes luas levantadas
         que escutam passar sedentas feras.

Oratório de Santa Maria Egipcíaca

Voz Mística

Canta   Que vens fazer em Alexandria,
          Maria do Egito?

Maria Egipcíaca

Canta   Olha como estremeço e palpito!
          Vi meu rosto na prata brilhante:
          minha curva narina nervosa
          é uma concha de seda, é uma rosa...
          Minhas mãos são dois ramos de lírios fechados,
          minhas voz vem de um mundo de púrpura e açucena,
          de aljofres e corais molhados...

Voz Mística

Fala   Maria do Egito, que ainda és tão pequena,
          que farás nesta grande cidade de mercadores,
          nesta cidade de Alexandria?

Maria Egipcíaca

Fala   Não pensei de maneira alguma no meu destino.
Canta   Vou deitar-me nas franjas da água luzidia,
          inaugurar um porto de amores,
          ser a sua mais fina mercadoria.
          E quem trouxer mirra, sândalo, benjoim
          verá que são de cinza seus pobres aromas,
          quando se aproximar de mim.

Fala   Pois não há pétalas nem gomas
         que se comparem ao perfume das túrgidas pomas
         em meu corpo desabrochadas.

Voz Mística

Fala   Oh! Maria do Egito, cala-te, não respondas,
         que o Demônio cavalga em tua língua, e solta
         sua eloqüência de revolta.

Maria Egipcíaca

Canta Sinto-me rosa, nácar, marfim.
         Que jarra se compara às curvas redondas
         do meu flanco,
         dourado e branco...?

Voz Mística

Fala   Cala-te, Maria, que vais chorar de tristeza,
         banhar de lágrimas tua beleza...

Maria Egipcíaca

Fala   Tenho pressa, pressa de deitar-me em flores,
         abandonar-me em campo suave,
         boca de pantera, asa de ave,
Canta ver peregrinos, ver marinheiros,
         olhar-me em seus olhos, ouvir seus clamores,
         amá-los, quebrar-me em seus dedos grosseiros,

Oratório de Santa Maria Egipcíaca

	entre esses estranhos cheiros

        entre esses estranhos cheiros
        de lãs, de drogas, de navios e desertos...
Fala   Ouvir em mil línguas diversas o mesmo assombro e
                                    [o mesmo grito:
Canta   que sou mais bela que a rósea coluna,
        mais do que o excelso farol, perfeita:
        e nada com mais graça à lua e ao sol se deita,
        nem as ondas na praia nem a brisa na duna.

Voz Mística

Fala   Maria do Egito, Maria do Egito!
        há um outro assombro e um outro grito,
        e uma cruz que se levanta
        e os homens que esperas vão para a Terra Santa...
Canta   Deus mandou para todos nós a Sua mensagem:
        iremos àquela sacratíssima paragem
        beijar a terra que pisou o Crucificado,
        ver o túmulo de onde saiu ressuscitado!

Maria Egipcíaca

Canta, passando a fala
        Eu serei nas minhas alfombras
        como um jardim de chafarizes e sombras,
        e ensinarei melhor o horizonte e o infinito,
        e serei como a parede de basalto
        onde tudo está desenhado e escrito,
        e serei como a flor
        que levanta seu rosto tão alto
        e morta se inclina derramando aroma e cor...

Fala   Eu pararei as naves, as grandes, austeras naves,
e farei sorrirem para mim os homens graves
que procuram a salvação dentro da morte.
Morro melhor no amor que os sábios em sabedoria.

Voz Mística

Interrompendo, canta
Maria do Egito, Maria!

Maria Egipcíaca

Fala   Em cofres de marfim e sândalo
levantarão seus delicados presentes
de sedas mais que o ar transparentes,
com folhas de ouro e prata e raios de água e lua.

Canta   E quedarei velada e nua,
oculta e fosforescente...

Voz Mística

Canta   Maria do Egito, em fogo breve será consumida
tua pequena, ardente vida.
Maria do Egito, em fogo eterno será queimada
tua paixão desesperada.

Maria Egipcíaca

Fala   Não me atireis palavras de escândalo,
que eu não serei jamais mulher que se venda,
seja mendigo ou imperador quem me pretenda.

Oratório de Santa Maria Egipcíaca

Canta   Eu sou a mulher eternamente dada,
          que em seu próprio fogo se sente abrasada.
          Sou minha escrava, mas sou minha dona,
          amo o meu próprio amor, que não me abandona,
          que é todos os dias uma flor nova...

Voz Mística

Fala   Todos os dias serás uma pedra da tua cova...

Maria Egipcíaca

Canta   Envolvo-me no bálsamo de todos os vícios...

Voz Mística

Fala   Antes te envolvesses em ásperos panos cilícios,
Canta   e antes pudesses sufocar com a mesma fúria
          com que os nutres, ó desvairada,
          os rubros demônios do Orgulho e da Luxúria!

Maria Egipcíaca

Canta   E as minhas pálpebras triunfantes
          verão à luz da madrugada
          — invencíveis e cintilantes —
          a face exausta de mil amantes
          tontos dos vinhos e da música dos sistros...

Voz Mística

Canta   Maria do Egito, cerra os ouvidos,
         cerra os teus olhos seduzidos
         por esses pérfidos banquetes,
         por esses convivas sinistros.
         Deixa o teu rosto nos espelhos,
         deixa as taças pelos tapetes:
         dobra os teus rosados joelhos,
         e, enquanto todos dormem, foge,
         foge de ti, de tua vida,
Fala   a vida não é o dia de hoje!
         Acorda tua alma esquecida,
         Maria enferma de luxúria e engano,
Canta   Maria que flutuas no pecado
         como alga perdida no oceano.

Maria Egipcíaca

Canta   Amadurecerei nas mãos possantes
         desses homens que pesam âmbar e diamantes,
         serei um lótus repleto das abelhas
         desses estranhos olhos, com metálicas farpas,
         e oleosas trevas e agudas centelhas...

Voz Mística

Canta   Muito longe, Maria, Maria do Egito,
         soam clarins, liras e harpas,
         é um novo Nome, um novo rito...

Oratório de Santa Maria Egipcíaca

Maria Egipcíaca

Canta   Eu sou a água, eu sou a rosa,
que me desfolho, que me desfolho.
Quero dar-me a quem passa, eu, Maria,
irreprimível dadivosa,
quem me recebe não vejo, só amo...
Fala   Meu corpo é a minha sabedoria,
meu rito é o tempo que se goza
na trepidante Alexandria.
Meu nome é a ardente alegria.

Voz Mística

Fala   Volta, Maria do Egito, regressa
à tua casa, Maria do Egito, dessa
triste aventura despede-te, depressa!

Maria Egipcíaca

Canta   É neste mar que navego,
mirando o que por mim passa,
em viagem de que nunca chego...
Quem me beija, quem me abraça
fica em deslumbrado sossego.

II. Cenário de Alexandria

Voz Descritiva

Fala   Parou um barco em Alexandria,
       cheio de romeiros para a Terra Santa.
       Na sua almofada, de onde o mar se via,
       eis Maria que se levanta.

Maria Egipcíaca

Fala   De que terra falais, e de que profecias
       e por que navegais com pressa tanta?
Canta Vinde comer à minha mesa,   1189
       onde o alimento é a minha beleza,
       vinde beber meu vinho doce e forte.
Fala   Por que ireis procurar a morte?
       Que gosto é o vosso por sepulcros e por cruzes?
Canta Ficai comigo, descansai neste aposento
       onde o meu sonho é o mar e a minha voz, o vento,
       e meus olhos outros faróis de extensas luzes...
Fala   Ou levai-me convosco por esses mares que não conheço.
       Levai-me convosco, que posso pagar o que quiserdes.
       Eu mesma serei a moeda, seja qual for o vosso preço:
       pois meu peito é uma cesta de frutas e flores,
       meus olhos, uns tanques de inquietos peixes verdes,
       minha cintura uma harpa com fitas de mil amores,
Canta e é uma noite de seda o meu cabelo aberto,
       e a minha boca uma tâmara entre os ventos do deserto...

Oratório de Santa Maria Egipcíaca

Voz Descritiva

Fala E os romeiros que iam para a Terra Santa
paravam, tontos por essa voz que os seduzia,
como um perfume na jarra daquela garganta,
perguntavam quem era aquela
mulher tão jovem e tão bela,
que a possuía, que os possuía...
Canta E era Maria
de Alexandria...
Fala E embora romeiros e mui devotos,
aqueles homens do barco descidos
vinham ver Maria, bosque de lótus,
brilhando numa água de tênues vestidos.
E da sua fraqueza mui surpreendidos,
os romeiros devotos se debruçavam sobre Maria,
e diante dela Jerusalém desaparecia.
E o dono do barco, mais atrevido que os outros, dizia:
Canta Levo-te comigo de Alexandria,
levo-te para qualquer viagem:
com o gosto da tua boca, Maria,
irás pagando para sempre a tua passagem...

Maria Egipcíaca

Fala Mas a Terra de que falais não é um mundo eterno?
Não dizeis que buscais uns lugares sagrados?
Como quereis levar-me para essas terras tão tristes,
onde tudo que é belo está morto?
Não, deixai-me, deixai-me neste turbulento porto...

assim como sou. Não me abraçastes? não me vistes?
— cálida, gloriosa e opulenta
como a terra que o rio banha e em verdura rebenta.

Voz Mística

Canta   Maria do Egito, Maria,
não provoques o peregrino
que pára no porto de Alexandria.
Não o desvies do seu destino.
Não transmitas o teu pecado a quem procura
o trono de Deus, tão longe e tão alto, na terra escura.

Coro dos Romeiros Subindo para o Barco

Romeiros somos, carregados
de tenebrosos pecados.
Procuramos o Céu, mas estamos ainda no Inferno.
O Demônio nos chama por todos os lados,
e nesta barca levamos corpos ainda mui pesados.

Voz Mística

Canta   Maria, anjo do céu caído,
parte também em romaria,
deixa os delírios de Alexandria,
cobre-te com um denso vestido,
vai ver a vida que da morte se levanta,
no milagre da Terra Santa,
como sai da noite o dia.

Oratório de Santa Maria Egipcíaca

III. Cenário de Jerusalém

Voz Descritiva

Canta   E Maria foi para a Terra Santa,
Maria a serpente de fogo de Alexandria:
Maria do Egito a da veludosa garganta,
a da boca de amêndoa macia.
Fala   Sobre a sua cabeça brilhava o céu de estrelas adornado,
azul e negra a seus pés a água fervia.
Seu corpo suntuoso, entre ondas e estrelas deitado,
ia com os romeiros para a romaria.
E afinal pararam, saltaram, subiram para os lugares
que vinham buscando ao longo de desertos e mares.
Canta   Mas quando os romeiros avistaram o sítio sagrado
e pensaram em seu Mestre Jesus, que foi morto
para que os homens tivessem alma e eterna vida,
esqueceram-se daquela que era uma deusa no porto
movimentado de Alexandria,
daquela morena e verde e resplandecente Maria
por eles no barco trazida
Fala   e que pagara aquela devota viagem
com o beijo da sua boca, repartida
por toda a equipagem.
Canta   E Maria do Egito, Maria,
com seu corpo de gata e serpente,
caminhava no meio daquela gente,
pela primeira vez calma e fria.

Fala E aqueles que a tinham beijado
e tocado em seu rosto e dormido em seu peito
puderam entrar de coração satisfeito
nos santos lugares dos peregrinos.
E ali cantavam seus doces hinos
com lábios onde ainda se sentia
o gosto, o perfume, o calor de Maria,
de Maria de Alexandria.
Ela, porém, ia ficando distante e sozinha,
até todos terem passado,
e então desejou cantar, e seu passo estava imobilizado,
e sua voz, coberta de confusão e melancolia, assim
[dizia:

MARIA EGIPCÍACA

Fala Branca Jerusalém, cidade dos profetas,
deixa-me prosseguir! Por que tenho este chumbo
[nos passos?
Eu sou aquela egipcíaca, de dourados braços,
de dias festivos, de noites inquietas.
Eu sou aquela que dançava como a brisa.
Deixei tapetes de seda para pisar estas pedras duras,
para te ver, Jerusalém, e ver teus santos,
ah! por que não posso andar como as outras criaturas?

Voz DESCRITIVA

Fala E de muito longe uma voz respondia:

Oratório de Santa Maria Egipcíaca

Voz do Céu

Canta   Maria, tu mesma paras, Maria de Alexandria!
         Maria, tu mesma acordas, e vês o teu primeiro dia!
         Maria, tu mesma sentes o peso dos teus espantos!
         Maria, põe tua voz sobre as palavras destes cantos!
         Maria, estas palavras são claras como claras fontes!
         Maria, segue por estes pedregosos, floridos montes!
         Maria, não tenhas medo da aspereza destes caminhos!
         Maria, isto é um chão de cruzes, todas coroadas de
                                                    [espinhos!
         Maria, o fim dos homens é serem nas suas cruzes
                                                    [pregados!
         Maria, das nossas cruzes renasceremos purificados!

Voz Descritiva

Fala   E Maria prostrou-se com o rosto na poeira,
         e cheia de lágrimas respondia desta maneira:

Maria Egipcíaca

Fala   Senhor, Senhor, Senhor, eu sou Maria,
         aquela do porto de Alexandria,
         que desde menina vivo dedicada
         a amar quem passa pela cidade.
         Como posso cantar para a Eternidade,
         se a minha vida é só para breves instantes?
         E como poderei amar a Divindade,
         se apenas mortais têm sido os meus amantes?
         Senhor, eu não sou romeira nem peregrina,

eu sou a que fugiu de casa, quando era menina,
a que era tão leve, tão bela e graciosa
que nem a palmeira, que nem a brisa, que nem a
rosa.
Não posso mais levantar meu rosto para o rosto
daqueles que deixei desesperados de desgosto,
como o levantarei para a tua Face, que é divina?
Senhor, não posso dar um passo para a frente!
Sinto nos pés a força de uma severa corrente
e não consigo acompanhar toda essa gente
que canta seus hinos diante de Ti ajoelhada...
Mas eu amei quanto pude, amei por amar, mais nada.
Deixa-me ir para trás, ao menos, para o deserto,
aprender o que está errado e o que está certo,
e voltarei, talvez, se conseguir um dia chegar perto
de Ti, Senhor, e iluminada!

Voz Mística

Canta Vai para esse deserto que escolheste, penitente,
e abre teu coração à luz Onipotente
que desce em silêncio dos quatro horizontes.
Banha-te nessas douradas fontes,
e aquele grande fogo que consumia
tua vida em Alexandria
verás cair de teu corpo como um vestido encarnado,
e estarás para sempre perfeita e livre do vil pecado!

Oratório de Santa Maria Egipcíaca

IV. Cenário do deserto

Voz Descritiva

Fala E Maria levou uns cinqüenta anos sozinha
em penitência pelo deserto.
Nada mais possuía, nada mais tinha
além de seu velho corpo, pela cabeleira coberto.
Um pobre corpo como no inverno a cepa da vinha.
Os 4 Evangelhos sobre os 4 ventos
vinham trazer-lhe seus ensinamentos.
E nem comia nem bebia,
Maria de Alexandria
nem acordava nem dormia,
e sua vida estava suspensa
entre o alto céu e a ânsia imensa,
alimentada só por um celeste rossio.
E às vezes caminhava por cima das águas do rio.

V. Cenário do deserto

Prelúdio, com as três linhas seguintes cantadas e o resto, fundo musical.

Voz Descritiva

Canta   Zósimo passava
pelo deserto
quando viu um vulto que se aproximava.
Fala   Velho, muito velho era o corpo coberto
apenas por uns cabelos muito compridos,
como uns desbotados vestidos.
E o vulto dizia baixinho:

Maria Egipcíaca (*voz alquebrada de Maria*)

"Zósimo, Zósimo, não te afastes do caminho,
eu sou uma pobre penitente
que por aqui aprende o Evangelho.
Vem ouvir minha história,
antes que se apague da minha memória,
como um dia que termina:
Zósimo, Zósimo, eu sou uma antiga menina,
que deixou para trás sua família e sua casa,
e foi queimar-se tal o incenso na brasa,
no curvo porto azul de Alexandria.
Ah, os banquetes diante do noturno mar prateado!
As sedes em que esteve meu corpo amortalhado!
Os peixes d'água e luz que nos traziam os pescadores,

os vinhos que espumavam nos jarros de mil cores.
E este corpo, que vês, óleo doce e macio
flutuava no amor como um céu sobre um rio.
Ah! Zósimo, este é o corpo, e o amor não é mais nada!
Diante de Deus, fiquei parada e envergonhada.
Vim para aqui pensar nas minhas rebeldias,
pesar com o coração a herança dos meus dias.
Minha alma aqui se abriu, pobre romã partida:
somente lágrimas continha a minha vida.
Zósimo, pensa em mim! que sofro longamente
para poder andar diante de Deus sem medo.
Pensa em mim Zósimo, porém sem pena: pois bem cedo
deixarei esta areia,
entrarei calma na minha sepultura,
tão velha, tão feia, sublimada por altas chamas,
tão feliz, tão pura!"

Voz Descritiva

Fala   E Zósimo partiu sem perguntar nada,
porque sua alma ficara muito comovida e assombrada.

VI. Cenário do deserto

Voz Descritiva

Canta Pela segunda vez Zósimo passava
e outra vez o vulto encontrava,
Fala coberto com a chuva cinzenta dos seus cabelos,
e agora caminhando pelos
do Jordão líquidos caminhos.
E lembrou-se de perguntar "Como te chamas?"
E o vulto lhe respondia:

Maria Egipcíaca

1199

Canta Eu fui aquela
egipíaca donzela
que fugiu de casa para Alexandria.
Era tão perversa e tão bela
que a minha fama se conhecia
nos impérios todos do mundo.
Depois, fui com meu corpo imundo
visitar o lugar sagrado
de Jesus Crucificado,
Oh! altos montes, negras oliveiras,
pedras repletas de ecos, ó puras sombras verdadeiras!
E meu passo ficou tolhido,
tão grande era o peso do pecado
pelo meu sangue subitamente reconhecido.
Meu nome era Maria,

Oratório de Santa Maria Egipcíaca

pecadora de Alexandria.
Agora sou a penitente das areias,
e só o vento do deserto vem cantar nas minhas veias.
O vento canta na minha pele e nos meus ossos.
E sou feliz por ver os meus próprios destroços.
O vento canta nos meus cabelos.
A harpa é mísera, mas comoventes são os apelos.
Zósimo, grava na tua memória
os quatro instantes da minha história:
a menina enganada,
a pecadora reclinada,
a romeira subitamente esclarecida,
e esta que morre e só na morte encontra a vida.

1200   Voz Descritiva

Fala   E Zósimo olhava a seca figura
que por cima das águas andava
sem ir ao fundo
e que repetia:

Maria Egipcíaca (*voz de Maria*)

Canta   Morei no mundo,
fui Maria de Alexandria,
aqui chorei, das minhas paixões lembrada,
da minha vida passada,
dos meus banquetes, dos meus abraços.
Aqui triturei minhas lembranças com os próprios passos,
aqui roguei para que morresse a minha saudade

	das vozes que amei, dos sonhos antigos,
	daquela espécie de felicidade
	que me cercava de perigos.
	Aqui solucei pelos meus pecados inocentes:
	ajoelhada no chão cortava minhas cadeias com os dentes.
Fala	Olha os meus braços nus, lenhosos e torcidos,
	que foram tão roliços e de tantas jóias cingidos;
	e estas pernas que eram lisas e firmes, e finas como pluma,
	e são negras e moles e sem força nenhuma;
	e estes peitos vazios, frouxos e indiferentes,
	que eram romãs coroadas, redondas e resplandecentes.
	E como será meu rosto, que vejo só com os dedos, neste
	[deserto,
	meu rosto que parecia noturno lótus aberto
	e a minha boca, cheia de consentimentos
	— olha tudo isso nas areias e nos ventos...
	Zósimo, Zósimo, como eu chorei, para deixar de ser bela,
	para me despir de pecados,
	para matar meus sonhos desesperados!
	Mil demônios estão construindo pântanos e florestas
	para suas eternamente satânicas festas.
	E havia uma voz que me falava e eu não ouvia.
	Quem era?
Canta	Mas o deserto é a minha moradia,
	e tenho um porto de anjos e de estrelas e navego
	como quem de repente deixou de ser cego.

Voz Mística

Canta	Longe morre Alexandria.
	Longe morrem teus pecados.

Outra e a mesma, agora pisas
do Jordão as ondas lisas...

Voz Descritiva

Fala   Então, Zósimo estendeu à penitente
um punhado de tâmaras, de lentilhas e de figos.
E ela deslizou pelas águas, leve e nua
como no quarto minguante o vulto da lua.
"Como sabes meu nome?", perguntou Zósimo
[sempre assombrado.

Maria Egipcíaca (*voz de Maria*)

1202   Canta   "O vento que me ensina o Evangelho
fez-me clarividente.
Sei o nome de amigos e inimigos,
e o de cada pecado:
vejo o futuro como vejo o passado,
minha alma vai sendo mais nova, no corpo mais velho.
Como é possível que eu tenha sido a de antigamente?
Choro por mim, como por outra pessoa.
E meu corpo que foi de chumbo agora voa."

Voz Descritiva

Fala   E seu vulto, na verdade, voava e desaparecia.
E Zósimo chorava também por Maria de Alexandria.

VII. Cenário do deserto

Voz Descritiva

Fala   A terceira vez que Zósimo veio pelo deserto
procurou-a mas não a encontrou nem longe nem perto.
Chamou-a: Maria do Egito! Maria de Alexandria!
Mas dos confins da areia o eco repercutia:
"Santa Maria!"

(*Música sem palavras, formando um breve intervalo. Depois,
a música serve de fundo.*)

E chamou-a dias inteiros.   1203
Mas não viu mais a velha penitente.
E em vão para os quatro ventos lançava seu grito:
Maria do Egito!
Fugitiva Maria rebelde e brava!
Maria dos barqueiros, dos marinheiros e romeiros.
Maria de Alexandria,
Maria, a vítima da pérfida Serpente,
Maria em parte alguma se encontrava:
nem Maria acordada à luz do caminho santo,
batizada não no Jordão, mas no seu pranto.
Maria de dolorida sabedoria
não se encontrava mais em parte alguma:
passara como no vento a nuvem e na água a espuma.

(*Sem música*)

Fala   E Zósimo sentiu que ela agora habitava
a celeste Jerusalém,
de onde ajudaria a livrar de seus errôneos amores
os que nas ondas dos desejos vão e vêm.
Canta   E pois que todos somos desses navegadores,
por ela seremos ajudados, também.

Coro   Amém.

Fim

NARRADOR PRESENTE

Zósimo voltou então para o seu convento,
chorando de pena e alegria
pelo que tinha visto e escutado
e escreveu a história de Santa Maria,
da sua vida e do seu arrependimento,
para que Santa Maria Egipcíaca, salva do pecado,
também o fosse do esquecimento.

(*Música sem palavras*)

METAL
ROSICLER

CECÍLIA MEIRELES

1960
LIVROS DE PORTUGAL
RIO DE JANEIRO

Metal rosicler. Rio de Janeiro: Livros de Portugal, 1960. 112 p. + Índice.
Retrato de Graciela Fuenzalida.

Na página anterior:
capa da primeira edição de *Metal rosicler*.

Metal Rosicler
(1960)

* 1208

Metal rocicler he uma pedra negra, como metal negrilho, melhor d'arêa, como pó escuro sem resplandor: e se conhece ser rocicler, em que lançando agua sobre a pedra, se lhe dá com huma faca, ou chave, como quem a móe, e faz hum modo de barro, como ensanguentado; e quanto mais corado o barro, tanto melhor he o rocicler...
... dá em caixa de barro como lama, e pedrinhas de todas as cores.

Antonil: *Cultura e opulência do Brasil*

1

Não perguntavam por mim,
mas deram por minha falta.
Na trama da minha ausência,
inventaram tela falsa.

Como eu andava tão longe,
numa aventura tão larga,
entregue à metamorfose
do tempo fluido das águas;
como descera sozinho
os degraus da espuma clara,
e o meu corpo era silêncio
e era mistério minha alma —
— cantou-se a fábula incerta,
segundo a linguagem da harpa:
mas a música é uma selva
de sal e areia na praia,
um arabesco de cinza
que ao vento do mar se apaga.

E o meu caminho começa
nessa franja solitária,
no limite sem vestígio,
na translúcida muralha
que opõem o sonho vivido
e a vida apenas sonhada.

2

Uns passeiam descansados
entre roseiras e murtas;
outros estendem os braços
para límpidas figuras;
alguns a espelhos dirigem
suas pequenas perguntas;
e muitos dormem felizes
e o sono é a sua aventura;
e há pastores de desejos
e domadores de culpas.

Mas os que vêm perseguindo
bandos de mistério em fuga,
mas os que tanto desdenham,
por essa estranha captura
— já sem vida, sem linhagem,
sem amor e sem fortuna,
sem mundo humano que os prenda
nem pálpebra em que se encubram,
esses, que excedem a terra,
no mar complexo mergulham
— não por exaustos e inábeis,
mas por disciplina e luta,
não por vanglória festiva,
mas por enfrentar medusas,
fugir à fosforescência,
e, acordados na onda obscura,

entre imagens provisórias
estender mãos absolutas.

3

O gosto da vida equórea
é o da lágrima na boca:
porém a profundidade
é o pranto da vida toda!
Justa armadura salgada,
pungente e dura redoma
que não livra dos perigos,
mas reúne na mesma onda
os monstros no seu império
e o amargo herói que os defronta.
Sob a lisa superfície,
que vasta luta revolta!
Cada face que aparece
logo se transforma noutra.

Palavra nenhuma existe.
Horizonte não se encontra.
Deus paira acima das águas,
e o jogo é todo de sombras.
Nas claras praias alegres,
é a espuma do mar que assoma:
combate, vitória, enigma
jamais se movem à tona.
O herói sozinho se mede

Metal Rosicler

e a memória é a sua força.
E quando vence o perigo,
na vitória não repousa:
a disciplina é o sentido
da luta que o aperfeiçoa.

Deixa a medusa perfeita
em sua acúlea coroa.
E a pérola imóvel deixa
na sorte da intacta concha.

4

Não fiz o que mais queria.
Nem há tempo de cantar.
Basta que fiquem suspiros
na boca do mar.

Basta que lágrimas fiquem
nos olhos do vento.
Não fiz o que mais queria
e assim me lamento.

E a minha pena é tão minha,
quem a pode consolar?
Chorava caminhos claros
noutro lugar.

Chorava belos desertos
felizes de pensamento.

Mas a alma é de asas velozes
e o mundo é lento.

5

Estudo a morte, agora
— que a vida não se vive,
pois é simples declive
para uma única hora.

E nascemos! E fomos
tristes crianças e adultos
ignorantes e cultos,
de incoerentes assomos.

E em mistério transidos,
e em segredo profundo,
voltamos deste mundo
como recém-nascidos.

Que um sinal nos acolha
nesses sítios extremos,
pois vamos como viemos,
sem ser por nossa escolha;

e quem nos traz e leva
sabe por que é preciso
do Inferno ao Paraíso
andar de treva em treva...

Metal Rosicler

6

Parecia bela:
era apenas triste.
Quem no mundo existe
que se lembre dela?

De lábio tão suave,
de modos de criança
e desesperança
que não se descreve.

Tudo nesta vida
lhe era tão deserto
que só viu de perto
morte e despedida.

Hoje, acaso mira
antigos retratos...
(Oh, do sonho aos atos...)
Recorda e suspira.

7

Ai, senhor, os cavalos são outros,
e o coche não pode rodar.
Nem já se encontra quem o conduza,
quem se assente neste lugar.
Mas também os caminhos agora

não se sabe aonde é que vão dar.
Não há jardins de belos passeios,
e acabou-se o tempo do luar.

Nem chegarão novos passageiros
para este coche secular:
nem solitários nem sonhadores
nem qualquer encantado par...

Hoje isto é um coche só de fantasmas,
sombra de véus e plumas no ar...

(Quem chega aqui morre de riso!
Mas eu, senhor, morro de pesar...)

8

À beira d'água moro,
à beira d'água,
da água que choro.

Em verdes mares olho,
em verdes mares,
flor que desfolho.

Tudo o que sonho posso,
tudo o que sonho.
E me alvoroço.

Que a flor nas águas solto,
e em flor me perco
mas em saudade volto.

9

Falou-me o afinador de pianos, esse
que mansamente escuta cada nota
e olha para os bemóis e sustenidos
ouvindo e vendo coisa mais remota.
E estão livres de engano os seus ouvidos
e suas mãos que em cada acorde acordam
os sons felizes de viverem juntos.

"Meu interesse é de desinteresse:
pois música e instrumento não confundo,
que afinador apenas sou, do piano,
a letra da linguagem desse mundo
que me eleva a conviva sobre-humano.
Oh! que Física nova nesse plano
para outro ouvido, sobre outros assuntos..."

10

Em colcha florida
me deitei.
Pássaros pintados
escutei.

Grinaldas nos ares
contemplei.
Da morte e da vida
me lembrei.
Dias acabados
lamentei.

(Flores singulares
não bordei.
A canção trazida
não cantei.
Naveguei tormentas pelos quatro lados.
Não as amansei!
Ó grinaldas, flores, pássaros pintados,
como dormirei?)

11

Chuva fina,
matutina,
manselinho orvalho quase:
névoa tênue sobre a selva,
pela relva,
desdobrada, etérea gaze.

Chuva fina,
matutina,

Metal Rosicler

o pardal de úmidas penas,
a folhagem e a formosa
clara rosa,
sonham que és seu sonho, apenas.

Chuva fina,
matutina,
pelo sol evaporada,
como sonho pressentida
e esquecida
no clarão da madrugada.

Chuva fina,
matutina:
brilham flores, brilham asas
brilham as telhas das casas
em tuas águas velidas
e em teu silêncio brunidas...

Chuva fina,
matutina,
que te foste a outras paragens.
Invisível peregrina,
clara operária divina,
entre límpidas viagens.

12

Quem me quiser maltratar,
maltrate-me agora,

pois é tarde, e cansado
de trabalhos e penas,
quem se defende a esta hora?

Quem me quiser renegar,
renegue-me agora,
porque o meu sono é tão grande
que tudo aceito — nem sinto
se alguém se for embora.

Quem me quiser esquecer,
esqueça-me agora:
que eu não lamento nem sofro,
tonta do dia excessivo.
Tão sem força, quem chora?

(Noite imóvel, noite escura,
forrada de sedas suaves,
pequeno mundo sem chaves,
quase como a sepultura.)

13

Levam-me estes sonhos por estranhas landas,
charnecas, desertos, planaltos de neve
muito desolados.

Pessoas que adoro mostram-me outros rostos
que eu desejaria que nunca tivessem
nem mesmo sonhados.

E fico tão triste nestes longos sonhos
e não ouso... E assisto a esta decadência
por todos os lados.

Venho destes sonhos como de outras eras.
Neles embranquecem meus cabelos, ficam
meus lábios parados.

E mais tarde encontro meus sonhos na vida,
somente esses sonhos, somente esses sonhos
todos realizados.

14

Oh, quanto me pesa
este coração, que é de pedra.
Este coração que era de asas,
de música e tempo de lágrimas.

Mas agora é sílex e quebra
qualquer dura ponta de seta.

Oh, como não me alegra
ter este coração de pedra.

Dizei por que assim me fizestes,
vós todos a quem amaria,
mas não amarei, pois sois estes

que assim me deixastes amarga,
sem asas, sem música e lágrimas,

assombrada, triste e severa
e com meu coração de pedra.

Oh, quanto me pesa
ver meu puro amor que se quebra!
O amor que era tão forte e voava
mais que qualquer seta!

15

Pelos vales de teus olhos
de claras águas antigas
meus sonhos passando vão.

Chego de tempos remotos
com rebanhos de cantigas
felizes de solidão.

Céus de estrelas vêm descendo
— perdi meu nome e a lembrança,
datas de vida e de amor.

Reduzo-me a pensamento,
livre de toda esperança,
isento de qualquer dor.

Metal Rosicler

Pelos vales de teus olhos,
o que fomos e seremos
não precisa explicação.

Passamos, vivos e mortos,
sozinhos, nesses extremos.
Companhias — o que são?

Aguardo apenas a estrela
na ponta do meu cajado:
a pura estrela polar.

Será meia-noite certa:
e o futuro já passado
nos vales do teu olhar.

16

Sono sobre a chuva
que, entre o céu e a terra,
tece a noite fina.

Tece-a com desenhos
de amigos que falam,
de ruas que voam,
de amor que se inclina,

de livros que se abrem,
de face incompleta

que, inerme, deplora
com palavras mudas
e não raciocina...

Sobre a chuva, o sono:
tão leve, que mira
todas as imagens
e ouve, ao mesmo tempo,
longa, paralela,
a canção divina

dos fios imensos
que, nos teares de água,
entre o céu e a terra,
o tempo separa
e a noite combina.

17

Espera-se o anestesiado
sem se saber por onde anda.
Nas asas do éter levado,
mira que oscilante prado?
e de que abstrata varanda?

Dimensões e densidades
desfazem-se-lhe no sono.
Ai, que estranhas liberdades,

prisioneiro que te evades
mas que sabes que tens dono!

E provisório navegas
em teu limite de bruma,
onde giram coisas cegas
e onde em sobressalto negas
que sejas coisa nenhuma.

De um lado, a vida te espera;
do outro, não se entende a morte.
E, em metades de anjo e fera,
galopa a fluida Quimera:
tua — mas alheia — sorte...

18

Pois o enfermo é triste e doce
mais do que um recém-nascido.
E chega como se fosse
da volta de ter partido.

E chega de olhos fechados,
envolto nos cristalinos
céus de sonhos debuxados
na memória dos meninos.

E é tão pálido o seu rosto
e sua ausência tão bela

como, entre os ventos de agosto,
a rosa branca e amarela.

19

Asas tênues do éter
sobem mil andares.
Entre os dedos densos
procura-se o corpo
do invisível pássaro:
calhandra? andorinha?
só se sentem asas.
Pois a morte e a vida
têm o mesmo rosto,
transparente e vago.

Noite e dia sobem,
noite e dia descem
asas tênues do éter.
Silenciosas voam,
frias, frias, frias,
entre o vidro e o níquel,
entre o céu e a terra,
lírio cristalino
com pólen de menta,
de menta, de cânfora
e de outras essências.

Entre lábios brancos,
menos que um suspiro,
que um nome, que um beijo
dissolvido em sono.

Sobe além das nuvens.
Até que planaltos?
Até que planetas?
traçando aros leves,
ondas sucessivas...
diamante caído
em lagos de neve,
áfonos, coalhados
nos vales da morte,
longe, longe, longe...

20

Tristes
essas mãos na areia
levantando dunas.

Sonho solitário,
vãs arquiteturas:
sopre simples brisa,
deslizem espumas,
morrem os zimbórios
do império das dunas

e os vultos amados
nas suas colunas.

Tristes
essas mãos na areia
trabalhando obscuras.

Voltam ao princípio
em sonhos e lutas,
contra os altos ventos
e as tênues espumas.
E estes grãos tão finos
— sílex e fagulhas! —
que queimam os olhos!
E as lágrimas duras
que jamais enxugam
nem os ventos altos
nem tênues espumas...

Tristes
essas mãos na areia
levantando dunas.

Moram longe aqueles
das felizes ruas:
não sabem que estradas
longas e soturnas
conduzem às praias
do mar, inseguras.
Não sabem de ventos,

não sabem de espumas,
dos curvos zimbórios,
das lentas colunas,
das mãos soterradas
nestas esculturas...

21

Vão-se acabar os cavalos!
bradai no campo.
Possantes máquinas de aço
já estão chegando!
Adeus, crinas, adeus, fogo
das ferraduras!
Adeus, galope das noites,
curvas garupas...
Já não falo de romances
nem de batalhas:
falo do campo florido,
das águas claras,
da vida que andava ao lado
da nossa vida,
dessa misteriosa forma
que nos seguia
de tão longe, de tão longe,
de que tempos!
desse nosso irmão antigo
de sofrimentos.

Vão-se acabar os cavalos!
bradai no mundo.
Rodas, molas, mecanismos
nos levam tudo.
Falo do olhar que se erguia
para a nossa alma.
Do amor daquilo que vive
e serve e passa.
Vão-se acabar os cavalos!
Bradai aos ecos,
ao sol, ao vento, a Deus triste,
aos homens cegos.

22

A um poeta morto

Um pranto existe, delicado,
que recorda amoravelmente
o infindável adolescente
que um dia esteve ao nosso lado
— e para sempre foi presente,
por seu rosto de desterrado,
seu sofrimento sossegado
e, por discreto, mais pungente.

Um pranto existe, que não chora,
por mais que seja aflito e estreme,
unicamente porque teme
ferir-lhe a sombra, livre agora,

que noutras solidões procura
sua divina arquitetura.

(Que pranto existe, delicado,
ou que lamento de ternura
que lhe não dê nenhum cuidado?)

23

Chovem duas chuvas:
de água e de jasmins
por estes jardins
de flores e nuvens.

Sobem dois perfumes
por estes jardins:
de terra e jasmins,
de flores e chuvas.

E os jasmins são chuvas
e as chuvas, jasmins,
por estes jardins
de perfume e nuvens.

24

Uma pessoa adormece:
ramo de vida sozinho

na pedra escura da noite
pousado.

E em sua cabeça a flor
dos sonhos já se arredonda,
com muitas seivas trazidas
do caos.

Uma leve brisa apenas
anima esse ramo calmo
e os lábios desse perfume
exausto.

Ah... se essa brisa parasse!
que sonhariam os sonhos
do frágil ramo, na vida
pousado?

25

Com sua agulha sonora
borda o pássaro o cipreste:
rosa ruiva da aurora,
folha celeste.

E com tesoura sonora
termina o bordado aéreo.
Silêncio. E agora
parte para o mistério.

A ruiva rosa sonora
com sua folha celeste
imperecível mora
no cipreste.

26

Mais louvareis a rosa, se prestardes
ouvido à fala com que nos descreve
a razão de ser bela em manhã breve
para a derrota de todas as tardes.

Sabereis que ela mesma não se atreve
a fazer de seus dons grandes alardes,
pois o vasto esplendor de seu veludo
e as jóias de seu múltiplo diadema
não lhe pertencem: a razão suprema
de assim brilhar formosamente tudo

é prolongar na vida o sonho mudo
da roseira — de que é fortuito emblema.

27

Nas quatro esquinas estava a morte,
que brincava de quatro cantos.

Nas quatro esquinas estavam postados
poetas, soldados, feras e santos.

Nas quatro esquinas se via a morte
chamar o amor com longos prantos.

Nas quatro esquinas, versos antigos,
liras finais
e negros mantos.

E mulheres feias e belas
oraculares davam sinais
pelas janelas.

E das liras amarguradas
caíam rosas, rolavam ais
pelas calçadas.

Nas quatro esquinas estava a morte,
por entre luzes amarelas,
brincando de quatro cantos.

Morte sem corações parados.
Morte de mocidade e fados.
Morte de infâncias. E largos ventos
de universais arrependimentos.

Morte de claros dias de outrora.
Morte que canta porque chora.

Metal Rosicler

Morte, morte por todos os lados:
santos, feras, poetas, soldados...

Sonhos, liras, amores, prantos,
tudo obscuro, anônimo, efêmero, amargo:
sombras, noite, mantos,
e a vida longe: no céu altivo, no mar largo.

28

Sob os verdes trevos que a tarde
rocia com o mais leve aljofre,
tonta, a borboleta procura
uma posição para a morte.

Oh! de que morre? Por que morre?
De nada. Termina. Esvaece.
Retorna a outras mobilidades,
recompõe-se em íris celestes.

Nos verdes trevos pousa, cega,
à procura de um brando leito.
Altos homens... Árvores altas...
Igrejas... Nuvens... Pensamento...

Não... Tudo extremamente longe!
O mundo não diz nada à vida
que sozinha oscila nos trevos,
embalando a própria agonia.

Que diáfana seda, que sonho,
que aérea túnica tão fina,
que invisível desenho esparso
de outro casulo agora fia?

Secreto momento inviolado
que ao tempo, sem queixa, devolve
as asas tênues, tão pesadas
no rarefeito céu da morte!

Sob os verdes trevos que a noite
no chão silenciosos dissipa,
jaz a frágil carta sem dono:
— escrita? lida? — Restituída.

29

A bailarina era tão grande
como uma árvore caminhante;
e seus braços longos e brancos
tão fugitivos e flutuantes
como as nuvens filhas dos campos.

O giro da sua cintura
— rápida e fina como um fuso —
era de firmeza profunda
e fragilidade tão pura
como as do próprio eixo do mundo.

Metal Rosicler

Oh! — o desdobramento amplo e calmo
de seus joelhos! O círculo alto
que o tênue pé determinava!
Limite da fluidez humana...
Límpido e implacável compasso...

Voava! — e logo se desfazia,
num gesto de albatroz rendido.
E de novo aos ares a vida
arriscava, impotente e linda,
algemada ao peso inimigo.

E tão divinamente exata
vinha à terra e aos céus se elevava
que era tão grave o instante alado
como o da derrota no espaço
— mas ambos igualmente plácidos.

Ó bailarina, ó bailarina,
deusa da estrita geometria!
ó compasso, ó balanço, ó fio
de prumo, ó secreto algarismo,
primeiro e eterno número ímpar!

Alça o teu vôo além da queda,
rompe os elos de espaço e tempo,
galga as obrigações da terra,
atira-te em música, ó seta,
e restitui-te em pensamento!

30

No alto da montanha já quase chuvosa
o velhinho passa
metade entre as nuvens, metade entre as ervas
com um ramo verde nas mãos gastas.

Que pensa, que sente, que faz, que destino
é o seu, nesta altura,
cercado de rochas, calado e sozinho,
cercado de nuvens?

E o ramo que leva, tão verde, na tarde
cinzenta e pesada,
a que primaveras irá conduzindo
seu corpo ou sua alma?

Para muito longe, muito longe, passa.
Monte sobre monte,
vai-se andando sempre, sempre há um ramo verde,
e depois um largo horizonte.

31

Como os senhores já morreram
e não podem mais batalhar,
as armaduras, com saudade,
sentaram-se para jogar.

No tabuleiro estão cavalos,
torres, soldados, rei... A mão
de ferro quase alcança o jogo:
só lhe falta a articulação.

Ó breve planície quadrada
do tabuleiro de xadrez!
Viseiras saudosas de sangue,
de guerras que o tempo desfez.

Ó fantasmas insatisfeitos
de senhores que não são mais!
Tão sinistro é o gosto da morte
que, já sem guerras, batalhais!

32

Parecia que ia morrendo
sufocada.
Mas logo de seu peito vinha
uma trêmula cascata,
que aumentava, que aumentava
com borboletas de espuma
e fogo e prata.

Parecia que ia morrendo
de loucura.
Mas logo rápida movia
não sei que vaga porta escura

e, mais tênue que o sol e a lua,
passava entre fitas e rosas
sua figura.

Parecia que ia morrendo
em segredo.
Mas uma rumorosa vida
rugia mais que oceano ou vento
nas suas mãos em movimento.
Agarrava o tempo e o destino
com um ágil dedo.

Parecia que ia morrendo
e revivia.
E girava saias imensas,
maiores do que a noite e o dia.
Rouca, delirante, aguerrida,
pisando a morte e os maus agouros,
"olé!" — dizia.

33

Na almofada de borlas,
suave fronte, cingida
por nítida coroa.
O silêncio do tempo
seu rosto sobrevoa.

A madeixa caída
e as pregas de seu manto
não sofrem nenhum vento.
Nem este liso peito
sabe de movimento.

Com pupilas de pedra
fita o incansável livro
que a fria mão suporta.
Esta é a desconhecida,
bela Princesa morta.

E o cãozinho que a mira,
escravo para sempre,
enrolado aos pés dela,
sem vida olha a sem vida
e mesmo assim a vela.

Não é triste estar morta
e ser desconhecida,
quando o silêncio enorme
parece o único sonho
da figura que dorme.

Mas a face escondida
no sarcófago, em cinza,
sabe que teve um nome.
Gastou-lhe o tempo as letras
e o resto Deus consome.

Mais longe do que a cinza,
quem sabe se duvida
entre o que era e o que resta?
Que pensa a antiga sombra
da permanência desta?

34

Assim n'água entraste
e adormeceste,
suicida cristalina.

Todos os mortos vivem dentro de uma lágrima:
tu, porém, num tanque límpido,
sob glicínias,
num claro vale.

Não vês raízes nem alicerces,
como os outros mortos:
mas o sol e a lua,
Vésper, a rosa e o rouxinol,
nos seis espelhos que te fecham por todos os lados.

Pode ser que também Deus se aviste,
nessa imóvel transparência.
E pode ser que Deus aviste teu coração,
e saiba por que desceste
esses degraus de cristal que iam para tão longe.

Ah!
é o que rogamos para sempre,
diante da tua redoma
onde dormes sozinha com os teus longos vestidos,
diante da tua transparente,
fria, líquida barca.

35

Embora chames burguesa,
ó poeta moderno, à rosa,
não lhe tiras a beleza.

A tua sanha imprevista
contra a vítima formosa,
é um mero ponto de vista.

Pode a sanha ser moderna,
pode ser louvada, a glosa:
mas, sendo a Beleza eterna,

que vos julgue o Tempo sábio:
entre os espinhos, a rosa,
entre as palavras, teu lábio.

36

Não temos bens, não temos terra
e não vemos nenhum parente.

Os amigos já estão na morte
e o resto é incerto e indiferente.
Entre vozes contraditórias,
chama-se Deus onipotente:
Deus respondia, no passado,
mas não responde, no presente.
Por que esperança ou que cegueira
damos um passo para a frente?
Desarmados de corpo e de alma,
vivendo do que a dor consente,
sonhamos falar — não falamos;
sonhamos sentir — ninguém sente;
sonhamos viver — mas o mundo
desaba inopinadamente.

E marchamos sobre o horizonte:
cinzas no oriente e no ocidente;
e nem chegada nem retorno
para a imensa turba inconsciente.
A vida apenas à nossa alma
brada este aviso imenso e urgente?

Sonhamos ser. Mais ai, quem somos,
entre esta alucinada gente?

37

Os anjos vêm abrir os portões da alta noite,
justamente quando o sono é mais profundo
e o silêncio mais amplo.

Rodam as portas e suspiramos subitamente.
Chegam os anjos com suas músicas douradas,
a túnica cheia de aragens celestes
e cantam na sua fluida linguagem ininteligível.

Então as árvores aparecem com flores e frutos,
a lua e o sol entrelaçam seus raios,
o arco-íris solta suas fitas
e todos os animais estão presentes,
misturados às estrelas,
com suas cores, expressões e índoles.

Vêm os anjos abrir os portões da alta noite.

1244

E compreendemos que não há mais tempo,
que esta é a última visão,
e que as nossas mãos se levantam para os adeuses,
e os nossos pés se desprendem da terra,
para o vôo anunciado e sonhado
desde o princípio dos nascimentos.

Os anjos nos estendem seus convites divinos.
E sonhamos que já não sonhamos.

38

Não sobre peito ou companhia humana:
sobre papéis chorava.
A pobre lágrima comprimida muito longe

perguntava admirada
se podia correr, se estava solta agora,
e com angústia se concentrava
— amiga lágrima, grito mudo dos tristes! —
e acorria desesperada,
tão pequena, meu Deus, para tão grande tormento,
que se pensava:
como é possível sofrer sem queixa nem desafogo!
Que dor tão bem guardada!
E tinha-se pena de deixar a lágrima livre
e de deixá-la escrava.
Nem se sabia se era melhor sofrer, consolar-se,
nem se compreendia mais nada.

Sobre papéis escritos, sobre papéis impressos,
uma única lágrima se evaporava.
Era uma solidão muito solene, a vida,
fora do mundo, calada.

Os algozes jogavam dados na mesa do tempo.
Quem sabe o que apostavam?

39

Mirávamos a jovem lagartixa transparente,
rósea, gelatinosa, a palpitar no vidro
como um broche de quartzo repentino.

E não havia coisa obscura no seu peito:
apenas luz, apenas — traspassando a tênue carne
de opalas tenras, quase líquidas, tão frias...

Pois agora está morta, entre as folhas, e seca
e opaca. E não são já, na verdade, os seus olhos,
de negra pérola. É uma torcida cinza triste.

E um silêncio tão grande! Ah, maior que o seu corpo
e que a sua existência! Universal, humano, imenso...
Morto silêncio de uma vida de silêncio...

40

Eis o pastor pequenino,
muito menor que o rebanho,
a mirar, tímido e atento,
o crepúsculo no campo,
a abraçar-se ao cordeirinho
como a irmão do seu tamanho.

Seus olhos são, no silêncio,
mais que de pastor — de santo.

O horizonte azul e verde
vai sendo roxo e amaranto,
e as nuvens todas se acabam,
e uma estrela vai chegando
— para levar o menino
que vai levando o rebanho.

41

Cada palavra uma folha
no lugar certo.

Uma flor de vez em quando
no ramo aberto.

Um pássaro parecia
pousado e perto.

Mas não: que ia e vinha o verso
pelo universo.

42

Apenas uma sandália
medieval.

O que ainda resta das danças,
dos torneios e cantigas,
de esperanças,
das amigas e inimigas
de um vago dia feudal.

Tão pequena para o peso
de qualquer vida calçada
que, embora não seja nada,

foi amor? desprezo?
ficou sobrenatural.

Sob a orla de que vestidos?
Em que duros pavimentos?
Que corações feridos?
Por entre que pensamentos,
a pisar o Bem e o Mal?

No breve tempo do mundo
tênue pé de tênue dona
esta sandália abandona
como um pequeno sinal.

1248

É só metade do passo
no espaço.
Jaz a outra em limiar profundo?

Apenas uma sandália
medieval.

43

Ficava o cavalo branco
de fluida crina dourada
mirando na água do tanque
as rosas da madrugada.

Ao ver o jardim celeste
refletido na onda fria,
apenas curvava a testa
— que de beber se esquecia.

44

Houve um poema,
entre a alma e o universo.
Não há mais.
Bebeu-o a noite, com seus lábios silenciosos.
Com seus olhos estrelados de muitos sonhos.

Houve um poema:
parecia perfeito.
Cada palavra em seu lugar,
como as pétalas nas flores
e as tintas no arco-íris.
No centro, mensagem doce
e intransmitida jamais.

Houve um poema:
e era em mim que surgia, vagaroso.
Já não me lembro, e ainda me lembro.
As névoas da madrugada envolvem sua memória.
É uma tênue cinza.
O coral do horizonte é um rastro de sua cor.
Derradeiro passo.

Metal Rosicler

Houve um poema.
Há esta saudade.
Esta lágrima e este orvalho — simultâneos —
que caem dos olhos e do céu.

45

Se um pássaro cantar dentro da noite
extraviado,
pensa com ternura nessa vida aérea,
sem alfabeto nem calendário,
tão pura, tão pura,
entre flores e estrelas,
sem data de nascimento,
sem nítida família,
e sem noção de morte.

Como os meninos que as mães deixaram,
abandonados
longe, na calçada dos séculos,
à porta de um pai improvável
e que choraram sem socorro.

46

Em seda tão delida,
em laços tão sem cor,
esteve a nossa vida
pelo tempo do amor.

E eis o espelho tão baço,
e o ar sem repercussão,
para a chegada e o abraço
e a voz do coração.

Eis a fechada porta.
Quem podia supor!
— mesmo a saudade é morta,
quase, quase sem dor.

Rios de serenata
para o mar levarão
o que morre, o que mata
e o que é recordação.

47

Cai a voz do Arcanjo.

(Do alto das torres coloridas,
por entre flechas e vitrais;
do alto dos minaretes; do alto
de agulhas góticas; de cima
de curvos zimbórios; do fino
crescente dourado; dos amplos
campanários barrocos; destes
frios triângulos jesuíticos;
dos braços das cruzes; das nuvens,

das árvores, do jorro d'água,
da asa dos pombos, da pequena
corola da anêmona frágil...)

Cai a voz do Arcanjo invisível.
Saudosa.
Solitária.

(Dize-me se algum dia a escutaste,
assim: longínqua, secular, plangente.)

48

Cinza pisamos, cinza.
Retratos conhecidos.
Vozes que ainda trazemos nos ouvidos.

Cinza pisamos.
Nem as areias são indiferentes.
Restos de amigos e parentes.

Cinza.
Parados desejos incompletos:
interrompidos projetos
Cinza pisamos.

Cidades, dizem. Cidades!
Nomes. Vultos. Idades.
Cinza.

Temerosos de peso e vento,
quase apenas esquivo pensamento,
cinza pisamos. Cinza. Cinza.

49

Esperávamos pelo menino
na ventania.
De que lado do céu, de que lado do Tempo
chegaria?
Seu pequeno corpo visível já era,
mas que alma trazia?
E o vento soprava. Jardins e telhados
o vento varria.
Passavam as folhas, entre o mar e as nuvens,
no aéreo dia.
Esperávamos pelo menino.
Ela era a anêmona da alegria:
e o vento que vinha de tão, de tão longe,
era a secreta escadaria
por onde — sozinho? medroso? triste? —
caladamente passaria.

De fora da Vida, que é como da Morte,
por que motivo renascia?

Esperávamos pelo menino
que era a anêmona da alegria,
mas em nosso riso e em nossa esperança

Metal Rosicler

havia lágrimas, havia.
Talvez o menino chegasse cansado,
com suas leis de melancolia.
E o vento era o seu caminho deserto,
ó ponte flutuante e sombria!

Que se podia dar ao menino?
Que se podia? Que se devia?
Depois desse trajeto tão longo
— que existe na terra vazia
para um menino que chega, que chega
vencendo abismos de ventania?

50

Ao longe, amantes infelizes
despedem-se de um vago tempo
que já se fez aéreo e morto,

mas ainda pesa em suas veias,
em sua consumida boca,
em suas cavadas olheiras.

Soltam-se da infelicidade
com vagarosos movimentos,
acostumados às cadeias.

Há beijos de morte em seus dentes,
abraços no esqueleto ocultos,
lágrimas dentro das caveiras.

E o vinho doura os altos copos
e as alcachofras se desfolham
no sonambulismo das ceias.

E a dança desliza nas salas
como as sombras pelas paredes,
verdadeiras e inverdadeiras.

É tão tarde! tão sem remédio!
Incompreensível e inadiável,
romper as largas, finas teias

onde se amavam, tão sinceros
(oh! para sempre... sempre... sempre!),
companheiros e companheiras...

51

Trazei-me pinhos e trigos
e as oliveiras de prata,
que os meus olhos não têm nada.
E eram tão ricos!

Dai-me floresta e colina,
oráculo e cítara e harpa.
Tecei-me a coroa sacra
que perdi. Restituí-ma!

Dai-me um barco, dai-me um barco
de colo de cisne,
que pelas águas quero ir-me
do mar largo.

A história da minha vida
quem a esconde
em terras de muito longe,
numa pedra escrita?

Pelas névoas da lonjura
vou buscar-me.
Deve estar em qualquer parte
a voz que minha alma escuta.

A voz que lhe está dizendo:
"Vem comigo,
que eu te levo a um paraíso
onde há uma árvore de Vento,

e as estrelas vão passando
nas águas que vão correndo."

Negra pedra, copiosa mina
do pó que imita a vida e a morte;
— e o metal rosicler descansa.

Na noite densa em que se inclina,
por faca ou chave que abra ou corte,
estremece em tênue lembrança.

Pois um sangue vivo aglutina
dados coloridos da sorte,
para uns acasos de esperança.

Metal Rosicler

CECÍLIA MEIRELES

SOLOMBRA

*Levantei os olhos para ver quem
falava. Mas apenas ouvi as vozes
contrárias: E vi que era no Céu
e na Terra. E disseram-me: Solombra.*

C. M.

LIVROS DE PORTUGAL
RIO DE JANEIRO

Solombra. Rio de Janeiro: Livros de Portugal, 1963. 63 p.
Ilustrações de Pomar.

Na página anterior:
capa da primeira edição de *Solombra*.

Solombra
(1963)

Levantei os olhos para ver quem
falava. Mas apenas ouvi as vozes
combaterem: E vi que era no Céu
e na Terra. E disseram-me: Solombra.

                  C. M.

Vens sobre noites sempre. E onde vives? Que flama
pousa enigmas de olhar como, entre céus antigos,
um outro Sol descendo horizontes marinhos?

Jamais se pode ver teu rosto, separado
de tudo: mundo estranho a estas festas humanas,
onde as palavras são conchas secas, bradando

a vida, a vida, a vida! e sendo apenas cinza.
E sendo apenas longe. E sendo apenas essa
memória indefinida e inconsolável. Pousa

teu nome aqui, na fina pedra do silêncio,
no ar que freqüento, de caminhos extasiados,
na água que leva cada encontro para a ausência

com amorosa melancolia.

*

Pelas ondas do mar, pelas ervas e as pedras,
pelas salas sem luz, por varandas e escadas
nossos passos estão já desaparecidos.

Diálogos foram frágeis nuvens transitórias.
Multidões correm como rios entre areias
inexoráveis, esvaindo-se em distância.

Meus olhos vagos, que já viram tanta morte,
firmam-se aqui: voragens, quedas e mudanças
tornam-me em lágrima. Oh derrotas! oh naufrágios...

A solidão tem duras leis: conhece aquela
insuficiência de comandos e poderes.
Sabe da angústia de limites e fronteiras.

Entre mãos tristes, vê-se a harpa imóvel.

*

Há mil rostos na terra: e agora não consigo
recordar um sequer. Onde estás? inventei-te?
Só vejo o que não vejo e que não sei se existe.

Esperamos assim. Por esperança, a espera
vai-se tornando sonho afável; mas descubro
no olhar que te procura uma névoa de orvalho.

Qualquer palavra que te diga é sem sentido.
Eu estou sonhando, eu nada escuto, eu nada alcanço.
Quem me vê não me vê, que estou fora do mundo.

Lá, constante presença em memória guardada,
percebo a tua essência — e não sei nem teu nome.
E à tentação de tantas máscaras felizes

se opõe meu leal, nítido sangue.

*

Quero uma solidão, quero um silêncio,
uma noite de abismo e a alma inconsútil,
para esquecer que vivo — libertar-me

das paredes, de tudo que aprisiona;
atravessar demoras, vencer tempos
pululantes de enredos e tropeços,

quebrar limites, extinguir murmúrios,
deixar cair as frívolas colunas
de alegorias vagamente erguidas.

Ser tua sombra, tua sombra, apenas,
e estar vendo e sonhando à tua sombra
a existência do amor ressuscitada.

Falar contigo pelo deserto.

*

Falar contigo. Andar lentamente falando
com as palavras do sono (as da infância, as da morte).
Dizer com claridade o que existe em segredo.

Ir falando contigo, e não ver mundo ou gente.
E nem sequer te ver — mas ver eterno o instante.
No mar da vida ser coral de pensamento.

Solombra

Felicidade? Não. Voz solene. Entre nuvens,
seta sempre constante à direção remota:
Nascimento? Vontade? Intenção? Cativeiro?

Humildade de amar só por amar. Sem prêmio
que não seja o de dar cada dia o seu dia
breve, talvez; límpido, às vezes; sempre isento.

Ir dando a vida até morrer.

*

Para pensar em ti todas as horas fogem:
o tempo humano expira em lágrima e cegueira.
Tudo são praias onde o mar afoga o amor.

Quero a insônia, a vigília, uma clarividência
deste instante que habito — ai, meu domínio triste!,
ilha onde eu mesma nada sei fazer por mim.

Vejo a flor, vejo no ar a mensagem das nuvens
— e na minha memória és imortalidade —
vejo as datas, escuto o próprio coração.

E depois o silêncio. E teus olhos abertos
nos meus fechados. E esta ausência em minha boca:
pois bem sei que falar é o mesmo que morrer.

Da vida à Vida, suspensas fugas.

*

Caminho pelo acaso dos meus muros,
buscando a explicação de meus segredos.

E apenas vejo mãos de brando aceno,

olhos com jaspes frágeis de distância,
lábios em que a palavra se interrompe:
medusas da alta noite e espumas breves.

Uma parábola invisível sabe
o rumo sossegado e vitorioso
em que minha alma, tão desconhecida,

vai ficando sem mim, livre em delícia,
como um vento que os ares não fabricam.
Solidão, solidão e amor completo.

Êxtase longo de ilusão nenhuma.

*

Arco de pedra, torre em nuvens embutida,
sino em cima do mar e luas de asas brancas...
Meu vulto anda em redor, abraçado a perguntas.

Anda em redor minha alma: e a música e a ampulheta
desmancham-se no céu, nas minhas mãos dolentes,
e a vastidão do amor fragmenta-se em mosaicos.

Solombra

Ó calma arquitetura onde os santos passeiam
e com olhos sem sono observam labirintos
de terra triste em que os destinos se entrelaçam.

... — presa estou, como a rosa e o cristal, nas arestas
de exatas cifras delicadas que se encontram
e se separam: em polígonos de adeuses...

Alada forma, onde coincidimos?

*

O gosto da Beleza em meu lábio descansa:
breve pólen que um vento próximo procura,
bravo mar de vitória — ah, mas istmos de sal!

Eu — fantasma — que deixo os litorais humanos,
sinto o mundo chorar como em língua estrangeira:
eu sei de outra esperança: eu conheço outra dor.

Apenas alta noite algum radioso espelho
em sua lâmina reflete o que estou sendo.
E em meu assombro nem conheço o próprio olhar.

Alta é a alucinação da provada Beleza.
Pura e ardente, esta angústia. E perfeita, a agonia.
Eu, que a contemplo, vejo um fim que não tem fim.

Dunas da noite que se amontoam.

*

Só tu sabes usar tão diáfano mistério:
trajo sem ruga, espelho dedicado ao sono,
estrela sobre a duna em hora ausente do Homem.

Que desígnio possuis? de que modo se prende
tua vida na terra, entre existências bruscas?
a que espécie de som teu destino responde?

Desdém de flor... — ó voz terrena, escuta as rosas!
— ... teu lábio sobre a tarde é apenas a inquietude
de quem escuta, quem te espera, quem não te ouve.

Teus olhos estarão sobre nós, infindáveis —
ó túneis do universo, ó caminhos serenos
que passaremos sem agoras e sem ontens?

Olhar eterno de sempre e nunca.

*

Falo de ti como se um morto apaixonado
falasse ainda em seu amor, sobre a fronteira
onde as coroas desta vida se desmontam.

Sem nada ver, sigo por mapas de esperança:
vento sem braços, vou sonhando encontros certos,
água caída, penso-me em cristal segura.

Solombra

Ah, meus caminhos, ah, meu rosto, audaz e grave!
O claro sol, as altas sombras, a onda inquieta
e o vasto olhar das grandes noites acordadas!

E abre-se o mundo por mil portas simultâneas.
Quem aparece? E outras mil portas sobre o mundo
se fecham. Tudo se revela tão perene

que eu é que sou translúcida morta.

*

O que amamos está sempre longe de nós:
e longe mesmo do que amamos — que não sabe
de onde vem, aonde vai nosso impulso de amor.

1270

O que amamos está como a flor na semente,
entendido com medo e inquietude, talvez
só para em nossa morte estar durando sempre.

Como as ervas do chão, como as ondas do mar,
os acasos se vão cumprindo e vão cessando.
Mas, sem acaso, o amor límpido e exato jaz.

Não necessita nada o que em si tudo ordena:
cuja tristeza unicamente pode ser
o equívoco do tempo, os jogos da cegueira

com setas negras na escuridão.

*

Como trabalha o tempo elaborando o quartzo,
tecendo na água e no ar anêmonas, cometas,
um pensamento gira e inferno e céu modela.

Brandamente suporta em delicados moldes
enigmas onde a noite e o dia pousam como
borboletas sem voz, doce engano de cinza.

Levemente sustenta a frágil estrutura
da verdade que o anima. E a cada instante sofre
de saber-se tão tênue e tão perto de ruína.

(Ó Verônica acesa em secreta paisagem,
tão esperada e amada em tristeza e ventura,
malgrado o peso dos enganos e saudades,

e do exercício das despedidas!)

*

Nuvens dos olhos meus, de altas chuvas paradas
— por chãos de adeuses vão-se os dias em tumulto,
em noites ermas a saudade longe morre.

Sem testemunhas vão passando as horas belas.
Tudo que pôde ser vitória cai perdido,
sem mãos, sem posse, pela sombra, entre os planetas.

Solombra

Tudo é no espaço — desprendido de lugares.
Tudo é no tempo — separado de ponteiros.
E a boca é apenas instrumento de segredos.

Por que esperais, olhos severos, grandes nuvens?
Tudo se vai, tudo se perde — e vós, detendo,
num preso céu, fora da vida, as águas densas

de inalcançáveis rostos amados!

*

As palavras estão com seus pulsos imóveis.
Caminharia a morte — e sempre o mesmo peso
e a mesma sombra fechariam meus pedidos.

Mas o sangue do amor tem sonos e silêncios,
sabe do que aparece apenas porque passa:
espera sem temer que o universo se explique.

Mando-te um som de vida, em meus rios de espanto,
solitária de mim, repentina exilada,
com os enigmas ardendo entre inconstantes ondas.

Nada somos. No entanto, há uma força que prende
o instante da minha alma aos instantes da terra,
como se os mundos dependessem desse encontro,

desses prelúdios sobressaltados.

*

Ó luz da noite, descobrindo a cor submersa
pelos caminhos onde o espaço é humano e obscuro,
e a vida um sonho de futuros nascimentos.

Eis uma voz — ah, rosa branca em negro plinto!
Eis uma sombra — a tarde a andar pelas areias.
Eis um silêncio — erguido céu de asas abertas.

Abro esta porta além do mundo, mas não passo.
Basta-me o umbral, de onde se avista o ponto certo,
o grande vértice a que sobe o olhar do mundo.

Fala impossível. Que conversam, na onda insone,
as formações de prata e sal que o oceano tece?
Que comunicam, seiva a seiva, as primaveras?

Palavras gastas de Morte e Amor.

*

Eu sou essa pessoa a quem o vento chama,
a que não se recusa a esse final convite,
em máquinas de adeus, sem tentação de volta.

Todo horizonte é um vasto sopro de incerteza.
Eu sou essa pessoa a quem o vento leva:
já de horizontes libertada, mas sozinha.

Solombra

Se a Beleza sonhada é maior que a vivente,
dizei-me: não quereis ou não sabeis ser sonho?
Eu sou essa pessoa a quem o vento rasga.

Pelos mundos do vento, em meus cílios guardadas
vão as medidas que separam os abraços.
Eu sou essa pessoa a quem o vento ensina:

"Agora és livre, se ainda recordas."

*

1274

Isto que vou cantando é já levado
pelos rios do assombro, que entre as pálpebras
das margens deixa apenas flores líquidas.

Longe descansará meu rosto agora.
Campos de ausência cobrirão seu límpido
mutismo de certezas invioláveis.

Crescem bosques, escondem-se caminhos;
as asas pressurosas dos crepúsculos
não deixam nitidez sequer nas lágrimas.

Ah, glória das palavras restituídas
a seu mistério de alma, íntimo e cálido!
Superfície de adeuses, mãos vazias.

Noite entretida com o som dos túmulos.

*

Se agora me esquecer, nada que a vista alcança
parecerá mudado. E a sombra, exata e móvel,
seguirá com sossego o caminho dos vivos.

A noite selará com minúcia meus olhos
e à cinza de meu rosto o mais agudo sonho
vestígio não trará dos derrotados mitos.

No meu dia seguinte encontrareis aquela
conseqüência de ser clarividente e pronta
— livre continuação de destinos antigos.

(Ah, mas se eu te esquecer ficará pelo mundo,
morto e desenterrado, um vago prisioneiro,
entregue à dúbia lei dos seus cinco sentidos!

Amarga morte: suposta vida...)

*

Quero roubar à morte esses rostos de nácar,
esses corais da aurora, esses véus de safira,
e antes que em mim também se acabe o céu das pálpebras.

Roubo a seta que vi passar sobre os meus cílios
— agora que o ar descai no espaço atravessado,
e antes que em mim também se acabe o céu das pálpebras.

Solombra

E por dias sem fim, na imprevista memória
que o sonho lavra em pedras negras e rebeldes,
estranhas cenas brilharão, vastas e tímidas.

Este era o acaso a que serviram minhas lágrimas?
Esta era a doce escravidão da minha vida?
Isto era toda a tua glória — este resíduo?

E à morte roubo minha alma, apenas?

*

Há um lábio sobre a noite: um lábio sem palavra.
O secular ouvido espera, como em ruínas,
sem poder desistir, sem coragem de crer.

As vigílias que estão pela terra guardadas
não compreendem que alento as conserva inflexíveis,
sem que um suspiro ouse nascer da sua angústia.

Mas o lábio da noite é uma espada suspensa.
Ferida para sempre a alegria dos olhos
que a percebem parada entre a súplica e o céu.

Pouco a pouco se morre e ninguém mais encontra
a rosa que caiu do coração vencido,
nas mil sombras que vêm desses bosques da insônia.

Há um lábio longe, que em vão se escuta.

*

Sobre um passo de luz outro passo de sombra.
Era belo não vir; ter chegado era belo.
E ainda é belo sentir a formação da ausência.

Nada foi projetado e tudo acontecido.
Movo-me em solidão, presente sendo e alheia,
com portas por abrir e a memória acordada.

A acordada memória! esta planta crescente
com mil imagens pela seiva resvalantes,
na noite vegetal que é a mesma noite humana.

Vejo-me longe e perto, em meus nítidos moldes,
em tantas viagens, tantos rumos prisioneira,
a construir o instante em que direi teu nome!

Que labirintos bebem meu rosto?

*

Entre mil dores palpitava a flor antiga.
quando o tempo anunciava um suspiro do vento.
Cada seta de sombra era um sinal de morte.

Lento orvalho embebeu de um constante silêncio
o manso labirinto em que a abelha sussurra,
o aroma de veludo em seus bosques perdido.

Hoje, um céu de cristal protege a flor imóvel.
Não se sabe se é morta e parada em beleza,
ou viva e acostumada às condições da morte.

Mas o vento que passa é um passante longínquo:
à flor antiga não perturba o exato rosto
sem esperanças nem temores nem certezas.

Pálido mundo só de memória.

*

Tomo nos olhos delicadamente
esta noite — jardim de puro tempo
com ramos de silêncio unindo os mundos.

Tudo quanto quisesse aqui se encontra:
nos arroios de estrelas — pelos bosques
onde há risos (e próximos soluços?).

Sinto perfume e orvalho — imagens tênues
que inventa a solidão, para fazer-se
de repente saudade. E vejo em tudo

essas cansadas lágrimas antigas,
essas longas histórias sucessivas
com seus berços e guerras — glórias? — túmulos.

Recolho a noite em minhas pálpebras.

*

Uma vida cantada me rodeia.
Mas pergunto-me até onde me alcança
o canto que me envolve e me protege.

Qual será o meu destino verdadeiro?
De onde vem nossa morte? e que sentido
tem o desejo de suster a vida?

E que vida oferece a voz que canta?
Por que roubar à sorte do silêncio
o náufrago, entre mil, que em nós levamos?

Casualidade humana obscura e incerta...
quem fomos? quem seríamos? quem somos
se o canto nos envolve e rasga o tempo

e — em que hora isenta? — nos deixa a salvo.

*

Dizei-me vosso nome! Acendei vossa ausência!
Contai-me o vosso tempo e o coração que tínheis!
De que matéria é feito o passado infrutífero?

Que lírico arquiteto arma longos compassos
para a curva celeste a que os homens se negam?
Dizei-me onde é que estais, em que frágil crepúsculo!

Solombra

Minha pena é maior que o silêncio da vida.
Não sei se tudo entendo: e nada mais pergunto.
Assisto — amarga: recordando-me e esquecendo-me.

Quem fostes vós? Quem sois? Quem vimos, nos lugares
da vossa antiga sombra? E por quem procuramos?
Que pretendem concluir impossíveis diálogos?

Longe passamos. Todos sozinhos.

*

Esse rosto na sombra, esse olhar na memória,
o tempo do silêncio, os braços da esperança,
uma rosa indefesa — e esse vento inimigo.

Ficou somente a luz do constante deserto,
e o sobrenatural reino obscuro do vento,
com seu povo indistinto a carpir noutro idioma.

Idéias de saudade em tal paisagem morrem.
Que arroio pode haver, de contínuos espelhos,
a repetir o que é deixado? Por devota,

solidária ternura e aceitação da angústia?
— Ah, deixarei meu nome entre as antigas mortes.
Só nessas mortes pode estar meu nome escrito.

Nome: pequena lágrima atenta.

*

Esses adeuses que caíam pelos mares,
declamatórios, a pregar sua amargura,
emudeceram: já não há tempos nem ecos.

Perdeu-se a forma dos abraços. De ar é a lousa
dos cemitérios: um suspiro momentâneo.
De ar esses mortos — que eram de ar enquanto vivos.

De ar, este mundo, esta presença, este momento,
estes caminhos sem firmeza. Dos adeuses
que vamos sendo — ó ramos de ossos, flor de cinzas! —

é que morremos — e num lúcido segredo —
sabendo, ouvindo — atravessados de evidências —
que somos de ar, de adeuses de ar... E tão de adeuses

que já nem temos mais despedidas.

Solombra

Sonhos
(1950-1963)

Sonhos. Os poemas que integram *Sonhos* foram reunidos pela primeira vez no volume 8 das *Poesias completas* organizadas por Darcy Damasceno. Rio de Janeiro: Editora Civilização Brasileira, 1974. p. 115-150.

Reparei que a poeira se misturava às nuvens

Reparei que a poeira se misturava às nuvens,
e, sem pôr o ouvido na terra,
senti a pressa dos que chegavam.
Disse-me de repente: "Eis que o tropel avança".
Mas todos me olhavam como surdos,
e deixaram-me sem responder nada.

Vi as nuvens tornarem-se vermelhas
e repeti: "Eis que os incêndios se aproximam".
(Mas não havia mais interlocutores.)

"Eles vêm, eles não podem deixar de vir",
balbuciei para a solidão, para o ermo.
E já por detrás dos montes subiam chamas altas;
ou eram estandartes ou eram labaredas.

Perguntei: "Que me vale ter casa, parentes, vida?
Sou a terra que estremece? ou a multidão que avança?
Ó solidão minha, ó limites da criatura!
Meu nome está em mim? no passado ou no futuro?
Ninguém responde. E o fogo avança para o meu pequeno
[enigma".

Apenas um anjo negro entreabriu seus lábios,
verdadeiramente como um botão de rosa.
E disse, em perfume:
"*Death!*"

Sonhos

DEATH?

Por que me falas nesse idioma? perguntei-lhe, sonhando.
Em qualquer língua se entende essa palavra.
Sem qualquer língua.
O sangue sabe-o.
Uma inteligência esparsa apreende
esse convite inadiável.
Búzios somos, moendo a vida inteira
essa música incessante.

Morte, morte.
Levamos toda a vida morrendo em surdina.
No trabalho, no amor, acordados, em sonho.
A vida é a vigilância da morte,
até que o seu fogo veemente nos consuma
sem a consumir.

Dezembro, 1950

Em algum lugar me encontro deitada

Em algum lugar me encontro deitada
com longos vestidos graves,
como um quadro antigo, tênue de cor, muito sereno.

E reconheço-me.

Não há paisagem nenhuma, apenas um vazio imenso,
a luz de um crepúsculo imóvel,
uma grandiosa quietude.

Em algum lugar me encontro assim deitada,
sem brisa que me altere, presença que me perturbe.
Do céu à terra, de leste a oeste, tudo é muito longe,
infinitamente,
num lugar de nenhum país.

Horizontes de esquecimento circundam a imagem,
a imagem minha que parece venturosa,
que descansa em nobre solidão,
que talvez esteja sonhando
sonhos que jamais conhecerei,
mas que dão a seus olhos fechados
uma plácida curva.

Reconheço-me e ignoro-me.
(Uma noite dentro de outra noite.)

1958

Apontamentos

Ó noite, ó noite, ó noite!
Luar e primavera
e os telhados cobrindo
sonhos que a vida gera!

Sonhos

Subo por essas horas
solitária e sincera,
e encontro, exausta e pura,
minha alma que me espera.

2, Maio, 1959

Sonho de Maria Alice

Sonhei com um pessegueiro. Um pessegueiro que tínhamos em Braga. Quando a Mãezinha se casou, plantou essa muda de pessegueiro, pequenina. Cresceu. Dava tanta fruta que ficava todo vergado. Cada pêssego parecia uma cabeça de criança. Tão grandes e cor-de-rosa!

Vivemos mais de vinte anos com o pessegueiro. Ah! e quando
[dava flor!

Afinal, quando a Mãezinha estava para vir embora, o pessegueiro começou a ficar triste e morreu. A Mãezinha dizia: "As
[árvores também sentem".

Esta noite sonhei que o pessegueiro não tinha morrido.

Maio, 1959

Sonho com plantas e gestos amáveis

Em sonho vireis delicadamente
e sem motivo algum,
direis palavras amáveis

que vos surpreenderiam
se vos fossem contadas.

Em sonho mandareis colocar no meu terraço
plantas cheias de flores
que todos admirariam,
pois jamais foram vistas
da China à Patagônia
e existem apenas neste sonho.

Jamais saberei o que sonháveis
enquanto eu sonhava com as vossas gentilezas.
Jamais sabereis que tais gentilezas foram sonhadas.

Sem motivo algum,   1289
ficam floridos noutro mundo os meus terraços.
E somente eu poderei pensar nisso.
Somente eu vi tudo isso.

E é como um achado arqueológico,
momentâneo e perene
entre o ar e o pó.

1959

Venho do Sono

Venho do Sono,
desse fluido país

Sonhos

do pensamento visível,
dos endereços divinos,
dos nomes de amor,
das gloriosas ressurreições.

Venho do Sono.

Ai! distâncias profundas...
E olho-me ao espelho.

1959

Sonhei um sonho

Sonhei um sonho
e lembrei-me do sonho
e esqueci-me do sonho
e sonhei que procurava
em sonho aquele sonho
e pergunto se a vida
não é um sonho que procurava um sonho.

1959

Sonhei com a bela moça que está longe

Sonhei com a bela moça que está longe,
a moça que está caminhando pela Escandinávia.

Seu vestido era preto e alguém a levava nos braços,
e era ao ar livre, e o horizonte para onde a levavam
tinha um pôr-do-sol amarelo e vermelho.

Assim a levavam ao colo.

E quem a levava não sei, porque estava de costas,
caminhando para o pôr-do-sol amarelo e vermelho.

E uma voz falava de vez em quando.

E só dizia "*Death*" — mais com ar do que som.

E eu contemplava tudo triste e assombrada
e pensava ter entrado no mundo de Blake.

A moça pecadora apareceu-me de branco

A moça pecadora apareceu-me de branco.
Toda de cetim branco bordado de vidro e prata.
A cintilante moça pecadora tinha um rosto
de quinze anos.

(Oh, como era belo teu rosto de quinze anos:
belos teus louros cílios,
teus olhos de água-marinha com raios dourados...

Tuas mãos de quinze anos, longas, límpidas, claras,
de unhas cor de pérola,
tuas mãos inocentes!)

Sonhos

E a moça ria-se entre árvores ondulantes,
e era uma ondina saída de algum rio,
e seu vestido era de luz e de água.

Quero encontrar essa moça, quero encontrá-la:
quero ver se ficou sobre ela um pouco desse brilho,
dessa alvura, dessa juventude, dessa castidade
com que me apareceu no sonho deslumbrante,
tênue como o luar.

1959

Uma noite me balancei no céu

1292

Uma noite me balancei no céu.
O balanço era de flores ou de estrelas,
e suas pontas perdiam-se no Norte e no Sul,
e atiravam-me de Leste a Oeste.

Desci do sonho melancólica.
Às vezes suspiro por esse alto sonho.
Contá-lo não é nada: mas vivê-lo:
mas estar longe, numa solidão deleitosa,
mas crer, afinal, que há um tempo de viver...

Outro dia sonhei que o coche fúnebre

Outro dia sonhei que o coche fúnebre
vinha buscar-me e eu não me achava preparada:
não estava nem morta nem doente,
e sentia que tinha de partir.
Então, disse para o cocheiro:
"Espere um pouquinho,
que estou acabando de ler este livro."
E o cocheiro concordou e esperou.
Deve estar esperando.

Também já sonhei com uma ponte colorida

Também já sonhei com uma ponte colorida
que vinha de muito longe, pelos ares,
como o arco-íris.
E deuses meus conhecidos caminhavam por ela
e sorriam-me, porque eles também me conheciam.

Dentro de tanta felicidade,
meus pensamentos perguntavam-me
qual era aquele lugar mitológico,
e na minha lembrança brilhavam
torres contempladas na Índia,
certo dia, perto do mar, ao pôr-do-sol.

Sonhos

Sonho com carneirinhos e falas meigas

O carneirinho que em sonho
pousa as mãos delicadas
sobre o meu coração:
é o de Blake? é o de Cristo?
ou o de São João?

Com voz humana fala,
mais que a dos homens humana:
diz que tem fome de pão.
(Oh! a que pão se refere?)
E beija-me na mão.

E eu me sinto pastora
em campo sem horizonte.
Meu campo é só lágrima e resignação.
Que te posso dar, carneirinho meigo
de Blake, de Cristo ou de São João?

Viveremos de fome,
de uma fome encantada
do espírito do ar e do chão.
Em fome nos transcenderemos,
ininteligíveis na vigília, irmão.

Conversaremos em sonho,
tão simples e sobre-humanos,
numa inviolável comunicação.

Pasceremos símbolos, baliremos glórias
por tempos sem fim de perdão.

1960

Abracemos a noite

Abracemos a noite
que chega do abismo,
instruída e calada.

Em seu peito de treva
descansemos a alma
tão desesperada.

Contemplemos a noite
vestida de sombra,
de tempo adornada.

Tão maternal e estranha,
tão simples, tão deusa,
fácil e inviolada,

que a varanda remota
de um negro horizonte
prolonga, admirada.

Abracemos a noite
que tece e destece
a frágil escada

dos vagos trapezistas
soltos como flores
na vida sonhada.

1960

Pelo luar azul, entre montes e águas

1296

Pelo luar azul, entre montes e águas,
sobre a madrugada de galos e orvalhos,
quem chega de longe, com tão sobre-humano
cansaço que, ah!, nem tem palavras?

Do fundo da terra chegava, por úmidas
escadas de treva olentes, profundas,
entre esquecimentos e lembranças do húmus:
negras raízes de que frutos?

Ah, como é tão vago o país dos vivos!
Como vão ficando tênues seus caminhos,
tênues e sombrios e tão exaustivos...
E arquiteturas sem sentido.

Abriam-se as portas. Entravam. Miravam.
Tinham novos olhos, de pupilas vastas

para reinos de santos e larvas
e escuridões transfiguradas.
Ficavam tão tristes! Porém era sonho.
Não havia nada nem vivo nem morto.
Só clarividente sonho. E esse desgosto
do humano: tão pobre, tão pouco.

1960

Saio do sonho, da noite, do absurdo

Saio do sonho, da noite, do absurdo:
sou navegante que aborda o limite humano,   1297
espuma breve.
Meus vestidos são de uma tristeza total:
da frágil superfície ao denso forro,
    profundo mar.
Pergunto-me por que venho
e por que venho assim vestida:
— é dos lugares do sonho, da noite, do absurdo?
— é do limite humano a que abordo,
séria e inerme?
Entre os dias humanos
e a noite ex-humana
que mensageiro acaso somos?
A que destinatários?
em que linguagem?
que mensagem?

Sonhos

Ó noite, ó sonhos, ó absurdo
onde, no entanto, fluíamos, claríssimos!

Abril, 1960

Uma flor voava

Uma flor voava.
Por mais que pareça impossível,
uma flor voava.
Uma flor amarela ia voando,
e levava ao lado o seu botão fechado.
Parecia uma jovem graciosa
com sua bolsinha no braço.
Voava a flor amarela,
no ar indefinido.

E nuns troncos imensos,
muito grossos, muito altos,
uns troncos cheios de crepúsculo,
como colunas do céu,
sentinelas da vida,
nuns troncos muito escuros
iam pousando enormes borboletas flácidas,
amarelas e pretas,
que decerto pousavam para sempre,
sem rumo nem poder,
amarelas e pretas, muito sinistras,
muito flácidas, muito grandes.

E a pequena flor amarela voava,
solta, levíssima,
por um rumo secreto,
de alma evadida.

Setembro, 1960

Estudo na loja do sonho

Doce estudo.
Doce estudo aquele.
Tínhamos vagas flores
pousadas no cabelo
como poetas antigos,
deuses, mortos recentes.
Doce estudo aquele.
Tocávamos longas harpas,
cordas de frouxa seda,
não para sermos ouvidos:
para invenções, apenas.
Doce estudo.

Clara tranqüilidade
dos olhos transparentes.
Corpo sem qualquer fúria,
alma — cristal atento.
Doce estudo aquele.

Escolhíamos tempo.
Vivíamos nunca e sempre.
Trocávamos nomes, datas,
éramos outros e os mesmos.
Doce estudo.

Não tínhamos noite ou dia:
estrelas e planetas
solitários expunham
movimento e desenho
de divinos esquemas.
Doce estudo aquele.

Nada era necessário:
em nossas curvas harpas
refletia-se tudo
em som: nuvem sem peso.
Na seda frouxa soavam
sombras que íamos vendo.
Doce estudo.

1961

Cerejas na prata

Em grandes bandejas de clara prata
há cerejas vermelhas, muito cintilantes.
Serão as manhãs nórdicas suspensas na noite?
lençóis d'água, ramos de flores?

Serão as pedras sangrentas de que coroas,
de que reinados — ó Golconda a meus pés
desfeita em sombra...?
Serão gotas de sangue, ó Crucifixos,
ó dor humana e divina alçada entre lanças
de pólo a pólo...?
Serão apenas lágrimas
vossas
minhas
nossas
estas lágrimas que vão e vêm pelas nossas veias
e aparecem aqui resplandecentes,
anônimas e tão poderosas,
subitamente mostradas
e logo depois
em sonho, eternidade, glória
confundidas...
Ah, o tempo!
Cerejas de fogo no rosto frio da prata quieta.

1961

Por fluidos países passeio

Por fluidos países passeio
com o passo da lua nas nuvens
flutuante e longe.

Com muitas jóias de prata vamos seguindo
no aéreo passeio além do sono,
sem lembrança do mundo.

Não há esquinas, ângulos de ruas, de vilas,
tudo é leve, permeável, fácil e gentil.
Onde existem mundos assim?

De nada se necessita. Não há horas nem contingências,
e as jóias de prata devem ser alguma forma
de comunicação, qualquer linguagem de clara luz.

Outros são os caminhos, há e não há companheiros:
os mortos ressuscitam, os ausentes se aproximam,
os outros todos vão e vêm, se for preciso.

E o passeio pode durar para sempre,
pode acabar agora mesmo, ao gorjeio de um pássaro,
a um raio de luz, e esse mundo a existir continua...

Abril, 1961

Com agulhas de prata

Com agulhas de prata
de brilho tão fino
bordai as sedas do vosso destino.

Bordai as tristezas
de todos os dias
e repentinamente as alegrias.

Que fiquem as sedas
muito primorosas
mesmo com lágrimas presas nas rosas.

Com agulhas de prata
de brilho tão frio...
ai, bordai as sedas, sem partir o fio!

1961

Dormirei para avistar-te

1303

Dormirei para avistar-te
correndo a vida de pedra
como a água que vem da mata
clara e certa.

Dormirei para escutar-te
cantar sobre a noite negra
tua voz iluminada,
áureo cometa.

Dormirei sobre saudades
vendo ser lágrima e estrela

Sonhos

o que não tem mais resposta,
vida ou terra.

Dormirei sobre estes sonhos,
enquanto a manhã não chega.
Enquanto não sonho o dia:
noite secreta.

1961

Onde estão as violetas?

Onde estão as violetas?
Na mão de etéreos meninos
que enterram flores na areia,
na areia consecutiva.

Túmulos de beija-flores
são essas vagas colinas
sem consistência nenhuma
sob as mãos inconsistentes
que vão plantando violetas,
violetas consecutivas.

Mudam de cor as violetas,
vão sendo róseas e brancas,
e irão desaparecendo
por ilusórios caminhos

como, sem rosto, os meninos,
meninos consecutivos.

Em tempos consecutivos
quem pode ver esse mundo
só de meninos, areias,
túmulos de beija-flores
e sombras de violetas?

1961

Menina do sonho

Menina do sonho,
filha não vivente,
desenho da noite,
piedosa menina,
toca a doce música
do teu alaúde,
mensagem do tempo,
muito necessária,
porém tão discreta,
delicada e tímida
que se comunica
em noite, somente,
em nuvem de sonho,
sem vida verídica:
esta caridade

sobre o sofrimento
do dia, do mundo,
das palavras de ódio.
Toca a doce música
do teu alaúde:
filha não vivente,
toda consolante,
de que céu descida
sem nenhum apelo
e aos céus retornada,
límpida e incorpórea,
numa noite única.

Nunca misterioso,
vivo para sempre,
som dentro do sonho,
desatando angústias,
abafando vozes,
convertendo lágrimas.

A aurora, no entanto,
vem depois da música
e ainda traz nos olhos
sinistros impérios
cobertos de espadas.

1961

Meus amigos de vento e nuvem

Meus amigos de vento e nuvem,
meus amigos sem rosto algum,
abrem caminhos, mudam casas,
estendem paredes sem fim.

Meus fluidos amigos, num mundo
que existe apenas para mim.

Que longas escadas tão belas,
que luzes sem chama, que amável
cena para uma vida eterna
em cor de amizade e jardim.

Meus amigos estão construindo
um mundo aéreo para mim.

Mãos tão frágeis levantam muros,
corpos voantes transportam ruas,
todos num silêncio conjunto
e gestos de anjo e volantim.

Ah, meus invisíveis amigos
que entre os céus trabalhais por mim!

Fevereiro, 1961

Sonhos

Meninas sonhadas

As três meninas são muito leves
cor de laranja
com seus vestidos de fina gaze
plissados.

Elas são como três grandes leques
plissados
abrindo ao sol gazes redondas
cor de laranja.

São muito leves as três meninas
cor de laranja
como brinquedos de papel fino
plissados.

Posso exibi-las no ar: seus vestidos
plissados
cheios de vento: balões, lanternas
cor de laranja.

As três meninas são muito leves
cor de laranja:
talvez não sejam mais que vestidos
plissados.

Talvez não sejam mais do que hibiscos
plissados,

flores de seda, papel de flores
cor de laranja.

Pétalas tênues, nimbo da lua
cor de laranja
por pensamentos adormecidos
plissados.

1961

Aqui estou nos vales da terra

Aqui estou nos vales da terra,
em mim dobrada, em tristes raízes.
Ó noite, silêncio, grandeza do mundo!
E em cima e em redor, e para muito longe
continua o oceano do universo.

Aqui estou, frágil âncora de ossos e sofrimento,
pequena pedra, coisa pensante, fragmento.
Julgo que sei e não sei, tímida, entre mistérios amados.
Vivo do que sonho, e tudo mais parece morte.

Aqui estou sozinha na noite dupla do mundo e da alma.
Tudo é tão fulgurante e imenso e mudo:
nave mágica, palácio múltiplo, invisível monarca.

E eu sou a raiz dentro da terra,
a âncora caída,

Sonhos

eu sou como um cãozinho muito cansado
no meio do campo,
na úmida praia,
no limiar de uma porta solene.

Fevereiro, 1961

Por detrás do muro

Por detrás do muro,
acima da minha cabeça
batiam palmas.

Quem bate? quem bate?
"Alma!" dizia uma boca de ar.

Alma?

Por detrás das cercas,
abaixo dos meus pés
batiam palmas.

Quem bate? quem bate?
"Alma!" dizia uma boca de ar.

Alma?

E não acontecia mais nada.
A noite continuava.
Nenhum rumor havia.
Alma: era o nome do visitante invisível.

Não havia porta que abrir.
Havia o muro,
as cercas.

Havia o tempo.
E esse nome, na inteira solidão,
no meu secreto universo:

Alma.

1961

Ó mármore de ar

Ó mármore de ar,
compacto e suave,
todo escuro, e cheio de caminhos
e sem palavras, mas cheio de respostas.

Em tuas colunas, em teus muros, em teus ombros,
repousa a minha lágrima e a voz entristecida.

Sonhos

Viajante da noite,
chegado à noite,
sou nos teus degraus um despojo invisível.

Nesta escuridão,
pórtico do tempo
adivinhado e não visto,
sentido de olhos fechados,
nesta escuridão aguardo.

No ar negro há jardins nascentes,
há cidades que chegam inteiras,
pessoas que falam sem nenhum som.

De olhos fechados estou vendo.
E escuto o silêncio e entendo-o.

Aedos e oráculos
cantam e profetizam,
desfolham rosas e oferecem estrelas.

Desses enigmas me alimento,
e meus olhos vagam nos dias límpidos
com lembranças
dessa tênue arquitetura.

1961

Discurso de sonho

Senhora de olhos tão verdes
e tão dourada,
por que olhais com tal encanto
com verdes olhos de pranto
certa de não verdes nada,
pois são olhos sem pupilas
esses com que me fitais
de sibilas
penetrantes e fatais...

De mim chegastes mui perto
no alto dos noturnos muros
e entre mistérios escuros
vosso rosto descoberto
olhava com tal bondade
e melancolia
que eu nem sei de que verdade
em vos ver morria.

Dezembro, 1961

Eu vi na verdade o céu romper-se

Eu vi na verdade o céu romper-se.
Vi o céu, ânfora negra, verter
uma altíssima água de diamantes.
Eu vi o povo correr sem explicação.

Vi o povo como gafanhotos saltando.
Eu vi na verdade o céu romper-se,
ou inclinar seu colo de ânfora negra.
E a água jorrava em cascata vertical
nítida e cintilante.

E por detrás do céu rasgado
avistei uma luz de ouro.

Meus olhos estavam fechados.
Como pude ver uma coisa assim?

Fevereiro, 1962

Em sonho anunciam a minha morte

Em sonho anunciam a minha morte:
as pessoas falam umas para as outras,
propalam, propagam,
divulgam para longe a minha vaga morte,
nas vozes vagas de um tempo vago.

Na vigília estamos próximos e claros,
sem dubiedade,
com os nossos problemas e programas,
as mãos diligentes e os relógios
certos.

Já não sei se devo morrer ou viver,
se estou viva ou estou morta,
se a minha habitação é de terra,
na terra,
ou de que substância,
em que lugar, de que reino,
a que distância, em que deveres
enlaçada.

Abril, 1962

Sais pelo sonho como de um casulo e voas

Sais pelo sonho como de um casulo e voas. 1315

Com tal leveza podes percorrer o mapa
e ir e vir ao acaso, ar e nome:
como as borboletas.

Não és tu, mas a tua memória com asas.

E abrem-se os palácios,
e percorres os tesouros guardados,
e és sorriso e silêncio
e já nem precisas mais de asas.

Na noite encontras o dia, claro e durável.
Voas sobre séculos e horóscopos.

Sonhos

Ouves dizer que te amam
como ninguém jamais o poderia confessar.
Não tens idade nem tribo,
nem rosto nem profissão.
Podes fazer o que quiseres com palavras, harpas, almas.
E quando voltas ao teu casulo
já não tens medo nenhum da morte.
E em teu pensamento há néctar e pólen.

Outubro, 1962

1316   Sonho de sepulcro

Eu mesma vejo o meu sepulcro.
Vejo-o e toco seus relevos.
Eu mesma estou deitada, e sou mármore feliz,
belo mármore dourado, em posição de eterno sonho.

Eu mesma vejo o meu sepulcro.
Fica perto do mar, fica debaixo das árvores,
um amigo o mandou de longe, e andamos em redor dele,
e eu me sinto parecida com uma que fui um dia.

E há um ramo de flores secas no meu sepulcro,
e eu mesma retiro do meu peito as flores secas.

Poesia Completa

Eu mesma ajudo minha escultura a virar-se para o outro lado.
Pois até no sepulcro é preciso haver flores novas.
E descansar de um sonho noutro.

Outubro, 1962

Um navio dá voltas em canais sinuosos

Um navio dá voltas em canais sinuosos,
à minha espera.
Vem! vem pelo mar sem água, o mar intemporal
da noite sonhada!

Mas eu deixo a viagem, o convés, a escada,
a margem,
eu venho aquietar o doce cavalinho que se deita
com lençóis e fronhas,
o cavalinho impalpável de grandes olhos de lua
que ninguém sabe acalmar,
que ninguém senão eu sabe fazer dormir.

A noite tem um mar, um navio, um cavalinho,
a noite tem outros horizontes,
outras razões, outros deveres, tudo tão claro e impossível.
E o navio dá voltas nos canais sinuosos.

O navio espera-me, o horizonte espera o navio,
o cavalinho espera-me, eu espero um sono dentro do sonho.

Sonhos

Tudo tem seus lugares, tudo é miraculoso.
E eu contarei ao dia os olhos do cavalinho
inexistente,

sobre a viagem perdida.

1962

Rua

Procuro a rua
que ainda me resta:
é longa, é alta,
não é essa.

Esqueço o nome,
por sono ou pressa:
é alta, é clara,
mas não é esta.

Em cada esquina
havia festa:
é clara, é vasta,
não é essa.

Nunca me lembro
onde começa:
é vasta, é longa,
mas não é esta.

Rua que não
se manifesta:
é longa, é alta,
não é essa.

1962

Desenhos do sonho

Eu, mulher dormente, na líquida noite
alargo a ramagem de meus cabelos verdes.
Sigo dentro desse cristal ondulante,
contida como o som nos sinos imóveis.

Surda é a transparência do mundo que ocupo,
onde vago, em vigilância do eterno,
livre do efêmero visível e tranqüila,
e, embora incomunicável, em solidão feliz.

Eu, mulher, dormente, de olhos fechados
estou vendo essas paredes fluidas que caminham
comigo mesma, na cristalina arquitetura:
muralha de sucessivos patamares à luz de nenhum sol.

Espelhos de quartzo verde em que me reconheço admirada,
de olhos abertos desde sempre, para sempre,
desenhando-me involuntária, buscando-me exata,
fugindo-me nesta caligrafia que não alcanço.

Sonhos

Ah! dos meus verdes cabelos sobem agora ramos de rosas,
alta coroa do retrato submerso, frágil e melancólica,
e já me esqueço do que vou sonhando. E nem suspiro
se as flores se desfolharem nesse planeta de silêncio.

1962

Pela flor amarela viajaremos

Pela flor amarela viajaremos:
afastaremos as nuvens espessas
e as florestas de espinhos.

Pela flor amarela, vamos e voltamos,
por escadas escuras, corredores estreitos,
falando a desconhecidos.

Onde está, dizei-nos, a flor amarela?
Era minha? era vossa? era do seu próprio instante,
era sua, cativa por algum caçador floral?

Pela flor amarela atravessaremos a pedra,
o vidro, o metal, as palavras.
Atravessaremos o coração, como quem se mata.

Atravessaremos um novo mar desconhecido,
correremos Áfricas e Ásias, pólo e trópico,
e jogaremos nossa vida entre as estrelas.

A flor amarela está guardada em si mesma,
seu perfume, sob mil pétalas tranqüilas,
seu pólen resguardado contra o vão descobrimento.

1962

Sonho sofrimento. Enlaçados

Sonho sofrimento. Enlaçados
braços tristes, braços mortos, longe,
fluidas despedidas em jardins irreais.
Adeuses não mais terrenos, translúcidos,
atravessados do aéreo deserto, da silenciosa
divagação, do diálogo imaginário.

Sonho sofrimento. Vossos olhos nítidos,
vossos corpos íntegros. Vossas almas derramadas
como água de vasos. Vossas almas indo-se.
Eu atrás delas detendo-as. Recolhendo-as.
Não, não, não, demorai-vos. Detende-vos.
Tomai esta forma, esta bela forma cristalina.
Brilhai, cheias de céu. Deixai os ramos
desenharem primaveras na vossa página.
Refleti o pássaro rápido e a estrela durável.
Fazei-vos memória. Não por mim, não para mim,
para vós, para vós, que assim vos perdeis,
que não chegais a ser, em liberdade desesperada...

Sonhos

Sonho sofrimento. Eu vos queria imortais
e assim vos destruís em anônima cinza.

Tanto tempo para ser luz, diamante, sol.

E eu à vossa espera, em tão difícil disciplina.
E vós tão sem lembrança, nesse desdém, na indiferença
de viver da morte. Sonho sofrimento.
Eis meus braços inúteis, minha boca sem êxito.
As ondas da noite sobrepõem-se umas às outras.
Já não vos vejo. Seguistes na água informe,
e que sereis nessa metamorfose?

Sonho sofrimento. Em algas, areias, onde estais?
Inúteis vigílias. Inútil sangue. Lágrimas vãs.
Mocidade enterrada viva. Pensamento imóvel
a aguardar. Tudo desaba do mundo para o destino.
O destino é um abismo detrás da vida. Sofrimento sonho.

1962

Trinta anos no vale de exílios da sombra

Trinta anos no vale de exílios da sombra,
tua voz se eleva cintilante, responde-me
com seus cristais clarificados, — e sem nenhum rumor.

Fica repleta a noite e meus ouvidos te reconhecem:
os ouvidos que nem estão no meu corpo
nem na memória, mas só no ausente universo do sono.

Eu te digo: "Espera-me! Desculpa-me!
Vou chegar muito tarde!" E não sei se falo
com palavras ou símbolos, nas dimensões submersas do horizonte.

E eu te digo: "Atira-me a chave!" E deploro-me —
e de muito longe vejo a chave que me atiras,
e que receberei como álibi do sobrenatural.

Assim, eu sou agora, ainda que a mesma, também outra,
em mundo paralelo, com a chave da porta invisível,
e o som da tua voz é uma árvore clara que não se ouve,
numa atmosfera absurda —
como se nos fôssemos encontrar, um dia, e continuássemos.

Abril, 4, 1963

Cavalgávamos uns cavalos

Cavalgávamos uns cavalos
do mais fogoso cavalgar
e não saíamos do lugar.
E não saíamos do lugar.

E eu pensava, mas não dizia:
"Jamais poderemos chegar.
Jamais poderemos chegar!"
Mas sem saber a que lugar.

E o tempo estava desenhado.
E nós queríamos chegar.

E não sabíamos o lugar:
E não sabíamos o lugar!

Minha alma corria e corria:
mas não poderia chegar,
pois tínhamos que cavalgar...
Era preciso cavalgar!

1963

Na Ponte dos Vestidos de Gaze

1324

Na Ponte dos Vestidos de Gaze,
ali onde tudo se torna etéreo,
os dois meninos azuis aparecem de mãos dadas.

São transparentes como cristal;
mas não se vêem por dentro deles
nem ossos nem veias.

Eles acenam, felizes, sem pousarem, ao menos,
na Ponte dos Vestidos de Gaze.
Acenam com seus finos braços azuis

e anunciam para longe, para os ares, com voz de pássaros:
"Não voltaremos nunca mais! Dizei aos nossos pais e parentes
que agora partimos para um encontro na Távola Redonda!"

São Paulo, novembro-dezembro, 1963

Poemas de Viagens
(1940-1964)

Poemas de viagens. Esta coletânea foi publicada pela primeira vez no volume 9 das *Poesias completas* organizadas por Darcy Damasceno. Rio de Janeiro: Editora Civilização Brasileira, 1974. p. 3-88.

Old Square

Ai, pelo Old Square, ai, pelo Old Square,
— que ainda se chama Vieux-Carré —
Ai, pelo Old Square, que cores bonitas!
São grades de renda, são flores, são fitas,
ruínas e fuligem de antigo buquê.

Os meninos negros rebolam nas ruas:
carapinhas sujas, barriguinhas nuas,
brincando em banto, mas falando inglês.

Em cada esquina um *beauty-shop* desajeitado,
com xampu, manicura, penteado
— mas onde as deusas, que não vês?

Ai, pois no Old Square, ai, pois no Old Square
gostava de viver um mês.

No sótão azul e verde, que está caindo aos pedaços,
negras debruçadas nos braços
fazem palavras americanas especiais.

Certas entradas explicam: *Colored men* — pouco me importa.
Para este mundo serve qualquer porta...
Todas levam a Deus e a tudo mais.

A igreja de Saint Louis tem túmulos e santos.
Andam turistas e cicerones pelos cantos,
esgravatando o muro e o chão.

Do outro lado há um judeu, poeirento e alfarrabista,
que tem livros, estampas, folhas de velhas revistas,
tratados de Botânica e manuais de religião.

Ai, pelo Old Square, ai pelo Old Square,
quem passasse todo o verão!

Quem o passasse aqui, mirando a loja da outra esquina,
com a Virgem do Perpétuo Socorro na vitrina
e muitos santos em tais molduras que se crê

ser todo o céu das mesmas rendas caprichosas
destas varandas, onde o ferro se abre em rosas,
destas varandas do Old Square, de crochê...

São Luís, o rei de França, deve andar bem pensativo
de ver Jackson, as flores... Ser tão vivo
na terra, nas ruas, na memória da gente daqui.

Luisiânia francesa...
A catedral aberta em pleno dia: aberta e acesa.
E uma negra que ao longe chama o seu negrinho: *"Lu...iii!"*

Chama o negrinho e vai regar as flores
de um canteiro com plantas multicores.
Entre os seus negros dedos, há uma pedrinha num anel.
Uma pedrinha azul como um miosótis, orvalhada...
Escadas contra incêndios... Ah, Old Square, não és mais nada
que um sonho preso com palavras num papel...

New Orleans, 1940

New Orleans

Oysters. Oysters. Oysters.

Eu vim pelo rio, porém sou do mar.
Casas de tijolo com escadas de incêndio,
varandas de renda, que me podeis dar?

Oysters. Oysters. Oysters.

Negrinhas de arame que falais francês,
penteai-me os cabelos, esmaltai-me as unhas,
tornai-me formosa por mais uma vez!

Oysters. Oysters. Oysters.

Bouillon. Écrevisses. Sauterne. Ai de mí!
que busco franceses de duzentos anos
e acho só *la carte d'Antoine. Merci.*

Oysters. Huîtres. Ostras.

Derramai as flores das festas! E a flor
da lua no rio coalhado de barcos...
— Alô, Mark Twain! —...barcos a vapor.

Oysters. Oysters. Oysters.

Eu navego a vela, muito devagar...
Da tolda examino campos, catacumbas...
hotéis — essas coisas que não há no mar.

Oysters. Oysters. Oysters.

Eu leio os letreiros e vou para além...
A mulher que vedes é marujo, apenas...
nem abre as ostras, nem busca as pérolas e nem...

Oysters. Oysters.

Balada a Philip Muir

✳ 1330

Philip Muir cruza o Atlântico em seu navio.
Nem almirante nem corsário: copeiro inglês.
Pele de nácar, pintas de ouro, cabelo ruivo.
Philip Muir, de brancas unhas, correto e esguio,
é um puro lorde, pelo silêncio e pela altivez.

Diz-me: *Good evening*, endireitando-me a cadeira.
Espera as ordens. Não fita os olhos em ninguém.
Após dois dias, conhece todos os meus gostos
à mesa. E apenas corre com o olhar a lista inteira
da sopa à fruta. Nunca se esquece do *chow mein*.

Do lado do Norte, há sangue nas águas do Oceano.
E do lado de Leste. E nas terras. Sangue inglês.
E por baixo do mar andam as sombras sem passos...

Philip Muir, no meio do desastre humano,
serve champanhe, hoje. Amanhã, seu sangue, talvez.

Diz-me: *Good evening*, endireitando-me a cadeira.
Mais tarde, na noite, acende seu cachimbo e vem
ver as estrelas nascendo do amargo horizonte,
— ilhas dormentes, que o vento embala a noite inteira...
e muitas cenas — tão diferentes! — mais além.

Nenhum soldado será mais grave nem mais frio
que Philip Muir, se ainda chega a sua vez.
Coberto de lama, sangue, injúria, dor e morte,
Philip Muir partirá num outro navio,
navio de nuvem, mas com mastro de altivez.

Nem duque nem lorde: um simples homem da Britânia.
Nem almirante nem corsário: copeiro inglês.

1941

U.S.A. – 1940

Olhei as águas
do Mississípi,
turvas e grossas,
Cristina Christie.

Por velhos bairros,
andei mirando

coisas passadas —
livros já lidos,
santos já vistos,
poucas estátuas,
alguns mendigos,
velhos soldados
desiludidos,
negros sonhando
sapatos de ouro,
Moisés e Elias.

Rubras cerejas
e limonadas
todos os dias.

Vi catacumbas,
vi cemitérios
com suas lápides
enfileiradas
(biscoitos brancos
um pouco grandes...).

E o hotel imenso
com moças velhas,
de luvas roxas
e amarelas,
mascando goma,
cruzando as pernas,
pensando sempre
na primavera...

No entanto, o inverno,
o inverno existe,
com formosuras
brancas e etéreas,
Cristina Christie!

Andar, andava;
com 15 *cents*
comprava coisas
muito diversas:
ovo, presunto,
cinto, revista...
Meninos, muitos,
nem 5 *cents*
para a alegria
do *peppermint!*

E as moças velhas
e as velhas moças,
milhões de dólares,
dentes postiços,
perucas de ouro,
peles da Rússia,
pérolas persas,
sedas da China,
diamantes d'África
e do Brasil.

No fundo do ônibus,
mulatos feios

e negros calmos,
olhando os brancos.
Olhando-os, quietos.
Tive saudades
de não ser preta,
negra retinta,
dizer Castro Alves
ao microfone.
Fraternidade,
fraternidade,
como o meu sangue
todo oprimiste!

Andar, andava:
terra da América,
muros da França,
vozes do Congo,
Cristina Christie.

Ouvir, ouvia
a noite inteira
guincho estridente
de saxofone,
no *night club*.
As louras *girls*,
louras e histéricas,
feitas de Espanha,
Holanda e Itália,
França e Inglaterra,
crispavam gritos

com o *sex appeal*
dos puritanos,
cálculos certos
de teosofistas,
dúvidas frias
de ateus precoces,
serena lógica
de protestantes,
volúpia extrema,
final pecado
de neocatólicos.

Ouvir, ouvia
a noite inteira:
gritos de nervos
de uísque e gim.

Andar, andava
entre sonâmbulos
que compram roupa,
pedem esmola
e vendem coisas
nunca sonhadas
de celofane,
de falso couro,
de prata falsa
— penas-tinteiro,
anéis de noivo,
relógios, rádios
a prestações...

Dizem que é a força
da igualdade.
Mas eu pensava:
quem sonha tantas
coisas estranhas,
inventa vidas
mais complicadas?
Que usina imensa
cria e devora
objetos, sonhos,
vidas sem fim?
Do céu à terra,
que diferença!
E em que consiste
o gênio humano,
Cristina Christie!

Andar, andava
por muitas ruas
de San Antonio.
Índia amorosa
dava recados
aos que partiam
para a fronteira:
"Dile a abuelita
que no me olvide!
Que pronto escriba,
y que nosotros
vamos ahorita..."
Tinha um sorriso

de dois mil anos
e uma tristeza
da mesma idade.

Essa doçura
de povo antigo,
paciente e amarga,
também sentiste,
entre vitrines,
bancos e tédios,
Cristina Christie?

Olhar, olhava
vestidos, blusas,
junto com os pretos
e mexicanos
que suspiravam,
fechando os olhos.
Cada semana,
novos vestidos,
suspiros novos.
Como se os deuses,
como se as deusas
não mais fizessem
que bolsos, pregas,
botões, fivelas...

Comer, comia
frangos assados,
perna enfeitada

de papelote.
Vinte talheres
de cada lado.
Como se os deuses,
como se as deusas
não fabricassem
mais que colheres,
garfos e facas...

Toda a riqueza
do antigo Oriente
vertia aromas
e tentações:
canela, cravo,
pimenta, mel,
siri, damasco...
E, em copos hirtos,
o chá gelado
da temperança...

Haver, havia
damas de clubes,
ágeis e magras
salvando o mundo
todos os dias.

Discutem festas,
publicam livros,
inventam doces,
vigiam atos

do Presidente...
E o azul da tarde
embala no alto
alegres, claras,
lindas bandeiras:
de um lado, as riscas,
de outro, as estrelas...

Dormi num quarto
de hotel, em Dallas.
Chapéus, carteiras,
luvas e peles
pelas vitrines
dos corredores.
Sonhei com ursos
milionários,
vendendo o corpo
para as indústrias;
ursos casados
com grandes lontras,
proliferando
mantos, chapéus...
E os meus vizinhos
a noite inteira
riam-se, tontos,
acompanhados
do som dos copos
contra as bandejas...

Álcool da noite,
fatal convite.
Fora, as estrelas
não se avistavam,
Cristina Christie!

Cruzar, cruzava
as ruas negras
de São Luís:
tijolo e fumo.
Corria a chuva
sombria, densa
como café.
Pêssegos de ouro
ainda estou vendo
brilhar nas portas;
brancos vestidos
detrás dos vidros
brilhando estão:
vestidos brancos
de formatura,
riso de um dia
de mocidade...

Homens, mulheres,
dentro de capas
de celofane,
formam paisagens
de sabonete

nas pardas ruas
de cinza e lama.

E eu caminhando
pelo virente
Jardim das Plantas:
e eu debruçada
para o brilhante
mosaico vivo,
o róseo-rubro-
verde-amarelo-
azul e roxo
mosaico enorme
dos seus canteiros...
Indo por entre
paredes verdes
e perfumosas
de cercas vivas,
louca por uma
haste de cedro,
seda de trevo,
folha cheirosa
para lembrança
da terra, e amor.

E o guarda sempre
em cada canto,
com olho agudo
de detetive,
e a caderneta

das multas prontas,
vigiando os gestos
sentimentais
da minha mão!
Guarda infeliz,
que desconheces
este segredo
do amor que mata
a flor querida,
e em sentimento
logo a eterniza!

Vejo meu sonho
lírico e triste:
meu beijo solto
voando nas folhas,
voando nas flores...
Cristina Christie!

Muita riqueza:
luzes, janelas,
cristais, portões.
Halo inviolável
das grandes casas
dos milionários.
O rei do Rubro,
o rei do Negro,
e o Imperador
do Verde e Azul!...
São Luís de França

mirando aquela
cidade estranha,
na tarde em cinza,
com a chuva imóvel
no alto das nuvens.

Dedo do guia
mostrando o lado
das casas pobres:
lá onde os negros
ficam sentados
com muitos filhos,
avós, parentes,
e conhecidos,
olhando a lua
que vem chegando,
com precaução...

Passar, passava
pelo azulado,
claro Potómac.
Lincoln sonhava
entre os seus mármores.

E os namorados,
ao pé das águas
dos frios lagos,
com luar e peixes
suaves flutuando,
cantarolavam
foxes, deitados
pelos degraus...

(Tudo são sonhos:
a liberdade,
o cativeiro,
o amor de todos,
o amor de um só...)

As cerejeiras
não tinham flores,
mas fina sombra
de baça pérola
descia, à tarde,
o pó macio
do tempo gasto
da estrela à areia...

E não me esqueço
da luz tão branca
desses palácios
que atravessava
na noite muda.

Leite divino
dos globos alvos,
pensando luas
puras, redondas,
imovelmente...

Rompe a beleza
densos caminhos,
e abre-se em flor
à superfície

de terras e almas,
Cristina Christie.

Virgínia espessa
de matas verdes...
Como Longfellow
anda conosco
nas tardes densas
por entre as frondes!

Andar, andava,
buscando idílios
do velho Cooper...
Onde, índios graves,
de longas plumas
rojando a terra?
— longos cachimbos
formando nuvens
— e sortilégios
pelos colares
entrelaçados...?
Presença viva
do imaginário,
do sonho humano
que no pré-mundo
nutria os deuses...

Só o sonho existe,
só o sonho é eterno,
Cristina Christie...

De madrugada,
achei New York
adormecida
nos altos braços
férreos das pontes,
— os pés no porto
junto aos guindastes —
resfolegando
pelos narizes
das chaminés.

O homem penúltimo
ia servindo
ao homem último,
aquela noite,
hamburguer quente,
café com leite,
na última esquina,
no último bar...

Noite sem vozes:
noite gravada
no céu, na terra,
como água forte.
Desenho de aço
das altas torres,
dos parapeitos,
dos viadutos,
de elevadores,

de arranha-céus...
Noite noturna,
fuligem triste,
graxa cansada,
e as manchas ígneas
de anúncios verdes,
azuis e rubros,
polichinelos
saltando no alto
das construções...
Ruas de treva.
Mulher nenhuma.
Gato nenhum.
Janelas negras,
portas fechadas.
Calçada escura.

Tudo dormindo,
menos o bar
onde o homem último
extingue a fome
e o homem penúltimo
dá de comer
e o olho da máquina
registradora,
insone, ativa,
contempla a cena
e aguarda o fim,
com teclas fáceis
de raciocínio

e ávida boca
sem oclusão.

Oh! leitos fofos
de hotéis perfeitos!
Chorai comigo,
plumas e sedas!,
o sono amargo
das desventuras,
em pedras frias,
ao Sul, ao Norte,
a Leste, a Oeste
do grande mundo
que é conduzido
entre as estrelas...

Quinta Avenida
com canivetes
de 20 dólares,
capas de pele
de mais de mil...
Fragor das ruas
cheias de pressa.
Tropel dos ônibus
— torre de Pisa
fora de prumo —
com os passageiros
que oscilam sobre
jornais, charutos,
trusts, empresas,

sonhos de nafta,
câmbio, eleições...

Igreja negra,
suja do luto
das turvas pugnas
industriais.
Poluída igreja,
ó *Lord!* ó *Lord!*
onde persiste
a chama eterna
da âncora acesa...
Cristina Christie!

Judeus barbudos,
judeus imberbes,
morenos, louros,
ruivos, sardentos,
aglomerados
por Wall Street:
— todos à espera
das profecias
dos grandes Bancos
de arqui-suntuosas
portas lavradas,
com guardas sérios,
solenes, gordos
como paxás.

Onde Isaías,
Jó, Ezequiel
e Jeremias?
Nenhum que pregue,
que chore e grite,
mostrando os tempos
alucinados,
mordendo os punhos,
vertendo sangue,
puro e inspirado.
Cristina Christie!

Chapéu de feltro,
casaco sujo,
roto na espádua,
— ai, longas filas
desenroladas
diante da agência
de empregos... Turba
de olhos metidos
nas negras lajes
do negro chão...
Táxis e táxis,
moças ruidosas,
em leves passos
de periquito
— meias de vidro,
leves sandálias
com laços crespos
de borboleta...

Meninas ávidas
mirando roupas,
sonhando dentro
de róseas malhas
seus corpos brancos
feitos de tênis
e gramofone
e vitaminas...
Ímã do *ersatz*
com muitas formas:
benevolência
da utilidade;
glória do prático.
Derrota súbita
da poesia...
Department stores
de vinte andares.
Anjos de vidro
e aço, ascensores
deslizam suaves,
atravessando
mundos de roupas
aconchegadas
umas nas outras,
legiões sem vida
de corpos frouxos
que esperam a hora
de seu destino
pelos cabides...
E os visitantes

fazem, desfazem
cálculos rápidos
no quadro-negro
do pensamento,
e a vida humana
é devorada
por cinco jardas
de qualquer pano,
um broche falso,
um feltro e um véu.

Lânguidas coisas
que vi, que viste,
deixaram certa
névoa de lágrimas
pelos meus olhos,
Cristina Christie.

Cheiros e cores
da China Town!
Grandes legumes
de cara exposta
à luz do dia,
que se embaraça
nos caracteres
de cada porta,
pelos cartazes,
pelos letreiros,
pelos jornais...
Cabeça preta

das criancinhas
pela calçada,
erguendo às vezes
para o turista
seu olho oblíquo
de amêndoa negra.
Lojas do sonho
desnecessário:
l a n t e r n a s! onde
Edson vive
a todo instante
num vidro tênue!
l e q u e s! na terra
em que o *air-conditioned*
reina tranqüilo!
no mundo do ágil
ventilador!

p i j a m a s feitos
de seda autêntica,
dourado escândalo
aristocrático,
aparição
de imperadores
e mandarins,
lembrança aérea
das fiandeiras
da Via-Láctea...
... diante da massa
densa e plebéia
de tantas fibras

sem *pedigree*,
vindas de intensos
laboratórios,
filhas de estranhas
fórmulas químicas,
urgentemente
criadas, debaixo
da ordem do dólar...!
C a r v ã o cheiroso,
oferta aos deuses
de aroma e fogo
inesquecível
como o perfume...
e, como cinza,
sem duração...
Ah! breve rosa
de sonho e nuvem!
aqui se queimam
carvões e óleos
de acre fumaça,
que deixa largas
máscaras negras
na arquitetura,
no rosto humano,
e até nas altas
margens do céu...

Ah! China Town!
Débil vozinha
doce e amarela,

detrás de biombos,
vendendo brancos
marfins, e sinos
cheios de chuvas
agudas, de áureo,
límpido som
— enquanto ao longe
morrem milhares
de compatriotas
desajustados,
e outros milhares
tranqüilamente
são concebidos
pra morrer,
sem nome ou queixa,
e sem loucura,
só com o sorriso
feito de um barro
de dez mil anos,
e modelado
por três arcanjos
de face ebúrnea:
Lau-Tseu, Gautama
e Kung-Fu-Tseu.

Poeira do Oriente
na tarde elétrica,
à hora em que as damas,
sem nenhum gozo,
sorvem chá ruivo

em Sèvres claros,
acendem alvi-
louros cigarros,
miram diamantes
em finos aros,
falam de Londres,
e de Paris,
pensando a sério
em conseguir
volúpias árabes
de dançarinas,
nos braços que usam,
de sufragistas,
nos olhos graves
de puritanas,
no corpo magro,
ativo, casto,
de generalas
do santo Exército
da Salvação!
Ó incoerência!
Ó ambigüidade!
Ó desespero
da inteligência
no labirinto
da tarde inquieta
e enigmática
que cai das torres
nos verdes parques...

Amar, amava
jardins formosos,
coelhos de seda
e rosa e lua,
adormecidos
no fino trevo...

E as cacatuas
raivosas, vendo
zunir cinzentos
bandos de aviões.
Negros carvalhos
de fresca sombra.
Campos do Texas,
verdura imensa
por onde pascem
cordeiros tenros
de puras nuvens,
unicamente...
Flores cuidadas
como meninas,
erguendo rostos
muito românticos,
com frágeis graças
de valsa e beijo,
luz de uma noite,
lágrima e adeus.

Amar, amava
as mãos caseiras,

trabalho inglório,
o olhar sem dólar,
sonho extraviado
pela abundância.
Voz do imigrante
desorientada
pela conquista.
Êxtase simples,
antes da máquina:
o que ainda resta
do povo rude
e se enternece
sem saber como
diante das rochas,
diante das vacas,
diante das selvas,
e volta à infância
ingenuamente
recomeçada,
e estuda o mundo,
e ama a Justiça,
e crê na Lei,
e ensina o Bem.

E ao longe o Harlem
em negras sombras
perde os limites
de homens e portas,
Cristina Christie!

Meninos magros
ainda deslizam
pelas calçadas,
sobre patins.
Os engraxates
de gaforinha
contam bobagens
aos tintureiros.
Seus grossos beiços
vermelhos se abrem
como goiabas
na tarde plúmbea.
E a noite próxima
como um xarope
sombrio corre
pelo seu riso,
garganta adentro...

Harlem noturno,
com os pobres negros
pelas escadas:
— de um lado, o Congo,
e, do outro, Hollywood...
E os velhos velhos
recordam rios,
terra, algodão...
Cheiro graxoso
de caçarolas:
coco e bodum.
Father Divine

virá trazer-nos
o amor supremo?
Os olhos místicos
procuram anjos
azuis e róseos,
na escuridão.
No gramofone,
muito ordinário,
— pobre gaiola! —
pássaros de ouro
de Marion Anderson
afogam, tristes,
o último *Spiritual*.

Tudo se enrola
sobre si mesmo
negro e calado
tapete denso
de sonho inútil...
Longe, bem longe,
no *night club*,
música negra
revolve os brancos.
E os negros dormem
vendo açucenas
além dos olhos...
além das mãos...
Com longas vestes
de lantejoulas
e asas de pluma

vão caminhando
por entre estrelas,
desfalecendo
nos esplendores
de céus repletos
de saxofones
e tamborins.

Nas invisíveis
malhas do sonho,
a alma se entrega...
a alma desiste...
É peixe imóvel,
feliz e cego,
em rede frágil,
Cristina Christie!

A água no porto
se encrespa e arrulha
por entre os barcos,
trêmula e fraca.
Cachimbos acres
estão queimando
tabaco e idéias
nalgum lugar.

A Liberdade
ergue o seu facho
eterno e efêmero
no mar de trevas:
tal qual aquele

casal de pombos
leves e brancos
que eu vi batendo
as frouxas, suaves,
silentes asas
em plena Broadway,
num vão sombrio
de esquina — auréola
sobre um cifrão!

Onde os teus poetas,
que não se avistam,
sob o cimento!

1362

Luz entre as águas
negras e várias!
(*Stella Maris!*)

Onde o gratuito
sonho sem horas!
(*Columba Pulchra!*)

Onde o que adoro
e não alcanço
na imensidade
do teu destino?
Terra espantosa!
Que alento mágico
sobre este mapa
arde e resiste,

vencendo chicles,
dólar, petróleo,
indústria, ventres,
ambição, crimes.
Cristina Cristina!
Cristina Christie!

Agosto, 1942

Corrida mexicana

Com palavras quase eruditas
e olhares muito mexicanos,
o chofer me disse que a tarde
devia ser das mais bonitas:
os touros bravos, e a toureira
tinha apenas 17 anos.

E mostrando, com certo alarde,
além dessa, outras maravilhas
de sua vida costumeira,
me disse que, depois da festa,
iria com a mulher e as filhas
a um restaurante de primeira,
comer *tamales* e tortilhas.

E tirou a mão do volante,
e torceu pra trás o pescoço,
assegurando-me que a mesa

era típica, e o restaurante
de uma fantástica limpeza.
E, por ser excelente moço,
falou-me dos pratos, do custo,
garantiu-me ser casa honesta,
onde eu poderia ir sem susto.

Era sábado, e entardecia.
Sem muito tempo para planos,
telefonei à portaria.
E o homem dos bilhetes me disse
— vendo que eu era uma estrangeira —
que ia ser um famoso dia:
os touros bravos, e a toureira
tinha apenas 17 anos.

No meu quieto quarto amarelo,
pude, então, descansar tranqüila,
mirando o tênue céu tão belo,
com distantes vulcões parados...
Tinha dois lugares guardados
à sombra, na segunda fila.

1945

Casa de Gonzaga

Este peso das casas, das pontes, dos arcos,
das cargas dos barcos,

das águas do rio, dos gritos das crianças,
do tempo cansado
do tanto passado,
de tantas heranças,
este peso de nomes, de datas,
de acertos e enganos,
de histórias antigas;
este peso de pesos humanos;

este movimento secular e obscuro:
— armazéns de vinho, giro de dinheiro,
trabalho, feitorias, perspectivas,
revoluções, idéias... o futuro.
Lágrimas e cantigas.

Este cais estranho, fusco, promíscuo, incerto,
de móveis águas, tristes e festivas,
a este vento soberbo, sórdido e aventureiro...

E água e pedras, ácido aroma, vela inquieta
nas ondas, e testas úmidas, e rudes brados,
tudo isto anda em redor, como oscilante, velha moldura.

Mas houve um poeta
que foi menino por estes sobrados.
Ah! daquela janela abriu-se o olhar azul para a distância,
puro olhar sem Brasis nem Áfricas, sem glória,
sem amor e sem sepultura.

Quadro sem retrato,
espelho sem rosto,
tudo isto hoje é moldura transitória,
a oscilar em redor dessa remota infância:
— um resto de memória,
vago sonho inexato
com leves crepes de desgosto.

Canção para Van Gogh

Os azuis estão cantando
no coração das turquesas:
formam lagos delicados,
campo lírico, horizonte,
sonhando onde quer que estejas.

E os amarelos estendem
frouxos tapetes de outono,
cortinados de ouro e enxofre,
luz de girassóis e dálias
para a curva do teu sono.

Tudo está preso em suspiros,
protegendo o teu descanso.
E os encarnados e os verdes
e os pardacentos e os negros
desejam secar-te o pranto.

Ó vastas flores torcidas,
revoltos clarões do vento,
voz do mundo em campos e águas,
de tão longe cavalgando
as perspectivas do tempo!

No reino ardente das cores,
dormem tuas mãos caídas.
Luz e sombra estão cantando
para os olhos que fechaste
sobre as horas agressivas.

E é tão belo ser cantado,
muito acima deste mundo...
E é tão doce estar dormindo!
É preciso dormir tanto!
(É preciso dormir muito...)

Amsterdão, 5 de novembro, 1951

Desenhos da Holanda

I. Campo

A alma ao nível da terra:
a alma ao longo destes campos,
docemente cinzentos,
onde róseas crianças brincam,

soltas como flores,
como ramos secos e cordeiros brancos.

A alma ao nível da terra:
feliz, entre os cascos dos cavalos,
o úmido focinho das vacas
perfumado de água e de erva.

A alma ao nível da terra:
sem visitas de anjos,
sem exigência de asas.
Também os pássaros vêm pousar na areia,
e na areia se esquecem.

A alma reduzida à sua pobreza humana,
acomodada aos outros elementos da Criação.

(Quando fomos assim?
Que antepassados recordamos,
diante desta pesada humildade?)

Deus desce, por isso, em flor,
e brilha na planície grave.
Deus converte-se em leite e fruta,
e há uma terna adoração
entre os claros olhos aquosos
e a rubra e lustrosa cereja
e a redonda maçã dura e cheirosa
e o espesso leite cor de marfim.

Deus faz sua aparição modestamente,
sem trovões nem auréolas:
em metamorfoses de terra, chuva, sol...
(Deus que ainda não é idéia,
Deus que é apenas imagem,
estampa, natureza-morta,
Deus belo, simples e bom,
caseiro como o pão que se coze
e a roupa que se fia,
Deus cotidiano:
— Padre nosso, que estais no chão...)

II. Figura

Doce menina dos baldes,
saia azul, blusa vermelha,
que chegas ao campo branco
sob as flores da macieira,
que vais para o teu trabalho
com tamanha singeleza,
enquanto os pássaros piam
e bate as horas a igreja.

Doce menina dos baldes,
que no silêncio da aldeia
imprimes um suave passo
com teus socos de madeira:
o sol vem, sob a neblina,
esperar tua presença,
— teus olhos cor de miosótis,

teus lábios cor de cereja —
e é um sol encarnado e ruivo
de esfumada cabeleira.
Vencendo névoas e dunas,
o sol aos teus braços chega:
e sois bem um par de noivos,
entre as redondas ovelhas,
à aragem que se perfuma
de trigo, palha e manteiga.

III. Paisagem com figuras

As toucas de renda,
as pesadas saias franzidas,
preto, encarnado, azul,
tarde de domingo na ilha de Marken.

Cabelos amarelos,
meninos de colo,
tudo — casas, jardins, árvores...
parece de papel recortado e colorido.

Tudo — mesmo a pequena chuva que se vê gota a gota.

As mulheres, refletidas na água,
são como as damas dos baralhos.

Seu rosto é de um desenho muito antigo.
Um desenho que não se usa mais.

Brisa da beira do Minho

A Vitorino Nemésio

Brisa da beira do Minho,
verde barca transparente
que ninguém vê pelos ares
alígera e independente,
cheia de ais e de suspiros
seguindo tão diferente
caminho!

De um lado e do outro do Minho
ponte eólea na torrente,
vão-se amores e pesares,
de saudade permanente...
Verde brisa em verdes giros
formando tão diferente
caminho!

Áureos corações do Minho
com sangue de luz ardente,
por invisíveis lugares
saltam da sua corrente...
Barca de ais e de suspiros:
instantâneo e diferente
caminho!

1953

Queluz

Fui visitar a Rainha,
livre de tanta desgraça.
Por seus jardins demorei-me,
à beira de espelhos d'água.
Nem os próprios jardineiros
saberiam quem buscava.

Dona Maria Primeira,
já tão morta e embalsamada,
por entre bosques e tanques,
veio andando, antiga e clara.
(Assim coberta de sonho,
quem de tão longe chegara
simplesmente para vê-la,
sem ter que lhe pedir nada?)

Ah! como os séculos morrem...
Filhos, pais, tudo se apaga.
Pombal? Um nome perdido.
Perdidos Aveiro e Távora.
Lafões? Quem era? Quem fora?
Toda a corte, mera fábula.

Serenins e ladadinhas?
— espuma sem qualquer praia.
As jóias de seu cabelo?
— flores de gelo em vidraça.

As sedas dos seus vestidos?
— simples aragem drapeada...

A mão que, bondosa e triste,
tanto decreto assinara,
e que foi, morta e rugosa,
solenemente beijada,
menos do que as folhas secas,
pela tarde resvalava...

Dona Maria Primeira,
diáfana e clara, se afasta.
Nem o vestido da chuva
tão leve nos ares passa.
Deixa seu palácio róseo,
sobe para a sua estátua.

Os jardineiros não viam
quem perto deles andava:
— Fluida, vaga transparência
que a verde tarde arregaça.
De tudo, restou-me, apenas,
entre os cílios, uma lágrima.

Poema entrelaçado

Évora branca, marmórea, ebúrnea,
de lírios, nuvens, pombos e cisnes,

camélia, cal, amêndoa e lua,
imaculada...

"Lembrai-vos, porém, Senhora,
do Geraldo Sem Pavor:
— que outros o chamem de bravo,
nós o chamamos traidor.
Chegou-se tão disfarçado,
conquistou nosso favor.
Depois de amante fingido,
tornou-se vil agressor.
Sobre as pedras que estais vendo,
corre uma fita de cor:
corre uma fita encarnada,
sangue mouro, em tanto alvor,
destas cabeças cortadas,
que pesam sobre o valor
do ardiloso comandante,
cruel Geraldo Sem Pavor.

Por mim não diria nada:
mas não hei de chorar por
esta moura, minha filha,
que mal podia supor
ser por ele degolada,
dando-lhe senhas e amor?"

Évora branca, marmórea, ebúrnea,
cera, alabastro, magnólia, jaspe...

Sal das tristezas, coluna de horas
ultrapassadas...

"Lembrai-vos, porém, Senhora,
de Geraldo Sem Pavor!
Vede nestas armas claras
nossas máscaras de dor..."

Évora, 1953

Alentejo

Solidão, solidão que o vento navega:
— altivo barco e amarelo mar de outono.

Alentejo, mar sem água.

Solidão, solidão que o silêncio dirige:
bússola eterna, litorais fora do mundo.

Por onde a minha alma passa.

Solidão, solidão por onde fica a saudade:
— concha vazia, folha morta, lembrança e ausência.

Alentejo, mar sem água.
Onde a proa do sol se despedaça.

Três canções da Espanha

I

Entre as montanhas e o rio,
ó vastidão!
passam abraçadas
meninas vermelhas de frio,
que contam segredos, tecem esperanças,
guardam flores no coração...

As meninas enamoradas,
cheias de lágrimas e gargalhadas...
São delas as músicas e danças,
e as insônias da paixão,
e as luzes das festas, e os laços das tranças,
delas também são,
antes das portas do mundo vazio
aonde chegarão.

Deixai-as agora, lindas, abraçadas,
irem como vão,
entre as montanhas e o rio,
vermelhas de frio,
cheias de lágrimas e gargalhas...
Ó vastidão!

II

Viajante que seguiste
teu caminho,
lembra-te de que me viste,
em campos de trigo e linho,
tão cansado, tão sozinho
e triste.

Tão grande era o firmamento
e meus braços
de tão curto movimento
e meus pobres olhos baços
erguendo imensos cansaços
ao vento.

Tu que passas, viajante,
no horizonte,
pensa em mim, que estou distante,
preso entre rebanho e monte,
sonhando a escutar a fonte
cantante.

A fonte que me consola
destes males,
que é uma lágrima que rola
— minha derradeira esmola —
para o fundo desses vales...

III

Passam as meninas, ainda felizes,
e a tarde é uma sala aberta,
com teto de nuvens, cortinas de vento,
chão de flor e rio, portas de floresta...

E as meninas giram todas cintilantes,
com laços e rendas crespos de conversas,
e o sol já se esconde, e a noite já chega,
e o orvalho já treme pelas verdes ervas.

E os grilos sussurram e as sibilas falam
e as meninas seguem mais longe, dispersas
em música, em sonho, no tempo, na vida,
em que enormes lutos? em que imensas festas?

Os cães nas fronteiras da mitologia
levantam presságios com voz grave e certa...
As meninas seguem, sozinhas, felizes,
sem medo da noite profunda que as cerca...

Espanha, 1953

Imagem

Uma pobre velhinha franzida e amarela
sentou-se num banco, em Paris.
A tarde cinzenta andava atrás dela

como um triste gato de feltro e flanela,
igualmente exausta e infeliz.
Entretanto, aquela cidade, aquela
é a maior do mundo, segundo se diz.
E não só maior — mas alegre e bela:
é a cidade chamada Paris.

Por que há uma velhinha tão triste e amarela
sentada num banco em forma de X?
Nunca vi ninguém mais triste do que ela,
em tarde nenhuma de nenhum país.

Nas mãos, uma chave — de que bairro, viela,
porta, corredor, mansarda, cancela? —
com um desenho de flor-de-lis.

1379

Paris

Lá vai o negrinho de mãos nos bolsos,
— o negrinho que namora a branca —
às 5 da tarde, entre vento e bruma,
pelos arredores do Jardim das Plantas.

Lá vai o negrinho de boina encarnada,
com dentes miúdos e claros de criança,
a contar histórias de outros continentes,
histórias de bichos e histórias de gente,
para acalentar esta menina branca.

Lá vai o negrinho que fala e que ginga,
como um símio alegre entre ramos verdes,
lá vai o negrinho, que suspira e canta,
como um crocodilo a fitar a lua,
entre as águas densas das lagoas mansas...

(Lá vai a menina, coberta de flores,
a escutar tambores, a mirar miçangas,
a pisar paludes, a arder em fogueiras,
cair nos abismos da sua garganta...)

Paris, 1953

Fênix marroquina

O garagista, meio louco,
enchia o tanque do carro
falando na noiva ausente,
uma noiva imaginária
num lugar ensolarado
para os lados de Marrocos.

Muitas pulseiras e jarros de metal amarelo.
O garagista, meio louco,
todos os dias deixava
no tanque de gasolina
essa mulher deleitosa,
tâmara, coral, tambores,
que ia conosco fechada

pelos caminhos da França,
evaporando-se ao longo
da vasta quilometragem.
Jardins de palmeiras, canções noturnas, palavras mornas.

O garagista, meio louco,
de manhã recomeçava
a encher o tanque do carro,
a falar na noiva ausente,
seus cabelos e pulseiras,
seus jarros, coral, tambores,
tâmara, palmeiras, noites
— e ia conosco o fantasma
evaporando-se pelas
estradas louras da França...

Ia a fênix marroquina,
fênix morta e renascida:

buzina de alaúdes baços, lanternas de olhos magrebinos.

Paris, 1953

Tarde, inverno, lua

Lua branca da Suíça,
lua de inverno, aberta

sobre os pinheiros, quase
ao nosso alcance, viva,
móvel, rugosa, fria,
que tem na boca pálida
— um recado? um pedido?
— equívoca palavra.

Lua branca da Suíça,
que os vestidos arrasta
de vento e flores secas,
tão próxima e tão longe,
cega, sozinha, exausta,
e sobe e desce eternas,
silenciosas escadas.

Aparição alheia
ao mundo humano, vaga
triste e contemplativa,
entre árvores e casas,
sobre muros de bruma,
na cidade gelada.
Pelas ruas desertas,
pelas portas fechadas,
por quem suspira a lua,
muda, cega, apressada,
com mensagens secretas
de fantasma a fantasma?

Suíça, 1953

Havia, na Suíça, a linda menina

Havia, na Suíça, a linda menina
de olhos cristalinos, cabelo trançado,
na sua lojinha muito pequenina,
com prateleiras de pano encarnado,
de pano encarnado e quadriculado.

Chegavam senhores, compravam cigarros,
chegavam senhoras com muitas crianças,
paravam na loja, desciam dos carros,
— quanto chocolate! — a moça de tranças
sorria a serviço de tantas andanças.

Quem é que repara na linda menina
que embrulha e dá troco? — o povo apressado
nem vê sua loja como é pequenina,
como é seu cabelo tão fino e dourado
entre as prateleiras de pano encarnado...

De fora se pede, de dentro se entrega,
só as mãos se cruzam, como em contradanças
— a vida é uma cena apressada e cega,
com homens, mulheres, chocolates, crianças,
dinheiro, balcões, cigarros e tranças...

A vida é uma cena de vagas imagens,
com vozes e gestos para cada lado.
Ninguém vê quem parte para longas viagens,
ninguém vê quem fica num ponto parado,

não há mão nenhuma, nem rosto encantado,
nem voz, nem dinheiro, nem pano encarnado...

1953

Os dois lados do realejo

Pelo lado de cima,
o realejo é como um altar barroco,
de colunas douradas, flores grandiosas,
conchas crespas, abraço de volutas e fitas.

Pelo lado de cima,
o realejo é um pátio mágico,
onde cantam os pássaros e jorram os repuxos,
com requebros de dança
e festas de amor.

E das altas janelas voam para o realejo
pequenas moedas cintilantes,
libélulas douradas,
borboletas de prata,
pedacinhos de sol
gravitando na música.

Do lado de baixo, a rodar a manivela,
há um homem sem emprego,
que alegra a rua,
mas tem os olhos graves.

Uns olhos que viram rios de sangue
em redor daquelas casas.
Rios de guerra,
onde boiou sua gente fuzilada e sem culpa.

Pesca do arenque

Algum parente meu vai embarcar esta tarde?

Deixai-me ver as bandeiras que iluminam a praia,
as coloridas bandeiras que enfeitam a névoa!

Deixai-me sentir muito frio, muito vento,
deixai-me tremer entre a água e a areia
como um corpo de espuma.

(Nenhum parente meu vai embarcar esta tarde.
São outras viagens, noutros tempos, noutros mares...
E estou sofrendo.)

Deixai-me ver os mastros. Como são altos!
Deixai-me ver os barcos. Como são compridos!

(Muito longe, os arenques estão nascendo nas mudas ondas...)

E este é o nosso convívio, no mundo!

Holanda, 1953

Desenho

A senhora tão séria sentou-se no trem
de Haia para Amsterdão.

Senhora tão séria assim jamais houve,
em tempo cristão nem pagão.

Eram sérios até seus sapatos lustrosos,
pretos, de ilhoses e cordão.

E era o mais sério dos guarda-chuvas holandeses
o que apertava na séria mão.

Meias pretas, vestido cinza, — tudo tão sério! —
chapéu preto sem guarnição.

Nenhuma pintura, nenhum artifício no sério rosto:
a natureza sem ilusão.

Pés juntos, mãos juntas, cabeça direita,
olhar livre de sedução.

A senhora tão séria levava ao pescoço
duas raposinhas de estimação.

E as raposinhas riam com todos os dentes,
na viagem de Haia para Amsterdão.

Se a senhora tivesse reparado nisso,
não as levaria pelos ombros, não.

Holanda, 1953

Interlúdio terrestre

Sentaram-se em redor da mesa ainda com os cabelos ásperos,
a pele curtida de frio, sol, sal, tempo.
Um punhado de homens diferentes dos de hoje:
— como gente do século quinze.

Misturaram-se a eles umas rudes mulheres,
também de cabelos ásperos,
também de pele fosca e ruiva,
e os seus sorrisos não tinham nada com o que se chama sorriso,   1387
e os seus gestos eram recatados como num concílio remoto e
[grave.

Falavam numa língua que só eles entendiam.
Se é que entendiam.
Umas interjeições quebradas e roucas.
E as sobrancelhas se erguiam numa expressão de irremediável
[perigo.

Como uns pássaros bruscos, de paragens ferozes.

Entretanto, todos empunharam um cálice de licor vermelho
como se fossem cantar sobre um sangue inimigo.
Mas não cantaram. Entreolharam-se, saudaram-se, beberam.
A mesa entre eles era uma praça de despedida.

Poemas de Viagens

Não chegava a ser alegre nem feliz: mas era como um rito.
Todos mergulhados em roupas estranhas:
— couros, oleados, lonas, lãs: — era difícil encontrar-se
o lugar da sua natureza humana.

Disseram: "São os pescadores que regressaram. E já tornam
[a partir."

Eram os pescadores do mar alto.
De baleias? de arenques? da morte na noite do mar sem fim?
Aquilo que vestiam era o barco, eram as cordas, as velas, as redes...
Era o mar com suas covas roxas e salgadas. Era o vento da solidão.

E aquelas mulheres eram apenas olhos e vozes de areias,
braços do porto, rochedos, aviso, espera, sinal.
Uma outra versão do mundo, oposta à morte. Uma resposta.

Fazia muito frio. A neblina tinha espessuras de multidão.

Tomaram outro cálice de licor.

As mulheres embrulharam-se nas roupas, como quem vai ficar.
Os homens esfregaram as mãos, como quem vai partir.

Isto foi certa tarde, numa cidade nórdica.
Eu apenas olhava: tudo era igualmente inumano.
Se tivesse de escolher, quereria, ao menos, partir.

Holanda, 1953

Catedral

Pisávamos claros brasões antigos.
Flores de heráldica e letras góticas.
O chão dos humildes passos dos vivos
era de velhas famas e glórias.
E ouvia-se um eco, alto e desolado,
alado e orante pelas abóbadas.

Purificada por aqueles crivos
de vidro, pedras e balaustradas,
a luz versátil esquecia as cores,
queria ser neutra, isenta de íris,
e sobre colunas, santos, altares,
dos ares baixava em areia baça.

1389

Caía por cima do nosso corpo,
fina, impalpável, mas incessante,
e a nave era aquela imensa ampulheta
onde jazíamos soterrados
embora movendo o aparente vulto
e oculto o sonho — que é cruz tão grande!

E a madeira fosca e as pedras sem brilho
e o perfume da cera ainda morna
— e umbrais de penumbra, e esfumada zoeira
de versículos, salmos, antífonas,
gastos em séculos dilapidados,
dados à costa naquela areia morta...

Então, dos grandes, serenos escombros,
levantávamos a face vencida:
o olho de Deus, pintado no alto,
no fecho da sombra, solitário,
sem pálpebra, júbilo ou desgosto
via o nosso rosto, com sua pupila.

E por dentro dele vimos também o dia,
à luz da areia que desabava
sobre altares, colunas, santos e homens,
e no chão de cinza se entretinha
com letras góticas, flores de heráldica.

Vimos o que antes víramos. Apenas
são outras as cenas — depois do corpo e da alma.

Bois-le-Duc, Holanda, 1953

Meninos líricos

Em Roterdão, quando esperávamos o barco,
os dois meninos vieram brincar tão perto da água
que ficamos aflitos.

(Mas então não sabeis que aqui na Holanda
quem manda no mar é o homem?)

Os meninos não tinham qualquer companhia.
Conversavam com voz muito aguda, muito aguda na amplidão,

de plantas, bichos, campos, viagens...
Eram da cor das rosas, com cabelos de seda branca,
e um deles segurava um raminho de flores.

Conversavam como dois senhores
sobre o lugar em que se encontravam:
— apontavam a areia, a escada, a plataforma.
Pareciam dois engenheiros, dois capitães, dois prefeitos.

Afinal, o que tinha as flores
começou a varrer com elas,
delicadamente,
a rampa à beira d'água.

Pareciam dois poetas.
Sentaram-se no chão varrido com flores.
Com o raminho de flores.
Olhavam para o mar,
extremamente felizes.

Nem falavam mais:
pareciam dois anjos.

Holanda, 1953

Festa

Jardins de raciocínio:
teoremas de flor em flor.

Assim as pedras e a areia.

Agora, os cultivadores contentes meditam.
E as tulipas de todas as cores
tecem longos tapetes sossegados.

Carrilhões d'água, repuxos de música,
e um raio de sol desenhando hipotenusas
de canteiro em canteiro.

E pessoas de todas as idades
enternecendo-se entre as flores:
— Gente da Rainha Juliana, da Rainha Guilhermina,
do Príncipe Maurício de Nassau.

Em que malas portentosas se guardam secularmente
chapéus de plumas e altas golas de lã?

E pessoas de todas as idades vêm de suas cidades,
de seus campos, de canais e moinhos
para sorrirem sobre as flores.
Extasiadas respiram o mês de maio.
Explicam todos os matizes,
pregas de pétalas, peso do pólen,
com sua experiência de artesanato subterrâneo.

Jardins de raciocínio:
— axiomas de raiz em raiz.

Tão simples, tão cordial, a festa no jardim:
Sapatos como pedras passam como borboletas.
Os cultivadores sorriem.

O ano inteiro se trabalhou por esse sorriso.
Por esse tapete de flores.

E o raio de sol recolhe os seus desenhos,
sobe para o céu, perde-se na bruma
como frágil escada de ouro.

E os anjos da alegria, de asas abertas,
acompanham Descartes.

1953

Paisagem com figuras

O único ruído é o dos socos amarelos
do homem que vem carregando a pá.

As crianças brincam de longe, como em silêncio.
Voam os laços no cabelo pálido.
Os vestidos azuis oscilam campânulas no prado.

A voz do vento é muito maior
que o seu movimento nas macieiras floridas.

Um passarinho cinzento brinca sozinho,
entre o telhado negro e os socos no limiar da casa.

Poemas de Viagens

Chaminés, chaminés,
janelas, cortinas, flores.

As crianças aproximam-se — e continuam remotas.
Correm atrás da bola — como do outro lado do mundo.

É a mesma coisa estar na aldeia
ou sonhar que se está na aldeia.

Meninas muito louras abrem portas,
entram e saem.
Suas mãos, suas orelhas, seus lábios,
tudo é rosa, gladíolo, coral...
Sua voz, o vento pela névoa, em finas borboletas...

Às vezes, o cão aparece e observa os arredores.
Outras, um carro assoma, e as crianças param,
e contemplam o galope do cavalo branco
e o seu bafo, no frio.

De repente, ouve-se um grande mugido,
e então recorda-se que a granja está perto,
e pensa-se em baldes espumosos,
no perfume dos estábulos,
e nos olhos atenciosos das imensas vacas malhadas...

Holanda, 1953

Shakúntala

Sentada estava Shakúntala,
enrolada em seus vestidos
de ouro e gaze carmesim.

E penteava o seu cabelo
de ébano e óleo, de óleo e de ébano,
com seu pente de marfim.

O sul subia nos ares
com mais rutilantes pétalas
que as rosas do seu jardim.

Mulheres de azul passavam,
jarras douradas para a água,
pés com solas de carmim.

1395

E Shakúntala em silêncio
prendia nas tranças úmidas
alvos nastros de jasmim.

(Não viu princesa mais bela
pintor da Índia ou da Pérsia
que a moça diante de mim.)

Para quê pássaros, nuvens,
incenso por entre músicas
de flauta e de tamborim
— se tudo isso era Shakúntala,
secando ao sol seu cabelo:
— moça efêmera e sem fim?

Infelizmente, falharam as fotografias

Infelizmente, falharam as fotografias,
e, assim, não me poderás ver diante do asceta
de roupa vermelha, à sombra do arco.

E assim não poderá ler na sua face:
"Que dizer, para que se entendesse...?"

Nem poderás ler na minha:
"Tudo entendido. Não se precisa dizer nada."

Mas as fotografias falharam.
E aquele momento já fugiu para trás, no caminho do tempo.
Aquelas duas sombras foram ficando cada vez mais longe.
A compreensão, que perdura, é sem retrato.

Castelo de Maurício

Entrai. Bem longe anda o cavaleiro.
Mas a armadura que vos recebe,
com férreos lábios e espada antiga,
murmura histórias no curvo peito:
— longas paragens do mar descreve,
largas derrotas de fogo explica.

Subi. Panóplias que não se movem.
Tapeçarias pelas paredes;
— o Oriente — em velhas, pálidas tintas.

Veneza — a vaga sombra dos Doges.
Comércio. A tarde dourada e verde.
Fênix bordada. Memória e cinzas.

Parai. No baço, pequeno espelho
que a tarde mira, como, nos campos,
salgueiros sobre volúveis poças,
há róseos rostos, suaves cabelos,
golas rendadas e guantes brancos
e largos feltros de suaves sombras.

Passai, que ao longo dos corredores
ouvidos buscam, olhos esperam.
Claras figuras, de alma profunda,
choram por vida, belas e insones,
encarceradas em grandes telas,
com seus postigos de ouro e penumbra.

1397

Olhai. Dos quatro cantos da sala,
acorda o bosque, trêmulo de ecos.
E olhos, focinhos, tortos chavelhos
cercam a rosa da madrugada,
— guante, arcabuzes, galope, ferros —
sangue que abraçam pelas raízes.

Pensai: chegavam, claros e alegres,
e aqui bebiam por largos copos,
e aqui contavam glórias sangrentas...
Donos de todos os bens terrestres,
nunca sentiram mágoa ou remorsos
vendo as cabeças que nos contemplam.

Poemas de Viagens

Lembrai-vos que eram rudes, bravios,
que ainda comiam do que caçavam,
malgrado sedas, rendas e gemas...
E há muito tempo já não estão vivos,
e o lugar certo dessas caçadas
já ninguém sabe, ninguém se lembra...

Mas vede: há pouco, daquele lado,
naquele bosque, de luz tão pura,
chegaram duros homens de agora.
Firmaram armas, fitaram o alvo,
mataram homens sem qualquer culpa.
Vociferaram, cheios de glória.

E há sangue humano dentro dos troncos...
Por entre os galhos, rostos humanos.
Olhos, nas flores; lábios, no vento...
Os dias passam lentos e longos,
e aqueles mortos estão mirando,
e não sabemos o que estão vendo.

Parti! Deixai-nos. Quando passardes
de novo em frente deste horizonte
pelo castelo sobre a água e o bosque,
pensai nos tempos e nos lugares...
Pensai na caça. Pensai nos homens.
Pensai nas guerras. Pensai na morte.

Bois-le-Duc, Holanda, 19, maio, 1954

Estudo de figura

Em lã pesada e escura,
esconde-se Maria,
malgrado o ardente dia.

Tão cerrada clausura
pesa sobre Maria,
sem a tornar sombria!

Nessa densa espessura,
o rosto de Maria,
redondo e róseo, abria

uma eglantina pura.
(Nos olhos de Maria,
luz de abelhas corria.)

1399

De lã pesada e escura,
vinha a voz de Maria:
água, vento, alegria...

Cântico à Índia pacífica

Os que nunca te viram,
de longe, por ti perguntam,
ó Índia remota,
como se houvessem desde sempre sonhado contigo!
Apenas de terem ouvido falar de tua pobreza, de teus sofrimentos

e de teus sucessivos sacrifícios para uma vitória difícil,
contemplam-te,
ó Índia,
com a esperança de quem vê em ti uma transcendente pátria.

Os que te conhecem
guardam para sempre o coração enternecido,
ó Índia paciente,
pois sabem dos vastos limites dos teus dramas,
e admiram os caminhos que procuras
para a conquista de uma felicidade sábia:
— aquela felicidade,
ó Índia,
que se constrói com a disciplina da alma,
e, por ser alta, é íngreme, e, para vencer o tempo,
é vigorosa e suave, alerta, firme e diligente.

Haverá um dia
em que a glória dos homens, dos povos e dos Estados,
ó Índia triunfante,
não se medirá por outro poderio senão o da sua virtude.
Nesse dia, os reinados do orgulho e da violência
parecerão selvagens,
ó Índia,
e seus galardões escurecerão, tristes e indignos.

Por isso, os que te amam,
embora não tenham nascido em ti,
ó Índia luminosa,
do horizonte de suas várias pátrias,

observam teu exemplo,
e por ele se rejubilam desde agora,
vendo antecipar-se em tua coragem, em teu trabalho,
ó Índia pacífica,
em tua força espiritual e em tua mansidão,
aquele retrato de um mundo que não envergonhará mais os
[homens futuros,
quando, sozinhos, refletirem
sobre seus compromissos, na terra, com os outros homens,
e, dentro de si, com as leis profundas do invariável Deus.

Janeiro, 1956

Dois apontamentos para Fayek Niculá

I

Hoje eu quero cantar o jovem Fayek Niculá,
habitante de Guizé, ao pé do Nilo.
Era um menino de engenhosos dedos ágeis,
que à hora da infância, em que apenas se brinca,
aprendia a tecer, numa longínqua aldeia copta.
Quero cantar os olhos e os dedos atentos de Fayek Niculá.

Hoje eu quero cantar Fayek Niculá,
que amava pássaros e plantas,
e inventava garças em todas as posições,
e galos de penacho, e arbustos floridos

nas tapeçarias que eram o seu sonho e a sua escrita.
Quero cantar o gesto e a imaginação de Fayek Niculá.

Hoje eu quero cantar Fayek Niculá,
que morreu afogado no Nilo, o ano passado,
enquanto no tear o esperava o trabalho interrompido.
Era um moço que à hora da juventude, em que apenas se vive,
morreu naquelas águas de antigos lótus e papiros.
Hoje eu quero cantar, enrolado nessa tapeçaria líquida,
o desenho da alma e do corpo de Fayek Niculá.

Maio, 1956

II
Elegia do Tapeceiro Egípcio

Bela é a água que corre como a lã clara nos teares.
E vão passando os peixes, que deixam só diáfano esquema.

Leve é o giro das aves, recortado há cinco mil anos;
e as canas e a brisa inventam músicas fictícias
de aéreos estambres, na alta urdidura do tempo.

Grave é o corpo do jovem reclinado em vítreo silêncio,
pálido Osíris que o Nilo agasalha em sábias ondas.

Em seus olhos fechados, donos de cores e linhas eternas,
a memória mistura anjos, profetas e deuses.

Oh! entre esses calmos perfis parados nas ourelas,
o rio mostra ao tecelão a sua morte,
larga tapeçaria que apenas a alma contempla:

sob as canas e os pássaros e as lançadeiras dos peixes rápidos,
sob o dia, sob o mundo, na visão de cenas arcaicas,
o tecelão vai sendo também tecido.

Como a lã clara nos teares, bela e exata, a água que corre
vai bordando o seu vulto,
vai levando suas pálpebras e seus dedos...

Quem pode separar os fios da vida e os fios da água
neste desenho novo que está nascendo em lugar invisível...?

Maio, 1956

Pastoral I

Que pastoral é a minha, ao longo de campos decrépitos,
onde apenas um áspero vento vai tangendo a erva seca...

Oh, um campo sem flores nem grãos,
sem rebanho nem pássaro.

Iguais à erva seca são também meus cabelos,
e por eles o vento passa em música pequena.

E volto de longe, assim de mãos pobres,
com sementeiras vastas de lágrimas, apenas,
com rebanhos longos de pensamentos, palavras, sonhos.

Igual à erva seca é o meu vestido que o vento move
como para arrancá-lo também ao meu corpo.

Tão distraída vou que invento música e aboio,
sonho rodas imensas resvalando pela tarde,
e acaricio vãs imagens, mais frágeis que espuma e nuvem.

Ovelhas minhas, de terna mansidão,
suaves anhos, de ternos olhos,
não sois, não sois... — Perdoai que vos invente...

Vinde pela minha música, rodeai o amor que vos espera
— pois, mais vã do que vós, nestes campos decrépitos,
me encontro, sem companhia e sem afeto,
nestes campos de vida renegada,
mas, se me faltais, ó imaginários!, morro de solidão,
e, se vos falto, na minha morte morreis...

(Igual à erva seca é o instante da existência,
mas esperamos que haja campos de primavera,
e rebanhos felizes...)

1956

Pastoral II

Oh! os campos de amêndoa, e, pela colina,
os olivais!
Pastores antigos, que tanto queríamos,
já não aparecem mais.

Os castelos têm suas torres intactas
e suas portas.
Quanto às pessoas que cantavam aquelas cantigas,
essas, estão mortas.

Como a tarde, porém, é uma tarde de maio,
de memórias e flores,
sentiremos cantar e dançar pela relva
as sombras dos pastores.

1405 *

Ouviremos o som de risos de água clara
entre amendoeiras e olivais.
Que sombras somos, também, com saudades felizes,
em jogos inatuais.

1956

Pastoral III

Sedosas vacas, majestosos cavalos:
o olor do campo é leito e néctar,
que o dourado crepúsculo embalsama.

Tempo de flores, repentino como um rápido olhar.
Mulheres e homens satisfeitos
com as mãos de coral, felizes,
afagam folhagens e carros,
como Deus, no último dia da Criação.

1956

Pastoral IV

As portuguesinhas vêm de longe, cantando.
Enroladas em lãs escuras, tão bem enroladas,
ai! as portuguesinhas são borboletas vermelhas e azul-marinho
que acabam de aparecer.

As portuguesinhas vêm de longe, cantando.
Tão enroladas nas lãs escuras, tão enroladas,
ai! as portuguesinhas são um ramo de andorinhas,
azuis e negras e brancas e rápidas.

As portuguesinhas vêm de longe, cantando.
Dentro das lãs, brilham seu rosto e suas mãos:
ai! as portuguesinhas são roseiras floridas,
presas em muita folhagem.

Ai, os olhos das portuguesinhas são de sílex
e vêm batendo fogo, e abrindo centelhas

na rima das cantigas, no ritmo da marcha,
ao longo da mansa estrada anoitecente.

1956

Pastoral V

Na Ilha que eu amo,
na Ilha do Nanja, que eu tenho no meio do Atlântico,
há veredas de hortênsias,
lagos de duas cores,
nascentes de água fria, morna e quente.
Doce Ilha que foi de laranjas
e hoje é de ananases!
Ilha do Nanja.

Robustos homens, que devem ser meus parentes,
levam seus carros de vime
pela tarde de chuva e sol,
de vento e névoa,
porque a Ilha tem todos os tempos em cada instante.

Por uns caminhos chamados canadas,
os homens de carapuça olham a tarde,
como quem não sabe se amanhã está vivo.

Porque a Ilha está pousada em fogo,
cercada de oceano,
e seu limite mais firme é o inconstante céu.

E os homens detêm-se a ouvir vozes de vulcões,
vozes de sereias,
vozes da lua,
na Ilha do Nanja.

Na Ilha que eu amo,
na Ilha que eu tenho no meio do Atlântico,
todos são muito pobres,
mas já nem pensam nisso.

As mulheres tecem panos,
enrolam novelos,
enquanto os maridos estão lutando com as chamas
dos fornos onde cozinham sua louça,
ou tangendo ao longo dos muros
carros e carros de solidão,
com cestos e cestos de silêncio.

1956

Pastoral VI

Amanhã irão os vitelos
por esses campos floridos.
Vitelos recém-nascidos.

E conhecerão as ervinhas
que são verdes e orvalhadas
e as papoulas encarnadas.

E conhecerão os arroios,
com seus mil espelhos vivos,
animados, sucessivos.

E conhecerão o ar e os montes,
e a nuvem límpida em torno,
o mundo do sol, tão morno.

Amanhã irão os vitelos
fazer o descobrimento
da terra, da água e do vento.

E no seu redondo silêncio
estarão de olhos abertos,
tão divinamente incertos

como antes, quando se encontravam
no escuro ventre fecundo,
do lado oposto do mundo.

1956

Pastoral VII

Terra seca de Espanha,
amarela e arenosa
por onde um velho carro passa...
— Para onde? — neste deserto...
Nem chuva nem rio,

nem suor, nem lágrima,
poderão abrir aqui uma breve flor.
Terra muito gasta, onde até o sol fica triste.
Terra, no entanto, dourada como um campo maduro.

Ó solidão por onde voam, muito longe, antigos ecos!...
Pára-se, com quem encontra, de repente, um morto,
e ouve, ao mesmo tempo, uma ruidosa festa,
com pandeiros e vozes,
num jardim de repuxos e fitas.

Pastoral VIII

Tardes da Índia, quando pára o trabalho em redor do poço;
as mulheres voltam do campo,
encarnadas e azuis, carregadas de jóias,
com um sopro de brisa na asa da roupa,
uma centelha de sol no bojo dos jarros.

As mulheres trazem fábulas novas de pavões e elefantes,
alguma cantiga inventada ao crepúsculo,
o ritmo do dia no seu coração.

Separam-se à entrada da aldeia cinzenta,
quando chegam também os vagarosos carros
com esses búfalos imensos que as crianças abraçam.

Exíguas luzes começam a brilhar.
As meninas vêm ouvir histórias sob as árvores,
e um suspiro de música vai bordando a sombra,
levemente,
sem que se saiba de onde vem, de quem.

Maiores que as luzes da terra, as estrelas passam...
pelas cabanas, pelas torres, pelos zimbórios...
sem que se saiba desde quando, até quando...

As mulheres passam também, cintilantes e calmas,
próximas e meigas,
na sombra dos pátios.
Uma grandiosa pobreza se reclina em sono e sonho:
— "Era uma vez a princesa Sita..."

O dia roda sua porta vagarosa.
Olhos cheios de eternidade avistam outros campos
dentro da noite:
tão longos, tão longe...

Canção fluvial

Barquinhos do Tejo,
dizei-me de longe
não as coisas de hoje,
mas as coisas de ontem:
rostos que não vejo
do que existe e foge,

que apenas se sonhem
e que mal se contem,
barquinhos do Tejo.

De que praia, que rocha, que monte,
barquinhos do Tejo,
em que mar, em que céu, o desejo
avista horizonte?

1957

Festa dos tabuleiros em Tomar

1412
As canéforas de Tomar
levam cestos como coroas,
como jardins, castelos, torres,
como nuvens armadas no ar.

Estas gregas do Ribatejo,
nesta procissão, devagar,
não são apenas de Tomar:
são as canéforas dos tempos...

Para onde vão, com o mesmo andar
de milenares portadoras,
levando pão, levando flores,
as canéforas de Tomar?

Para que sol, para que terra,
para que ritos, a que altar,
as canéforas de Tomar
os primores do mundo levam?

O pombo cristão vem pousar
no alto dos cestos: pães e rosas
ides dar aos presos e aos pobres,
ó canéforas de Tomar?

Um soldado santo

Agora é santo o soldado
supliciado.

1413

Contemplai:
o que segura nos dentes
parece uma flor — e é um ai.

E entre as pálpebras descidas,
no olhar guardado,
aparecem muitas vidas
e terrenos incidentes.

Agora é santo o soldado,
e seu rosto, belo e isento,
belo e puro.
Seu corpo, um tranqüilo muro

tranqüilo e forte,
por onde resvala o vento
— inutilmente — da morte.

Assim de seda vestido,
repousando em santidade
longe daquela cidade
em que foi nado
e querido
e supliciado,
se sonhasse, choraria,
por muitos rostos antigos,
seus amores, seus amigos,
modelos de cinza fria.

Que agora é santo o soldado,
morto e vivo
— mas de tristeza cativo,
pois só ele foi chamado
e escolhido,
e jaz em glória — humilhado
de assim ter sobrevivido.
(Prêmio que não ousaria.)

Ó mistério soberano
do céu sagrado,
áureas leis onipotentes!
Que seja santo o soldado,
e assim se conserve humano.

A alma em festas excelentes,
aureolado, promovido;
mas no corpo, contemplai:
que ainda conserva entre os dentes
como aérea flor, um ai.

Porto Rico, 1957

Pedras de Jerusalém

Pedras de Jerusalém,
que ouvidos sois,
vós que ouvistes Isaías!

Que olhos sois, pedras de Jerusalém,
vós que vistes um homem grave, por essas veredas,
coroado e vestido de rei, com uma cruz às costas...

Aqui estamos transidos na noite, e atentos.
A pedra dos nossos olhos e a dos nossos ouvidos
procura esses acontecimentos,
de tão longos vestígios.

Pensar que devia ser assim
e não se quereria que fosse assim...

E que este tem sido o luar.
E esta a cor das oliveiras.

E por esta vastidão de montes e vales
há sombras e vozes de anjos!

Pensar que tudo isso foi há muitos séculos!
E que todos os dias pensamos nisso,
nós, criaturas de pensamentos inconstantes,
de dispersivos olhos e esquecedor coração!

1958

Saudação a Eilath

Agora, quando penso em ti, ó Eilath,
é como se nunca te houvesse visto, mas apenas sonhado.
Sonhado um sonho marinho.

Ias para o Mar Vermelho como um fino barco,
de areias coloridas:
e tuas velas eram de céu azul, com estrelas bordadas.

Para um lado, a Jordânia,
para o outro, o Sinai.
A lua cercava-te de muralhas cambiantes,
que passavam de vermelhas a azuis,
a roxas, a verdes, com sinais de prata.

Naquele tempo, ó Eilath,
tuas ruas eram de areia,

tuas palmeiras do tamanho de crianças.
A brisa espalhava seus cabelos verdes
e dançava com elas, amorosamente.

Levantavam-se do mar vozes e gestos:
que estranhas coisas saíam do fundo das águas?
Muita gente se inclinava para vê-las.
Que era? que tinha sido?
Pescarias de assombro, como se nascessem esfinges
das ondas.

À noite, íamos pelo teu mar, ó Eilath,
pensando em coisas acontecidas em velhos tempos,
quando Deus e os homens conversavam diariamente.
Curvados sobre a sua transparência,
não víamos, ó Eilath, os soldados de Faraó,
mas os jardins submarinos, de bosques flácidos,
com adeuses de cactos e orquídeas,
passeios de peixes silenciosos
entre luares de sono,
no mundo dos corais, das anêmonas, das esponjas.

Quando penso em ti, ó Eilath,
eu mesma estou sonhando entre as ondas.
E alguém me diz: "Olha as areias coloridas!"
e eu vejo areias azuis, vermelhas, violáceas, douradas,
que passam pelos meus olhos como um fogo de artifício.

Alguém me diz: "Olha também as pedras finas!"
e eu vejo como turquesas, como jade, como pórfiro
em muros imaginários, por imaginários caminhos.

Alguém me diz: "Olha os monstros do mar!"
e eu vejo essas grandes ossadas, esses temíveis dentes;
mas ao lado estão peixinhos leves como borboletas,
e conchas frisadas, róseas e brancas
— como duras pétalas.

Agora, quando penso em ti, ó Eilath,
penso no teu vastíssimo vento,
aquele vento que se levanta à noite
grave e poderoso como um oceano de ar:
não o que brinca pelas ruas de areia
com as palmeirinhas infantis, verdes e tenras.

Penso no teu grande vento
que cheira a sal, a abismo, a terebinto,
a deserto, a céu.

Falava muito alto, o vento, numa linguagem antiga.
E dizia-me assim: "Meu nome é *Ruach*..."

(Era Ruach... — o ar, o sopro, a respiração, o fantasma...
Era a alma, o espírito, a consciência...
Era o vento do Eilath, carregado de lembranças
e presságios.

O vento que conhecera os barcos de Salomão
em Esion-Gaber...
O vento que fechara decerto os olhos da Rainha de Sabá,
que a impelira, com seus aromas,
até o trono de Jerusalém...

Era o vento que sacudia a cidade adormecida,
sem que as crianças o ouvissem.
O vento que mirava também dentro das águas
os jardins submarinos,
que procurava na terra os oásis, as tamareiras,
as plantações recentes de Israel.

O vento que batia nas rochas de cobre,
por onde se perdiam os trilhos de um pequeno trem,
como para uma viagem a outro mundo,
pela alma secreta dos metais.)

Quando agora penso em ti, ó Eilath,
penso que estou sonhando,
que vou nos braços desse teu vento que diz:
"Meu nome é *Ruach*..."
Que esse vento é a tua vela,
que tu és o próprio barco de Salomão,
que estamos viajando sem data nem planeta:
e que vais para algum lugar
e que eu estou aqui apenas para cantar-te,
para que sonhem contigo os que não te viram,
e assim continuem a sonhar, quando te chegarem a ver.

Maio, 1959

Rua dos rostos perdidos

Este vento não leva apenas os chapéus,
estas plumas, estas sedas:
este vento leva todos os rostos,
muito mais depressa.

Nossas vozes já estão longe,
e como se pode conversar,
como podem conversar estes passantes
decapitados pelo vento?

Não, não podemos segurar o nosso rosto:
as mãos encontram o ar,
a sucessão das datas,
a sombra das fugas, impalpável.

Quando voltares por aqui,
saberás que teus olhos
não se fundiram em lágrimas, não,
mas em tempo.

De muito longe avisto a nossa passagem
nesta rua, nesta tarde, neste outono,
nesta cidade, neste mundo, neste dia.
(Não leias o nome da rua, — não leias!)

Conta as tuas histórias de amor
como quem estivesse gravando,

vagaroso, um fiel diamante.
E tudo fosse eterno e imóvel.

New York, 1959

Os chineses deixaram na mesa

Os chineses deixaram na mesa
uma leve pastelaria:
enxuta, frágil, levemente doce,
dentro da qual se encontravam
pequenas mensagens.

Parecia a imagem de um poema.

New York, 1959

Rios

Agora é o Hudson:
sempre uma parede de vidro
e o Mágico desencantando os mortos
— aqueles mortos que um dia amamos tanto
que nem queremos mais que estejam vivos.

(Resguardemo-los em suas mortalhas de sempre-amor,
livres do peso das ressurreições!)

Agora, pois, é o Hudson.
Poderia ser o Ganges, o Eufrates,
ou mesmo o modesto arroio que passa pela minha
rua.

Há uma água que corre constantemente
em redor do que sonhamos
e canta o que perdemos.

Fluida lágrima inevitável
a levar para longe
o que estamos sendo e já não sendo.
Correnteza de fonte secreta
para oceanos gerais
onde brancas embarcações se imobilizam
de mastros no céu, de âncoras no sal.

Mas é apenas o Hudson.
Todos pensam que é apenas um rio.
E pode ser uma história, uma noite,
entre as mil noites do mundo.

New York, outubro, 1959

O aquário

Com a nossa imagem vária, cômica e divina.
O nosso perfil extasiado, interrogativo, inerme.
As pobres asas da água, esforçadas e insuficientes.

Os nossos graves olhos, com suas turvas opalas.
E o silêncio.
Vamos, voltamos, de alto a baixo — sozinhos.
Felizes, indiferentes, melancólicos.
Uma vez ou outra em cardumes — igualmente cegos.

Flutuamos, giramos, parecemos livres
e estamos presos na Onda.

A Onda é a ilusória liberdade em que palpitamos.

Somos de chumbo, de gaze, de ouro.
Temos dentes brancos, extenuados em arquejo ou sorriso.
Escama por escama resvalamos num tempo sem sol,
sem medida nenhuma.

Às vezes nos reproduzimos, nessa hidrosfera sem linguagem.
Mudos, surdos, cegos, dissolveremos a nossa existência.
Que a vida é um vagaroso suicídio, tímido e irreprimível.

Somos essa dolente fauna, essa desnudez, esse enigma.
Rastro que vive de ir morrendo, e às vezes brilha
com seus falsos metais, fingidos elmos e armaduras
para guerras inverossímeis.

E há uns rubis do dia, — que nem sabemos o que seja.

(Eram peixes enormes, no enorme aquário.)

Los Angeles, 1959

Poemas de Viagens

Sobre as muralhas do mar

Sobre as muralhas do mar
conversaremos.

Sobre as muralhas do mar, entre areias,
espumas, colunas,
o que passa e o que perdura.
Conversaremos.
Conversaremos de um tempo
que imaginamos.
Que não houve: azuis e verdes
caminhos, destinos, glórias.

Conversaremos.

Os muros do mar são altos.
E esquecemos.
E as perguntas ficam intactas,
não mudadas em respostas.

Como é o som das palavras sobre as ondas?
E um riso de asas, de brisas
de uma alegria selvagem escutaremos.
No longínquo mar das almas.

Não conversaremos.

Los Angeles, 1959

Bela cidade de prata, pálida

Bela cidade de prata, pálida,
toda de triângulos, esguia, cônica,
bela cidade que o rio enlaça,
que a lua vela, que o álamo embala,
cidade fechada, cidade calada
como um castelo, quem é que passa,
tarde na noite, pelo silêncio,
com a sombra nas plantas, com a sombra nos muros,
com a sombra nas portas e pelas vidraças?

Quem é que pára à margem do rio,
para ouvir o som das águas noturnas,
breves, suspirando, frias, entre as ervas,
por baixo das pontes, perdendo-se em negro,
achando-se em luz, segredosa e viva,
ainda acordada na noite redonda,
na noite da lua, do álamo e das casas,
com tantos ferrolhos, ferrolhos e trancas,
fechaduras, chaves, correntes, cadeados...?

Quem é que atravessa jardins, alamedas,
hortas e pomares, e pontes e pátios,
quem sobe as escadas, quem sai pelos tetos,
quem fala, quem canta, quem leva nos braços
amadas e mortos? quem chora, quem dança,
quem diz as palavras que não têm sentido?
Que abraços são esses? que olhares? que fatos

acontecem, fluidos, entre a lua e a terra,
entre a lua e o sol, entre o sol e o tempo,
como se a cidade estivesse aberta,
e homens e mulheres, todos acordados,
com mortos que vivem, com vivos que morrem,
assuntos que apenas são sempre impossíveis,
que é tudo impalpável, por dentro de pálpebras,
dentro de paredes de pedras espessas,
de portas fechadas, de janelas duplas,
com muitos ferrolhos, com trancas e chaves,
com o álamo atento, a lua de ronda,
a líquida cerca do rio correndo,
e a noite igualmente diáfana e compacta,
a noite dos homens, a noite da terra,
a noite da vida tão grande, suspensa
no vago planeta incomunicável
suspenso entre abismos, plantado de enigmas,
nascimentos, mortes, e sonhos dormidos,
sonhos acordados, de estranhos motivos.

1960

Dança cósmica

De Norte a Sul, ao longo dos muros esculpidos,
em cada cidade, aldeia ou tribo,
a Índia está dançando a infinita dança:
a instabilidade é o equilíbrio da Criação.

Um mover de mãos é paz ou amor,
fúria ou coragem
águia ou leão, tigre ou serpente.

Um mover de mãos é trovão ou relâmpago,
e a chuva cai e as flores se abrem de dedo em dedo.

As mãos são bandeiras ou cisnes,
os olhos transmitem recados sem palavras,
cada atitude é um episódio:
da cabeça aos pés os dançarinos se transfiguram em ritmo,
e os próprios deuses dançam com eles,
porque o ritmo é a respiração dos mundos.

Nataraja, o Senhor dos Dançarinos, o Rei dos Atores,
dança no centro do universo
com seus quatro braços abertos:
uma das mãos segura o tambor;
a outra levanta o fogo;
a terceira diz: "Não tenhais medo!"
E a quarta aponta o demônio esmagado sob o seu pé direito.

Nataraja dança, invisível e visível,
e de Norte a Sul a Índia acompanha o seu dançar:
numa nuvem de ouro vão e voltam, nos véus bordados,
a vida ilusória e o sonho imortal.

1962

Poemas de Viagens

Tempo

Tempo em que a aldeia rescendia a incensos,
e o músico de longas barbas brancas discorria sobre as cordas
de instrumentos arcaicos.

Tempo em que se sentia a solidão
como em seda desdobrando-se:
o palácio de mármore, a gota d'água, o luar
imenso.

Tempo em que eu podia viver como se ninguém me visse,
passando pelos jardins como a sombra da nuvem.

Tempo em que os camelos da cor da poeira
levantavam-se nos campos meio sonâmbulos.

Em que os pavões passavam pelo ar da tarde
como um vento azul carregado de relâmpagos de ouro.

Outubro, 1962

Pequena suíte

I

Sfad, com crianças azuis e vermelhas
colhendo flores na beirada das ruas.

Haifa, pálida de vento,
com as pálpebras bordadas de ciprestes.

Cesaréia com suas estátuas decapitadas
recebendo os dias no salão do tempo.

São João de Acre e os sonolentos pescadores
no berço dos grandes barcos pintados na areia.

Nazaré com a sombra dos Anjos
dourando a escuridão das tendas dos cutileiros.

Sodoma brilhando ao sol, como um anel policromo,
fulgurante, mineral e maldita.

Jerusalém, coroada com o seu nome
e o azul do céu sobre as asas abertas dos Salmos.

27, maio, 1962

II

Kinnereth

Kinnereth, cítara azul de água
e som de brisa e azul distância.

Os peixes contam em bolhas sua genealogia.
Pensativos olhos submarinos. E sobressaltos.

De que lado Simão apareceria,
tímido de nudez, saudoso de milagres?

Azul cítara de água e som de brisa:
as árvores desprendem folhas vermelhas, como breves setas.

Bem-aventurança do céu, do monte, das pedrinhas
do chão, da erva das margens, da onda tranqüila.

Nuvens formam rostos humanos, vultos, grupos,
movimentos de ouro e bruma entre a água e as montanhas.

Ninguém passa. Talvez ainda os pescadores antigos voltem.
Talvez as Palavras se levantem vivas e encham a solidão.

III

São João pequenino

Na porta azul, o menino moreno
espera com os olhos São João pequenino.

Espera-o nascido na rocha,
ainda infante, enrolado em panos.

Ela virá daqui a pouco, por esta ladeira,
já crescido, com pupilas de tanta vidência,

com lábios tão bem recortados para falar ao deserto,
com seu carneirinho e sua cruz.

Virá brincar aqui na soleira da porta
com pedrinhas e conchas da terra.
O menino moreno espera-o, calado, quieto,
com os olhos na sua casa e as mãos disponíveis.
Como demora São João pequenino! Que será que diz, quando
[fala?
Que será que vê, quando olha para as montanhas?

Maio, 1962

Breve elegia ao Pandit Nehru

Uma pequena rosa para aquele que gostava de trazer um botão de rosa ao peito. Para aquele que trazia uma rosa no coração, aberta a generosos ventos. Uma pequena rosa.

Um pensamento belo para aquele que só entendia a vida quando inspirada por um sopro de beleza. Para que assim também se entenda a morte, um pensamento belo.

Uma luz para aquele homem de cristal que brilhava entre os esmaltes verdes e azuis dos jardins. Que parava, afetuoso, diante dos lótus amados, no seu mundo de água. Uma clara luz.

Um silêncio para o herói de tantas batalhas, nos combates da Liberdade. Um silêncio para o que tornou próximo de todos o seu país distante, e amado por todos o seu povo mal conhecido. Um

silêncio para o herói que se foi reunir aos outros heróis da Índia;
pois este é o momento dos grandes encontros, da ressurreição, da
permanência. E esta é uma assembléia imortal. Um silêncio.

Uma pequena rosa. Um pensamento belo. Uma luz.
[Um silêncio.

Uma coroa para a alma do Pandit Nehru.

29, maio, 1964

O Estudante Empírico
(1959-1964)

O estudante empírico. A primeira edição deste livro ocorreu no volume 9 das *Poesias completas* organizadas por Darcy Damasceno. Rio de Janeiro: Editora Civilização Brasileira, 1974. P. 135-158.

Anatomia

É triste ver-se o homem por dentro:
tudo arrumado, cerrado, dobrado
como objetos num armário.

A alma, não.

É triste ver-se o mapa das veias,
e esse pequeno mar que faz trabalhar seus rios
como por obscuras aldeias
indo e vindo, a carregar vida, estranhos escravos.

Mas a alma?

É triste ver-se a elétrica floresta
dos nervos: para estrelas de olhos e lágrimas,
para a inquieta brisa da voz,
para esses ninhos contorcidos do pensamento.

E a alma?

É triste ver-se que de repente se imobiliza
esse sistema de enigmas,
de inexplicado exercício,
antes de termos encontrado a alma.

Pela alma choramos.
Procuramos a alma.
Queríamos alma.

Agosto, 1959

O Estudante Empírico

Mapa de anatomia: o Olho

O Olho é uma espécie de globo,
é um pequeno planeta
com pinturas do lado de fora.
Muitas pinturas:
azuis, verdes, amarelas.
É um globo brilhante:
parece de cristal,
é como um aquário com plantas
finamente desenhadas: algas, sargaços,
miniaturas marinhas, areias, rochas, naufrágios e
[peixes de ouro.

Mas por dentro há outras pinturas,
que não se vêem:
umas são imagens do mundo,
outras são inventadas.

O Olho é um teatro por dentro.

E às vezes, sejam atores, sejam cenas,
e às vezes, sejam imagens, sejam ausências,
formam, no Olho, lágrimas.

1959

Todas as coisas têm nome

Todas as coisas têm nome.
(Têm nome todas as coisas?)

Todos os verbos são atos.
(São atos todos os verbos?)

Com a gramática e o dicionário
faremos nossos pequenos exercícios.

Mas quando lermos em voz alta o que escrevemos,
não saberão se era prosa ou verso,
e perguntarão o que se há de fazer com esses escritos:

1437

porque existe um som de voz,
e um eco — e um horizonte de pedra
e uma floresta de rumores e água

que modificam os nomes e os verbos
e tudo não é somente léxico e sintaxe.

Assim tenho visto.

1960

O Estudante Empírico

Não sei distinguir no céu
as várias constelações

Não sei distinguir no céu as várias constelações:
não sei os nomes de todos os peixes e flores,
nem dos rios nem das montanhas:
caminho por entre secretas coisas,
a cada lugar em que meus olhos pousam,
minha boca dirige uma pergunta.

Não sei o nome de todos os habitantes do mundo,
nem verei jamais todos os seus rostos,
embora sejam meus contemporâneos.

1438

Não, não sei, na verdade, como são em corpo e alma
todos os meus amigos e parentes.
Não entendo todas as coisas que dizem,
não compreendo bem de que vivem, como vivem,
como pensam que estão vivendo.

Não me conheço completamente,
só nos espelhos me encontro,
tenho muita pena de mim.

Não penso todos os dias exatamente
do mesmo modo.
As mesmas coisas me parecem a cada instante diversas.
Amo e desamo, sofro e deixo de sofrer,
ao mesmo tempo, nas mesmas circunstâncias.

Aprendo e desaprendo,
esqueço e lembro,
meu Deus, que águas são estas onde vivo,
que ondulam em mim, dentro e fora de mim?

Se dizem meu nome, atendo por hábito.
Que nome é o meu?
Ignoro tudo.

Quando alguém diz que sabe alguma coisa,
fico perplexa:
ou estará enganado, ou é um farsante
— ou somente eu ignoro e me ignoro desta maneira?

E os homens combatem pelo que julgam saber.   1439
E eu, que estudo tanto,
inclino a cabeça sem ilusões,
e a minha ignorância enche-me de lágrimas as mãos.

1960

Tradução

Não são caracteres desconhecidos —
é a nossa escrita comum,
sem qualquer ambigüidade,
sem qualquer ornamento pessoal, manual, ideal.
Que diz o texto?

O Estudante Empírico

Não são palavras desusadas — nem de outro idioma —
é a linguagem de todos os dias,
sem qualquer erro gráfico,
sem qualquer variação ortográfica.
Ao certo, que diz o texto?

Estamos traduzindo, cada qual em sua banca.
Às vezes, a simples pontuação produz grandes equívocos.
Talvez seja da pontuação?
Sentimo-nos um pouco atônitos.
Ao certo, que pretendia dizer o autor do texto?

1960

1440

O sol está numa tal posição

O sol está numa tal posição,
que de todos os lados se vê o mesmo.

Ah, que amor incontestado
podemos dar e ser,
que esfera impecável, impoluta,
de sempre adiado horizonte,
continuando-se, interminável,
na sucessão de si mesma,
afirmando sua duração,

ah, que esfera podemos ser, em sonho,
talvez,

em alma,
quem sabe,
que sol, que totalidade sem arestas,
que evidência inegável,
em que lugar, em que posição?

1960

A noite

A noite é essa escuridão tão envolvente
que parece um exercício de morte:
assim vai desaparecendo tudo,
assim desaparecemos dos outros
e de nós.

Apenas respiramos.
Podem cortar esse último fio
— e o tear que somos se imobiliza.

A noite esconde a terra, o céu, a casa,
os vossos rostos.

Estou novamente dentro de uma entranha?
Humana? Cósmica? Em que entranha me aninho,
onde se enrola o novelo da minha memória,
em que cofre, na escuridão?

O Estudante Empírico

Nossas asas estão docemente fechadas
e nossos olhos moram no pensamento.
Cada um tem a sua noite.
Cada coisa.
E tudo está na sua noite,
enquanto é noite.

O dia é um bailarino com sinos e espelhos.

Interrompemos a treva onde aprendíamos lembranças;
e somos de repente uns falsos acordados.

1960

*1442

Hoje desaprendo o que tinha
aprendido até ontem

Hoje desaprendo o que tinha aprendido até ontem
e que amanhã recomeçarei a aprender.
Todos os dias desfaleço e desfaço-me em cinza efêmera:
todos os dias reconstruo minhas edificações, em sonho eternas.

Esta frágil escola que somos, levanto-a com paciência
dos alicerces às torres, sabendo que é trabalho sem termo.

E do alto avisto os que folgam e assaltam, donos de riso e pedras.
Cada um de nós tem sua verdade, pela qual deve morrer.

De um lugar que não se alcança, e que é, no entanto, claro,
minha verdade, sem troca, sem equivalência nem desengano
permanece constante, obrigatória, livre:
enquanto aprendo, desaprendo e torno a reaprender.

1961

Mimetismo

O sábio no jardim sorria
do artifício da borboleta
convertida em folha amarela
até com manchas e defeitos.

1443

O sábio sorria daquela
mentira. Ó colorido embuste!
Ó fingimento desenhado
por cegos presságios e sustos!

Para salvar seu breve tempo,
— tempo de inseto! — dom dos vivos,
tinha a borboleta bordado
seu sigiloso mimetismo.

(Atrás das máscaras, que morte
pode alcançar o oculto pólo
sensível, no pulsante abismo
onde a hora do existir se acolhe?)

Sendo e não sendo, perto e longe,
escondia-se, ignota e inquieta,
guardando, em paredes de medo,
a esperança da seiva eterna.

O sábio no jardim sorria
do cauteloso fingimento,
de tênue silêncio expectante
sobre os universais segredos.

1961

Com as minhas lições bem aprendidas

1444

Com as minhas lições bem aprendidas,
com os meus exercícios bem feitos,
estudante empírico,
autodidata aplicado,
tenho todos os sofrimentos aceitos
pela minha e por outras vidas.

Com o peso da minha humildade,
montanha enorme nos meus ombros,
estudante empírico,
autodidata aplicado,
vou com meus olhos de vastos assombros
pelas ruas novas da nova Cidade.

Meu nome não sabes, nem é necessário,
e de família e nascimento,
estudante empírico,
autodidata aplicado,
ficaram os dados perdidos no vento,
aéreas letras de registro vário.

Minha aprendizagem é uma calma conquista,
para as provas de qualquer instante:
estudante empírico,
autodidata aplicado,
em alma e corpo sou memória de diamante,
vida sem pálpebra, disciplinada vista.

Mas decerto o que aprendo é meu somente,
meu patrimônio incomunicável, sem herdeiro;
estudante empírico,
autodidata aplicado,
professor meu sou e único aluno verdadeiro,
e, a minha, é a escola comum da humana gente.

Apenas o meu esforço ultrapassa noite e dia,
torna-me em aula constante o tempo do mundo,
estudante empírico,
autodidata aplicado,
desvalido, em mim mesmo, e para além, me aprofundo,
para o curso já sem palavras da sabedoria.

1961

O Estudante Empírico

No fruto quase amadurecido

No fruto quase amadurecido
começa agora a circular gloriosa doçura:
luz dos dourados outonos.

Que pode ele saber de sua própria, densa
estrutura secreta de sumo e gosto,
ele, só conclusão da flor?

Mas os pássaros salteadores sabem-no e miram
de longe: orbe, coroa, biografia...
E caem sobre ele em setas.

Agosto, 1961

Por enquanto, devoro apenas

Por enquanto, devoro apenas,
com paciente ritmo,
estas folhagens do mundo.

Por enquanto, sou este corpo necessário
que se enruga à luz do dia, à leveza do ar.
Corpo não escolhido,
aceito, de paciente ritmo.

Deixai-me depois dormir meu tempo indispensável
enrolada nestes fios que humilde tece

um paciente ritmo,
deixai-me descansar nesta experiência de tela frágil
onde prolongo a aprendizagem
de cada instante na escola do paciente ritmo.

Estarei ouvindo os comandos
de infinitos professores sem voz.

Deixai-me elaborar as asas claras
de paciente ritmo,
para a alegria de não ter mais peso,
de desprender-me do obrigatório alimento,
de ter merecido a etérea liberdade.

Deixai-me ir, enfim, sobre ar e luz,
com a substância apenas das cores,
no ritmo paciente
que me vai desfazer em cinzas de seda
num pequeno arco-íris de pó.

Mas tudo isso está sendo inventado agora,
por este corpo melancólico,
de paciente ritmo,
que resignado devora
(na verdade inapetente)
as folhagens do mundo.

14.11.1961

O Estudante Empírico

Traspassamos o cristal

Traspassamos o cristal.
Cristal
exato.
Acima de tudo, exato.
Ascendência e interseção.
(Disciplina? Exercício? Método?)

Simetria.
Correspondência.

Uma ordem profunda arma as arestas,
determina o polígono das pétalas,
filtra e faz circular o cromatismo
por invisíveis artérias.

Eis o enigma terrestre,
a muda perfeição
com que se compraz nos seus jogos
a imaginação do mundo.

Eis o enigma subterrâneo,
a arquitetura lúdica,
secreta,
a dura flor mineral
no coração do tempo.

Sobre ele vem cintilar,
célere, multiplicando-se,
o mais breve raio de luz,
celeste enigma.

Traspassamos.

E curvamo-nos admirados.

Vista aérea

São altitudes cinzentas,
são arestas farpadas,
são áridas crateras.   1449
Isto é uma terra morta,
uma estrutura de ossos apenas,
frios e amarelos.

Um fio d'água inútil desce
como se estivesse parado.
(Oh! é uma vista de muito longe,
de uma desmedida distância!)
Um fio d'água desce. (Longo.)
Para nenhum lábio. (Fino.)
Para raiz nenhuma. (Interminável.)
Estritamente mineral caminho.

Deve haver na profundidade,
para além destes sulcos,

O Estudante Empírico

destas escarpas, destas fissuras,
no fim deste abismo de pedra
um centro líquido, uma pupila espelhante,
por onde passem os nossos rostos, as nuvens,
e nos desenhos do céu
a medida do mundo inalcançável.

1962

Cátedras

Com saudade de mim inclino-me na noite.
Ó muros da solidão, escorrendo lágrimas!

Saudade daquela tristeza que amei
e da paciência com que a deixei passar
como se espera caridosamente que passem
pelas ruas os aleijados ou os enterros.

Nunca mais seremos de tal modo tristes,
porque afinal tristeza e alegria se tornarão
o mesmo rosto da nossa alma.

Nunca mais serei aquela que era e se contemplava,
ainda dividida
e aprendia sozinha a assim deixar de ser.

Do alto das cátedras melancólicas
um dia, afinal, sorrimos

para os distantes exercícios
da alma principiante.

Setembro, 1962

Hora do chá

Mas acontece que não basta colher
as primeiras folhas da ponta dos ramos.

Nem esperar que a chaleira cante
e o chá desdobre os caracteres da sua escrita
em água, perfume e topázio.

Não basta a receita:
falta a elevada solidão,
o hino latente,
a dinastia do sonho.

Faltam as convergências
do céu e da terra,
os orvalhos e estrelas
entre o sonhar e o morrer.

(Ah! somente a pedra sonora dirá, decerto,
no ar de ouro e seda,
o caminho saudoso dos ritos,

O Estudante Empírico

o ato de perfeição
por que choram os nossos olhos.)

Setembro, 1962

O estudante empírico

Eu, estudante empírico,
fecho o livro e contemplo.

Eis o globo, o planisfério terrestre,
o planisfério celeste,
o redondo horizonte, a ilusão dos firmamentos.

E a nossa existência.

Eis o compasso, o esquadro,
a balança, a pirâmide,
o cone, o cilindro, o cubo,
o peso, a forma, a proporção, as equivalências.

E o nosso itinerário.

Saem das suas caixas os mistérios:
desenrola-se o mapa dos ossos, com seus nomes;
o sangue desenha sua floresta azul;
cada órgão cumpre um trabalho enigmático:
estamos repletos de esfinges certeiras.

E o nosso corpo.

E os dinossauros são como carros de triunfo,
reduzidos à armação;
e no olho profundo do microscópio
a célula se anuncia.

E o nosso destino.

O professor escreve no quadro o Alfa e o Ômega.

A luz de Sírius ainda lança escadas em contínua
[cascata.
E lentamente subo e fecho os olhos
e sonho saber o que não se sabe
simplesmente acordado.

Grande aula, a do silêncio.

Dezembro, 1962

Ginástica

Ah! com que extremado esforço nos elevamos
acima de nós, para o inalcançável,
e retornamos aos nossos limites,
e nos curvamos até o chão.

Vamos e voltamos, delicados e impetuosos,
disciplinando a força, dominando o equilíbrio,

atrelando à levitação do sonho
o peso do corpo, melancólico.

Discípulos da música, respiramos sua cadência,
e a nossa densidade parece-nos, de súbito,
transparência e cristalização.

Vamos e voltamos, inspirados e deleitosos,
e decerto quereríamos definitivamente ir:
mas o jogo é de ir e ficar.

1963

O quadro-negro

Depois que os teoremas ficam demonstrados,
quando as equações se tiverem transformado,
desenvolvido, revelado;
e o mistério das palavras estiver todo aberto em flores;

quando todos os nomes e números se acharem escritos
e supostamente compreendidos,
com vagaroso e leve movimento
o Professor passará uma silenciosa esponja
sobre as coisas escritas:
e nos sentiremos outra vez cegos,
sem podermos recordar o que julgávamos ter aprendido,

e que apenas entrevíramos,
como em sonho.

1963

Desenho

Traça a reta e a curva,
a quebrada e a sinuosa.
Tudo é preciso.
De tudo viverás.

Cuida com exatidão da perpendicular
e das paralelas perfeitas.
Com apurado rigor.
Sem esquadro, sem nível, sem fio de prumo,
traçarás perspectivas, projetarás estruturas.
Número, ritmo, distância, dimensão.
Tens os teus olhos, o teu pulso, a tua memória.

Construirás os labirintos impermanentes
que sucessivamente habitarás.

Todos os dias estarás refazendo o teu desenho.
Não te fatigues logo. Tens trabalho para toda a vida.
E nem para o teu sepulcro terás a medida certa.

O Estudante Empírico

Somos sempre um pouco menos do que pensávamos.
Raramente, um pouco mais.

1963

Espaço

Daqui por diante, o céu não é mais apenas o reino das nuvens,
morada do sol, da lua e das estrelas,
lugar dos anjos e de Deus.

Entre os desenhos da chuva e do cometa exótico,
há mil traçados invisíveis, em todas as direções.
Numa prisão de retas e curvas nossos olhos terrenos,
aves angustiadas,
encontram seus esconderijos e limites.

Todo ocupado, o espaço, com seus secretos esquemas;
infinitas leis em todos os rumos.
Do olhar à estrela, nada é simples, nada é fácil.

Daqui por diante não mais seremos tranqüilos ou felizes
diante do luminoso céu,
mas inquietos e humilhados,
certos da nossa reconhecida cegueira:
assim vamos, conduzidos ou perdidos
entre o que vemos e o que sabemos que não vemos.

1963

Levantam-se do mar os planetas

Levantam-se do mar os planetas:
são amarelos e ruivos,
aparecem na praia, como balões subindo da areia,
aparecem no horizonte, vagarosos, graves e opacos.

Os planetas saem do mar sem previsão nem anúncio
— enormes discos de cobre, lisos, foscos,
como sobem os caules das plantas,
como certas palavras que não se esquecem,
como grandes rostos sem feições.

Os planetas levantam-se do mar para o ar
numa hora em que ninguém está vendo,
e prosseguem
indiferentes ao possível e ao visível.

1457

3.2.1963

Que densidades, que obediência

Que densidades, que obediência
a que ordens invencíveis?
Os ângulos se calculam,
dispõe-se a coesão,
constrói-se a transparência,
ó poliedro!

O Estudante Empírico

Unidade repleta de renúncias,
disciplina obscura e predestinada,
mundo cintilante de simetrias,
submersa entrega,
difícil e fácil,
resistente e súbita,
ó poliedro.

Fábula mineral com a poderosa geometria
a enfrentar as incansáveis arestas da erosão,
invisíveis, mas peremptórias.

Abril, 1963

Para que a escrita seja legível

Para que a escrita seja legível,
é preciso dispor os instrumentos,
exercitar a mão,
conhecer todos os caracteres.

Mas para começar a dizer
alguma coisa que valha a pena,
é preciso conhecer todos os sentidos
de todos os caracteres,
e ter experimentado em si próprio
todos esses sentidos,
e ter observado no mundo

e no transmundo
todos os resultados dessas experiências.

Maio, 1963

Sob as árvores da infância, altíssimas, passearemos

Sob as árvores da infância, altíssimas, passearemos.
As de formigas ruivas nas raízes expostas,
de resinas e cascas de cigarras, nos rugosos troncos,
de ventos, frutos, estrelas claras nas móveis frondes.

Passearemos sob as altíssimas árvores da infância,
pisando com silenciosos pés o chão, — no entanto, de
[folhas secas,
fruindo com sabedoria o passeio, sem origem nem finalidade,
vivendo o instante de alegria das almas felizes reencontradas.

Sob as altíssimas árvores da infância passearemos.
O nosso conhecimento está fora de quaisquer acasos.
Jamais saberíeis pronunciar o nome que atualmente uso.
O rosto que levamos nada tem com os acontecimentos.

Ah! somente as árvores da infância, altíssimas, nos reúnem agora:
houve um tempo anterior, de luz, de cristal, de pureza, de afeto?
Quem quer que sejamos, só nos entendemos por essas auréolas
que pairam sobre nós, translúcidas, fluidas, hesitantes à brisa.

Lindóia, 21 de janeiro de 1964

O Estudante Empírico

O globo

Como os reis tiveram o orbe no alto do cetro,
nós, crianças, tivemos o globo terrestre em nossa breve mão.

Eram azuis, os mares; coloridos, os continentes;
tantas linhas de alto a baixo, de Leste a Oeste,
que podíamos localizar a nossa vaga pessoa
naquela vastidão.

Mas os reis pretenderam estar em todos os pontos
ao mesmo tempo.
E foram atravessados pelas batalhas, e agora
só nos jazigos seus nomes se encontrarão.

As crianças, porém, não queriam estar em parte alguma:
pulavam meridianos e paralelos com muita leveza.
Continuam não estando em parte alguma.
Mas com alegria maior que a da realeza:
a da libertação.

1964

Ou isto ou aquilo

Cecília Meireles
escreveu

Maria Bonomi
ilustrou

Ou isto ou aquilo. São Paulo: Giroflê, 1964. Ilustrações de Maria Bonomi. A segunda parte do livro incorpora os inéditos incluídos em *Ou isto ou aquilo* & *Inéditos*. São Paulo: Melhoramentos, 1969, 80 p. Capa e ilustrações de Rosa Frisoni.

Na página anterior:
capa da primeira edição de *Ou isto ou aquilo*.

Ou Isto ou Aquilo
(1964)

Primeira parte

1465 *

Ou Isto ou Aquilo

Colar de Carolina

Com seu colar de coral,
Carolina
corre por entre as colunas
da colina.

O colar de Carolina
colore o colo de cal,
torna corada a menina.

E o sol, vendo aquela cor
do colar de Carolina,
põe coroas de coral

nas colunas da colina.

Pescaria

Cesto de peixes no chão.

Cheio de peixes, o mar.

Cheiro de peixe pelo ar.

E peixes no chão.

Chora a espuma pela areia,
na maré cheia.

As mãos do mar vêm e vão,
as mãos do mar pela areia
onde os peixes estão.

As mãos do mar vêm e vão,
em vão.
Não chegarão
aos peixes do chão.

Por isso chora, na areia,
a espuma da maré cheia.

Moda da menina trombuda

1467

É a moda
da menina muda
da menina trombuda
que muda de modos
e dá medo.

(A menina mimada!)

É a moda
da menina muda
que muda
de modos
e já não é trombuda.

(A menina amada!)

Ou Isto ou Aquilo

O cavalinho branco

À tarde, o cavalinho branco
está muito cansado:

mas há um pedacinho do campo
onde é sempre feriado.

O cavalo sacode a crina
loura e comprida

e nas verdes ervas atira
sua branca vida.

Seu relincho estremece as raízes
e ele ensina aos ventos

a alegria de sentir livres
seus movimentos.

Trabalhou todo o dia tanto!
desde a madrugada!

Descansa entre as flores, cavalinho branco
de crina dourada!

Jogo de bola

A bela bola
rola:
a bela bola do Raul.

Bola amarela,
a da Arabela.

A do Raul,
azul.

Rola a amarela
e pula a azul.

A bola é mole,
é mole e rola.

A bola é bela,
é bela e pula.

É bela, rola e pula,
é mole, amarela, azul.

A de Raul é de Arabela,
e a de Arabela é de Raul.

Tanta tinta

Ah! menina tonta,
toda suja de tinta
mal o sol desponta!

(Sentou-se na ponte,
muito desatenta...
E agora se espanta:
Quem é que a ponte pinta
com tanta tinta?...)

A ponte aponta
e se desaponta.
A tontinha tenta
limpar a tinta,
ponto por ponto
e pinta por pinta...

Ah! a menina tonta!
Não viu a tinta da ponte!

Bolhas

Olha a bolha d'água
no galho!
Olha o orvalho!

Olha a bolha de vinho
na rolha!
Olha a bolha!

Olha a bolha na mão
que trabalha!

Olha a bolha de sabão
na ponta da palha:
brilha, espelha
e se espalha.
Olha a bolha!

Olha a bolha
que molha
a mão do menino:

a bolha da chuva da calha!

Leilão de jardim

Quem me compra um jardim
com flores?

borboletas de muitas
cores,

lavadeiras e pas-
sarinhos,

ovos verdes e azuis
nos ninhos?

Quem me compra este ca-
racol?

Quem me compra um raio
de sol?

Um lagarto entre o muro
e a hera,

uma estátua da Pri-
mavera?

Quem me compra este for-
migueiro?

E este sapo, que é jar-
dineiro?

E a cigarra e a sua
canção?

E o grilinho dentro
do chão?

(Este é o meu leilão!)

Rio na sombra

Som
frio.

Rio
sombrio.

O longo som
do rio
frio.

O frio
bom,
do longo rio.

Tão longe,
tão bom,
tão frio
o claro som
do rio
sombrio!

Os carneirinhos

Todos querem ser pastores,
quando encontram, de manhã,
os carneirinhos,

enroladinhos
como carretéis de lã.

Todos querem ser pastores
e ter coroas de flores
e um cajadinho na mão
e tocar uma flautinha
e soprar numa palhinha
qualquer canção.

Todos querem ser cantores
quando a Estrela da Manhã
brilha só, no céu sombrio,
e, pela margem do rio,
vão descendo os carneirinhos
como carretéis de lã...

A bailarina

Esta menina
tão pequenina
quer ser bailarina.

Não conhece nem dó nem ré
mas sabe ficar na ponta do pé.

Não conhece nem mi nem fá
mas inclina o corpo para cá e para lá.

Não conhece nem lá nem si,
mas fecha os olhos e sorri.

Roda, roda, roda com os bracinhos no ar
e não fica tonta nem sai do lugar.

Põe no cabelo uma estrela e um véu
e diz que caiu do céu.

Esta menina
tão pequenina
quer ser bailarina.

Mas depois esquece todas as danças,
e também quer dormir como as outras crianças.

1475

O mosquito escreve

O mosquito pernilongo
trança as pernas, faz um *M*,
depois, treme, treme, treme,
faz um *O* bastante oblongo,
faz um *S*.

O mosquito sobe e desce.
Com artes que ninguém vê,
faz um *Q*,
faz um *U* e faz um *I*.

Ou Isto ou Aquilo

Esse mosquito
esquisito
cruza as patas, faz um *T*.
E aí,
se arredonda e faz outro *O*,
mais bonito.

Oh!
já não é analfabeto
esse inseto,
pois sabe escrever seu nome.

Mas depois vai procurar
alguém que possa picar,
pois escrever cansa,
não é, criança?

E ele está com muita fome.

A lua é do Raul

Raio de lua.
Luar.
Lua do ar
azul.

Roda da lua.
Aro da roda

na tua
rua, Raul!

Roda o luar
na rua
toda
azul.

Roda o aro da lua.

Raul,
a lua é tua,
a lua da tua rua!

A lua do aro azul.

Sonhos da menina

A flor com que a menina sonha
está no sonho?
ou na fronha?

Sonho
risonho:

O vento sozinho
no seu carrinho.

De que tamanho
seria o rebanho?

A vizinha
apanha
a sombrinha
de teia de aranha...

Na lua há um ninho
de passarinho.

A lua com que a menina sonha
é o linho do sonho
ou a lua da fronha?

Rômulo rema

Rômulo rema no rio.

A romã dorme no ramo,
a romã rubra. (E o céu.)

O remo abre o rio.
O rio murmura.

A romã rubra dorme
cheia de rubis. (E o céu.)

Rômulo rema no rio.

Abre-se a romã.
Abre-se a manhã.

Rolam rubis rubros do céu.

No rio,
Rômulo rema.

O menino azul

O menino quer um burrinho
para passear.
Um burrinho manso,
que não corra nem pule,
mas que saiba conversar.

O menino quer um burrinho
que saiba dizer
o nome dos rios,
das montanhas, das flores
— de tudo o que aparecer.

O menino quer um burrinho
que saiba inventar
histórias bonitas
com pessoas e bichos
e com barquinhos no mar.

E os dois sairão pelo mundo
que é como um jardim
apenas mais largo
e talvez mais comprido
e que não tenha fim.

(Quem souber de um burrinho desses,
pode escrever
para a Rua das Casas,
Número das Portas,
ao Menino Azul que não sabe ler.)

As meninas

Arabela
abria a janela.

Carolina
erguia a cortina.

E Maria
olhava e sorria:
   "Bom dia!"

Arabela
foi sempre a mais bela.

Carolina,
a mais sábia menina.

E Maria
apenas sorria:
"Bom dia!"

Pensaremos em cada menina
que vivia naquela janela;
uma que se chamava Arabela,
outra que se chamou Carolina.

Mas a nossa profunda saudade
é Maria, Maria, Maria,
que dizia com voz de amizade:

"Bom dia!"

O último andar

No último andar é mais bonito:
do último andar se vê o mar.
É lá que eu quero morar.

O último andar é muito longe:
custa-se muito a chegar.
Mas é lá que eu quero morar.

Todo o céu fica a noite inteira
sobre o último andar.
É lá que eu quero morar.

Quando faz lua, no terraço
fica todo o luar.
É lá que eu quero morar.

Os passarinhos lá se escondem,
para ninguém os maltratar:
no último andar.

De lá se avista o mundo inteiro:
tudo parece perto, no ar.
É lá que eu quero morar:

no último andar.

As duas velhinhas

Duas velhinhas muito bonitas,
Mariana e Marina,
estão sentadas na varanda:
Marina e Mariana.

Elas usam batas de fitas,
Mariana e Marina,
e penteados de tranças:
Marina e Mariana.

Tomam chocolate as velhinhas,
Mariana e Marina,

em xícaras de porcelana:
Marina e Mariana.

Uma diz: "Como a tarde é linda,
não é, Marina?"
A outra diz: "Como as ondas dançam,
não é, Mariana?"

"Ontem eu era pequenina",
diz Marina.
"Ontem, nós éramos crianças",
diz Mariana.

E levam à boca as xicrinhas,
Mariana e Marina,
as xicrinhas de porcelana:
Marina e Mariana.

Tomam chocolate as velhinhas,
Mariana e Marina.
E falam de suas lembranças,
Marina e Mariana.

Ou isto ou aquilo

Ou se tem chuva e não se tem sol,
ou se tem sol e não se tem chuva!

Ou se calça a luva e não se põe o anel,
ou se põe o anel e não se calça a luva!

Quem sobe nos ares não fica no chão,
quem fica no chão não sobe nos ares.

É uma grande pena que não se possa
estar ao mesmo tempo nos dois lugares!

Ou guardo o dinheiro e não compro o doce,
ou compro o doce e gasto o dinheiro.

Ou isto ou aquilo: ou isto ou aquilo...
e vivo escolhendo o dia inteiro!

Não sei se brinco, não sei se estudo,
se saio correndo ou fico tranqüilo.

Mas não consegui entender ainda
qual é melhor: se é isto ou aquilo.

Segunda parte

1485 *

Ou Isto ou Aquilo

A flor amarela

Olha
a janela
da bela
Arabela.

Que flor
é aquela
que Arabela
molha?

É uma flor amarela.

O vestido de Laura

O vestido de Laura
é de três babados,
todos bordados.

O primeiro, todinho,
todinho de flores
de muitas cores.

No segundo, apenas
borboletas voando,
num fino bando.

O terceiro, estrelas,
estrelas de renda
— talvez de lenda...

O vestido de Laura
vamos ver agora,
sem mais demora!

Que as estrelas passam,
borboletas, flores
perdem suas cores.

Se não formos depressa,
acabou-se o vestido
todo bordado e florido!

Uma palmada bem dada

É a menina manhosa
que não gosta da rosa,

que não quer a borboleta
porque é amarela e preta,

que não quer maçã nem pêra
porque tem gosto de cera,

que não toma leite
porque lhe parece azeite,

que mingau não toma
porque é mesmo goma,

que não almoça nem janta
porque cansa a garganta,

que tem medo do gato
e também do rato,

e também do cão
e também do ladrão,

que não calça meia
porque dentro tem areia,

que não toma banho frio
porque sente arrepio,

que não quer banho quente
porque calor sente,

que a unha não corta
porque sempre fica torta,

que não escova os dentes
porque ficam dormentes,

que não quer dormir cedo
porque sente imenso medo,

que também tarde não dorme
porque sente um medo enorme,
que não quer festa nem beijo,
nem doce nem queijo...

Ó menina levada,
quer uma palmada?

Uma palmada bem dada
para quem não quer nada!

A chácara do Chico Bolacha

Na chácara do Chico Bolacha,
o que se procura
nunca se acha!

Quando chove muito,
o Chico brinca de barco,
porque a chácara vira charco.

Quando não chove nada,
Chico trabalha com a enxada
e logo se machuca
e fica de mão inchada.

Por isso, com o Chico Bolacha,
o que se procura
nunca se acha.

Dizem que a chácara do Chico
só tem mesmo chuchu
e um cachorrinho coxo
que se chama Caxambu.

Outras coisas, ninguém procure,
porque não acha.
Coitado do Chico Bolacha!

1490

A avó do menino

A avó
vive só.
Na casa da avó
o galo liró
faz "cocorocó!"
A avó bate pão-de-ló
e anda um vento-t-o-tó
na cortina de filó.

A avó
vive só.
Mas se o neto meninó

mas se o neto Ricardó
mas se o neto travessó
vai à casa da vovó,
os dois jogam dominó.

Canção da flor da pimenta

A flor da pimenta é uma pequena estrela,
fina e branca,
a flor da pimenta.

Frutinhas de fogo vêm depois da festa
das estrelas.
Frutinhas de fogo.

Uns coraçõezinhos roxos, áureos, rubros,
muito ardentes.
Uns coraçõezinhos.

E as pequenas flores tão sem firmamento
jazem longe.
As pequenas flores...

Mudaram-se em farpas, sementes de fogo
tão pungentes!
Mudaram-se em farpas.

Novas se abrirão,
leves,

brancas,
          puras,
deste fogo,
          muitas estrelinhas...

Para ir à Lua

Enquanto não têm foguetes
para ir à Lua,
os meninos deslizam de patinete
pelas calçadas da rua.

Vão cegos de velocidade:
mesmo que quebrem o nariz,
que grande felicidade!
Ser veloz é ser feliz.

Ah! se pudessem ser anjos
de longas asas!
Mas são apenas marmanjos.

Lua depois da chuva

Olha a chuva:
molha a luva.

Cada gota de água
como um bago de uva.

A chuva lava a rua.
A viúva leva
o guarda-chuva
e a luva.

Olha a chuva:
molha a luva
e o guarda-chuva
da viúva.

Vai a chuva
e chega a lua:
lua de chuva.

Figurinhas

I

No claro jardim
a menina chora
pela borboleta
que se foi embora.

Ora, ora, ora,
Não chore tanto!
Nossa Senhora!

A menina chora
no claro jardim
um choro sem fim.

Nem o céu azul
é bonito, agora,
pois a borboleta
já se foi embora.

Não chore tanto!
Nossa Senhora!

Que choro sem fim
a menina chora
no claro jardim.

Ora, ora, ora!

II

Onde está meu quintal
amarelo e encarnado,
com meninos brincando
de chicote-queimado,
com cigarras nos troncos
e formigas no chão,
e muitas conchas brancas
dentro da minha mão?

E Júlia e Maria
e Amélia onde estão?

Onde está meu anel
e o banquinho quadrado
e o sabiá na mangueira
e o gato no telhado?

— e a moringa de barro,
e o cheiro do alvo pão?
E tua voz, Pedrina,
sobre meu coração?
Em que altos balanços
se balançarão?...

Passarinho no sapé

O P tem papo,
o P tem pé.
É o P que pia?

(Piu!)

Quem é?
O P não pia:
o P não é.
O P só tem papo
e pé.

Será o sapo?
O sapo não é.

(Piu!)

É o passarinho
que fez seu ninho
no sapé.

Pio com papo.
Pio com pé.
Piu-piu-piu:
Passarinho.

Passarinho
no sapé.

A pombinha da mata

Três meninos na mata ouviram
uma pombinha gemer.

"Eu acho que ela está com fome",
disse o primeiro,
"e não tem nada para comer".

Três meninos na mata ouviram
uma pombinha carpir.

"Eu acho que ela ficou presa",
disse o segundo,
"e não sabe como fugir".

Três meninos na mata ouviram
uma pombinha gemer.

"Eu acho que ela está com saudade",
disse o terceiro,
"e com certeza vai morrer".

O sonho e a fronha

Sonho risonho
na fronha de linho.
Na fronha de linho,
a flor sem espinho.

Apanho a lenha
para o vizinho.

E encontro o ninho
de passarinho.

De que tamanho
seria o rebanho?

Não há quem venha
pela montanha

com a minha sombrinha
de teia de aranha?

Sonho o meu sonho.
A flor sem espinho
também sonha
na fronha.

Na fronha de linho.

A língua do nhem

Havia uma velhinha
que andava aborrecida
pois dava a sua vida
para falar com alguém.

E estava sempre em casa
a boa da velhinha,
resmungando sozinha:
nhem-nhem-nhem-nhem-nhem-nhem...

O gato que dormia
no canto da cozinha
escutando a velhinha
principiou também

a miar nessa língua
e se ela resmungava,

o gatinho a acompanhava:
nhem-nhem-nhem-nhem-nhem-nhem...

Depois veio o cachorro
da casa da vizinha,
pato, cabra e galinha,
de cá, de lá, de além,

e todos aprenderam
a falar noite e dia
naquela melodia
nhem-nhem-nhem-nhem-nhem-nhem...

De modo que a velhinha
que muito padecia   1499
por não ter companhia
nem falar com ninguém,

ficou toda contente,
pois mal a boca abria
tudo lhe respondia:
nhem-nhem-nhem-nhem-nhem-nhem...

O menino dos ff e rr

O menino dos ff e rr
é o Orfeu Orofilo Ferreira:
Ai com tantos rr, não erres!

Canção de Dulce

Dulce, doce Dulce,
menina do campo,
de olhos verdes de água
de água e pirilampo.

Doce Dulce, doce
dócil, estendendo
pelo sol lençóis
entre anil e vento.

Dócil, doce Dulce
de face vermelha,
doce rosa airosa
a fugir da abelha,

da abelha, de vespas
e besouros tontos,
pelo arroio de ouro
de seixos redondos...

Na sacada da casa

Na
sacada
a saca
da caçada.

Na sacada da casa.
E a casada
na calçada.

Quem se casa
de casaca?

Na sacada da casa
a saca.
Na saca, a asa.
Asa e alça.
A saca da caça.

Quem se alça
da sacada
para a calçada?
A menina descalça.
A menina calada.

E na calçada da casa,
a casada.

Cantiga para adormecer Lúlu

Lúlu, lúlu, lúlu, lúlu,
vou fazer uma cantiga
para o anjinho de São Paulo
que criava uma lombriga.

Ou Isto ou Aquilo

A lombriga tinha uns olhos
de rubim.
Tinha um rabo revirado
no fim.

Tinha um focinho bicudo
assim.
Tinha uma dentuça muito
ruim.

Lúlu, lúlu, lúlu, lúlu,
vou fazer uma cantiga
para o anjinho de São Paulo
que criava essa lombriga.

A lombriga devorara
seu pão,
a banana, o doce, o queijo,
o pirão.

A lombriga parecia
um leão.
E o anjinho andava triste
e chorão.

Lúlu, lúlu, lúlu, lúlu,
pois eu faço esta cantiga
para o anjinho de São Paulo
que alimentava a lombriga.

A lombriga ia ficando
maior
que o anjinho de São Paulo!
(Que horror!)

Mas um dia chega um ca-
çador!
Firma a sua pontaria,
sem rumor.

Lúlu, lúlu, lúlu, lúlu,
paro até minha cantiga
sobre o anjinho de São Paulo!

A espingarda faz pum pum!
pim pim!
O anjinho abana as asas
assim.

1503

A lombriga salta fora,
enfim!
(E foi correndo! E tocava
bandolim!)

A folha na festa

Esta flor
não é da floresta.

Ou Isto ou Aquilo

Esta flor é da festa,
esta é a flor da giesta.

É a festa da flor
e a flor está na festa.

(E esta folha?
Que folha é esta?)

Esta folha não é da floresta.

Esta folha não é da giesta.

Não é folha de flor.
Mas está na festa.

Na festa da flor
na flor da giesta.

Cantiga da babá

Eu queria pentear o menino
como os anjinhos de caracóis.
Mas ele quer cortar o cabelo,
porque é pescador e precisa de anzóis.

Eu queria calçar o menino
com umas botinhas de cetim.

Mas ele diz que agora é sapinho
e mora nas águas do jardim.

Eu queria dar ao menino
umas asinhas de arame e algodão.
Mas ele diz que não pode ser anjo,
pois todos já sabem que ele é índio e leão.

(Este menino está sempre brincando,
dizendo-me coisas assim.
Mas eu bem sei que ele é um anjo escondido,
um anjo que troça de mim.)

Enchente

Chama o Alexandre!
Chama!

Olha a chuva que chega!
É a enchente.
Olha o chão que foge com a chuva...

Olha a chuva que encharca a gente.
Põe a chave na fechadura.
Fecha a porta por causa da chuva,
olha a rua como se enche!

Enquanto chove, bota a chaleira
no fogo: olha a chama! olha a chispa!
Olha a chuva nos feixes de lenha!

Vamos tomar chá, pois a chuva
é tanta que nem de galocha
se pode andar na rua cheia!

Chama o Alexandre!
Chama!

O chão e o pão

O chão.
O grão.
O grão no chão.

O pão.
O pão e a mão.
A mão no pão.

O pão na mão.
O pão no chão?
Não.

Jardim da igreja

Dalila e Lélia,
e Júlia e Eulália
cortavam dálias.

Dalila e Lélia,
Eulália e Júlia
cantavam dúlias.

Dálias e dúlias
e harpas eólias...

E a alada lua
— alta camélia?
— célia magnólia?

Canção

De borco
no barco.

1507

(De bruços
no berço...)

O braço é o barco.
O barco é o berço.

Abarco e abraço
o berço
e o barco.

Com desembaraço
embarco
e desembarco.

Ou Isto ou Aquilo

De borco
no berço...

(De bruços
no barco...)

Roda na rua

Roda na rua
a roda do carro.

Roda na rua
a roda das danças.

A roda na rua
rodava no barro.

Na roda da rua
rodavam crianças.

O carro, na rua.

Procissão de pelúcia

Aonde é que vai o praça
que passa
de peliça,

com pressa,
na praça?

Ia pôr uma compressa
depressa
no rei da Prússia?

Mas o praça
não sabe o preço
para ir da praça
à Prússia.

E não há Prússia
nem praça
nem peliça
nem compressa
nem praça
nem preço
nem pressa...

Há uma procissão
que passa
que passa na praça

só com preces
de pelúcia...

Pregão do vendedor de lima

Lima rima
pela rama
lima rima
pelo aroma.

O rumo é que leva o remo.
O remo é que leva a rima.

O ramo é que leva o aroma
porém o aroma é da lima.

É da lima o aroma
a aromar?

É da lima-lima
lima da limeira
do ouro da lima
o aroma de ouro
do ar!

O tempo do temporal

O tempo
do temporal.
O templo ao tempo
ao ar

e ao pé
do temporal.
E o doente ao pé do templo.
E o temporal no poente.
E o pó no doente.
O tempo do doente.
O ar, o pó do poente
O temporal do tempo.

Sonho de Olga

A espuma escreve
com letras de alga
o sonho de Olga.

Olga é a menina que o céu cavalga
em estrela breve.

Olga é a menina que o céu afaga
e o seu cavalo em luz se afoga
e em céu se apaga.

A espuma espera
o sonho de Olga.

A estrela de Olga chama-se Alfa.
Alfa é o cavalo de estrela de Olga.

Quando amanhece, Olga desperta
e a espuma espera
o sonho de Olga,

a espuma escreve
com letras de alga
a cavalgada da estrela Alfa.

A espuma escreve com algas na água
o sonho de Olga...

O violão e o vilão

1512

Havia a viola da vila.
A viola e o violão.

Do vilão era a viola.
E da Olívia o violão.

O violão da Olívia dava
vida à vila, à vila dela.

O violão duvidava
da vida, da viola e dela.

Não vive Olívia na vila,
na vila nem na viola.
O vilão levou-lhe a vida,
levando o violão dela.

No vale, a vila de Olívia
vela a vida
no seu violão vivida
e por um vilão levada.

Vida de Olívia — levada
por um vilão violento.
Violeta violada
pela viola do vento.

A égua e a água

A égua olhava a lagoa
com vontade de beber água.

A lagoa era tão larga
que a égua olhava e passava.

Bastava-lhe uma poça d'água,
ah! mas só daqui a algumas léguas.

E a égua a sede agüentava.

A égua andava agora às cegas
de olhos vagos nas terras vagas,
buscando água.

Grande mágoa!
Pois o orvalho é uma gota exígua
e as lagoas são muito largas.

Rola a chuva

O frio arrepia
a moça arredia.

Arre,
que arrelia!

Na rua rola a roda...
Arreda!
A rola arrulha na torre...

A chuva sussurra.

Rola a chuva
rega a terra
rega o rio
rega a rua.

E na rua a roda rola.

O lagarto medroso

O lagarto parece uma folha
verde e amarela.
E reside entre as folhas, o tanque
e a escada de pedra.
De repente sai da folhagem,
depressa, depressa,
olha o sol, mira as nuvens e corre
por cima da pedra.
Bebe o sol, bebe o dia parado,
sua forma tão quieta,
não se sabe se é bicho, se é folha
caída na pedra.
Quando alguém se aproxima,
— oh! que sombra é aquela? —
o lagarto logo se esconde
entre as folhas e a pedra.
Mas, no abrigo, levanta a cabeça
assustada e esperta:
que gigantes são esses que passam
pela escada de pedra?
Assim vive, cheio de medo,
intimidado e alerta,
o lagarto (de que todos gostam),
entre as folhas, o tanque e a pedra.

Cuidadoso e curioso,
o lagarto observa.

E não vê que os gigantes sorriem
para ele, da pedra.

Uma flor quebrada

A raiz era a escrava,
descabelada negrinha
que dia e noite ia e vinha
e para a flor trabalhava.

E a árvore foi tão bela!
como um palácio. E o vento
pediu em casamento
a grande flor amarela.

Mas a festa foi breve,
pois era um vento tão forte
que em vez de amor trouxe morte
à airosa flor tão leve.

E a raiz suspirava
com muito sentimento.
Seu trabalho onde estava?
Todo perdido com o vento.

Os pescadores e as suas filhas

Os pescadores dormiam
cansados, ao sol, nos barcos.

As filhinhas dos pescadores
brincavam na praça, de mãos dadas.

As filhinhas dos pescadores
cantavam cantigas de sol e de água.

Os pescadores sonhavam
com seus barcos carregados.

Os pescadores dormiam
cansados de seu trabalho.

As filhinhas dos pescadores
falavam de beijos e abraços.

Em sonho, os pescadores sorriam.
As meninas cantavam tão alto

que até no sonho dos pescadores
boiavam as suas palavras.

Ou Isto ou Aquilo

O eco

O menino pergunta ao eco
onde é que ele se esconde.
Mas o eco só responde: "Onde? Onde?"

O menino também lhe pede:
"Eco, vem passear comigo!"

Mas não sabe se o eco é amigo
ou inimigo.

Pois só lhe ouve dizer:
"Migo."

O Santo no monte

No monte,
o Santo
em seu manto,
sorria tanto!

Sorria para uma fonte
que havia no alto do monte
e também porque defronte
se via o sol no horizonte.

No monte
o Santo

em seu manto
chora tanto!

Chora — pois não há mais fonte,
e agora há um muro defronte
que já não deixa do monte
ver o sol nem o horizonte.

No monte
o Santo
em seu manto
chora tanto!

(Duro
muro
escuro!)

CECÍLIA MEIRELES

CRÔNICA TROVADA
DA
CIDADE
DE
SAM SEBASTIAM

NO QUARTO CENTENÁRIO
DA SUA FUNDAÇÃO

pelo

CAPITAM-MOR
ESTÁCIO DE SAA

LIVRARIA
JOSÉ OLYMPIO
EDITÔRA

*Crônica trovada da cidade de Sam Sebastiam do Rio de Janeiro
no quarto centenário da sua fundação pelo capitam-mor Estacio de Saa.*
Rio de Janeiro: José Olympio, 1965. 83 p.

Na página anterior:
capa da primeira edição da *Crônica trovada*.

Crônica Trovada da Cidade de Sam Sebastiam*
(1965)

---

* Título original deste livro: Crônica trovada da cidade de Sam Sebastiam do Rio de Janeiro no Quarto Centenário da sua fundação pelo Capitão-Mor Estácio de Saa.

O lugar

Entre o Pão de Açúcar
e o Cara de Cão,
com duzentos homens,
nosso Capitão
fundava a cidade
de S. Sebastião.

Os montes, de grande altura,
nas nuvens se vão perder.
A pedra do Pão de Açúcar
à beira da água se vê.

1524

Cedros e sândalos bravos
e o pau chamado brasil
crescem por todos os lados
nas verdes matas daqui.

Rios, pântanos, lagoas,
paludes — no mole chão.
Pelos ares de ouro voam
canindés, maracanãs,

que aves são de belas penas
com que o índio sabe enfeitar
mantos, tacapes, diademas,
arco, flechas, e cocar.

Araribóia visita o governador Salema

"Ó bom chefe, nosso aliado,
que tanto nos ajudaste,
senta-te nesta cadeira:
conversemos do passado,
descansemos dos combates,
de corridas e canseiras!"

Senta-se o índio e as pernas cruza.
Vem o intérprete adverti-lo
que tal postura não se usa...
Responde-lhe o índio tranqüilo:

"Se soubésseis como as pernas   1525
cansadas trago das guerras
por onde sobre perigos
tanto andei,
não estranháveis a falta
que cometo no cruzá-las,
que as descruzava a serviço
del-Rei.

Mas se são tão rigorosas
as leis de etiqueta vossas,
para assim me censurardes,
Senhor, sabei
que abandono esta cadeira,
vou para as minhas aldeias

Crônica Trovada da Cidade de Sam Sebastiam

onde me sento à vontade.
E não voltarei."

E o governador reflete
sobre as proezas que fez
o índio Araribóia e mede
a sua enorme altivez.

"Deixa-te estar como queiras,
ó bom chefe nosso aliado!
Cruza as pernas que as canseiras
das guerras têm alquebrado.
Outro é o costume da corte:
mas não te reprocharei,
pois bom companheiro foste
nestas campanhas del-Rei.
À beira desta baía
dono já és de lugares
merecidos: sesmarias
para as pernas descansares..."

Canção da indiazinha

Na, na,
mas por que chora essa menina?
Pela flor do maracujá.

Mas, se eu lhe der uma conchinha,
a menina se calará?
Aáni, aáni na na.

Na, na,
se eu lhe der a asa da andorinha,
a cantiga do sabiá?
Aáni, aáni na na.

Na, na,
nada disse: que esta menina
quer a flor do maracujá.

A flor abriu-se lá em cima.
Sua mão não a alcançará.   1527

Na, na.
E ela a quer apanhar sozinha!
E chora que chora a menina
pela flor do maracujá.
Na, na.

Canção do Canindé

Canindé azul, Canindé azul,
dá-me a tua pena,
quero ser como tu,
Canindé azul.

Crônica Trovada da Cidade de Sam Sebastiam

Eu pássaro sou, eu pássaro sou,
Canindé amarelo,
dá-me a tua cor,
eu pássaro sou.

Vou voar pelo céu, vou voar pelo céu,
Canindé amarelo
da cor do mel.
Vou voar pelo céu.

Sem pouso nenhum, sem pouso nenhum,
vou ficar voando,
Canindé azul,
sem pouso nenhum.

Canto do Acauã

Canta, canta, pela sombra,
antes que chegue a manhã,
Acauã!

Ó cinzento mensageiro,
nós te vamos escutando,
Acauã!

Os mortos, detrás do morro,
falam na voz do teu canto,
Acauã!

Guanumbi não traz recados,
canindé, maracanã...
Acauã!

Lutaremos com mais força,
ouvindo o que vais falando,
Acauã!

Vai dizer atrás do morro
como combatemos tanto,
Acauã!

Detrás do morro estaremos
todos dançando amanhã,
Acauã!   1529

Canta, canta, pela sombra,
vai cantando e vai chorando,
Acauã!

Convívio

Nossas meninas brincavam
com a flor do maracujá.

Nossas moças se ocupavam
de mandioca e de ananás.

Crônica Trovada da Cidade de Sam Sebastiam

Chegaram canoas grandes
e os canhões ouvimos troar.

Eram homens diferentes
que se punham a acenar.

Pediam-nos pau vermelho,
que nos mandavam cortar.

Facas, tesouras e pinças
é o que essa gente nos traz.

Trazem também anzóis, pregos,
camisas, para nos dar

1530

em troca dessa madeira.
Homens são, porém, de paz.

Que terra tão fria a vossa,
que tanta lenha buscais!

Ides de canoa cheia,
daqui a pouco voltais!

Como vindes de tão longe
o pau vermelho buscar!

E tudo para a fogueira
com que o Rei vosso aquentar.

Mas também tiravam tinta
para os vestidos pintar.

E quantos vestidos trazem!
Somente Pai Nicolau

tem as roupas diferentes,
com todas as cores que há.

Mas nós pintamos a pele,
que é bem mais fácil de usar.

Só pomos chapéu, camisa,
botinas, para brincar.

O mair fica zombando,
porém nós zombamos mais,

1531

e vivemos de presentes,
nós de cá, eles de lá,

pentes, vidrilhos, espelhos,
frutas, madeira, animais...

Cronista enamorado do sagüim

O sagüim é um animalzinho assaz bonito:
é mesmo o mais bonito de todos, pela selva;

Crônica Trovada da Cidade de Sam Sebastiam

anda nas árvores, esconde-se, espia, foge depressa
e há deles, na terra viçosa, número infinito.

Se qualquer rei da Europa o visse, gostaria
de possuí-lo como um brinquedo, vindo de longe, e raro.
Mas é o sagüim animalzinho tão delicado
que a uma viagem tão longa não resistiria.

A cara do sagüim é como a de um leãozinho,
e pode-se conseguir que ele pouse no nosso ombro.
O sagüim mais bonito de todos é o sagüim louro,
que tem uma expressão de inteligência e carinho.

Ele pode descer a comer à nossa mão! Graciosa
1532 é a sua maneira de olhar. Gracioso é o movimento do seu
[corpo inteiro,
tão leve e breve! Mas os melhores, só no Rio de Janeiro
se encontram: se encontram apenas nesta cidade, a mui
[formosa.

Estácio de Saa

Pelo mar inquieto ressoam-lhe os passos
nas pranchas instáveis do curvo galeão.
Para leste e oeste se alongam seus braços
e o sol dobra a sombra do alto capitão.
De que família vem? Que nome traz?
Saa, Saa, dizem os céus — dos grandes Saas.

Seu peito à armadura se impõe largo e forte:
que um vento de flechas sopra nessa terra
onde a cada instante se recebe a morte
com plumas de pássaros e farpas de guerra.
      De que família vem? Que nome traz?
      Saa, Saa, dizem os céus — dos grandes Saas.

Mas ao grande frio do mar oceano
envolve-se agora no tabardo imenso,
e pelo chão d'água corre, sobre-humano
seu vulto em lembranças e sonhos suspenso.
      De que família vem? Que nome traz?
      Saa, Saa, dizem os céus — dos grandes Saas.

Suas mãos sem guantes esboçam, discretas,   1533
peregrinas formas de antigas linhagens:
sangue de Collonnas, Rodrigues, e os poetas
de que o Lácio guarda formosas imagens.
      De que família vem? Que nome traz?
      Saa, Saa, dizem os céus — dos grandes Saas.

Seu rosto, porém, nunca se fez presente:
da golinha ao gorro, a barba, a fronte, a face,
breve campo são para a entrega, somente
da alma à flecha irada que por ele passe.
      De que família vem? Que nome traz?
      Saa, Saa, dizem os céus — dos grandes Saas.

Este é o herói sem rosto, o herói com olhos cheios
de índios e inimigos, danças, mortandade,

Crônica Trovada da Cidade de Sam Sebastiam

entregue a alta empresa — sem gente e sem meios —
de dar o seu sangue para uma cidade.
De que família vem? Que nome traz?
Estácio, Estácio foi — dos grandes Saas.

Estácio de Saa flechado em Uruçumirim

Não tinha vinte anos
o capitam-mor?
    Talvez dezassete?

Caiu-lhe uma flecha
no rosto de herói
    da rocha fragosa?

De muito alto vinha
e logo o prostrou.
    De que mão certeira?

Como um bico enorme
de ave multicolor:
    que canto trazia?

A ave era a da morte,
mas a voz, da vida:
    a voz da vitória
    do capitam-mor.

1534

Delírio e morte de Estácio de Saa

("E deu-lhe por armas um molho de setas")

"As setas desta Cidade
nem todas minhas serão..."
(Do cerco da Eternidade,
quem fala? É S. Sebastião.
Pois quem mais consolará
a alma de Estácio de Saa?)

"Eu, Capitão-imperial,
qual porco-espinho fiquei,
por vassalo humilde e leal
de Quem, se na cruz morreu,
é dos céus rei imortal.

1535 *

A ti, que és Capitam-Mor,
uma apenas bastará.
Grande e amargo, o valor teu,
jovem Estácio de Saa,
pois morres pelo teu Rei,
príncipe só terrenal,
D. Sebastião, teu Senhor,
que te eleva à glória e à dor
e cujo breve esplendor
tombará num triste areal."

"Não é tão grande o meu mal:
— murmura o Capitam-Mor —

Crônica Trovada da Cidade de Sam Sebastiam

que a cidade levantei,
e tranqüilo está meu peito,
com a seta que na alma aceito,
pois com este só sinal
junto aos vossos pés cheguei.

E agora, para onde irei?

A que outras guerras irei
para serviço melhor?"
E em luz o santo responde:
"Jovem, bravo capitão,
a outras te conduzirei:
não precisas saber onde.
Confia-te à minha mão."

Gesta de Men de Saa

Eis o insigne varão, todo magoado,
que sobe à sua nau, solenemente,
a serviço del-Rei longe mandado.

Há sombras sobre o século, e inclemente
avança pelos céus qualquer ameaça:
contra os reis? contra os reinos? contra a gente?

Assim toda a grandeza assoma e passa!
E, já por amarguras d'alma enfermo,
a água dos olhos seus ao mar se enlaça.

Mas ah! que vem a ser, ante o sem termo
chorar das ondas, o prantear humano,
e a alma sozinha ante o marítimo ermo?

Nomes de Dona Guiomar
e de Dona Briolanja:
nomes agora só de ar
("Em quanto de ũa esperança
em outra esperança andais",
falara Sá de Miranda,
"fazer-vos quero lembrança
como é leve e não se alcança...")
Dias de amor e lisonja
esses não se alcançam mais...

1537

Eis a luz e o negrume deste oceano,
ainda recentemente descoberto,
por onde o vento ordena o lenho e o pano;
e a vida, entregue a esse comando incerto,
procura litorais e, a cada instante,
longe e perdida, cuida que os tem perto.

Mas tudo é sempre muito mais distante,
e sempre são navegações e mares,
para o homem só da morte caminhante.

Respiremos o ardente sal dos ares,
aceitemos o fim desconhecido,
aonde vamos, cobertos de pesares.

Crônica Trovada da Cidade de Sam Sebastiam

Tempos de motes de amor
e de vilancetes velhos.
Tempos felizes de dor!
"...vedes os tempos que correm,
vedes fugir e correr..."
(E estes tristes tempos fogem,
vê-se que se tanto correm,
da sua corrida morrem
e só nos servem os olhos
ao que é desaparecer!)

Eis o luto com o próprio sangue urdido:
morrem também os príncipes de amores
como os zagais. E é tudo amor perdido.

1538

Ah! fontes, ah! samponhas, ah! pastores...
Sonhos leves bebidos de águas suaves
para encantarem cegos sonhadores.

Nem tudo é sol e festa e cantar de aves:
há guerras negras em que adolescentes
se tornam, com o morrer, velhos e graves.

Ceuta! ah! como podemos ser contentes,
nós, os pais desses moços acabados,
que nos deixaram por sobreviventes?

Alto destino dos Saas,
que em Leis, em Armas e Letras
serviram à guerra e à paz,

a todo serviço afeitos.
Para onde agora me vou?
por que desígnios secretos,
para que secretos feitos?
Nestes tempos imperfeitos,
nem sei de mim nem dos outros,
do que são nem do que sou...

Eis que água e vento vão desencontrados.
(Assim, dia após dia, se há perdido
naus que buscavam rumos tão variados!)

Faz-se agora o caminho mais comprido:
estas altas, flutuantes sepulturas
já não têm direção, rota, sentido... 1539

E trezentas e tantas criaturas
aguardam só descer aos solitários,
fundos níveis das águas verde-escuras.

Rija a porfia com ventos contrários,
muito mais fortes, no acometimento,
que a poderosa audácia dos corsários!

Ai, por este amargo mar,
com tão inimigos tempos,
que poderei esperar?
Vou sobre líquidas covas!
Como eu me confundo em mim,
confunde-se a água revolta.

Crônica Trovada da Cidade de Sam Sebastiam

E são sempre duras provas
nestas aventuras novas
de, entre os mudos horizontes,
enfrentar o próprio fim!

Eis que, inertes ou ativos, mar e vento
comandam mais que o próprio comandante,
que nem lhes adivinha o modo ou o intento.

E a nau que vai para o Brasil distante,
perdendo a justa rota, se demora
pelas ilhas que estão d'África diante.

Crescem as aflições e o medo, agora
que o ardor mortal do negro continente
aos navegantes corpo e alma devora.

Embarcara em Belém tamanha gente!
Cavaleiros, marujos, mercadores,
órfãs... (E à Morte chegarão, somente?)

Vou-me de Governador,
sem saber se a salvamento
chegarei a Salvador.
Deus sabe que a tudo atendo,
no mortal e no imortal:
almas e corpos contemplo,
a umas e outras provendo;
muitos, porém, vão morrendo:

pondo-me a fazer conta,
receio a soma final.

Eis o caminho dos navegadores,
juncado de saudades, prantos, ossos,
cemitério de estranhos sons e cores,

lavrado pelas mãos dos tempos grossos,
de onde olham para sempre olhos perdidos
velas, âncoras, cordas, paus, destroços...

Mergulham nele agora outros vencidos
de fome e febre, na costa africana,
e o gemido do mar tem mais gemidos.

1541

Obediente à severa lei humana,
segue a nau que, mais de quarenta vezes,
regeu a lei da Morte, soberana...

    Frotas da Índia, que no mar
    riquezas perdestes e honra,
    vedes agora passar
    uma nau que, em luz e sombra,
    vai demandando o Brasil,
    numa viagem tão longa,
    pela incerta, equórea alfombra
    — que atrai, que deslumbra e assombra —,
    por uma rota de espanto
    que vem desde o mês de abril.

Crônica Trovada da Cidade de Sam Sebastiam

Acabaram-se os dias portugueses:
é dezembro, nos mares da Bahia.
Sofrimentos sofremos oito meses.

Glorificação de Estácio de Saa

Gloriosa é a sorte
de quem morre jovem:
gloriosa é a morte,
antes que as desordens
da velhice o prostrem.

Gloriosa é a sorte
de quem morre jovem,
antes que o derrotem
(nem sempre o mais forte...).

Quando as setas chovem,
quando os homens correm,
quando as forças fogem,
gloriosa é a morte,
gloriosa é a sorte
dos heróis que a provem.

Gloriosa é a morte
de quem morre jovem.

1542

História de Anchieta

Vede o Santo Anchieta,
o Santinho corcós,
de roupeta preta,
posto em oração,
erguido nos ares,
acima do chão!

Vede Anchieta, o Santo,
como o céu descreve
com tamanho encanto
que o índio quer trocar
depressa este mundo
por esse lugar!

1543 *

Vede o Santo Anchieta,
o Santinho corcós,
de roupeta preta,
como vai e vem
por entre as aldeias
a salvar alguém.

Vede Anchieta, o Santo,
a tratar das chagas,
a enxugar o pranto
do índio sofredor,
a aprender-lhe o idioma,
a ensinar-lhe amor.

Crônica Trovada da Cidade de Sam Sebastiam

Vede o Santo Anchieta,
o Santinho corcós,
de roupeta preta,
com os seus curumis:
que cantos! que danças!
que tempo feliz!

Vede Anchieta, o Santo,
batizando um velho
que vivera tanto
que a tão grande ancião
só cabia um nome:
o nome de Adão!

1544

Vede o Santo Anchieta,
o Santinho corcós,
de roupeta preta,
a desenterrar
o menino vivo
que se quis matar!

Vede Anchieta, o Santo,
que louvara a Virgem
em tão longo canto,
a estender nas mãos
versos e milagres
para os seus irmãos.

Vede o Santo Anchieta,
o Santinho corcós,

de roupeta preta
cercado de luz
a rezar na cela,
adorando a Cruz.

Vede Anchieta, o Santo,
entre montes altos
e praias de espanto,
pisar neste chão
entre o Pão de Açúcar
e o Cara de Cão!

Vede Anchieta, o Santo,
tão leve, tão puro
com celeste manto,   1545
a dizer adeus
entre o céu e a terra
aos índios de Deus.

Oropacan

Quase à meia-noite,
nasce Oropacan:
abrirá seus olhos
à luz da manhã?

O pai, que o recebe
nos braços, feliz,

Crônica Trovada da Cidade de Sam Sebastiam

amarra-lhe o umbigo,
calca-lhe o nariz.

Lava-o logo e pinta-o
de preto e encarnado.
E deixa-o sem faixa
na rede deitado!

Com arco e tacape
e flechas de pluma,
não sabe o menino
de coisa nenhuma.

Com risos e beijos
pede-lhe ao nascer
que seja homem bravo
para combater.

Oropacan dorme.
Dorme Oropacan
de século em século
por noite e manhã.

Oropacan dorme.
Chama-se "arco e corda".
(Agora, somente,
o indiozinho acorda...).

Acorda e conhece
que vai longe o dia

em que só de guerras
seu povo vivia.

Poema dos inocentes tamoios

Andávamos bem correndo
por nossas matas...

Ficávamos bem pescando
em nossas águas...

Flechávamos bem de longe
a nossa caça...

Corriam bem pelas ondas
nossas igaras...

1547

Furávamos bem por gosto
a nossa cara...

Com a pele preta e vermelha
mui bem pintada...

Fazíamos bem de penas
roupas de gala...

Soavam bem pelos ares
nossos maracás...

Crônica Trovada da Cidade de Sam Sebastiam

Bebíamos bem do vinho
que fermentava...

Dormíamos bem nas redes
das nossas tabas...

Bem tratávamos o amigo
que nos buscava...

Mas os nossos inimigos,
que bem matávamos!

Canoas altas e enormes
aqui pararam.

*1548

Homens como nunca vimos
nos acenaram.

Traziam roupas bonitas
em muitas caixas...

Davam-nos pentes e espelhos
que rebrilhavam:

pediam-nos pau vermelho
que lhes cortávamos.

Traziam gorros, tesouras,
panos e facas:

pediam peixes e frutas,
sagüins e araras.

Já estávamos mal dormindo
em nossas tabas:

partiam os estrangeiros,
outros voltavam.

Andávamos mal correndo
em nossas matas:

longe, as canoas nas águas
logo estrondavam.

As moças dentro das ondas
mal se banhavam;

1549 *

borboletas, passarinhos
já se assustavam.

Pelas brenhas e lagoas
fugia a caça.

Mal corriam nossas flechas,
lentas e fracas,

pois vimos flechas de fogo
muito mais bravas,

Crônica Trovada da Cidade de Sam Sebastiam

com os novos homens que vieram
e nos contaram

histórias de sua terra,
extraordinárias,

e à nossa terra subiram
e andar-andaram.

Nossos bens e nossas vidas
se misturaram;

e, dentro das nossas mortes,
o sangue e as raças,

como a água doce dos rios
e a água salgada...

Ai, meus avós, que este mundo
é coisa rara:

tudo começa de novo,
quando se acaba!

Retiro Espiritual de Men de Saa

Oração preparatória

Ó Deus Nosso Senhor, ponde
os Vossos olhos em mim,

que a terras tão longes vim
que chego e ainda não sei onde.
Deus Nosso Senhor, fazei,
por Vossa extrema bondade,
com que a um tempo eu sirva a el-Rei
e à Divina Majestade.

1º prelúdio

Duplamente desterrado
da pátria celestial
e da pátria natural,
venho triste e fatigado,
sem saber o que me espera
em tão selvagem lugar,   1551 *
temendo que o homem à fera
bem se possa comparar.

2º prelúdio

Ó Cristo recém-nascido,
que a Vossa pura inocência
aclare em minha consciência
qualquer pecado esquecido:
envergonhado e confuso,
contemplo o meu coração
e aos Vossos olhos me acuso
nesta contrita oração.

Crónica Trovada da Cidade de Sam Sebastiam

Colóquio com Jesus Menino

Vós, que morrereis na Cruz,
sem terdes jamais pecado,
só por mim, Cristo Jesus,
futuro crucificado,
como pudestes deixar
as glórias do reino eterno
para dos males do inferno
minha pobre alma salvar?

Que tenho eu feito por Vós?
De esperança em esperança
vai-se-me a vida veloz
atrás do que não se alcança.
Hoje, aos Vossos pés rendido,
deploro este modo vão
de viver tão sem razão,
do Vosso rumo perdido.

E agora, Cristo Senhor,
nestas terras diferentes,
venho de Governador
tratar com tão rudes gentes!
Após tormentos do mar,
lutas humanas avisto:
se não me ajudardes, Cristo,
não sei se as posso enfrentar.

1552

Justo e sereno fazei
este vassalo submisso
que, cumprindo ordens de el-Rei,
não esquece o Vosso serviço.

Perdoai-me as faltas; que a dor
de as ter cometido um dia
alcance força e alegria
para o triste pecador.

Ensinai-me a batalhar
com este povo selvagem,
e que a Vossa clara imagem
seja uma bandeira no ar;
e entre os imensos perigos
das batalhas que virão   1553
possam mesmo os inimigos
encontrar a Salvação.

Meditação sobre o Inferno

(Exercício espiritual de Men de Saa)

Ó dimensões do Inferno, desmedidas,
altas chamas como árvores crescentes,
onde ardem almas, em fogo vestidas.

Ó gritos, uivos e ranger de dentes,
blasfêmias contra o Cristo e contra os santos,
dos mortos em pecado, impenitentes.

Crônica Trovada da Cidade de Sam Sebastiam

Ó fumaça de enxofre sobre os prantos,
cheiro de podridão, cloacas imundas
que dilatam pelo ar nuvens de espantos...

Ó gosto amargo e azedo das profundas
tristezas, onde o verme da consciência
bebe lágrimas negras e infecundas...

Ó dor das rubras chamas, com violência
queimando as almas num incêndio eterno,
sem tréguas, esperança nem clemência...

Ó desmedidas dimensões do Inferno!

1554   *Colóquio*

E assim o Inferno tortura
com infinitos tormentos,
ó Cristo Nosso Senhor,
a alma de cada criatura
que viveu sem mandamentos
ou que vos tenha ignorado.

E a mim, triste pecador,
por muito que haja pecado,
sempre me tendes poupado.

Concedestes-me o favor
de não morrer nesse estado.
Ante essa imensa ventura,
pouco é todo o meu amor.

2º colóquio imaginário de Men de Saa

Que fiz eu, por onde andei,
nos ofícios que exercia?
Dos pecados que pequei
sempre me arrependeria?
Néscio, mesquinho, malvado,
aos pés do meu Salvador,
agradeço-lhe o favor
de haver-me ao Inferno poupado.

Colóquio com Nossa Senhora, Cristo e o Padre Eterno

Ó Virgem Nossa Senhora,
de Vosso Filho alcançai-me   1555
a graça de conhecer
e detestar desde agora
meus vícios e meus pecados.
O poder e a força dai-me
de este mundo aborrecer
e não achar alegria
em seus caminhos errados.
Ave Maria!

E Vós, ó Cristo Senhor,
do Padre Eterno alcançai-me
esse infinito favor!
   ("Alma de Cristo, santificai-me,
   Corpo de Cristo, salvai-me,
   Sangue de Cristo, inebriai-me...")

Crônica Trovada da Cidade de Sam Sebastiam

Ó Divina Majestade,
abaixai os Vossos olhos
para este homem que de joelhos
suplica a Vossa bondade.
Sem Vós, Senhor, nada posso!
Padre Nosso!

Retrato de Cunhambebe

Pode ser mulher que voa
(a Morte?) na flecha breve
que atravessa a vida e pousa.

1556

(É Cunhambebe.)

Pode ser língua arrastada
pelo Mal que come e bebe
e lhe dá torpeza à fala.

(É Cunhambebe.)

Pois já trincou dez mil homens,
ele, o principal, o chefe,
por vingança: não por fome.

(É Cunhambebe.)

Com suas muitas igaras
pelas angras arremete,
e até grandes naus assalta.

(É Cunhambebe.)

Sob o diadema de penas,
cansado e triste, reflete,
de arrecadas nas orelhas.

(É Cunhambebe.)

Branco é o seu colar de búzios
em que ao fôlego estremece
o pendente caramujo.   1557 *

(É Cunhambebe.)

Ao longo de toda a costa,
só pelo faro percebe
se alguém parte, se alguém volta.

(É Cunhambebe.)

Neste universo dos índios,
quem é que não lhe obedece?
Morre o que for inimigo.

(É Cunhambebe.)

Crônica Trovada da Cidade de Sam Sebastiam

Grande e forte, ei-lo sentado
na taba, onde se diverte
a sonhar mortes de bravos.

(É Cunhambebe.)

Mas, após tão bravos mortos,
virá procurá-lo a peste
para arrebentar-lhe os ossos.

E quem há que a Morte fleche?

(É Cunhambebe.)

1558

S. Sebastião entre as canoas

I

O "homem bom" Francisco Velho
atravessava a baía
à procura da madeira
que aos ombros carregaria
para, no recente chão,
arrematar a capela,
a capela que construía
para S. Sebastião.

Remava Francisco Velho:
caiu-lhe por cima a indiada.

Mulheres e homens aos gritos,
flechas voando na enseada.
Dez, cinqüenta, cem canoas
que aparecem de repente.

II

Ah! quem é o homem brilhante
que salta pelas canoas?
É sol? é estrela?
Não é mair, não é peró,
não é de nação tamoia.

Entremos pela água adentro,
que este homem de luz e fogo   1559
é sol? é estrela?
tem flechas que nós não temos
e acabam com os homens todos!

Fujamos daqui depressa,
que é talvez Tupã quem manda
é sol? é estrela?
contra nós outro cacique
defensor da nação branca!

Ah! que o próprio mar estronda!
Dentro da fumaça negra
é sol? é estrela?
o homem pula entre as canoas!
É o próprio Tupã que chega!

Crônica Trovada da Cidade de Sam Sebastiam

Vamos para a nossa aldeia!
Corremos grande perigo.
É sol? é estrela?
Para a terra, bem depressa,
que isto é combate perdido!

É grande a nossa bravura,
mas não contra um homem destes,
é sol? é estrela?
que armado de flechas voa
como um pássaro celeste.

Vamos para a grande noite
das montanhas e florestas,
é sol? é estrela?
que o guerreiro de onda em onda
nos atira suas setas.

Parte II

Dispersos
(1918-1964)

Dispersos. Esta seção engloba alguns poemas jamais publicados em livro e também estampa, com pequenas alterações, o material reunido nas *Poesias completas* organizadas por Darcy Damasceno, volumes 7 (*Poemas I*, 1942-1949; *Poemas II*, 1950-1959, 210 p.) e 8 (*Poemas III*, 1960-1964, p. 3-112), ambos editados no Rio de Janeiro pela Civilização Brasileira em 1974. Diversamente do que ocorreu nessa edição, incluíram-se agora nos *Dispersos*: "Cantata da cidade do Rio de Janeiro", poema que em geral acompanhava a *Crônica trovada*, embora não constasse da edição original de 1965; "Elegia sobre a morte de Ghandi", que, escrita em 1946, não poderia integrar, como o vinha fazendo, os *Poemas escritos na Índia*, uma vez que a autora lá esteve somente nos anos 50; "Colonial", que, por menção explícita de Darcy, não fazia parte de *O estudante empírico*, onde foi equivocadamente incluído; e "Campo na Índia", que, ausente da primeira edição dos *Poemas escritos na Índia*, parece mais bem situado entre os "dispersos" da autora.

Aranhol

Alto, onde a poeira quase não alcança,
Ei-la tecendo a sua frágil teia;
Passa e repassa em torno e não se cansa,
Não se detém, não erra, não tonteia.

Por isso também eis que, sem tardança,
Pronta, a urdidura esplêndida pompeia;
E é quando a aranha rútila descansa
No resplendor de seda que a rodeia.

O sol voluptuoso e ardente incide
Na trama, em cujo centro o aracnide
Como um fulvo topázio resplandece.

E eu penso que é filósofa esta aranha,
E, trânsfuga do mundo, se emaranha
No sonho sutilíssimo que tece.

21 de janeiro de 1918

Casulo

I

À hora do teu destino,
Criaram-se os fios tênues
Que te envolveram,
Dentro dos quais dormirias

O teu sonho preparatório,
A Iniciação das asas
Para a sabedoria dos espaços...

Hoje, romperam-se todos os casulos:
E foi uma festividade, em torno...
Mas tu, guardado no teu,
Não te pudeste mover mais:
Não tinhas mais aquele pequenino sopro,
Invisível,
Oculto,
Que anima todas as formas...

Dize-me, inseto obscuro:
Com que asas voaste
De dentro de ti mesmo?
Qual foi a tua Iniciação?
Qual é a tua sabedoria?

1926

II

Eu te daria consolos tão grandes,
Se houvesse voz para os dizer!

Se houvesse gestos para as criar,
Eu te daria tantas certezas de amor!

Dentro do meu coração,
Dançou-se a dança silenciosa da renúncia:
Eu te ensinaria tantas coisas felizes,
O' bem-amado,
Mas em todas as portas dos meus sentidos
Há feras de olhos acesos
Vigiando as revelações...

III

Terra de cactos duros,
Terra de fogos bárbaros,
Tu, sim, que és minha, grande terra fatal...

Tu, sim, que és minha,
Para que eu te dê forma nova,
Para que transfigure o teu sofrimento,
Para que te faça como um céu grandioso,
Convertendo em silêncio e louvor
Tudo o que em ti era chorar!

IV

Longe de todas as conquistas e de todas as ambições,
De olhos fechados para todas as esperanças,
De mãos abertas para todas as renúncias,
Cresce dentro de ti:

Sê cada vez maior!
Excede-te dia a dia!

Quando o teu sol projetar tão longe a tua sombra
Que nem a alcances mais,
Quando a tua sombra se perder para lá da vida e da morte,
Saberás que é hora de terminar.

Cresce. Avulta. Dispersa-te.
Farta-te de ser grande,
Para te saciares de grandeza,
Para te desencantares dessa última volúpia...

V

Volvi os olhos para dentro,
Estendi os braços sobre o mundo,
— E o meu coração fluía sobre as criaturas
Como um rio perene...
E eu era uma fonte serena, a perder-se...

Em todas as coisas que havia,
Não havia mais nada de mim:
Nem lembrança da minha figura!
Nem notícia da minha passagem!

E eu me sentia tão longe...

Mas tu ainda eras muito mais para lá,
Ó terra das vitórias perfeitas!

E o esforço de te alcançar me levantava
Tão firme, tão alto, tão em dor
Como uma grande montanha bárbara
De pedras ásperas,
Muda,
Amarga,
Sem ninguém...

Agosto, 1927.

O canto da jandaia

Filha de Araquém, tu eras para a Jurema... Tu eras para Tupã...
Por que te aninhaste nos braços do guerreiro branco, naquela noite... 1569
naquela rede?
Por ti, o dia da terra ficou triste.
Nunca mais correste as matas dos Tabajaras... E o que de ti nasceu tu
mesma o chamaste Moacir... — o sofrimento eras tu.

Filha de Araquém, filha de Araquém, eu sei onde está o teu camocim...
E sou como a jandaia, repetindo o meu nome na minha saudade, a ver
se vens outra vez...

Os verdes mares vão levando de onda em onda a minha voz... Até os
mares de outro nome que os prolongam, e vão dar às terras des-
lembradas dos primeiros donos de muiraquitãs...

Filha de Araquém, se tu acordasses ainda?
Se a própria voz de Tupã te chamasse de dentro da terra?

Dispersos

Se viesses preparar a bebida da jurema, que tem espinhos,
[que amarga,
mas que encanta?

Filha de Araquém, é tempo de voltares para a tua raça.
Ouve o canto de jandaia apelando para o teu mito!

1927

Sombra

Os homens passam pelas ruas misteriosas...

Ouvi escoarem na noite
A sua loucura e o seu pavor...

Os homens olharam para dentro
E viram mistérios...
Os homens olharam para fora
E viram mistérios...

E foram pelas ruas misteriosas
Debatendo-se como pensamentos
Presos em círculos negros...

Agosto, 1927

Poemas

I

Edifica-te:
Longe,
Silencioso,
Só,
Edifica-te admirável,
Com altitudes imensas,
E, para além da humanidade,
Sê grandioso, excessivamente...

Cresce sempre,
Como uma árvore de eterna vida...

Escapa ao que atinge a todos.
Constrói-te para um tempo sem fim,
Que nunca te termine,
Ainda que morras todos os dias!

Sê o infindável,
Feito de renascenças sem termo...

Para lá das amarguras humanas,
Sê o que ficará para consolo e exemplo dos que vierem,
E cujo nome será,
Na terra triste,
Bênção imortal para tudo o que vive!...

II

Quando olho para tudo isto que antes foi terra nua,
E que o vento semeou,
Barbaramente,
E que hoje é mata indômita,
Mar negro e farfalhante,
E cheio de feras sombrias,
Fico pensando em mim...

Eu fui à terra fecunda
Onde tudo que o destino deixou cair
Teve força de vida crescente
E poder criador de se multiplicar...

Eu fui à terra nua de uma idade sem data.
E as minhas árvores têm medidas que não param,
Crescendo sempre pelas raízes e pelas frondes...

Mas dentro da minha sombra nunca deslizaram as feras...
E as próprias árvores de espinhos
Tiveram sempre
Ou resinas consoladoras
Ou frutos doces...

1928

Carnaval

Com os teus dedos feitos de tempo silencioso,
Modela a minha máscara, modela-a...
E veste-me essas roupas encantadas
Com que tu mesmo te escondes, ó oculto!

Põe nos meus lábios essa voz
Que só constrói perguntas,
E, à aparência com que me encobrires,
Dá um nome rápido, que se possa logo esquecer...

Eu irei pelas tuas ruas,
Cantando e dançando...
E lá, onde ninguém se reconhece,
Ninguém saberá quem sou,
À luz do teu Carnaval...

Modela a minha máscara!
Veste-me essas roupas!

Mas deixa na minha voz a eternidade
Dos teus dedos de silencioso tempo...
Mas deixa nas minhas roupas a saudade da tua forma...
E põe na minha dança o teu ritmo,
Para me conduzir...

1928

Dispersos

Poema

Isto é o meu grito de desespero,
que a voz rouca despede entre os lábios vacilantes,
quando o olhar não vê mais porque soçobrou nas lágrimas.

Isto é o meu grito de desespero
pelas palavras enganosas, pelos caminhos imperfeitos,
pelas inverídicas luzes
que antes de mim deixaram sobre a terra
multidões e multidões.

Isto é o meu grito de desespero,
porque não há passagem, pelas criaturas,
para o meu pensamento inconciliável.
Isto é o meu grito de desespero,
porque eu vim para convivas preclaros
trazendo tudo que em mim cultivei
como um jardim para descanso no meio do mundo.

Isto é o meu grito de desespero,
caído quase como do sol.

Aqui o sentido das bênçãos falece.

O coração muda-se em águia ou montanha.

E o sonho é de indiferença ou de carnificina.

Agosto, 1929

Saudação à menina de Portugal

Desde que o sonho de Sagres
Se prolongou pelo mundo,
Fazendo brotar milagres
De dentro do mar profundo,
Portugal não conhecia
Coisa tão linda e singela,
Nem de tamanha valia,
Como tu, menina bela.

Ceuta, de velho prestígio,
Morre, junto aos teus primores...
Nem sobrevive um vestígio
Da Madeira, ou dos Açores,   1575
Quando se vêem nos teus olhos
Mil caminhos descobertos,
Mil vagas e mil abrolhos,
Mil praias e mil desertos...

Ao longe se perde Arzila
E toda a África sonhada,
Diante da rosa tranqüila
Da tua boca encarnada;
E o teu sorriso nascente
No seu silêncio proclama
Que empanas a luta ardente
Que destroçava a mourama...

Dispersos

Tens mistérios singulares,
Que desviam da lembrança
— Rotas abertas nos mares...
— Cabos da Boa-Esperança...
— Novas da Ásia revelada...
— Madagascar... Ormuz... Goa...
Toda a aventura passada
Diante de ti se enevoa...

Ceilão nas águas falece
Com toda a sua riqueza,
Quando aqui nos aparece
Tua harmoniosa beleza;
E as naus de Cabral, abrindo
As velas, no ar ignorado,
Não tinham o jeito lindo
Desse teu corpo encantado...

És mais que a glória vivida
Nos areais, por entre lanças!
Sente-se o aroma da vida
Envolvendo-te, em bonanças...
Tu és a flor da ansiedade
Que em Portugal se nutriu...
Esplendor, felicidade,
Como não se teve em Diu...

Tu vens depois das fadigas
Das conquistas e derrotas;
És a coroa de antigas

Vitórias de hostes e frotas.
És o jardim que floresce
Nos campos em que houve guerra:
Em teu sangue há o grito e a prece
Dos heróis da tua terra.

Tu vens depois dos cansaços
Dessas gentes tumultuosas;
Pareces trazer nos braços
Canteiros brancos de rosas...
És o orvalho que repousa
Na fronde do roble forte;
Portugal sabe: — és a coisa
Mais linda da sua sorte...

Beleza nobre e serena,
Auréola, dádiva, mimo...
Portugal que chega ao cimo
E sorri, numa açucena,
Que os mares aos céus eleva,
Cheios de espumas e fraguas,
Para enfeitar tanta treva
Com uma estrela à flor das águas...

Tu és, Menina-Saudade,
A coisa mais excelente,
Rematando a majestade
E o esplendor da tua gente!
Teu vulto airoso se imprime
Sobre a glória do teu povo

Como o desenho sublime
Do brasão de um triunfo novo.

Menina cheia de graça,
Tu és o aroma do ideal,
Que transborda de uma Raça!
Menina de Portugal!...

Pensamento

Nestas pedras, caiu, certa noite, uma lágrima.
O vento que a secou deve estar voando noutros países;
o luar, que a estremeceu, tem olhos brancos de cegueira:
e esteve sobre ela, mas sem ver seu esplendor.

Só, na morte do tempo, os pensamentos que a choraram
verão, junto ao universo, como foram infelizes,
que, uma noite, uma lágrima levou a vida verdadeira,
com seu grito de sonho e seu tímido amor.

1934

Tão dolorida, tão dolorida...

Tão dolorida, tão dolorida...
Mostram-me espelhos... vejo outro rosto,
dizem meu nome... — vejo outra vida.

Antepassados, antepassados,
volvei os olhos para este mundo,
dizei quais foram os meus pecados.

Plantei melissas e dormideiras.
Vede as ramagens destas insônias,
vede os espinhos das trepadeiras.

Vede estes laços, vede estes laços.
Ai! Não é o arco-íris, são as serpentes
sobre os meus braços, sobre os meus braços.

Tão dolorida... tão dolorida...
Chamei cem vezes: responde-me o eco.
Aceito a sorte de estar perdida.

1579

Mas não me esqueço, mas não me esqueço
do que foi feito, do que foi dito,
na madrugada, neste começo.

Homens da terra, donos do mundo,
de que maneira verei quem fostes,
em mar de lama tão denso e fundo?

Galiza, quem te alcançara

Galiza, quem te alcançara,
— naiciña dos trovadores —
quem te alcançara algum dia!

Dispersos

Quem bebera da auga clara,
trinada de reisiñores,
coalhada de meiguería!
Das bagoas das tuas flores
quem bebera, e quem cantara
como cantou Rosalía!

Dita da roxa alvorada!
Bois de luz pela campía,
volvoretas pelo vento...
Nada valera mais nada,
si, Galiza, me perdia
nos jardins de esquecimento
onde outrora a alma guaría,
entre cantigas de ruada,
o meu bisabô García!

Galiza, de auga e de lua,
da belida abelaneira
— que mansa melancolía
sofre, por saudades, tua
longe neta mariñeira!
Pelengriña esmolaria
com os pobres, de rua em rua,
só pra cantar a muiñeira
e pandeirar de alegria!

À tardezinha com o orvalho
dos luzeiros, mansamente
nos milharais dançaria.

Um pássaro em cada galho
ficara, tremeluzente,
a fazer-me companhia.
E eu, com tão doce agasalho,
seria, à lua nascente,
um regueiro de poesia.

Entre carabel e rosa,
a rola me arrulharia
na friagem do chão sagrado,
— ailalá e ailalá! —
onde deve estar deitado,
de maneira mui jeitosa,
o meu bisabô García!

1942

1581 *

Adozinda

Adozinda, a linda,
Adozinda, a airosa,
nos ares levanta
braço cor-de-rosa.

Andorinha branca,
seu lenço palpita
pela tarde branda.

Adozinda, a linda,
Adozinda, a airosa,
braço cor-de-rosa,

Dispersos

macia garganta,
delicada cinta,
negra e densa trança.

Alegre e sozinha,
para longe manda
a sua lembrança
em leve cantiga.

— Adozinda, a linda,
para quem cantais?
Adozinda, a airosa,
a quem acenais?

— Para a lua branca
vai minha cantiga;
para a lua branca
vão os meus sinais.

— Adozinda, a airosa,
sobre Vila Rica
a lua não brilha!
Adozinda, a linda,
vossa negra trança
já vos chega à cinta,
nela me enleais!
Adozinda, a linda,
que pede a cantiga?
Adozinda, a airosa,
onde, a lua branca?

Meu botão de rosa,
que vos falta mais?

Adozinda, a linda,
a cabeça inclina,
pálida e medrosa.

Longe inda é ouvida
a sua cantiga
e avistada, ainda,
a asa leve e branca
do lenço, movida
sobre a tarde mansa.

— Adozinda, a airosa,
que com a minha vinda   1583
não voas alegrais!
Que é da vossa dança?
Por que ora chorais?
A quem vossa vida
quer, em riso e em ais?
A quem, Adozinda,
se por vós a minha
desvaira e definha,
e não me acenais?
Morro da cantiga
que a outro ouvido dais.
Filhas assim — linda,
airosa Adozinda —
põem cegos os pais.

Dispersos

Adozinda, a linda,
não cantareis mais!

E ao longe a cantiga
e o giro da dança
enfeitam ainda
a mesma varanda...

De onde vêm punhais
de prata tão fina
que a mão firma e finca
em pétala branca,
e a alva flor que sangra
vai mudando a vida
em crespos corais?

Adozinda, a linda,
braço cor-de-rosa
de novo levanta,
mas não dança mais.
Seu lenço, asa mansa,
pelo chão desliza.
Na sua garganta
amarga, a cantiga.
E a formosa trança
no sangue se aninha.

Adozinda, a airosa,
Adozinda, a linda,
vai ficando fria,

vai ficando fria.
Olhos de ametista
já não abre mais.

Longe, na varanda,
seu lábio inda canta,
seu braço de rosa
se levanta ainda.
— Adozinda, a airosa!
Adozinda, a linda —
para o Amado, viva,
a fazer sinais...

1942

Apolo! Júpiter! Vênus!

Apolo! Júpiter! Vênus!
Vinde vós em meu socorro,
se sois vós que governais!

Porque este é o mal de que morro:
pensar mais e dizer menos,
pensar menos, dizer mais!

1943

Pequeno poema fúnebre

Soupault nos diz sorrindo, com voz simples:
"Seria Max Jacob? (Já se foi Giraudoux...)"...
E completa com o olhar, que sorri, mas que é triste:
"Amanhã serei eu? Amanhã serás tu?"

Manuel Bandeira escuta a cem léguas, — e sério.
Cofia as barbas, como um Cristo, Cortesão.
E eu estou vendo chegar vultos graves, e observo
como esperam por nós seus dois braços, e o chão.

E é uma noite feliz, de palavra tranqüilas,
com viagens próximas, e estrelas sobre o mar...
Que escolheremos: águas? continentes? ilhas?
De olhos fechados, onde iremos habitar?

Nossa casa onde está, com seus muros aéreos,
translúcida e fechada, arquiteto sem voz?
Onde te plantaremos, ó jardim dos nossos versos?
E que ramos, de longe, se verão formar, de nós?

Com que lábios de sombra sorriremos para sombras,
como agora — tão calmos, quase sobrenaturais?
Se a terra se abre, se Deus manda, se o Anjo assoma,
que cantaremos, quando não cantarmos mais?!

1944

Os três bois

Num domingo de sol, mataram os três bois,
e assaram-nos às postas, fincados em espetos.
A fumaça toldava o campo e o céu de crepes pretos.

Eles eram três bois de linhagem hindu,
imensos de silêncio e de chifres serenos,
com o céu às costas, perdidos nos enredos terrenos.

Não lhes douraram os chifres, não lhes puseram flores
na testa; não lhes cantaram: não foi rito, foi ato
sôfrego, de consentido assassinato.

Num domingo de sol, mataram os três bois,
porque era preciso comer, porque era preciso haver festa,
porque era preciso ter carne, porque a humanidade é esta...

Mataram os três bois, num domingo de sol.
Por entre as árvores, por entre as águas e as borboletas,
viram subir seu sangue, desenrolado em fumaças pretas.

Os homens estenderam para a carne vorazes mãos.
E a terra e o céu, de braço dado, e pensativos,
miravam os três bois mortos e os duzentos homens vivos.

Churrasco no km 47; 7.5.1944

Serenata para Verlaine

Trago-te o luar e as folhas secas
e os violinos do outono
e as mãos azuis das águas frescas
às varandas do sono.

Trago-te as estátuas e a dança
das máscaras antigas
e os fluidos pés e a voz escassa
das amadas amigas.

Trago-te a estrela, a rosa, o cisne
e a etérea balaustrada
em que brandamente se incline
tua alma deslembrada.

Trago-te parques de tão longe
com rouxinóis nos ramos.
Lerás nos troncos: "ATÉ HOJE,
ó Verlaine, te amamos".

Trago-te a flor contra o pecado
e a contra o sofrimento.
Com seus perfumes te engrinaldo,
entre fitas de vento.

1944

Poema do nome perdido

Como é teu nome, ó amiga estrangeira,
como é teu nome, ó rosto branco,
madona de tranças tristes, rio de ouro que um vento frisa?

Onde está o teu nome, dentro de mim, que não o encontro?
Acho tuas mão tão finas, teus olhos verdes,
teu silêncio delicado...
Mas teu nome onde está?

Deves começar por A, tão clara tão nítida,
tão perdida...
Água... Oh!... Ar... Dize, como te chamas?

Quero escrever-te, e conheço-te,
e não me lembro do teu nome...
Alba... Aurora... Asa... Aragem...

Como te chamas? E por que não me lembro,
lembrando-te tanto, querendo-te tanto?
Decerto, o que estimo em ti não tem nome nenhum.
Nem mesmo o teu.

Mas o teu qual é, ó amiga que assim te escondes?

Cigarra na folhagem, sussurra para que te encontre!

Amália! Amália!

1589

Ó exata, ó fiel, ó geométrica,
ó dona das cores matutinas, dos barcos brancos,
das janelas fechadas ao crepúsculo!...

Quem separa dentro de mim teu rosto do teu nome?

E procurei-o letra por letra,
como em noite escura se adivinha uma flor,
tocando pétala por pétala.

E eras inúmera! Amália, Amália...

Dália.

1945

Ascensão

A Torres-García

Ai, por debaixo de que rios,
por cima de que lentas pontes,
vão e vêm as longas balanças
pesando os nossos horizontes?

E que degraus esperam, frágeis,
paralelos e sucessivos,
subirem os vivos e os mortos,
descerem os mortos e os vivos?

Andam três gerações de cabras
pascendo o mundo, como outrora
as de Galaad. Ai, quem tivera
este olhar que vê mas não chora!

E o machado já está suspenso
com o sol e a lua e a astronomia;
e a flecha, maior que nós todos,
para qualquer lugar o guia.

Entre o Norte e o Sul se equilibra
a Âncora, em si crucificada.
Vertical ondeia a serpente,
e o peixe abstrato nada, em nada.

O Homem e a Mulher de telhados
que foram seus vêem o cenário
do universo, explicado em signos
e nas letras do abecedário.

E olham o coração humano
sozinho, lá embaixo caído.
(Tão suave foi a sua perda
que nem se lembram de um gemido!)

Ai, com o peito leve da entrega
— como foi simples vossa história,
que o tempo finamente esgarça
numa neblina transitória!

O perfil dos castelos morde
o fim do céu, com velhos dentes.
E que Estrela agora aparece
para os vossos pés, Penitentes?

Calmamente recolheremos estas palavras

Calmamente recolheremos estas palavras,
uma por uma, com certa piedade triste e oculta.

E a algum cemitério íntimo e infreqüentado
as levaremos sem qualquer acompanhamento,

antes de irmos nós mesmos para esse mundo separado.
Levaremos nossas palavras a pequenas sepulturas.

Por que ficaria de nós este despojo extraviado,
indefeso, na discussão dos homens sem acordo?

E os nossos cadáveres longe, sem poderem levantar
as mãos, nem inventar voz para chamá-las e explicá-las.

Ah, como apagaremos nosso vestígio pela terra,
nós, os netos dos que quiseram deixar sulcos e estátuas
                                    [à sua passagem!

1945

Alguém se torna presente

Alguém se torna presente,
que morreu? — e ainda não sei?
que vive? — que vai chegar?
— que abre de repente a porta,
que se senta à minha mesa,
que folheia os meus papéis,
que come do meu jantar,
que me chama por um nome
que eu não uso, mas entendo,
entendo e sinto que é meu.
E fala sem ter palavras,
com a sua pura presença,
de um mundo e num tempo velados, 1593
e do que aí aconteceu,
e se levanta e se move,
e me abraça ternamente
— etéreos braços de gelo —
e caminha pela casa,
pelas paredes e pelo
corredor, e mira o mar
— e se vai sem despedida,
sem sofrimento, sem pena,
sem me explicar de onde vem,
quem é, se torna a voltar,
porém pensa: "Há quanto tempo!"
Que tempo? Não sei. Respondo
a coisas que dormem longe,
que não podem despertar.

Dispersos

É um parente? Um conhecido?
É alguém? Não será somente
meu costume de sonhar?
Os fantasmas que compensam
a falta de companhia?
Meu desdobramento no ar?
O que pareceu possível,
simples, comum, familiar,
e foi perdido exercício...
— disciplina de chorar?

Dou-te a sala, a mesa, os livros,
a varanda sobre as águas,
as coisas que o mundo tem.
Dou-te perguntas, respostas
na tua própria linguagem.
Eu sou fantasma, também.

1945

De repente, a amargura sobe

De repente, a amargura sobe
dos quatro cantos do corpo,
dos quatro cantos da casa,
dos quatro cantos do mundo.

Eis o que somos: pobre coisa afogada
neste mar da memória.

Pálidas mãos deslizam nessa espuma,
frágeis pálpebras, com suas noites interiores...

Também fecharei os olhos
(inutilmente, inutilmente...)
— que não preciso ver estes despojos, esta maré,
para sozinha no alto do mundo estar imóvel,
como se estivesse chorando,
aos gritos, aos gritos,
entre o meu sangue e a eternidade.

1945

Meu parente disse consigo 1595

Meu parente disse consigo
(mas todos o ouviram em volta):
"Eu para a guerra não irei.
Não tenho nenhum inimigo,
não tenho nenhuma revolta,
não mato para nenhum rei."

Meu parente, porém, pensava:
"Não se dirá que me recuso
a obedecer a alguma lei.
Toda a nossa gente foi brava,
sem covardia nem abuso.
Mas não vou matar para o rei.

Dispersos

Ir para a guerra sem espada
— pensava aquele meu parente —
é outra coisa que não farei.
Pois deixaria envergonhada
a cara de toda esta gente
de armas, que mata para o rei.

Se me deixo matar, obrigo
a ser criminosa a criatura
que, sem querer, defrontarei.
De quem podia ser amigo,
sem a força desta aventura
a que me vai levando o rei."

1596

Meu pobre parente dizia:
"Posso cortar a mão direita!
Com meu sangue resgatarei
a suspeição de covardia?
E minha alma estará perfeita,
se eu não tiver servido ao rei?"

Entre dar e aceitar a morte,
entre deserção e batalha,
entre a luz do amor e a da lei,
meu parente sentiu-se forte.
Disse consigo: "Deus me valha!"
e partiu, a servir o rei.

Porém no dia do combate,
vendo levantar-se uma espada,

bem sei o que sentiu, bem sei.
"É preferível que me mate!"
disse — e já não disse mais nada,
fiel a si mesmo e fiel ao rei.

Como eu conheço a minha gente,
posso dizer que, depois disso,
terá suspirado: "Se errei,
foi contra mim, unicamente.
E aqui se acaba o meu serviço."
E aqui se acaba o meu parente,
livre do inimigo e do rei.

1945   1597

O peixe

Estou vendo, lado a lado, os dois perfis da tua cabeça partida:
assim pela primeira vez olharias de frente — no mundo dos
                                                           [homens.

Tua boca desce nos cantos, com o sorriso dos grandes irônicos.
Mas, ah, teus olhos ainda líquidos são de mar ou de lágrima?

E a serra dos teus dentes não corta mais ervas d'água
e a tua língua ficou arqueada, sem remorso de palavra.

Dispersos

Vem do teu corpo o cheiro das praias, e pela tua transparência
estou vendo uma viagem, um luar, um acordeão de madrepérola
[num convés.

Subiam e desciam pelo teu reino as estrelas... Em teus abismos
caíam retratos rasgados, as rosas da noite, a música e o sono
[dos viajantes...

Caíram também os mortos, com sua pedra, esquecidos e inermes.
Caiu a cinza dos charutos, com vagos pensamentos queimados.

Caiu saliva e algarismos, caiu uma lágrima, caíam nomes e vistas,
esperanças, recordações, pressentimentos, assuntos indefiníveis.

1598

Tudo se reconstruiu no teu reino incansável de metamorfoses.
Incorporavam-se os destroços humanos ao nascimento das
[ondas e ao vôo das espumas.

Vi os navios tombados no cristalino asilo, com ar de gente adormecida:
a água passava por seus mastros como a música pelas harpas.

Dizei-me! se naufragarmos, em que escaler jogaremos o corpo,
se formos ao fundo, quem cantará um réquiem, viajando por
cima da nossa flutuação?

Vi as anêmonas, vi as medusas, vi as conchas bordando flores
nesse tear sossegado, onde o silêncio fabrica o tempo submarino.

Vi os mergulhadores dançando, semi-aéreos, semilíquidos,
ao compasso das densidades, sem peso ou direção terrena.

E havia remos, sem mãos, vigias, sem olhar, mesas viradas,
[sem baixela.
Havia a ausência humana, e uma solenidade de mundo
[trabalhando sozinho.

A vida e a morte se engendravam, se multiplicavam,
[se desfaziam, se refaziam,
tudo estava emendado e sem fim no círculo da torrente
[coagulado em seu equilíbrio.

A dor não tinha nome, tudo era um pensamento inteiro, vivendo-se.
Era uma plenitude, uma comunhão: tudo era secretamente
[único e imortal.

Dizei-me! se ali caíssemos, seríamos também formas da
[vida unânime?
Na mesma placenta d'água abraçaríamos tudo, como
[reencontrados irmãos?

E eu pude ver tudo isso, e aqui estou com o meu pasmo,
[diante das coisas brutais.
Minhas palavras e meus pensamentos estremecem diante da
[tua cabeça partida.

Mal chegaste ao reino dos homens, já te paralisaste e acabaste.
Já te cortaram, já te dividiram, já és sangue, pedaço, quase podridão.

As leis da terra e do homem caíram em cima de ti e
[romperam teu destino.
Com olhos sem pálpebra fitas de face o novo acontecimento.

Dispersos

Dizei-me: entre o mar e a terra que poderes estão escarnecendo
[da vida?
Dizei-me o enigma destes olhos abertos, no transe em que os
[homens fecham os olhos!

1946

Súbita vigília

A Natércia Freire

Que pálpebra se levanta
na escuridão?
Veremos quem passa, quem chega,
saberemos por onde vão?

Falam sozinhos, ou conversam?
Entendem-se, acaso? Ou a voz,
o grito, o clamor que desprendem
são também errantes e sós?

Curto é o caminho! Apenas chega
para alguma interrogação.
Oh! por que a pálpebra se levanta
na escuridão?

Será tão fatigante a inércia
da sepultura milenar
que se precise vir à tona
da vida — cegamente olhar?

Oh! por que a pálpebra se levanta
na escuridão?
Por que desertos, a que desertos
o olho e o espetáculo vão?

1946

Vão saindo da tua cabeça as campinas sangrentas

Vão saindo da tua cabeça as campinas sangrentas.
Como a cauda dos cometas, vão para longe
as perspectivas de corpos caídos e mãos abertas.
Não importa que fales de luz do sol sobre árvores limpas:
até muito longe se desdobra um outro lugar, de cadáveres.
Foste tu que empunhaste a bandeira?
Foi o teu cântico que acordou a liberdade?
Pode ser. Mas eu vejo uma tristeza em redor de teu corpo,
uma sombra de mil vidas, todas sem culpa e sem glória.
Oh, triste liberdade arrancada à matança,
filho gotejante erguido tão alto além da pobre
despedaçada estranha! Desce
da tua boca o sangue da tua origem trucidada.
O herói que te empunha como expressão final da tua vitória
vem de covas de dor tão sem nobreza nem sentido
que o seu gesto é triste como o de um matador, pensando.

1946

Dispersos

Prelúdio da monção

Vai chover muito.
No jardim que se esboroa de secura,
cada folha suplica uma gota d'água.
Os passarinhos já fecham os olhos,
antes que os sol lhes seque
o pingo líquido dos olhos.

As cigarras crepitam,
queimadas sobre os troncos ardentes.
Sai o halo do fogo de dentro das pedras.
Não há nada a fazer, senão descair
como as lânguidas palmas.
Esperar que seja possível a vida.

Vai chover muito:
tudo está olhando para as nuvens que engrossam,
que tropeçam no seu peso,
se acomodam para choverem tranqüilamente.
Ah! como vai chover...

A ordem virá de um vento brando
que ainda se adestra longe.
Seu corcel pulará de súbito no alto do monte
e seu chicote luzirá no céu, turvo de azul.

Talvez o mar já sinta o comando remoto
e esteja concentrando seus cristais verdes,

estendendo sua pequena espuma fatigada,
cavando suas cavernas roxas,
oleosas campânulas súbitas,
nesse campo de estranhas metamorfoses.

Tremerão levemente estas pequenas folhas sensíveis,
e a sombra do céu virá toldar estas serenas estátuas.
As areias se moverão, timidamente, em seus lugares
e os galhos secos tristemente cairão, para sempre mortos.

Como vai chover!
Oh, os tambores da chuva torrencial já se ouvem dentro do
[chão celeste...
Lá vem o corcel de retorcidas crinas,
e o látego do invisível ginete
ziguezagueia e esconde-se.

1603

Vai chover toda a noite:
— no sono abafado da floresta profunda;
— nas calvas pedras, sulcadas por antigas tormentas;
— no grande mar parado e nublado pelo aguaceiro;
— nos brancos cemitérios de anjos inúteis, de míseras lâmpadas;
— nas ruas vazias, com seus charcos onde se afogam as sombras
[humanas;
— nos jardins extenuados, com os pássaros escondidos até a voz.

Vai cair uma chuva imensa,
pelos vestidos dos santos,
pelos cabelos dos colegiais,
pelos vidros dos palácios,

Dispersos

pelas escadas dos asilos,
pelos pátios dos manicômios,
dos hospitais e dos necrotérios...

Vai cair uma chuva tão grande sobre todas as coisas,
que tudo ficará abolido;
mas ficará purificado?

Mesmo a palavra de amor,
o suspiro de agonia,
o protesto, o riso, o lamento
serão levados nessa chuva poderosa.

Ninguém poderá levantar a mão
e agarrar e prender como a trança de uma mulher,
a crina de um animal ou a ramagem de uma árvore,
essa livre chuva sem dono humano
que cai sozinha e governa.

Só quando o temporal cessar,
e os ralos das tristes cidades sossegarem,
se poderá saber o que sobrevive.
Se alguma coisa recomeçará.

1946

A moura e o vento

Estava a moura escrevendo,
e, por moura, mourejava
em ir semeando e colhendo
flores em cada palavra.

Estava a moura escrevendo
quando veio o vento.

Veio o vento e lhe levava
os jardins que ia compondo
e a mourinha pôs-se brava
e esbravejava de assombro.

Via-se a moura correndo
atrás do vento.

Sem mãos, o vento colhia
o que estivera escrevendo;
e ela, com mãos, não prendia
os movimentos do vento.

Via-se a moura correndo
sobre o vento.

E o vento voava dizendo:
"É meu tudo que se escreve...
As palavras são de vento...
Só que de um vento mais leve..."

Via-se a moura correndo
com o vento.

Corre que corre, a mourinha
já de cansada chorava.
Perdera tudo que tinha:
a flor da sua palavra.

Sobre as lágrimas correndo
— vento!

18.3.1947

Ninguém me venha dar vida

Ninguém me venha dar vida,
que estou morrendo de amor,
que estou feliz de morrer,
que não tenho mal nem dor,
que estou de sonho ferida,
que não me quero curar,
que estou deixando de ser
e não me quero encontrar,
que estou dentro de um navio
que sei que vai naufragar,
já não falo e ainda sorrio,
porque está perto de mim
o dono verde do mar

que busquei desde o começo,
e estava apenas no fim.

Corações, por que chorais?
Preparai meu arremesso
para as algas e os corais.

Fim ditoso, hora feliz:
guardai meu amor sem preço,
que só quis a quem não quis.

1947

Canção

Se te abaixasses, montanha,
poderia ver a mão
daquele que não me fala
e a quem meus suspiros vão.

Se te abaixasses, montanha,
poderia ver a face
daquele que se soubesse
deste amor talvez chorasse.

Se te abaixasses, montanha,
poderia descansar.

Dispersos

Mas não te abaixes, que eu quero
lembrar, sofrer, esperar.

Novembro, 1947

Elegia sobre a morte de Gandhi

Aqui se detêm as sereias azuis e os cavalos de asas.
Aqui renuncio às flores alegres do meu íntimo sonho.
Eis os jornais desdobrados ao vento em cada esquina:
"Assassinado quando abençoava o povo".

Na vasta noite, ouvi um pio triste, uma dorida voz de pássaro.
E, acordando, procurava um lugar longe e ininteligível.
Eras tu, então, que suspiravas, débil, no pequeno sangue final?
Eram teus ossos longínquos, atravessados pela morte,
ressoando como bambus delicados ao inclinar-se do dia?
Les hommes sont des brutes, madame.

Ó dias da Resistência, com as rocas fiando em cada casa...
Ó Bandi Matarã, nos pequenos harmônios, entre sedas douradas...
"O chá de Darjeeling, Senhora, tem um aroma de rosas brancas..."
Ruas, ruas, ruas, sabeis quem foi morto além, do outro lado do mundo?
Sombrios intocáveis da terra inteira, — nem sabeis que devíeis chorar!

"Vós, Tagore, cantais como os pássaros que de manhã recebem
[alimento,
mas há pássaros famintos, que não podem cantar."
E o vento da tarde abana os telegramas amargos. Os homens lêem.
Lêem com os olhos das crianças soletrando fábulas. E caminham.

E caminhamos! E o mais cego de todos leva um espinho entre
[a alma e o olhar.
São também cinco horas. E estou vendo teu nome entre mil xícaras.
Não curta fumaça do chá que ninguém bebe.
"Que queria este homem?" "Por que veio ao mundo este homem?"
— Eu não sou mais que a vasilha de barro amassada pelo
[Divino Oleiro.
Quando não precisar mais de mim, deixar-me-á cair.

Deixou-te cair. Bruscamente. Bruscamente.
Ainda restava dentro um sorvo de sangue.
Ainda não tinha secado teu coração, fantasma heróico,
pequena rosa desfolhada num lençol, entre palavras sacras.

O vento da tarde vem e vai da Índia ao Brasil, e não se cansa.
Acima de tudo, meus irmãos, a Não-Violência.
Mas todos estão com os seus revólveres fumegantes no fundo
[dos bolsos.
E tu eras, na verdade, o único sem revólveres, sem bolsos,
[sem mentira
— desarmado até as veias, livre da véspera e do dia seguinte.

Les hommes sont des brutes, madame.
O vento leva a tua vida toda, e a melhor parte da minha.
Sem bandeiras. Sem uniformes. Só alma, no meio de um
[mundo desmoronado.
Estão prosternadas as mulheres da Índia, como trouxas de soluços.

Tua fogueira está ardendo. O Ganges te levará para longe,
punhado de cinza que as águas beijarão infinitamente.
Que o sol levantará das águas até as infinitas mãos de Deus.

Les hommes sont des brutes, madame.
Tu dirás a Deus, dos homens que encontraste?
(Uma cabrinha te acordará terna saudade, talvez.)

O vento sopra os telegramas; oscilam máscaras; os homens dançam.

Eis que vai sendo carnaval aqui. (Por toda parte.)
As vozes da loucura e as da luxúria retesam arcos vigorosos.
O uivo da multidão reboa pelos mil planos do cimento.
Os santos morrem sem rumor, abençoando os seus matadores.
A última voz de concórdia retorna ao silêncio do céu.

Estão caindo as flores das minhas árvores. Vejo uma solidão
                                              [abraçar-me.
Chegam nuvens, nuvens, como apressados símbolos.
O vento junta as nuvens, empurra tropas de elefantes.
Voai, povos, socorrei o esquálido santo que vos amou!

Descai pelos meus braços uma desistência de beleza e de heroísmo.
Que correntes havia entre o teu coração e o meu,
para que sofra meu sangue, sabendo o teu derramado?

O vento leva os homens pelas ruas dos seus negócios, dos seus crimes.
Leva as surpresas, as curiosidades, a indiferença, o riso.
Empurra cada qual para a sua morada, e continua a cavalgar.
O vento vai levantar chamas rápidas, o vento vai levar cinzas leves.

Depois, há de escurecer. Vai-se chorar muito. Vão ser choradas,
                                              [enfim,
as lágrimas que andavas contendo, detendo em diques de paz.
Deus te dirá: "Os homens são uns brutos, meu filho.

Basta de canseira. Vamos soltá-los para que voltem ao caos,
[e o oceano ferva.
E partam, e regressem, e tornem a partir e a regressar.
Vem ver destes meus palácios azuis a batalha feroz dos erros.
É preciso voltar ao princípio. Eu também vou fechar os olhos.
Por isso ordenei que te quebrassem com violência.
Não há mais humanidade para ter-te a seu serviço.
Exala comigo o teu sopro. Até podermos outra vez abrir os olhos,
quando os homens chamarem por nós."

O vento está dispersando as falas de Deus entre as mil línguas
[do fogo.
Entre as mil rosas de cinza dos teus velhos ossos, Mahatma.

30, janeiro, 1948

Cidade colonial

Vede as moças nas varandas,
neste imenso isolamento.

Umas penteiam as tranças,
outras tangem pensamentos;
e há serenatas que cantam
com a vazia voz do vento.

Isto é uma cidade antiga,
uma precária cidade,
que a cada momento fica
um girassol de saudade

Dispersos

procurando a despedida
entre o tempo e a eternidade.

Portas de adeuses, queimados
restos de jardins perdidos:
vultos aéreos, retratos
que têm alma e não sentidos,
e este som de enigmas falsos
que vem de fatos vencidos.

Vede os meninos nas ruas,
com pedrinhas de diamantes.
Seus brinquedos foram lutas
— que a glória é um pálido instante
e, em chispas de fogo ocultas,
jaz a morte cintilante.

E nos tristes cemitérios,
que já ninguém mais percorre,
os próprios arbustos quietos
morrem sobre o que ali morre.
Um surdo sopro de tédio
entre as lápides transcorre.

E nomes. Datas. Palavras.
Sem mais lembranças de dono,
dissolvem-se horas amargas
nesse colo de abandono.
A cidade antiga é uma harpa
com o sonho em cordas de sono.

Pequeno poema de Ouro Preto

A Rodrigo M.F. de Andrade

Quem é a dona que toca?
Fechei os olhos, não vi.
Que nunca se abra a cortina
quando eu passar por aqui.
Sonho seus longos cabelos
como harpa, na escuridão;
seus olhos de prata, esquivos,
e uma pérola nublosa
no nácar de sua mão.

O que a dona vai tocando?
Que importa? Seja o que for.
Tudo aqui fora á saudade.
Lá dentro, seria amor.
O piano que a dona toca,
de onde, de que tempo vem?
E o que eu penso, enquanto a escuto,
ela o pensará também?

1º improviso

O que é que Ouro Preto tem?
Tem montanhas e luar,
tem burrinhos, pombos brancos,

nuvens vermelhas pelo ar;
tem procissões nas ladeiras,
com dois sinos a tocar,
opas de todas as cores,
anjinhos a caminhar;
tem Rosário, S. Francisco,
Sta. Efigênia, Pilar;
tem altares, oratórios,
cadeirinhas de arruar;
casas de doze janelas,
estudantes a cantar;
tem saudades, tem fantasmas,
tem ouro em todo lugar;
santos de pedra sabão,
pedras para escorregar,
e ali na rua das Flores,
na varandinha do bar,
tem a figura risonha
do grande pintor Guignard
que Deus botou neste mundo
para Ouro Preto pintar.

12 de abril, 1949.

2º improviso

Cidade não vejo, não.
É fumaça de candeia,
passado, superstição.

— Chico Rei, que é dos tesouros?
— Foi tudo pra fundição.
Deus me livre! a lua cheia
correu pela minha mão.
Subi, desci, — pura treva.
E os escravos, no porão.
Passei pontes de água e areia
com os anjos da escuridão.
O regato é que falava
na sua murmuração.
Se batesse em porta alheia
e desse meu coração,
quem é que receberia
esse ramo de ilusão?
Cidade, porém, não vejo:
vejo a memória das chaves
sobre as cruzes do portão.

A dona, pálida e feia,
também morreu de paixão.
Jesus Cristo! era tão bela
às luzes da procissão!
"O nome dela me esquece.
 O pai chamava Leitão".
"Uns dizem que foi punhal,
 mas outros que foi facão."
(Não se importe, que eu lhe conto
mais casos de escravidão.)
Uns morrem na sua alcova,
outros com o sangue no chão...

Dispersos

Eu levo o quadro de Amílcar:
cidade não se vê não.
Mas vê-se o perfil do tempo
chorando ressurreição.

1949

Monólogo de Olímpia

A Alphonsus de Guimaraens Filho

Meu berço jaz num campo altivo
de privilégios e mercês,
encostado à lira de um poeta,
sob a coroa de um marquês.

Dos meus brocados roçagantes,
hoje ninguém já veste mais:
jura que fiz de assim compor-me
para honrar os meus ancestrais.

(Se bem que eu caminho no mundo
penando um recusado amor
que eles do meu peito arrancaram
como a abelha o néctar da flor.)

Pelo orgulho de meus parentes,
apanho estes papéis do chão,
roçando no lixo das ruas
minha predestinada mão.

Meu berço está quebrado longe,
entre lavras de ouro sem fim.
A alma dos escravos, nas covas,
ainda trabalha para mim.

Só me restam cesta e cajado
e os girassóis do meu chapéu.
(Deus perdoe meus pobres parentes
e os guarde no reino do céu.)

Em cada capela onde passo,
ponho meu beijo sobre o altar
e prometo a Deus e a seus santos
esta Vila ressuscitar.

Pois vedes que tudo se perde:
as fontes já não têm mais voz,
morreram os jardins de aroma
que eram glória de meus avós,

sumiram minhas sesmarias,
e nunca mais encontrarei
velhos papéis que me roubaram,
e onde havia a firma do Rei.

Morrem as próprias sepulturas:
gasta-se na lousa a inscrição.
Mas os meus sonhos reprimidos
em chama perpétua arderão.

Este cajado que carrego
é como o que levou Moisés:
Eu farei reviver o povo
que está soçobrado a meus pés.

Por aquelas brenhas escuras,
córregos de ouro vão brotar.
Vede: torres, sinos e cruzes,
altos palácios novos no ar!

Vede: arcos, pontes, chafarizes...
Vede as janelas! E escutai
pelas calçadas procurar-me,
em cavalo de ouro, meu pai.

Vede os brocados que me envolvem!
E vede quem me beija a mão,
entre os candelabros de prata
e as pinturas de meu salão!

Os parentes mortos assistem
meu dia de triunfo, que vem.
Eu sou o cinamomo e o nardo
e a rosa de Jerusalém.

Na arca da minha camarinha,
dobrei as sedas do enxoval.
Nunca ouvi falar de princesa
que tivesse possuído igual.

Nem os bispos sob o seu pálio
cintilaram jamais como eu.
Que a opulência da antiga Vila
pelas minhas mãos renasceu.

Por estas mãos que andam na terra
catando trapos e papéis,
só com seu sangue de turquesa,
sem braceletes nem anéis.

Ah! meu leito com seus pastores
amando-se em música e luar!
Liteiras de damasco... Espelhos
onde foi tão belo mirar!

1619

Pelo orgulho de meus parentes,
só tenho as flores do chapéu.
(Desejo que estejam no inferno!
— peço a Deus que fiquem no céu.)

Meu berço era de rosas de ouro
em colunas de ostentação.
Serafins que havia, mataram.
Guardo o punhal no coração.

Poema na água

O escafandrista cai por dentro do mar.
Guardai-o na vossa memória:

é um deus marinho
com pés macabros,
cabeça monstruosa de olhos ciclópicos
e tromba.

Viaja o escafandrista como um morto
noutro mundo:
a terra é a mãe do escafandrista
e ainda o alimenta com seu sopro,
de muito longe,
por um longo cordão umbilical.

Lá vai o escafandrista, a criar com seu bafo,
árvores submarinas de bolhas de cristal.
Suas mãos alisam com modos hieráticos
a onda espessa:
ameaçam ou abençoam?
— cardumes de peixes fugitivos desfolham-se diante dele.

Mas para ele se elevam, de abismos não sabidos,
goelas devoradoras,
dentes lúgubres,
deuses terríveis,
maiores que ele,
no seu mundo,
com seu tempo, seu destino, seu segredo.

1949

Antieclesiaste

Chuva nas nuvens,
flores nas árvores,
lágrimas em nós.

Estação de chuva,
estação de flores.
O tempo inteiro para as lágrimas.
Por isso estamos tão extenuados:
todos os tempos foram de chorar.

1949

Écloga

Não te sirvas, pastor, do meu pascigo,
pois o rebanho teu não se conforma
às renúncias do que levo comigo.

Não te sirvas da sombra nem da fonte,
que as vozes que murmuram não são delas,
mas de lábios mais longe que o horizonte...

Não te sirvas da música ou do sono
de que me sirvo nesta soledade:
não me pertencem, têm secreto dono.

Dispersos

Não te sirvas do musgo nem da lua:
tudo mira do altíssimo silêncio,
mede a nossa verdade pela sua...

Ah, pastor, vê teu rosto no universo:
que foste? que fizeste? quem te aceita?
em que névoa de orgulho andas disperso?

1949

Briônia

Ó Briônia, ó musgosa planta,
volúvel, anual, herbácea,
venenosa, curativa,
coroa dos taciturnos,
volúvel, herbácea, anual,
banha com tua eficácia
o nosso onímodo mal...

Ó musgosa planta, Briônia,
com teus venenos encanta
desertos mudos de insônia,
mares de dores, soturnos,
volúvel, herbácea, anual,
para que um dia se viva
isento do eterno mal!

Ó Briônia, planta musgosa,
anual, herbácea, volúvel,
nosso peito, ó venenosa,
curativa, nossa testa
poupa à amargura insolúvel,
aos densos muros noturnos
do obscuro reino do mal.

Coroa dos taciturnos,
permite que sobreviva
este sobrenatural
poder que em nós se levanta,
esta alegria, esta festa
de vencer veneno e mal,

venenosa, curativa,
volúvel, herbácea, anual...
Ó Briônia, musgosa planta.

1623

Homeopatia

"*Enfim, a principal indicação para o uso
homeopático de Dulcamara é achada na sua
modalidade de piorar o doente pelo frio...*"
M. *Nobre*, Homeoterapia

Tomaremos Dulcamara,
Dulcamara, Bela Dona;
frios rancores e afrontas
mudam-se em doçura rara.

Dispersos

De estrelas de cinco pontas
será toda a noite clara.

Tomaremos Dulcamara:
noites de alma, céus à tona.
E as vagas já se acham prontas
e a nave já se prepara.

Tomaremos Dulcamara:
tépida luz, Bela Dona...
(Em que horizonte despontas,
flor completa — Dulce-Amara...)

Ai, que amarguras contaras!
Porém, que doçuras contas!

Tomaremos Dulcamara,
noutros mundos, Bela Dona...

Acônito 30

Uma gota de Acônito 30
fecharia teus olhos rebeldes,
e em redor os fantasmas vencidos
chorariam antigos assédios.

Nem por dentro dos olhos fechados
poderias ter lágrima ou sonho;
numa gota de Acônito 30
se dilui todo o humano desgosto...

Há um céu branco de alpinos remédios,
se bebemos o Acônito 30.

Se o bebesses, dormias sem medo
com os fantasmas mirando o teu rosto,

perguntando: "Por que dorme tanto?
E que muros tão altos, erguidos!"
sem saberem dos bosques sem eco,
bosques brancos do Acônito 30...

Etusa

Os grãos de Etusa
fixam meus olhos   1625
nessa lembrança.

Os grãos de Etusa
prendem meu tempo
sobre a esperança.

Ó grãos de Etusa,
deixai-me livre,
que ainda mais cansa,

ó grãos de Etusa,
a dor imóvel
do que em mudança...

Um pássaro pia sob a chuva noturna

Um pássaro pia sob a chuva noturna.

Que socorro pode ter?

São muitos os fios d'água,
muitas as folhas das árvores,
muitas as trevas da noite:

— de que lado vem a pequena voz assustada?

Talvez encontre em si mesmo o rumo certo.
Não temos poder nenhum contra a sua angústia.

Talvez haja sobre-humanas caridades
para os sofrimentos das vidas inumanas.
Por que apenas os homens ousariam esperar compaixões?

E de que tamanho será uma noite como esta
para um pássaro que sofre, entre águas e trevas?

Poemas do meninozinho

I

Pão de antiga festa,
brando, alvo, enfarinhado,

o menino na cesta
dorme apaziguado.

Flor — de que horto nevoento? —
em róseos entreaberta,
— sob que pensamento? —
o menino desperta.

A orvalhos de que altura?
A estrelas de que aurora,
de que luz e de que hora?

Dentro da noite escura
brilha o menino — e chora.

II

Os puxadores do móvel
que olhos são, na noite enorme?

Não os da mãe, que são pretos,
não os do pai, que são de ouro,
não os da avó, que são verdes,
não os do avô, que são pardos...

— Que olhos são, que se vai olhando,
que se vai olhando, que se vai dormindo,
que se vai dormindo, que se vai tão longe,
em colo de nuvens

Dispersos

por esses ares
dos outros mundos...?

São os olhos da Sala que luzem, na sombra...
São os olhos do Sonho, que se vão dissolvendo...
São os olhos do Silêncio que vai cobrindo o corpo
com fluidos cortinados levemente arfantes...

Sereia em terra

Sou de mar, em mar andava,
e em meus bosques submarinos
por teu nome perguntava.

E tu nas areias quieto
— monograma da saudade,
búzio do sonho secreto.

Até nos olhos tenho água:
já não sei mais se das ondas.
Provavelmente de mágoa.

Mas de tanto procurar-te
aprendi o doce gosto
de buscar por toda parte.

Por assim tranqüilo estares
em fina areia detido,
volto de novo aos meus mares.

Ai de mim, que estive em terra!
Procurava e procurava
o som que o nácar encerra.

E hoje canto: Deus me salve!
— depois de ter entendido
tua música univalve.

Volto para as minhas ondas,
conhecendo-te as respostas
mesmo quando não respondas.

E dançarei de alegria,
sem pergunta mais nenhuma
até meu último dia.   1629

Improviso

O alto vento moveu com tal donaire
a árvore, que pensamos: certamente,
sairão a dançar por estes campos,
caminharão por cima da torrente,
procurarão terras de muito longe,
lançando flores para estranha gente,
irão dançando até o fim do mundo,
e o mundo inteiro ficará contente;
meninos, despertando, virão vê-los,
e seu olhar será sonho descrente;

Dispersos

tudo estará pasmado atrás da dança:
a via-láctea, o pássaro, a serpente...

Mas o vento parou, pois viu a lua,
que era um sonho maior na sua frente.

Não se chora apenas com a noite estendida sobre o sono dos homens

A Múcio Ferreira

Não se chora apenas com a noite estendida sobre o sono dos homens,
com o silêncio pulsando em poros de imperceptíveis silvos
trêmulos, sussurrantes, urdindo a trama de inúmeros aléns.

Não se chora apenas com a solidão concentrada em firmes bosques,
num chão de sombras por onde as lágrimas se embebam,
e nem a palidez das estrelas seja um breve indício de presença.

Não se chora sempre de cara virada para um tranqüilo muro.
Nem sempre se pode dizer: é da ausência, é da noite, é do
[silêncio, é do deserto...
da planície vazia, do mar fatigante, do assombro enorme da treva...

Chora-se em pleno dia, à luz do sol, diante do mundo povoado.
Caem lágrimas em pedras quentes, com borboletas, flores, gorjeios,
nuvens brancas, moças cantando, janelas abertas, ruas alegres.

Alguma coisa em nós é maior e mais grave que as expansões da vida,
alguma coisa é maior que o candelabro azul do dia
com flores, pássaros, canções entrelaçados nos seus doze braços.

Nem é de nós, nem nos pertence.
Sentimos que é da terra e dos homens,
da desordem do tempo,
da espada das paixões sobre o peito do sonho.

Eternidade inútil

Até morrer estarei enamorada
de coisas impossíveis:

tudo que invento, apenas,
e dura menos que eu,
que chega e passa.

Não chorarei minha triste brevidade:
unicamente a alheia,
a esperança plantada em tristes dunas,
em vento, em nuvens, n'água.

A pronta decadência,
a fuga súbita
de cada coisa amada.

O amor sozinho vagava.
Sem mais nada além de mim...
numa eternidade inútil.

Dispersos

Discurso

Vosso rosto, que já não vive,
anda em redor de mim, pelo ar?
Os mortos fazem-se presentes
com matéria tão singular!
— mais fina que a do pensamento,
mais repercutida que o luar.

Vosso lábio, que já não fala,
foi sempre como o apresentais.
Vossos olhos, sem realidade,
não mudaram nem mudam mais.
Sois outra sombra, noutra viagem,
pois sombra somos — nada mais.

Não me direis o que dissestes,
nem outras coisas, porque eu sei
que entendi tudo o que não fostes,
e o que não sois entenderei.
Entre nós nada foi preciso,
além da vida — grave lei.

Caminharemos universos,
longe, aproximados, a sós,
visíveis, invisíveis... Sempre
saberemos que somos nós.
O tempo isento, imenso, inteiro,
é a nossa língua, a nossa voz.

Se vivemos ou imaginamos,
se fomos, ou se tudo é Deus,
se sois o que serei, somente
com traços que ainda não são meus,
se não há nem vivos nem mortos,
nem boas-vindas nem adeus,

deixai-me perdida no grande
acordo unânime — feliz
por ter aberto as mãos no mundo,
livre até do que um dia quis.
(Como navegam longe as barcas
que um dia tiveram raiz...)

Canção

1633

Para quem pintas teus olhos
de cílios tão delicados?
Homem nenhum neste mundo,
adolescente,
vale os teus olhos pintados.

Do espelho das tuas unhas,
do fogo dos teus cabelos,
caem no tumulto das ruas,
adolescente,
gritos, murmúrios, apelos.

Dispersos

Oh, que surdez, que silêncio,
que solidão alargada!
Mesmo se te responderem,
adolescente,
não estarão dizendo nada.

Esta canção que te canto
é toda a história da vida;
um grande clarão subindo,
adolescente,
e alguma cinza caída.

Réquiem

1634

Nem o aroma das flores, nem o aroma da cera, nem o aroma
[do incenso.
Nem as palavras latinas. A vossa região tem outros idiomas
e outros aromas.

(Lembrai-vos da nova sorte,
que sois do reino da morte.)

Nem longos véus tão negros, nem lenços tristes, nem crepes
[densos.
Nem lágrimas nem soluços nem suspiros... — há outras cores
e não há dores.

(Buscai por todos os lados:
outros sois, recomeçados.)

Outras leis. Outro amor. E algum sentido imenso.
Uma outra humanidade, entregue a rumos singulares.
(Outros lugares.)

(Mirai quanto sois ausentes,
em barcas tão transparentes!)

Canção de outono

Perdoa-me, folha seca,
não posso cuidar de ti.
Vim para amar neste mundo,
e até do amor me perdi.
De que serviu tecer flores
pelas areias do chão,
se havia gente dormindo
sobre o próprio coração?

E não pude levantá-la!
Choro pelo que não fiz.
E pela minha fraqueza
é que sou triste e infeliz.
Perdoa-me, folha seca!
Meus olhos sem força estão
velando e rogando àqueles
que não se levantarão...

Tu és a folha de outono
voante pelo jardim.

1635

Deixo-te a minha saudade
— a melhor parte de mim.
E vou por este caminho,
certa de que tudo é vão.
Que tudo é menos que o vento,
menos que as folhas do chão...

Pergunto-te onde se acha a minha vida

Pergunto-te onde se acha a minha vida.
Em que dia fui eu. Que hora existiu formada
de uma verdade minha bem possuída.

Vão-se as minhas perguntas aos depósitos do nada.

E a quem é que pergunto? Em quem penso, iludida
por esperanças hereditárias? E de cada
pergunta minha vai nascendo a sombra imensa
que envolve a posição dos olhos de quem pensa.

Já não sei mais a diferença
de ti, de mim, da coisa perguntada,
do silêncio da coisa irrespondida.

Luar póstumo

Numa noite de lua escreverei palavras,
simples palavras tão certas

que hão de voar para longe, com asas súbitas,
e pousar nessas torres das mudas vidas inquietas.

O luar que esteve nos meus olhos, uma noite,
nascerá de novo no mundo.
Outra vez brilhará, livre de nuvens e telhados,
livre de pálpebras, e num país sem muros.

Por esse luar formado em minhas mãos, e eterno,
é doce caminhar, viver o que se vive.
Porque a noite é tão grande... Ah, quem faz tanta noite?
E estar próximo é tão impossível!

Fábula

1637

Logo que pôde, a azaléia abriu-se.
Ai! tinha um pingo de chuva dentro.

Noites, noites, noites formaram-na.
E meus olhos, esperando.

Será por um breve dia, seu límpido rosto.
Mas já os meus olhos irão dentro dela.

Vejo-os na gota de orvalho.
Vejo-os fechados na seda murcha.

Vejo-os caídos na manhã seguinte.

Fiéis à sua esperança.

O morto

O morto entrou na minha casa
com a maior naturalidade,
tanta fora a nossa amizade.

E esteve entre nós conversando:
— mas seu olhar andava ausente
das pupilas, completamente.

O morto não tocava o mundo:
ia e vinha, sem ser alado,
móvel, desprendido, aéreo, voado...

Apertando-me a mão direita,
disse-me adeus. Sua mão tinha
calor que ainda guardo na minha.

E saiu pelas praias, fluido,
como quem tem seu rumo certo,
como quem de tudo está perto.

E o vento em seu vulto batia,
e não era noite nem dia...
Sozinho, o morto caminhava,

tão silencioso, tão secreto,
tão de acordo com o próprio vento,
tão puramente pensamento...

*1638

E as grandes perguntas do sono
alternavam na minha frente,
com grande ritmo indiferente

de janelas que a noite abana,
minha face e a do fugitivo.
Qual era a do morto? e a do vivo?

Música

O grilo da minha sala
na sua roca de vidro
enrola o fio da noite,
enrola o fio da lua,
enrola o fio da infância,
da memória, da saudade,
devagar.

1639

Passam meninas, enterros,
laranjas, cantigas, ruas,
árvores, lágrimas, sonos,
navios de despedida,
portas, escadas, palavras,
máscaras, rostos, que agora
não são mais.

Na sua roca de vidro
vai-se enrolando uma pena
tão grande! Quem a pudesse
desenrolar...

Dispersos

Epigramas

I

À bela dama despojada
não lhe restava mais nada,
depois de batalhas ávidas.

Continuava, porém, tão bela,
que a inveja dizia: "Àquela
ainda lhe restam as pérolas..."

A bela dama despojada
não podia dizer nada.
(Não lhe restavam nem lágrimas.)

II

Não há rosto nenhum! E mesmo o meu, que importa?
E as mãos! — as mãos foram um desenho sem sentido.
Um dia sonhamos que existimos.
Vivemos desse sonho.
E dentro dele fomos tão desgraçados...

Quando recordaremos esse sonho sonhado?
Onde recordaremos esse sonho acabado?

Quem seremos, depois dessa antiga aventura,
e em que abismos de lembrança
despiremos, afinal, esta couraça tênue de vida,

esta opressão e esta fragilidade,
este martírio vago e perseverante da memória?

III

Sobre uma flor dormiríamos
e o vento nos dividiria com suas numerosas lâminas.

Sobre uma flor. Sem rastros.
Sem espelho. Sem nome.
Ah! mas em que translúcido tempo?

IV

Não descerias em mim, porque a minha torrente
desmancharia o teu frágil momento
no rápido trânsito.

Fica só refletida, e as ondas que passarem
todas irão levando a ausência do teu rosto,
que será presença sem fim.

Não queiras ter a morte inglória dos encontros.
Mas a eterna, a profunda vida, no reflexo
que por onde passar te levará.

Supérfluo

A chuva coloca no bico dos pássaros
um guizo d'água.

A tarde levanta da verde folhagem
uma espuma de aroma.

Uma vida, quase a teus pés, dirige-te
um terno pensamento.

Oh, as pequenas coisas supérfluas
extraviadas no mundo.

Quem ouve? quem vê? quem entende?

Desenho quase oriental

Uma borboleta que voa
sobre uma flor que é o seu retrato,
numa árvore,
parece que chama por ela,
parece que adeja o convite
de amarem-se.

Parece que a flor lhe responde,
que é presa, sem asas, que vive
e morre
no ramo. Parece que é triste
não ir pela brisa de amores
bem longe.

Parece que as duas se entendem,
parece que as duas deploram.

Parece.
Mas sempre há uma brisa mais forte
que leva, com asas quebradas,
as pétalas...

Chega o verão

Vamos abrir as janelas ao vento salgado do mar.
Chega o verão, vagarosa nau, de um trêmulo horizonte,
com seu andar de floresta e seus odores enevoados
de resinas espessas e tormentas no alto da tarde.

Nuvens de cupins jorram da sombra, girando em cegueira.
Asas sem peso chovem o arco-íris, semeiam nácar pelos
[meus dedos.
Oh, por que serão feitas estas mínimas vidas
com tanta perfeição para instantâneas se desfazerem?

Vamos fechar as janelas sobre a noite, com seu vento de fogo.
Aqui vêm, despojados, os cupins pelas mesas,
arrastando-se por entre as próprias asas caídas.
Aqui vêm, num cortejo de desvalidos, de sentenciados...

Oh, dizei-me, dizei-me, que anjos, que santos, que potências
se ocupam desse silêncio movediço, do apressado
itinerário dos moribundos frágeis que passam!

Retrato de mulher triste

Vestiu-se para um baile que não há.
Sentou-se com suas últimas jóias.
E olha para o lado, imóvel.

Está vendo os salões que se acabaram,
embala-se em valsas que não dançou,
levemente sorri para um homem.
O homem que não existiu.

Se alguém lhe disser que sonha,
levantará com desdém o arco das sobrancelhas.
Pois jamais se viveu com tanta plenitude.

Mas para falar de sua vida
tem de abaixar as quase infantis pestanas,
e esperar que se apaguem duas infinitas lágrimas.

Sala de espera

Uma roda dourada trinca o silêncio.
Trinca a tarde, debaixo do cristal.
Trinca o tempo, dentro da tarde.

E deixaram um cinzeiro vazio.

Ontem, o mês passado, há dez anos... (Agora
há outras nuvens,
temos outros olhos.)

Quem espera?
Qual delas espera, das inúmeras,
das que todos apontam,
das que nem eu conheço?

E há uma sala vazia.

Foi uma casa, foi uma rua, foi uma cidade inteira.
Foi o mundo todo,
lá onde era a vida.

A quem se espera?

Há os vivos,
há os mortos.
Mas quem pode chegar?
Quem chega, jamais?

Não, apenas batem relógios.
Mas tudo está mesmo vazio.

Soneto antigo

Responder a perguntas não respondo.
Perguntas impossíveis não pergunto.

Só do que sei de mim aos outros conto:
de mim, atravessada pelo mundo.

Toda a minha experiência, o meu estudo,
sou eu mesma que, em solidão paciente,
recolho do que em mim observo e escuto
muda lição, que ninguém mais entende.

O que sou vale mais do que o meu canto.
Apenas em linguagem vou dizendo
caminhos invisíveis por onde ando.

Tudo é secreto e de remoto exemplo.
Todos ouvimos, longe, o apelo do Anjo.
E todos somos pura flor de vento.

Dois poemas mais ou menos obsoletos, que deviam ter sido bordados numa tapeçaria que não existiu

Busca da rosa

Há longos labirintos, fontes frias,
lábios sem rosto, sinos de doçura,
nas verdes solidões e na espessura
deste bosque onde vou perdendo os dias.
Vim no alado cavalo da Aventura,
ungida por meus votos e magias.
Vim, mas vejo-me só — porque as esguias

asas fugiram, procurando altura.
Insisto nesta busca vagarosa.
Quero ouvir, entre sombra e soledade,
o eco, o arroio, a cascata, a alma do mar
dizerem onde se elabora a rosa
sem morte, sem desejo e sem saudade
que vim de longe para contemplar.

Onde a pessoa encontra um vulto que não é o da rosa

Resigno-me a deixar pender meu rosto
sobre a fonte de encantos que desliza
nestas escuridões — e sinto o gosto
de tua vida: onda, frescura e brisa.

1647

Mas logo vejo armar-se uma imprecisa
sombra de fora, denso muro oposto
a essa doçura — e avança, e escura pisa
mesmo a alegria do meu claro rosto.
Ah! não te posso amar, enamorada
perpetuamente, no êxtase da vida!
Esta é a pausa distante do meu peito.
Não padeças — que eu não te peço nada.
Nem se fica infeliz, por dolorida,
a vagar nestes bosques do Imperfeito.

Música matinal

A Onestaldo de Pennafort

Não me digam quem é
a dona que toca
por detrás da manhã
quase noite ainda

nesta franja de luar
do velho teclado
caminho de marfim
de pálidas Musas.

Ó Mozart de cristal
desfolhado à brisa
de orvalho e jasmim!

Cavalos tranqüilos
mascam trevos de som,
hastes de sustenidos
e fieiras de grãos
negros de semifusas.
Bebem a água do ar
e levantam nos olhos
as ruas do céu.

Não me digam quem é
a dona da sombra
imperativa e irreal.

Deixai que a cidade
encontre ao despertar
o pássaro claro
que vem de suas mãos
e das nuvens à terra
abre asas de luz
e suspende em seu canto
a áurea rosa do sol.

Papéis

I

Lá, fomos felizes,
quando a madrugada coloria
a voz do pássaro e a serena flor.

Acordavam conosco a parede,
o relógio, o armário, o livro,
essas coisas acessórias que as mãos humanas constroem,
e que nos sobrevivem.

No entanto, a parede era irreal
— máscara de uma profundidade interminável
e seu modesto limite;
o relógio, esquema do sol, da terra, do universo
— resignado diagrama;
e no armário existiam os suaves braços das árvores,
protegendo, abraçadas a nossa tímida pobreza;

e o livro excedia suas dimensões por todos os lados:
quase divino — intemporal, onisciente, indubitável...

Teu rosto se levantava para dar testemunho do sofrimento.
Mas tuas mãos de esperança
docemente abriam e fechavam gavetas,
pousavam nas frutas com uma naturalidade fraternal,
iam e vinham no mundo
preparando uma invisível, misteriosa,
longínqua e admirável construção.

Então, sorrias para o ar, para a estrela,
para lugares sobre-humanos, acima das árvores.
E em redor uma grande ternura se produzia,
que ficava por onde passasses.
Como a sombra do perfume.
Exatamente.

II

Penso em ti singularmente.
Viajante que se dirige para a sua viagem,
percorro com o pensamento a lembrança dos risos
e pergunto: "Quem se comoverá com os meus adeuses?"
Ninguém.

Não — ninguém responde a despedidas,
pois estamos falando uns obscuros idiomas.
Cada qual entende uma palavra — apenas uma.

Naquele tempo, reconhecíamos qualquer expressão do mundo:
do estampido dos trovões à fala dos animais.
Soava aos nossos ouvidos uma lágrima que caísse na ardósia
[da noite,
e não nos deixava mais dormir.

Assim, digo adeus apenas aos mortos,
e esses me entendem, na sua fictícia ausência,
ou basta-me sentir que entenderiam, se vivessem.

Criatura retrospectiva,
para que vim tão longe, pelo caminho vazio?
Que secreto motor assim dispôs
desta matéria estranha que é meu corpo,
nesta operação misteriosa a que se chama vida?

1651

Inclino-me docemente para impossíveis janelas.
Não creio nos meus olhos.
Não creio na paisagem.
Não creio em nada do que se tem dito.

Creio nos espaços em branco.
Nas entrelinhas de profecia.
Na humilde ignorância,
exposta sem defesa
entre o incansável tempo múltiplo
e o tempo incansável e único.

Dispersos

III

Sobre esta coisa imortal ver caírem os pedaços do dia,
a displicência inútil dos homens e a minha própria melancolia.

Sobre esta coisa imortal ver a morte que leva os momentos,
ver sobre a eterna idéia moverem-se os inconstantes pensamentos.

Sobre esta coisa imortal ver nomes, palavras, opiniões — leviandade
dos homens nos seus trapézios, do alto da espuma à eternidade.

Ao pó, no pó, do pó falamos, comprimidos no circo profundo.
Ah! sobre esta coisa imortal — tua cega, confusa balbúrdia
[triste, ó mundo!

1652

Das minhas mãos, que são tão firmes

Das minhas mãos, que são tão firmes,
cai-me o espelho, que era tão claro,
e à meia-noite se divide,
com meus olhos cheios de teatro.

Nas grandes sedas do vestido,
ficam meditando meus braços.
E de longe correm antigos
pássaros cheios de presságios.

Há um cristal de sonho e de lua
cobrindo com serenidade
as adormecidas criaturas.

Uma mulher no alto da noite
pensa que é solidão, que é tarde,
e que o cristal levou seu rosto.

Vitrola

Há muito tempo o cantor está morto.
Mas sua voz, presa num disco,
ergue, em plena sala,
sua presença vívida.

E uns pensam:
"Como é bom poder ouvi-lo ainda,
depois de tanto tempo!"

1653

E outros pensam:
"Por que, depois de tanto tempo,
fazê-lo ainda cantar!"

E o disco fantasma vai rodando.

Sem corpo nenhum

Sem corpo nenhum,
como te hei de amar?
— Minha alma, minha alma,
tu mesma escolheste
esse doce mal!

Sem palavra alguma,
como o hei de saber?
— Minha alma, minha alma,
tu mesma desejas
o que não se vê!

Nenhuma esperança
me dás, nem te dou...
— Minha alma, minha alma,
eis toda a conquista
do mais longo amor!

Fala-me agora, que estou cansado

1654

Fala-me agora, que estou cansado,
agora, que já voltaste, e conheces o mundo,
de cada lado.

Fala-me como alguém que já sabe da vida
e da sua seiva mais tenebrosa
e que transporta sua alma partida.

Fala-me como se a morte amanhã chegasse
e pusesse a fria coroa da lua
sobre a tua face.

Fala-me e dize que me ouviste um dia,
e que estavas só, perdido, acabado,
e tiveste alegria.

Fala-me, enfim, como nunca no mundo
ninguém já falou a um irmão, a um amigo
— abre o teu coração até o fundo.

Para que eu morra com o contentamento
de que o meu amor não foi um dom perdido,
lágrima no mar, suspiro no vento.

Que se pode ainda amar como em sonhos antigos,
sem mãos e sem voz, sem olhos, sem passos,
além de glórias e perigos.

Fala-me como alguém que me viu tão de frente
que eu não posso saber se é o meu próprio retrato
num espelho clarividente.

1655

Profundidade da insônia

Na insônia feliz é que se conhece o aroma certo
das fronhas, das madeiras, do ar, das sombras, e se escuta
o casual grito das aves, acordando
como em parques de outros países, noutros séculos.

Tilintam em subsolos imaginários
campainhas de insetos, em cortejos de gnomos.
Oh! as nossas tranças, como estão cheias de bosques abraçados,
com arroios atravessando muros, cidades, meses...

Dispersos

Insônia feliz, na silenciosa solidão humana,
insônia acesa sobre o tempo.
E o braço dos santos se levanta, grave e sem mãos,
nos arruinados oratórios,
com as bênçãos perdidas no ar de cera e flores mortas.

Ah, na insônia feliz é que as ausências se aproximam,
nos corredores da memória, hesitantes em cada porta.
Abrem-se, enfim, secretas janelas sobre os campos,
as pedras, os cemitérios, o livre mar, as nuvens tênues...
E de longe se avistam hastes com rosas, pavios com luzes:
— tudo ascensão de saudade e extrema lágrima.

Na insônia feliz, mortos e vivos saem de casa,
de braço dado, com seus ramos de perdão.
Acenam, sorriem, cordiais e recíprocos,
transparentes e imaculados, com suas auréolas de sol pálido.
Em trapézios de seda balança-se o peso dos infortúnios,
e as feras mansamente brincam, em jardins de cristal.

Na insônia feliz, sente-se o orvalho, a pétala, a asa:
a altura do céu, com seus andares superpostos;
a vigilância do universo, sustentando seus abismos;
a outra insônia — a da morte — a de tudo que vive, além do humano;
a espantosa vigília magnética e eterna, — de alto a baixo.

Na insônia feliz, nossas horas são episódio subterrâneo
de humildes enterrados, vagamente rastejando,
com mãos de cinza que tateiam o ar, o momento, as almas,
enquanto — mas de onde? — sobe em redor uma ininteligível música.

Epitáfio

Ainda correm lágrimas pelos
teus grisalhos, tristes cabelos,
na terra vã desintegrados,
em pequenas flores tornados.

Todos os dias estás viva,
na soledade pensativa,
ó simples alma grave e pura,
livre de qualquer sepultura!

E não sou mais do que a menina
que a tua antiga sorte ensina.
E caminhamos de mão dada
pelas praias da madrugada.

1657

A festa foi no alto do mundo

A festa foi no alto do mundo
onde transparentes varandas
uniam palavras e estrelas.
E na lua se projetavam
as ramas das árvores, brancas.
Um mar de anêmonas e espumas
levantava efêmeras franjas
e o vento viajava com leves
gualdrapas de fino silêncio
broslando-lhe as diáfanas ancas.

Dispersos

Era tão tarde e era tão alto,
era tão alto e era tão longe
que uns aos outros já se esqueciam
nem sabiam sua morada,
nem seus parentes nem seu nome.
Olhavam-se desintegrados
de qualquer humano horizonte.
Tinham roupas desconhecidas,
e moviam-se independentes.
Iam — sem perguntar-se aonde.

Os tapetes se desfaziam
como de flor, como de areia.
Nenhum passo pesava em nada
e naqueles vagos caminhos
estava a humanidade inteira.
Em luz e sombra a festa abria
cortinas de tempo. E na estreita
parede que separa o mundo
do sonho, da glória e da morte,
qualquer sombra era própria e alheia.

As mãos floresciam sem pulsos
e a voz falava além dos lábios.
A alma abandonava seu corpo,
seus compromissos e lembranças,
seus pequenos destinos vários...
A alma era como o som da noite
em corredores de palácios.
Sobre os espelhos da inocência,

desdobrava mil exercícios
de adivinhações e presságios.

Deitaram-se os loucos beduínos
com seus dromedários de ocaso,
e os turcos moviam nas flores
lâminas de infinitos versos,
cortando o amor em doce abraço.
Calçando borboletas de ouro
dançavam meninas no esparso
campo, onde o arroio da memória
tranca os cristais da vida eterna
com o pobre instante humano e falso.

E era tão alto e era tão longe,   1659
e era tão acima de tudo
que os mais humildes, sem saberem,
sem perguntarem, compreendiam
que estavam num reino absoluto.
E deslizavam descuidados
na direção de cada vulto,
e eram felizes, e cantavam,
nos seus idiomas aliciantes
até chegar o Arcanjo Obscuro.

Foi nesse prelúdio encantado
que me disseste: "Sempre! Sempre!"
Recorda, porque eu agonizo,
de saudade, vertigem, susto,
agonizo divinamente.

Dispersos

Conservo meus olhos fechados
com o peso do sonho que os enche.
A festa era longe, era tarde,
era uma vasta alegria,
acima de quanto se pense.

Os trovadores que tangiam
seus instrumentos compassados
eram tão presentes e vivos,
como os negros de saxofone
e as cartomantes e os palhaços.
E eram todos contemporâneos,
entre mares, montanhas e astros.
E não havia diferença
entre os amigos e inimigos,
entre os senhores e os vassalos.

Disseste: "Sempre!" — mas fugias
porque era giratória festa,
com os deuses cavalgando os ares,
as esfinges restituídas
à fala e, entre adivinho e poeta,
rios de fábulas correndo,
e a história humana vasta e incerta
em seus labirintos rodando,
interrogativa, inquietante,
como o fogo numa floresta.

Disseste: "Sempre!" e estavas longe,
e eu te escutava com ternura:

porque essa é uma grande palavra,
para viver no tempo humano,
não por ser minha nem ser tua,
mas pela unidade amorosa
que concede a cada criatura,
mas pelo clarão comovido
que numa precária existência
deixa a irradiação absoluta.

Foi quando veio o Arcanjo Obscuro
com suas desmedidas asas
que envolviam a enorme festa
e seus infinitos convivas,
e eram mais longas e mais altas,
e perdiam-se além daquelas
eternidades que anunciavas.
Oh! o Arcanjo Obscuro... E seus olhos
despediam chispas copiosas,
por igual, sombrias e claras.

Quando seu rosto se volvia
para um lado, o candente jorro
de seu fogo abria comarcas
de uma claridade aflitiva
— e tudo era pequeno e pouco
sob essa luz onipotente.
Extinguia-se, tênue, o coro
de armênios, índios, lapões, gregos,
que antes parecera tão denso,
tão cadenciado e poderoso.

Os corpos, os gestos, as vidas,
e aquela etérea arquitetura,
o alto som de felicidade
sobreposto a toda experiência,
naquela festa sem perguntas,
estremeciam, vacilavam,
e eram como coisa nenhuma,
porque o Arcanjo Obscuro passava,
e não tinha fala nem gesto,
mas somente exalava: NUNCA.

Se exalasse apenas: MAIS TARDE!
Se exalasse apenas: MAIS LONGE!
Mas sua terrível mensagem
era a força de suas asas,
e seus severos esplendores.

Papéis

I

Tão aflita, perguntava-me: "Por que vim? Por que vim?" Era a noite, em redor. O grande cobertor da noite envolvia-me, opaco, abafava o mundo, as lágrimas, as lembranças — e o mistério do dia seguinte. E os olhos abertos não viam nada, na fina cegueira da treva: a parede mais próxima estava tão longe quanto o horizonte, o universo, Deus. Inclinava a cabeça nos pulsos onde a idéia da vida batia, batia. Batia desde muito tempo, com o mesmo compasso, regular seguro, obediente. Batera assim no

meio do céu e no meio do mar, nas ruas todas da terra entre
coisas banais e coisas que pareciam tão graves. Batera assim
diante de cóleras, vaidades, mortes, incompreensões. Batera.
Batera assim nos campos da infância, na eterna madrugada. E
houve infância?

II

A infância era uma vastidão de silêncio, por mais que cantassem
os pássaros, e que as tempestades rugissem entre os trovões e
o vento. Por mais que as ruas se enchessem de vozerio, que as
conversas familiares circulassem pelas mesas, pelas salas, pelos
jardins. A infância era aquela voz presa atrás de muros. Aquela
pergunta a subir no tempo. Que só o tempo responderá.

Aqui chegaram, senhor, as cegas

Aqui chegaram, Senhor, as cegas,
sorrindo aos ares, diante das flores.

E aqui se encontram, Senhor, as flores
com o rosto erguido, sentindo o vento...

E eu sei que longe, Senhor, navega
em altas proas de esquecimento,

asas abertas, pupilas cegas,
o arcanjo límpido e desatento

que cruza o oceano dos desamores,
alheio às vozes do sofrimento.

O rio farfalha as vestes escuras

O rio farfalha as vestes escuras
dançando nas pedras — sem corpo — cantando
— sem boca — seguindo — sem olhos — sozinho
no meio da noite — sem medo — o caminho
que todos seguimos — com olhos — chorando
só por termos corpo — no dia, na vida —
com os tristes limites de humanas figuras
feitas, entretanto, só de despedida.

1664

Duração

Dormem os homens com as mãos no peito, a espada do mundo
[na testa.
Ó dunas de ar, ó covas do espaço, e transparentes cortinas de
[cipreste!

Além, nos sarcófagos, as grandes estátuas exalam apenas silêncio.
Mas aqui perpassa este vago frio que tece a memória... — vaga
[confidência
do homem a si mesmo: ainda vivo — ainda sonho; ainda sonho
[— ainda vivo...
Apenas um sopro no fundo da treva, poderosa e compassiva.

Fragmento

Eu falava no mar como alguém que recorda
seus pais. E amava todo o aparelho naval:
— o grosso cheiro de óleo, o contorno da corda,
o arrastar da corrente — e águas, e brisa e sal.

Eu pisava no cais com marítimo passo.
Invejava o molusco em líquen pelas quilhas.
E minha alma era um grito às gaivotas no espaço,
e paixão de encontrar cabos, recifes, ilhas.

Que me diz hoje o mar, e que me diz o vento,
que me diz esse amor, sem lugar para mim?
De tudo se desprende um triste pensamento.
No mais longe horizonte avisto o breve fim.

1665

Tudo igual, em redor. Tudo, de qualquer lado,
preso no seu limite, em seu tempo, em seu luto.
E o mar que eu via, o mar eterno, continuado,
grande por ser sozinho, imortal, absoluto...?

Concerto

A Mário Quintana

Dentro do perfume vamos:
perfume da noite,
perfume da rua,

Dispersos

jardim de perfume,
perfume de casa,
perfume de incenso.
Dentro do perfume vamos.

Entre alvores nos sentimos:
alvores de salas,
alvores de panos,
êxtases de alvores,
alvores de teclas,
alvores do tempo...
Entre alvores nos sentimos.

Dentro da música estamos:
música de cordas,
música de outrora,
— âmago da música —
música de agora,
música infinita:
dentro da música estamos.

Mortais mas eternos somos:
eternos em alma,
eternos em gosto,
em mistério eternos,
eternos sonoros,
eternos, eternos
— mortais e eternos já somos.

Tão longe estávamos, antes,
tão longe na terra,
tão longe em cegueira,
estranhos, tão longe,
tão longe e sem nome,
tão longe e sem rosto,
tão longe estávamos antes!

Agora, porém, sabemos:
sabemos um perfume,
sabemos esta casa,
que música sabemos!
sabemos de outros mundos,
sabemos tudo e todos...
Para sempre o sabemos.   1667

Longe

Longe nas eras
corre um menino.

Voam as nuvens,
cantam os pássaros
e as borboletas
sugam o silêncio
na seda fina
de aéreas conchas.

Corre um menino
longe no mundo,

longe no tempo.
Voam as vozes
dos homens, longe.
Um tênue vento
balança as ervas,
oprime as pétalas,
leva os rumores
graves dos carros.
O pólen voa,
fogem abelhas.

Corre um menino
por entre os séculos.

Corre um menino
solto, sozinho,
na madrugada
de um país claro.

Assim te vejo
até agora,
náufrago límpido
e solitário.

Noutros lugares
constroem barcos
para teus olhos
com arabescos
de algas e anêmonas.
Noutros se formam

secretos rostos,
estranhos lábios,
para te verem
em noites de ouro,
para chamarem
tua presença
tão provisória,
para chorarem
sobre a saudade
dos teus retratos.

E estão dormindo
a onda mortífera
e a estrela acerba.
E estão nascendo
os dedos pálidos,
com ramos verdes
de misereres
para o teu dia
sobre os oceanos
desbaratado.

Longe do mundo
voas disperso,
alheio a tudo
que os anjos erguem
sobre o teu passo.

Sobre o teu passo,
o louro campo,

1669

Dispersos

movido apenas
por brando vento,
ervas floridas
e sem memória
outra vez cerra.

(Ó longitudes,
ó logaritmos
entre o celeste
e o humano mapa!)

No chão da infância
o fim do orvalho
sepulta lágrimas
que vão pisando
teus pés ligeiros,
cortando o tempo,
dançando pressas
para a chegada.

Longe, na vida,
longe, entre as almas.
Pequenas conchas
estão nascendo
para escutarem
tua passagem.

Longe, nos verdes
limos das águas.
Que outros ouvidos

irão sabendo
de tua sorte?
Os céus, tão altos...
Tão fundo, as algas!
Teu nome apenas
no rol dos mortos,
cinza das cinzas
na mão do vento
que se desata...

Voam as letras,
voam as datas,
voa a memória
de tristes asas...

Ó alegria
dos campos claros!
Vieste, correste
— não foste nada!

E as cotovias
estão cantando,
e ao longe saltam
ruivos cavalos.

Os soterrados

"imos morrendo aos bocados".

(De uma carta)

Ó vós que longe vivedes,
pensai que por estes lados,
como entre quatro paredes,
imos morrendo aos bocados,
sem saber de que culpados.

Cavamos a sepultura
aonde seremos jogados.
Sobre a nossa criatura
pesa a sombra dos soldados,
nem sabeis que sombra escura!

Nossa boca não suspira,
que os lábios estão quebrados.
Não temos ódio nem ira,
mas corações retalhados,
e imos morrendo aos bocados.

Imos morrendo aos bocados,
ó vós que longe vivedes
sem pensares nem cuidados,
e, mesmo quando morredes,
não sois assim maltratados.

Pois morredes por inteiro,
ficais de dedos cruzados,

cabeça no travesseiro,
para o sono derradeiro,
com círios alumiados.

E nós, no campo e nas ruas,
caminhantes fatigados,
somos só carcaças nuas
e imos morrendo aos bocados
pelos alheios pecados.

Imos morrendo hora a hora,
levando no sangue os brados
de uma dor que já nem chora...
Imos morrendo aos bocados,
mastigados, devorados,
mirando a quem nos devora. 1673

Este odor da tarde, quando começa o cansaço dos homens

Este odor da tarde, quando começa o cansaço dos homens.
Quando os pássaros têm uma voz mais longa, já de despedida.
Declina o sol — esta é a notícia que a terra sente, na floresta
[e no arroio.
Uma nova brisa percorre a murta e resvala na relva.
E os faisões gravemente passeiam as marchetadas plumas.
Docemente perdem as flores sua esperança, o perfume, a memória.
Todos os dias assim, neste caminho de auroras e crepúsculos.
E então o odor da terra é uma exalação de saudade,
um suspiro de consolos, também, e o orvalho que as plantas formam,
com seus íntimos sumos, de silenciosa confidência,

Dispersos

parece igual à lágrima,
e cada folha, nas árvores, é um outro rosto humano.

Exausta, Espírito, exausta

Exausta, Espírito, exausta:
por todos os lados a espuma de caos.
Nem muro, nem dique, nem palavra nem lágrima
nem amor nem inteligência.
Pergunto-te, Espírito, se o caos é indispensável
e com melancolia temo ouvir-te dizer: sim.

Olhos meus ardentes, lúcidos, desinteressados, saudosos,
que viram brilhar a estrela eterna,
e a raiz estender-se autêntica,
formar-se o mármore,
abrir-se a flor,
cantar o pássaro,
construir-se o pensamento.

Sobre a lei quebrada inclino a cabeça
e recordo, recordo
a imensidão que conheci,
quando tudo se debruçava em seus limites.

Que Gênio, que Espírito, que Anjo
está para chamar cada coisa ao seu reino próprio?
Já nem a cal dos cemitérios se aquieta
e o resto, que sonhávamos, extraviou-se na hora bárbara.

Não: já não falo de ti, já não sei de saudades

Não: já não falo de ti, já não sei de saudades.
Feche-se o coração como um livro, cheio de imagens,
de palavras adormecidas, em altas prateleiras,
até que o pó desfaça o pobre desespero sem força,
que um dia, pode ser, pareceu tão terrível.

A aranha dorme em sua teia, lá fora, entre a roseira e o muro.
Resplandecem os azulejos — é tudo quanto posso ver.
O resto é imaginado, e não coincide, e é temerário
cismar. Talvez se as pálpebras pudessem
inventar outros sonhos, não de vida...

Ah! rompem-se na noite ardentes violas,
pelo ar e pelo frio subitamente roçadas.
Por onde pascerão, nestes céus invioláveis,
nossas perguntas com suas crinas de séculos arrastando-se...
Não só de amor a noite transborda mas de terríveis
crueldades, loucuras, de homicídios mais verdadeiros.

Os homens de sangue estão nas esquinas resfolegando,
e os homens da lei sonolentos movem letras
sobre imensos papéis que eles mesmos não entendem...
Ah! que rosto amaríamos ver inclinar-se da aérea varanda?
Nem os santos podem mais nada. Talvez os anjos abstratos
da álgebra e da geometria.

Para Lúcia Machado de Almeida

Lúcia-azul —
vamos despir os santos,
vamos beijar a Virgem Maria Chinesa,
Lúcia-azul —
vamos chupar jabuticabas
— azuis, azuis, azuis —
com os profetas e o coveiro?
Eu quero ver seu rosto azul
atrás da gelosia da *jalousie*
tão árabe, tão azul, tão Lúcia...
Vamos buscar os pratos azuis,
Lúcia-azul —
e vamos por estas ruas gritando:
quem tem mão de santo?
Nós queremos mão de santo,
dedo de santo,
nós queremos santos!
Vamos colar as mãos dos santos,
Lúcia-azul —
sentar o Menino Jesus em livros,
pedir a Nossa Senhora do Ó que tenha muitos meninos iguais,
todos com mãos inquebráveis,
e depois voaremos para o céu ou para o mar,
azuis, azuis, azuis,
como as janelas do Senhor Intendente,
azuis, Lúcia, como o seu perfil entre as nuvens,
tudo azul, cerúleo, anil,

bleu, blue, blau...
Sabará, campânula azul entre as montanhas
e nós lá dentro, como insetos azuis,
com máquinas fotográficas,
mirando sonhos de duzentos anos
no espaldar da cama colonial.

Dias da rosa

A Lúcia Machado de Almeida

No primeiro dia, foi apenas um mistério de seda e nácar.
Fechada como um sono.
Uma abelha rodava, descobrindo-a.
O resto ficava desatento àquele silêncio.

1677

No entanto, cada minuto se movia naquela haste,
invisível e ativo:
ali também reinava o tempo.

No segundo dia, foi como um sorriso,
um olhar levantando pálpebras translúcidas,
um rosto aparecendo na sombra, redondo e claro.
E ninguém podia deixar de ser alegre, vendo-a.

No terceiro dia, todas as suas sedas se expandiram.
Parecia uma voz, um cântico.
Pensei que fosse morrer, nessa abundância,
mas apenas se debruçava em perfume.

Dispersos

E, como borboletas ou pássaros,
as pessoas vinham sentir, extasiadas,
seu aroma de fruta e mel.

(O ar estava mudado: tudo eram ímãs de frescura.)

No quarto dia, deixou cair subitamente
aquela glória de aromas e sedas,
aquele vestuário efêmero e radioso.
Ficou sendo somente um coração coroado
com leves espinhos eternos de ouro.

Mas ninguém mais amava essa infinita beleza póstuma.
O esquema secreto da vida, que ali se manifestava:
início, biografia, continuação!

Prelúdio

Trinta anos sobre a música.
O violoncelo trouxe-lhe a casa,
a janela sem cortina,
um muro branco,
uma árvore.
Prelúdio.

Trinta anos!
O violoncelo chorava dentro de outra casa.
Outra janela sem cortinas.

Nem muro branco
nem árvore.
Prelúdio.

Pousada a face na mão, pensava:
trinta anos.

Tinham passado trinta anos.
Prelúdio.

Para os livros, cujo perfume

Para os livros, cujo perfume
de campo e verniz fascinava
meus olhos e meu pensamento,
não tenho tempo.

1679

Para a flor, o linho, a ramagem,
a cor, que me arrastavam como
por um bosque múrmuro e denso,
não tenho tempo.

Nem para o mar, nem para as nuvens,
nem para a estrela que adorava
não tenho, não tenho, não tenho
não tenho tempo.

Canta o pássaro inútil ritmo,
os homens passam como sombras,

Dispersos

e o mundo é um largo e doido vento.
Não tenho tempo.

Longe, sozinha, arrebatada,
entro no círculo secreto
e a mim mesma não me pertenço.
Não tenho tempo.

Oh, tantas coisas, tantas coisas
que a alma servira com delícia...
(São nebulosas de silêncio...)
Não tenho tempo.

Lágrimas detidas — meus olhos.
Sofro, porém já não batalho
entre saudade e esquecimento.
Não tenho tempo.

Aonde me levam? Que destino
governa a delirante vida?
Nem hei de morrer como penso.
Não tenho tempo.

Tão longo esforço, e tão penoso
— e agora fechado o horizonte.
Ó vida, inefável momento,
— não tenho tempo...

Tomar a substância do dia

Tomar a substância do dia,
a sua mágica substância,
e levantá-la como um vaso,
desenhando no seu cristal
desejo, deslumbramento, esperança,
na rosa que não é apenas flor,
mas diagrama da perfeição.

E de novo recomeçar,
porque é sempre um novo dia,
e o cristal da sua substância
foge entre os nossos dedos,
e amarga em nossa boca,
e é puro quartzo de lágrima
que se prepara e forma e quebra
para sempre, na eterna solidão.

1681 *

Cantigas

Com esperança e prazer,
vejo que o mundo se cansa.
Ó minha doce lembrança,
que se poderá fazer
sem prazer nem esperança?

*

Dispersos

O sonho é flor de uma vida
— não tem raiz nem semente.
De longe vem, dirigida
para a morte, unicamente.
Nem deseja ser colhida!

*

Fez-se meu carinho alfombra
por sua longa extensão.
Por dolorosa ilusão,
há muitos passos, na sombra,
pisando-me o coração.

*

Oh! via gloriosa
do poeta sozinho!
Florido caminho:
— Um passo na rosa,
um passo no espinho.

Máquina de lavar roupa

Como um tambor fechado.
Um compasso de borracha
numa caixa de louça.

Porque não há mais belos braços
indo e vindo entre água e espuma.

Porque os rios secaram,
e as belas sombras das árvores.

Porque as cantigas das lavadeiras
já estão todas enterradas,
com suas donas...

Porque muito longe, muito longe,
o linho, o algodão, as rendas,
as pregas, os folhos, os bordados
são pó no pó que os homens pisam e o vento leva.

Porque o lago de anil se dispersou,
descolorido...

Numa caixa de louça,
um compasso de borracha
bate, obscuro e oprimido.

Como um tambor fechado.

Como um coração antigo.

Dispersos

Consultório

O doente quis ajudar o diagnóstico.
Contou coisas antigas,
íntimas,
minuciosas.

O médico sacudia a cabeça,
um pouco distraído.

O doente voltou a contar.
Pôs uma vírgula que faltava.
Tirou lá de um canto da memória
um pormenor que ficara na sombra.

O médico sacudia a cabeça.
No seu dedo, a esmeralda resplandecia.
Do tamanho de um grão de milho.
E luminosa como um domingo ao ar livre.

O doente acabara a narrativa.
A confissão.
Era um doente bem-intencionado.
Um homem de consciência.

O médico levantou-se e disse:
"Muito bem. Aqui o aparelho é que vai falar a verdade."

E começou a copiar os sinais que a máquina ditava.
A máquina sabia mais que o doente.

A máquina sabia mais que o médico.
A máquina sabia mais que a vida.
A máquina sabia mais que Deus.

O prisioneiro

Árvore de sofrimento, noite e dia enterrada,
sem sol nem luar nas raízes imensas, solidamente presas
a séculos, a antepassados, a guerras, ciclones, loucuras, naufrágios.
Um sangue eterno, uma jazida anônima de caveiras,
mil mortes dolorosas sobre mil vidas em mistério,
lençóis de lágrimas e nascimentos, a flor dos noivos e do cadáver,
sonhos dormidos e acordados, bocas fechadas na vida ou na morte,
algemas abstratas em tênues pulsos fatigados, 1685
o esforço de viver só para sofrer e morrer,
a alegria cheia de conseqüências e arrependimentos,
a cabeça aos pés de Deus entre soluços e ignorâncias
— também a ciência vaga e no entanto orgulhosa,
o manto de seda sobre a mão sanguinária,
a coroa sobre o desvario, a festa sobre o crime.

Árvore de sofrimento, com suas galerias úmidas e incomunicáveis.
Tudo é prisão e sufocante engano. Equivocada aprendizagem.
Os ramos sobem do outro lado. Os ramos vão para fora da terra,
e longamente se espalham, feitos de vagaroso tempo e silêncio
[pesadíssimo.

Alguém, amarrado a este grandioso tronco,
nem pode contar a surda história a seus pés entrelaçada

Dispersos

nem ousa pedir a flor, a estrela, o vento, o pássaro,
a luz derramada no alto, e guarda na sombra a cabeça melancólica,
de olhos vertiginosos, mas de imobilizado lábio.

Ainda que viesse Anjo, lâmina ou raio que o desatasse,
o mundo subterrâneo continuaria a prendê-lo,
e, por tudo que soube ter acontecido,
não daria um passo nem estenderia a mão.

Bebiam os homens

Bebiam os homens
na taberna.
Sem luxúria ou delícia
de alma ou pensamento
nem conhecimento
de vinho
nem de eucaristia.

Também sem vício,
com muita fatalidade,
— se gritassem por socorro,
Pai! Pai! — quem atenderia?
Bebiam vinho, ou vinagre?

Vinho ou cicuta?
— Não, nunca ninguém escuta.
E ainda quando se escutasse
é longe o lugar dos ecos.

1686

E, assim, os homens bebiam,
sem alegria,
sem qualquer espécie
de ventura.
Como se a mão do Céu trouxesse
o copo da amargura.
E em seus lábios tumefatos
nem beijo nem riso
nem voz. Pesados
desertos de silêncio e fogo
pousados.

E em seus olhos, lagos salobros,
de sangue antigo e futuro,
e barcos de rumo escuro, 1687
remos presos; junco,
margem sem flor, afogados.

Na taberna os homens bebiam,
e iam perdendo o tato
nas grossas mãos, pela mesa.
Bebiam sua tristeza,
bebiam muitas lágrimas,
suas, de outros, de outros muitos,
ali bebiam, juntos,
os homens — e em sofrimento
agonizavam.

Noutros lugares tomavam
nas mãos a dor, correnteza

Dispersos

clara.
E assim se batizavam
nas suas imensas lágrimas.

Papéis

Há coisas que me emocionam, sem nenhuma razão clara: os grandes salões com cheiro de casa fechada. Os jarros de porcelana que não foram comprados agora, que ninguém sabe quem comprou, e os empregados limpam, displicentes, com um pano velho, sem saberem que valor têm. Limpam como desde o princípio do mundo, sem ninguém mandar, sem ninguém ver... Os jarros que os criados mesmo assim amam, por hábito, e não desejam quebrar.

Também a luz das clarabóias. É uma luz que me eletriza, que me deixa completamente lírica, arrebatada para um outro mundo. Como se eu entrasse num ovo mágico, branco e fosco, esmerilado, e me tornasse invisível, e pudesse pensar.

E os lugares com eco, meu amor de menina, entre as cigarras.

E as casas pintadas de azul: os chalés rendados. As varandas.

Os dias de muita chuva, com trovões abafados, e ruas desertas.

Talvez Deus se resolva a destruir o mundo.

O mar tempestuoso.

A solidão, com os cães ladrando, longe, vendo a Morte.
Cheiro de terra molhada, com as cores das flores e a memória
[dos ossos.
Casas coloniais, baixas, todas fechadas. Ah! assombrações.

Quero ir-me embora daqui!

Quero ir-me embora daqui!
— de mágoa e impossíveis morro.
Irei para a Ilha do Corvo?
Para as praias de Taiti?

1689

Oh! dize, dize-me, tu
que me conheces e sabes
que quero portas sem chaves,
vento em lábios de bambu,

música da solidão,
largueza de amor eterno,
e, como um pêndulo certo,
sobre o céu meu coração.

Deixo a memória no mar.
E insônias de fina areia
medirão a vida aceita
pela que não pude achar.

Dispersos

Romance de uma Dona muito velha

"Ó Dona tão bem cantada,
ó Dona sempre Donzela,
a rezar numa capela
penosamente ajoelhada
— tão rica, mas tão sem nada,
tão distante já daquela
que se viu de uma janela,
num roupão mal embrulhada
— da que foi mais pura e bela
que a rosa da madrugada...

Que sabeis vós de alegrias,
vaga Marília de outrora?
Que sabeis do que se chora,
do que são dores sombrias?
Entre os anjos, entre as pias
e as colunas de ouro, mora
vossa alma, que tudo ignora...
Na Matriz de Antônio Dias,
esperais, imóvel, a hora
das celestes agonias.

Ó Dona sempre Donzela
— perguntam se ainda estais viva,
se estais do tempo cativa,
se relembrais a janela
de onde vos viram tão bela,

jovem flor quase lasciva,
rubra, na manhã festiva,
gloriosa, em roupa singela...
(Ai, que aragem vingativa
assim vos pôs amarela!...)

Vós — celebrada e esquecida,
vós, tão formosa e tão feia,
que nem se ama nem se odeia,
vós, no silêncio tolhida,
no silêncio envelhecida,
talvez por vontade alheia...
Vós, que ninguém mais nomeia
senão como em despedida,
que éreis flor e sois areia,   1691
que sois Morte e fostes Vida.

Ó Dona de olhos antigos,
já não são mais necessários
tremós, espelhos, armários,
portas, janelas, postigos...
Olhai os vossos amigos
como dormem solitários,
sem missais e sem rosários,
no fundo dos seus jazigos...
Não tem a morte o perigo
da vida, em seus calendários..."

Dispersos

Entre a bruma opaca

Entre a bruma opaca
e a areia molhada,
nascia uma barca.

Era a barca d'alva.
Pensamento de árvore,
resinas e pássaros,
cheiro de ar e de água,
voz de vento, rápida.

Na torrente clara,
descia e levava
como arrais e carga
luz da madrugada.

Entre margens áridas,
como sobre lágrimas,
era coisa mágica,
em marcha de fábula.

De dentro das casas
negras e fechadas,
quem viu esta barca,
que era a barca d'alva?
— sem peso de enxárcia,
— livre como as águias,
— sem remo nem máscara,
— sem gente e sem mácula,

correr pela carta
do mundo das almas,
onde a vida exata
jaz assinalada?

Adeus para as árvores,
as sombras e os pássaros,
o rumor das águas
e da brisa, rápida...

Sozinha passava,
poderosa e calma,
sem qualquer palavra,
sem possível pausa.

Era a barca d'alva.
E que porto a aguarda?

1950

Canção

Ó flores do verde pino,
sempre é tempo de esperar!
Mas nós temos a certeza
de que aquilo que esperamos
não se acha em nenhum lugar...

Não tem raízes nem ramos,
não é do céu nem do mar.
Não tem nome — é só destino.
E é toda a nossa estranheza,
sabendo-o tanto, esperar...

1950

Que jamais seja um sofrimento

Que jamais seja um sofrimento
viciosamente cultivado
para transformar-se em momento
de verso, espúrio intento da arte.

Mas a arte que, a cumprir seu fado,
por força de sonho ou tormento
se volva num momento dado
coisa divina, imensa e à parte...

4.3.50

Desenhos

I

No azul do cais, em descanso,
os navios encarnados

e amarelos,
que desmancham resolutos
rolos de fumaça preta
— são capitães reformados
recostados,
de chinelos,
de chinelos e charutos,
em cadeiras de balanço,
lendo fatos na gazeta.

II

Inclina-se o jardineiro
sobre o relvado.
Não encontra o seu jardim
como por Deus inventado.
Ai, saudade do alecrim!
Pois este jardim moderno
já não sabe de canteiro
de manjerona ou craveiro
nem quer ser eterno.
Ai, saudade do jasmim!
É um verde molde, coitado,
de costura, americano,
por aí desenrolado:
triste, veludoso pano
de roupa desconhecida...
Ai, que saudade sem fim
dos passos que deste, Armida,

1695

Dispersos

longe, em tempo sobre-humano,
longe, em sobre-humana vida...

Junho, 1950

Abajur de Lina

Tal qual uma árvore: copa, tronco,
e a luz dentro.
Lua, sol, como se quiser.
Esperamos os pássaros e as borboletas.

Se fôssemos pequeninos
e andássemos abraçados,
e brincássemos e amássemos
sobre a página de um livro!

Mas, na verdade, aí brincamos e amamos,
reduzidos a pensamentos e a versos.
Nossa alma anda em letras miúdas,
que se aproximam, que se entendem,
que vão e vêm como formigas...

Aqui sonhamos. Aqui vamos morrendo.

Na verdade, somos tudo o que somos,
ao pé desta árvore artificial,
arrancada às florestas do mundo.

Recado aos amigos distantes

Meus companheiros amados,
não vos espero nem chamo:
porque vou para outros lados.
Mas é certo que vos amo.

Nem sempre os que estão mais perto
fazem melhor companhia.
Mesmo com sol encoberto,
todos sabem quando é dia.

Pelo vosso campo imenso,
vou cortando meus atalhos.
Por vosso amor é que penso
e me dou tantos trabalhos.

Não condeneis, por enquanto,
minha rebelde maneira.
Para libertar-me tanto,
fico vossa prisioneira.

Por mais que longe pareça,
ides na minha lembrança,
ides na minha cabeça,
valeis a minha Esperança.

1951

Munumail

I

Fui chorar minha saudade
à beira do mar da China,
onde caramujos cantam
pela areia purpurina.

Por meu bem me perguntaram,
se estava morto ou cativo,
pois com lágrimas tão grandes
não se chora a quem está vivo.

Mirei soldados deitados,
abandonados, disformes.
Munumail, por onde andas,
com quem falas? onde dormes?

Munumail não responde:
é como qualquer soldado
morto, bem morto na guerra,
e para sempre calado.

Espuma do mar da China,
como posso ser contente,
se meu bem parece um morto,
de tanto viver ausente.

Ai, conchinhas cor-de-rosa,
cristalino caranguejo,
que hei de fazer dos meus olhos,
se a Munumail não vejo?

Levantou-se a lua d'água
como um lírio de ouro puro.
Vai-se a noite, chega o dia:
mesmo o sol parece escuro.

Munumail, tua sombra
para que lado se inclina?
Vem ver a minha saudade
à beira do mar da China!

1699

II

China, meu vaso de jade,
minha rosa multicor
— tantos morrendo na guerra,
e eu, matando-me de amor.

Os teus rios amarelos,
roxos verdes, encarnados,
vão levando em finas gotas
meus olhos enamorados.

E onde brilha a carpa de ouro
e resvala o azul faisão,

Dispersos

passa em corcel de suspiros
meu saudoso coração.

China de seda lavrada,
grande marfim reluzente,
junco de prata nas águas,
lua de nácar no oriente,

ai, de que lado se escuta,
pomo ruivo, flor de anil,
a áurea flauta que acentua
a voz de Munumail?

Vede que já não pergunto,
luz do mar, céu da montanha,
pela voz que tanto adoro,
mas pelo som que a acompanha...

III

Vêm galopando os cavalos
e já soa a artilharia.
Munumail tinha um rosto
como o sol do meio-dia.

Troveja o fogo nos ares,
rompe crateras no chão.
Munumail tinha os olhos
cor da pena do faisão.

O fumo da guerra envolve
longas planícies desertas.
Munumail tinha os lábios
como as romãs entreabertas.

Os mortos pela poeira,
os feridos a chorar,
Munumail deslizava
como um barco pelo mar.

Quanta casa desabada,
quanto trabalho perdido.
Munumail, quem soubera
se foste morto ou ferido!

Chorei por uma pessoa
como quem chora por mil.
Sem ter sabido quem foste,
doce amor, Munumail.

Ai, triste guerra da China,
entre quem morre e quem mata,
Munumail se levanta
como um pavilhão de prata.

IV

Tanto fogo, tanto fumo
e tanta gente aguerrida.
Mas eu, longe das batalhas,
mais do que todos ferida.

Dispersos

No rio azul vão correndo
ondas e ondas de saudade.
Clama a essência da minha alma
como um tímpano de jade.

Ah, Munumail, tão triste
é tudo quanto se pensa,
tão triste tudo que vive,
longe da tua presença!

Vão fugindo as borboletas
diante da cavalaria.
Por uma noite de outrora
toda a vida trocaria.

Uma clara noite acesa
em plena vida calada.
Munumail entre as luzes,
longe e indelével — mais nada.

Meu coração vai descendo,
descendo o rio vermelho.
Vai levando tua imagem,
rosa clara em rubro espelho.

E a guerra sacode o mundo,
reflete o sangue na lua.
Tudo se vai, nada volta,
Munumail continua...

Munumail, em teus rastros
minha presença perdi.
Comigo já não me encontro.
E estarei perto de ti?

Saudades tuas não tenho,
que estás presente, e sem fim.
Mas eu me fui para sempre:
tenho saudades de mim.

Mais que a dor de me ver longe
é a glória de ter-te aqui.

V

Eu vi duas andorinhas,
no céu da China, encarnado.
Rumo tão firme e direito
que parecia parado,

desenhado.

Ah, Munumail, passaram
pela ponte as andorinhas.
Pode ser que embora juntas
fossem próximas, vizinhas,

mas sozinhas.

E pode ser que uma alcance
o morno país do estio,
mas a outra caia dos ares
morta, nas águas do rio...

Cristal frio.

Munumail, se tu visses
as andorinhas, decerto
não pensavas o que penso:
para o mundo em morte aberto,

tudo é perto.

Grande tempo, clara ausência,
feliz, sem mais pensamento.
Sem mais peso da memória,
entrego a saudade ao vento.

Nada invento.

Sou como um corpo caído
nos musgos da sepultura.
Ah! mas o céu, mas a barca,
mas o Criador e a criatura,
mas as colunas que elevam
nossa etérea arquitetura...?

1951

À memória de José Bruges

De longe, de longe mandei-lhe mensagens!
Ninguém suspeitava de nenhum perigo.
Que sombrios pajens conduzem as viagens!
Em terras de Tânger morreu nosso amigo!

Mandei-lhe mensagens. Resposta perdida.
E agora estão secos os lábios da vida.

Se havia batalhas? Havia miragens
no humano deserto: que o atroz inimigo,
com dúbias linguagens, inquietas imagens,
guardava-o consigo. Levava-o consigo.

Se havia batalhas? Batalhas havia
com os sonhos da noite, com as sombras do dia.

Inúteis esforços. Incertas vantagens.
Tão longe se fora buscar um jazigo!
Combates selvagens. Altivas paragens.
Em terras de Tânger morreu nosso amigo.

Inúteis esforços. Caminhos. Caminhos.
E os homens chegados à morte sozinhos.

Rio, 5.5.1952

Dispersos

Romance açoriano

Elas são nove meninas,
sentadinhas no alto-mar.
Que lindos vestidos verdes,
pelo estrado de cristal!
A maiorzinha de todas,
quem pudera desposar!
Quem fora Conde de Flandres
ou Barão de Portugal,
nanja um simples marinheiro
em seu barco a navegar
— no peito, rosas de sonho,
nos olhos, cravos de sal,
tão pronto para morrer!
tão desejoso de amar!

Elas são nove meninas,
sentadinhas no alto-mar:
as mãos, de pérola fina,
os pés, de róseo coral,
prendem, nas tranças, estrelas,
o arco-íris é o seu colar...
sua voz cheia de flores
é um sopro de laranjal...

Com aparelhos de areia
levantaram seu tear.
Jogam peixinhos de prata,

lançadeiras sem rival:
tecem colchas de neblina,
lençóis e toalhas de luar.

Quem fora Conde de Flandres
ou Barão de Portugal,
nanja um simples marinheiro,
que jamais pode parar,
que só tem sua alma perto,
e, longe, a estrela Polar!
Elas são nove meninas,
com tão garrido enxoval...
A maiorzinha de todas,
quem a pudera levar!

1952

1707

Recitativo próximo a um poeta morto

Jaz um Poeta
— essa criatura sem equivalência,
a transbordar de seus limites humanos,
em vício ou virtude,
a exceder a multidão comedida
que o contempla ou não contempla,
entende, ou não entende,
combate-o ou glorifica-o,
mas não pode deixar de saber que está presente.

Dispersos

Jaz um Poeta
— displicente descobridor de rotas
que não ficarão sendo suas,
minucioso artífice de pequenos jogos
que entre os seus dedos se quebrarão.

(O pensamento a transportá-lo por florestas confusas,
brumas oceânicas,
labirintos de cidades,
firmamentos,
subterrâneos,
a arrastá-lo como palpitante cometa,
a submetê-lo à experiência cósmica,
a fazê-lo participante de cada grau do Zodíaco...)

O Poeta
— esse acontecimento inefável.
(A alma a inclinar-se por cima de sucessivos muros...
até onde? até onde?
Até onde é possível sofrer.)

Jaz o Poeta:
abandona a excursão mortal,
de onde se desprendia a cada instante,
numa aprendizagem contínua de evasão.
Que é o Poeta
senão o burlador das fronteiras da vida,
o constante fugitivo das dimensões do mundo,
o prodigioso funâmbulo, a dançar em cascatas e labaredas?

Quem lhe segredou que era Poeta?
Quando o soube? Que Sibila remota lho anunciou?
Não pode explicar, não pode explicar.
É uma espécie de dor, em luz e sombra,
porque já não é humano, e ainda é humano,
negam-lhe e exigem-lhe tudo,
e todos lhe apresentam tributos terrenos,
e está cheio de dívidas anônimas,
é o estranho residente numa colônia rebelde,
o execrado amante,
que coroam e apedrejam.
Por isso, o que entre as coisas solenes da invisível pátria,
familiar e natural, vagueia,
segue cabisbaixo, entre coisas concretas, e como culpado.

Jaz um Poeta:
— o ouvido que melhor ouve o apagado e esquecido,
e recolhe sua informulada queixa e seu cântico longínquo;
— o olho que mais longe avista,
até onde as formas ainda são simples esquemas,
onde tudo que parece o mais simples
se desdobra e entrelaça em trama profunda.
Sem ser Deus, nem profeta, nem sábio,
mas tudo isso, imperfeitamente e amargamente,
porque é apenas um Poeta.

Tudo tão claro, para ele, nos reinos do impossível,
e, fora dele, só obstáculos.
No entanto, ele bem sabe dos seus corredores
de razão e de lógica,

Dispersos

e das varandas de seus arbítrios,
e dos tanques onde choram seus reflexos.

Sabe por que o amam e odeiam,
acusam e exaltam
— e que tudo merece,
porque ele, o Poeta, é mesmo assim,
múltiplo, complexo,
contraditório,
solitário e plural, humilde megalômano,
desgraçado e feliz,
audaz e tímido,
antinômico,
poliedro de cristal
com uma luz diferente em cada aresta,
glorioso, cínico, histriônico,
a embalar em silêncio,
no coração de sombra absoluta,
hermético e inviolável,
a face da Deusa em repouso, de olhos e lábios cerrados,
a face da Deusa em delírio, com as tranças soltas
e a garganta resplandecente.

Cintila e escurece,
conforme a Deusa dorme ou acorda,
e vive deslumbrado em seu destino,
embora, às vezes, também equivocado.
Porque suas veias são de esperança e paixão.

Como se considera a flor desmanchada,
o aerólito caído,
um sismo, o relato de um milagre,
assim diante de um Poeta morto se pára
— não como diante de outros mortos
de quem se aprecia, embora, às vezes com maiores lágrimas,
o êxito, a aptidão, o desígnio, a derrota,
de quem se ponderam virtudes e defeitos,
com estes instrumentos da terra, primitivos.

Aqui, tudo foge ao sistema normal:
— que tentou dizer a voz que usava?
Essa voz que era sua e não era sua...
Correspondência de mil vozes,
trecho de uma voz única,
uma só linguagem,
traduzida em mil idiomas, em mil imagens,
toda fragmentada, nessa queda violenta do mistério,
e, no entanto, dúctil,
com uma unidade antiga e mágica,
acima, além de seu poder e conhecimento:
sua voz — esforçado eco.

Jaz um Poeta.
Nesse vexame opaco dos mortos,
que não podem mais estender a mão ao amigo,
nem completar a extensão de um verso.

Jaz um Poeta.
E há um evidente espanto,

e o dia combalido sente
que uma força atravessou suas horas, vertiginosa e lúcida,
deixou para trás suas portas,
saltou pelos horizontes do cenário.

O dia volta a cabeça e reflete.
Personagem de enigmas alheios e próprios,
fazendo em si o mundo,
em si e de si,
fazendo-se no mundo, gastando-se,
perdendo-se, recuperando-se,
personagem absurdo e excêntrico,
entre personagens classificados,
ao mesmo tempo, ato e fábula,
descoberto e reinventado,
aprendiz de Criador,
a exercitar-se no maravilhoso e duro ofício,
descontente de seus triunfos,
satisfeito em seus erros,
subitamente coberto de Graça
e logo hipnotizado de inverossímil.

Jaz um Poeta.
O que girava no palco vertiginoso,
ora de frente, ora de costas para os aplausos.
O que se balançava em aéreos fios de Efêmero e Eterno.
O que recebia sem gritos punhais no coração.
O que brandia címbalos de espelhos côncavos e convexos.
O que às vezes se evaporava numa espiral de assombros,
outras, passeava no cotidiano, muito naturalmente,
como a água pela terra, sem nenhum ruído.

Jaz um Poeta morto.
E ficam todos comovidos.
Porque, afinal, em cada obscuro espectador,
um Poeta é, na verdade, o amável ou odioso demiurgo,
na íntima confissão do sonho,
onde os homens esperam uma silenciosa lição de sobrevivência.

Jaz o Poeta livre da rede poligonal que lhe atiram,
fora dos grandes bosques sigilosos,
longe deste bramir das praias do mundo,
das guerras e caçadas,
desta cinza do corpo, que abafa a música e tolda as flores.

Apenas o céu fica sobre um Poeta morto.
Coluna muito alta, 1713
— com que emblema, no capitel definitivo?

À margem do prato com o peixe pintado

ICHTHYS

Andei por símbolos e enigmas,
e nas distantes catacumbas
enterrei o que ainda trouxesse
de inquietações, fomes, perguntas.

De tal maneira foi transposta
a necessidade, que algumas

Dispersos

vezes tenho pena da vida
sublimada em provas tão puras.

Mais do que o almoço é o pensamento:
e do prato em que se debruçam
minhas visões e meus avisos
fala-me agora esta pintura.

Fica a resposta nos meus olhos,
na minha alma... — e se perpetua
em travessias de altos-mares:
barca eterna e divina fuga.

Diálogo calmo das chegadas
em praias de paz absoluta:
— hoje, neste prato, o desenho,
— ontem, nome de Deus na espuma...

1953

Rosa escrita

Uma boca de outrora, onde mirávamos as palavras nascerem,
quando ainda não sabíamos de boca, palavra ou nascimentos.
E o perfume da noite em regaços de seda,
nos folhos delicados e sossegados das fronhas.
Muitas canções evaporando-se
e o perfume da noite em finas mãos antigas.
Sonhos aglomerados atrás das pálpebras,

os sonhos túrgidos como o arrulhar dos pombos,
[entre crepúsculos.

Também os pianos, repercutindo o aroma de suas madeiras,
rubi nos adereços da tarde, sob muitas cortinas.

Uma doçura ameaçada de morte a cada instante:
vitral que a tempestade pode despedaçar de repente.

A curva do compasso a traçar polígonos incorretos.
As pétalas dos pontos cardiais rodando ao vento.
Oscilante bússola num mar só de esperanças.
Veludo cheio de abelhas e versos,
porcelana macia, com uma gota de mel e outra de orvalho.

Rosto de olhos fechados, contornado de espinhos.
Relógio a desfolhar vinte e quatro horas,
e, profundamente, um pequeno diadema tão leve,
sozinho, resistindo à morte.

Rosa. Súmula.
Sem repetição.
Com uma tragédia igual à nossa,
mas em total silêncio,
no sereno jardim.
Amada? Esquecida?
(De quem? Para quem?)
Transitória, na primavera.
No esquema, eterna.

1953

"São Jerônimo, Santa Bárbara Virgem..."

Santa Bárbara,
  suspende o raio nos ares
  como um anel nos teus dedos!

São Jerônimo,
  escreve nos céus o nome
  que apaga todos os medos.

Santa Bárbara,
  sê como janela clara
  aberta nas nuvens densas.

São Jerônimo,
  pinta de luz o contorno
  das tempestades imensas.

Santa Bárbara,
  prende o vento em dócil harpa
  sobre o teu sereno peito.

São Jerônimo,
  sobre os abismos medonhos
  estende o dia perfeito.

Santa Bárbara, São Jerônimo,
  livrai-nos desta tormenta,
  do que troa, do que chove,
  do que brilha, do que venta,

de cima da vossa escada,
Santa Bárbara,
da altura do vosso trono,
São Jerônimo.

1953

Campo na Índia*

Viajo entre poços cavados na terra seca.
Na amarela terra seca.
Poços e poços de um lado e de outro.

Mulheres de sáris vermelhos e azuis,
homens com velhas tangas,
crianças morenas e dóceis,
tudo se mistura com os veneráveis bois
que sobem e descem em redor dos poços.

E depois há campos verdes, campos,
campos de mostarda em flor, campos...
E sobe a lua no crepúsculo, abrindo no céu
jardins evaporados,
em nuvens de opala, delicadas nuvens.

Poços e poços.
E mulheres que voltam, carregando à cabeça

---
* Variante de "Tarde amarela e azul", de *Poemas escritos na Índia*.

ramos ainda com folhas
(arbustos que passam ao longo do dia, silenciosos...)
Caminham búfalos mansos, de chifres encaracolados.
Caminham os búfalos ao lado dos homens,
como uma só família.

E os camelos parecem modelados no barro,
levantados do barro,
animados pela última claridade
da tarde que se inclina.

Viajo entre todas as coisas do mundo:
homens, flores, animais, água...

(Quem está cantando, muito longe, uma pequena cantiga?)

De uma exígua moita
sai de repente um bando imenso de pássaros:
como um fogo de artifício todo de estrelas azuis.
Seriam pavões?

E o deserto está próximo.

Tenho nos lábios o dia

Tenho nos lábios o dia:
haste de flor.

Tomo-lhe o gosto, vagarosa,
gosto de penetrante dor.
De que está feito, triste e divino?
Apenas disto: de amor.
Fino veneno, como envenenas!
Ah, nem a morte deve ter este sabor!

Fevereiro, 1954

O carrasco

Todos os dias vinha o carrasco e dizia-lhe:
— Estende as mãos, para torcer-te os dedos
— não poderás fazer mais nada no mundo,
serás um homem inutilizado.

Todos os dias chorava de joelhos:
— Não me tires as mãos, porque não te poderei socorrer
nem enxugar as lágrimas, se sofreres,
nem coroar-te de flores, se ainda fores feliz.
Porque lembra-te que és meu filho!

Mas o carrasco dizia-lhe:
— Não me comovo. Eu sou o vingador. O sucessor. Estende
[as mãos.

Um dia não chorou mais.

Dispersos

Suas mãos tinham secado. Já não doíam.
O carrasco estava na sua frente, estupefato.
Então, já não o podia fazer sofrer?

Fevereiro, 1954

Chuva

Sobre as casas fechadas, a chuva.
Sobre o sono dos homens, a chuva.
Sobre os mortos inúmeros, a chuva.

A chuva noturna sobre as árvores.
A chuva noturna sobre os templos
A chuva noturna sobre o mar.

Sobre a solidão deste mundo, a chuva.
A solidão da chuva, na solidão.

Abril, 1954

Paisagem e silêncio

O hirto cipreste com pássaros escondidos na rama crespa.
A rendada folhagem das sucessivas acácias.
Folhas coloridas, agaves, roseiras descendo entrelaçadas
a encosta pedregosa.

Para onde foram as borboletas que aqui dançaram?
Os telhados muito velhos, ainda com clarabóias.
Escuros vãos de janelas, tão longe que não se avista ninguém.
Coníferas, palmeiras. Tudo imóvel,
a não ser uma fumaça que sobe azuladamente, entre as árvores.

O flanco da montanha, com seus verdes turvos,
com sua pedra riscada por sulcos de água.

Nuvens tempestuosas, grossas nuvens aquosas
crescendo insensivelmente, cinzentas, pardas, lívidas.
São conchas monumentais, balaustradas, zimbórios frágeis.
Montanhas aéreas de opalas foscas.

De repente, duas pequenas asas fugitivas:
— o pombo branco.
Atrás delas, igual a elas, assim clara, alta e rápida,
uma voz de criança a correr.

Depois, entre o olhar e a tarde,
prossegue o silêncio.

Abril, 1954

Dispersos

As pérolas

O mercador dizia-me que as pérolas deste colar levaram dez anos a ser reunidas.
Pequenas pérolas — de que mares? — de que conchas? — menores que lágrimas, apenas maiores que grãos de areia, transpiração das flores.
Talvez o mercador mentisse. Mas a própria mentira não perturbava a beleza das pérolas. E eu via dez anos, de mar em mar, em muitas mãos, escuras e magras, sob longos olhares pacientes, aquele pequeno orvalho medido, perfurado, enfiado para uma criatura de muito longe, desconhecida e inesperada, que um dia tinha de recebê-las aqui.

1722   Maio, 1954

Conheço a residência da dor

Conheço a residência da dor.
É num lugar afastado,
sem vizinhos, sem conversa, quase sem lágrimas,
com umas imensas vigílias, diante do céu.

A dor não tem nome,
não se chama, não atende.
Ela mesma é solidão:
nada mostra, nada pede, não precisa.
Vem quando quer.

O rosto da dor está voltado sobre um espelho,
mas não é rosto de corpo,
nem o seu espelho é do mundo.

Conheço pessoalmente a dor.
A sua residência, longe,
em caminhos inesperados.

Às vezes sento-me à sua porta, na sombra das suas árvores.
E ouço dizer:
"Quem visse, como vês, a dor, já não sofria."
E olho para ela, imensamente.
Conheço há muito tempo a dor.
Conheço-a de perto.
Pessoalmente.

26, agosto, 1954

Disposições finais

Não é preciso que me visitem, se estiver doente,
embora o convívio dos amigos seja, comumente, agradável.

Não é preciso que exclamem, por estar morta: "Coitada!"
["Que pena!"],
embora seja esse o uso normal, na terrena vida.

Não é preciso trazerem flores, embora o mundo
das flores seja como o dos mortos, profundo e belo.

Não é preciso vestirem luto, — nem isso a mais ninguém
                                                     [ocorre...
— embora ajudasse a apagar quem morre, com mais sombra.

Não é preciso rezar ofícios, embora a minha sorte
fosse esta de só pensar no que separa morte e vida.

Não é preciso nenhuma notícia ou comentário avulso,
embora eu sentisse o mundo bater no meu pulso, tão forte.

Principalmente, é preciso que ninguém chore nem me recorde
                                                   [com tristeza,
porque seria absurdo, contra a natureza das coisas:

Os mortos não querem nada, no seu reino grande e frio,
e estão livres de convenções, e nada vale o amor tardio.
                                                          [O amor enfim.

                                                       Outubro, 1954

Visitação

Que a dor venha, quando quiser, como quiser,
por quem a queira trazer: amigo, inimigo, indiferente.
A dor sempre foi bem recebida nesta casa,
sem gritos nem hostilidade.

Que o coração não seja como um frio sepulcro,
mas ardente e sensível e cheio de densas lágrimas.

Que, no entanto, o lábio não trema nem se entreabra,
e os olhos continuem serenos, translúcidos, sem qualquer
[esquecimento.

Que a mão permaneça tranqüila, ou apenas se mova
para aquiescer em silêncio — pois à dor nem se precisa falar.

Que a dor venha, e seja como as cartas e os pássaros e as flores
que, às vezes, também pousam perto de nós o seu mistério.

Que seja de qualquer espécie a dor:
da mais simples, que é a vida,
à mais sem remédio, que é a morte
— cedo ou tarde,
de dia, de noite, 1725
no tumulto ou na solidão.

Isto não são palavras de página efêmera:
isto é uma velha inscrição na alma
— onde nada se apaga nem deforma.

1954

Espelho cego

Onde a face de prata e cristal puro,
e aquela deslumbrante exatidão
que revela o mais breve aceno obscuro

Dispersos

e o compasso das lágrimas, e a seta
que de repente galga os céus do olhar
e em margens sobre-humanas se projeta?

Onde, as auroras? Onde, os labirintos
— e o frêmito, que rasga o peso ao mar
— e as grutas, de áureos lustres e aéreos plintos?

Ah — que fazes do rosto que te entrego?
— Musgos imóveis sobre a sua luz...
Limos... Liquens... — Opaco espelho cego!

1954

Esta que em silêncio

Esta que em silêncio
abaixa a cabeça
e escreve uma carta
anda tão cansada
de entregar ao mundo
mensagens de amor
que até as tulipas
perto do seu rosto
lágrimas escorrem
e de pesarosas
têm corações negros.

Que até uma brisa
que vinha passando
parou nos seus lábios,
não se moveu mais.
Manso beijo aéreo
de um céu compassivo.

Que até as palavras
que vai escrevendo
vão tomando formas
de nuvens errantes,
de ondas pressurosas
para espuma e areia,
de passos humanos
em longos desertos
onde é sempre novo
o horizonte, e o mesmo...

1727 *

Ah! terrena vida,
estranha aventura,
rumo involuntário,
perspectiva surda.

1954

Ah, se recuperássemos tudo o
que amamos e perdemos!

Ah, se recuperássemos tudo o que amamos e perdemos!
Até quando, porém, amaremos as mesmas coisas?

Dispersos

Até quando dura a fidelidade em nosso pensamento?

Entre os enigmas da noite, encosto a face melancólica.

Vai mudando o nosso coração de instante a instante.
O passado tem suas portas e suas chaves.
Não mais abrir essas casas antigas!
Não mais fitar esses vultos que procurávamos.
Não mais pronunciar esses nomes.

Entre os enigmas da vida, enxugo a saudade nos olhos.

Mas também a saudade, até quando, até quando
a poderemos sentir?

1954

Vento sul

Era o vento sul que soprava inesperado e cálido.
Era o vento sul que velava as estrelas na ilusória distância.
Era o vento sul nos cabelos e nos vestidos
de estranhas pessoas acordadas.
Era o vento sul que passava e trazia muito tempo esquecido,
muitos rostos antigos, histórias incompletas, palavras enganosas.
E as almas eram desertos subitamente revolvidos.

Na noite humana, sem resistências, o vento sul cavalgava.
De fundos abismos trazia mundos que atirava a outros abismos.

E curvo horizonte das fronteiras do mundo
enchia-se de povos sobressaltados, lúcidos e justos.
Era apenas o vento sul que soprava com certa violência.
Os homens sentiam aqueles cemitérios abertos, aqueles anais,
aquela memória.

E baixavam a cabeça, recordados, também.

1954

Lei

O que é preciso é entender a solidão!
O que é preciso é aceitar, mesmo, a onda amarga
que leva os mortos.

1729

O que é preciso é esperar pela estrela
que ainda não está completa.

O que é preciso é que os olhos sejam cristal sem névoa,
e os lábios de ouro puro.

O que é preciso é que a alma vá e venha;
e ouça a notícia do tempo,
e, entre os assombros da vida e da morte,
estenda suas diáfanas asas,
isenta por igual
de desejo e de desespero.

1954

Dispersos

Humildade

Tanto que fazer!
livros que não se lêem, cartas que não se escrevem,
línguas que não se aprendem,
amor que não se dá,
tudo quanto se esquece.

Amigos entre adeuses,
crianças chorando na tempestade,
cidadãos assinando papéis, papéis, papéis...
até o fim do mundo assinando papéis.

E os pássaros detrás de grades de chuva.
E os mortos em redoma de cânfora.

(E uma canção tão bela!)

Tanto que fazer!
E fizemos apenas isto.
E nunca soubemos quem éramos,
nem para quê.

1954

Improviso à janela

A Paulo Carneiro

Este é o começo do dia,
como o começo e o fim do mundo:
as nuvens aprendem a voar,
os campos vão sonhando nuvens,
o vento vai sonhando o pó
onde tristemente o amor palpitará.

Este é o começo do dia.
Vemos tudo o que já foi visto,
alguma coisa não mais se verá.

Nem sempre olhamos o dia
tão face a face e tão docemente.
Nem sempre sentimos esta saudade,
ainda ausente, ainda futura,
do que há e do que não há.

Este é o começo do dia:
— do céu, da luz, da terra, dos homens,
que acontecerá?

1954

Novo improviso à janela

Transparente dia. Traz a voz dos galos de antigas infâncias.
Que rostos levantam olhares felizes de fluidos caminhos?
Grotescas, resmungam as cabras que trepam por detrás das árvores.
E o vale está cheio de um sol em que oscilam borboletas brancas.
O vento modela no bico das aves cálices de beijos.
Resvala o regato por sombras de flores. As casas — tranqüilas.
Nem se pode crer que existam enfermos, que alguém nasça ou
[morra.
Como se há de crer que os homens se odeiem, que a vida enegreça
na imensa planície do tempo que espera apenas estrelas?

A lágrima que se acumula...

A lágrima que se acumula e tolda momentaneamente a vida
é apenas uma pétala dessa grande árvore submersa
onde estão tempos, figuras, palavras ditas e ouvidas,
gestos, esforços, renúncias, insônias, misericórdias.

O suspiro é uma brisa paciente que deixa cair tudo isso
ai! que deixa cair tudo isso em grandes vales de silêncio.

Outras lágrimas se sucedem, nessas tristes, intermináveis
[primaveras.
E assim vamos, até a morte, sem esquecimento possível,
e só valemos pela posição que ocupamos nesse fantástico
[espetáculo.

Janeiro, 1955

A ninguém preciso dizer adeus

A ninguém preciso dizer adeus:
todos têm suas ocupações, e estão longe, embebidos
em seus enganos, que a felicidade imitam.

A ninguém preciso dizer adeus:
nenhum espaço formará lugar de ausência,
pois a presença nunca formou nenhum espaço.

A ninguém preciso dizer adeus:
parece triste partir assim, sem lembrança nem lágrima.

Não é, porém, mais alegre, desaparecer ao longe
sem ter deixado atrás nem lágrima nem lembrança?

1733

Janeiro, 1955

Até quando terás, minha alma, esta doçura

Até quando terás, minha alma, esta doçura,
este dom de sofrer, este poder de amar,
a força de estar sempre — insegura — segura
como a flecha que segue a trajetória obscura,
fiel ao seu movimento, exata em seu lugar...?

Fevereiro, 1955

Dispersos

Sobrevivência

Sobrevivente
(não de guerras, naufrágios, cataclismas),
sobrevivente de mim,
contemplo este mundo
a que algum dia julgamos pertencer.
(Algum dia breve, logo em desuso e esquecimento.)

Asas de paz e melancolia me sustentam.
Asas de alegria deserta.
Muitas asas tênues permitem-me esta aérea, isenta vida.

Sobrevivente de mim,
passeio a minha pensativa liberdade.

E em redor é um reino de exílio:
— ninguém sonhou sobreviver.
O mundo aprende morte, apenas.

1955

Neste longo exercício de alma...

Ciência, amor, sabedoria
— tudo jaz muito longe, sempre...
(Imensamente fora do nosso alcance!)

Desmancha-se o átomo,
domina-se a lágrima,
vence-se o abismo:
— cai-se, porém, logo de bruços e de olhos fechados,
e é-se um pequeno segredo
sobre um grande segredo.

Tristes ainda seremos por muito tempo,
embora de uma nobre tristeza,
nós, os que o sol e a lua
todos os dias encontram,
no espelho do silêncio refletidos,
neste longo exercício de alma.

1955 1735 ✳

Passado

A tristeza era a imensa lápide
em que pousavam nossos olhos
contemplando tantas palavras.

Como em sonho se confundiam
os fenômenos deste mundo
e a dúbia sensação da vida.

Tantas portas e tantas chaves,
tantos cativos, tantos mortos
embaraçavam nossos passos!

Dispersos

Os espelhos dos corredores
de mil maneiras incoerentes
multiplicavam nossos rostos.

E depois as nuvens e os mares...
— Nenhum pouso satisfatório,
entre partidas e chegadas.

Que abundância inútil de tudo!
Que dispersão! Que amarga ausência!
E que sanguinários tumultos!

Mas o nome que procurávamos
estava ali naquelas brenhas,
além da sombra das palavras.

1955

Canção

Fui fechar a janela ao vento.
— Vento, por que vens aqui?
Eu amo os papéis que leio!
Fui fechar a janela ao vento
e me arrependi.

O vento dançava nos ares,
nem no céu nem no jardim,
só na sua liberdade,

o vento dançava nos ares,
isento e sem fim.
— Vento, quero ir também contigo,
em meu coração falei.
E meu coração levou-me!
— Mais longe do que contigo,
vento, voarei.

1955

Felizes os que podem mover facilmente
os olhos, sem os ver transbordar

1737

Felizes os que podem mover facilmente os olhos, sem os ver
[transbordar,
oh! abrir e fechar as pálpebras de mil modos,
refletir as variedades do mundo,
revelar as ramagens múltiplas e delicadas da alma
— levemente.

Eu, do coração para cima sou toda lágrimas:
qualquer movimento abala esta secreta arquitetura,
qualquer pequeno descuido pode derramar este oceano
sempre crescente.

Felizes as folhas que o vento alivia da sua carga de orvalho.
Felizes.

Dispersos

Mas o Anjo repete-me sobre cada passo do ponteiro:
"Sustenta a agonia para sempre intacta!"

Para sempre a sustento.

Agosto, 1955

Papéis

I

Naquele tempo, o que eu mais desejava era uma árvore.
A mangueira.
E minha avó plantou a mangueira no jardim.
Cresceu devagar, com dificuldade.
Sofria de uma doença que a envolvia,
de vez em quando parecia afogada numa teia de aranha,
como se fosse morrer.

Afinal, atingiu a altura da janela do quarto.
Nesse ano, minha avó morreu.
E eu, sentada à beira da cama,
via-a aparecer na janela.

II

Muitas histórias melancólicas envolvem as crianças.
Às vezes, eu estava brincando com os meus bonecos,
mas estava pensando no bastidor da mamãe,

com um bordado interrompido,
e em coisas antigas, que estavam por ali,
e que tinham vindo de casas acabadas,
de pessoas acabadas,
de um mundo acabado.
Era a minha família.

III

Meu avô, que não conheci,
morreu debaixo do cajueiro,
de repente.
Ao lado do manacá plantado por suas mãos.
Logo que um manacá floresce,
vejo esse avô que não conheci.

Um avô jovem, belo, de olhos verdes,
e as lágrimas de minha avó abraçada ao seu peito.
Seu peito, ela recordava,
era branco, firme, polido — um marfim.

IV

Minha infância foi sobre um velho tapete oriental.
Nele aprendi a beleza das cores.
Nele sonhei com as raízes do azul e do encarnado.
E sempre me pareceu que o desenho era uma escrita:
que o tapete falava coisas,
— eu é que ainda o não podia entender.

V

Mas por que sempre lembrar essas coisas longínquas?
A verdade, porém, é que há uns dias inesquecíveis,
uns fatos inesquecíveis, dentro de nós.
Tudo o mais, que vivemos, gira em redor deles.
Toda uma vida se reduz, afinal, a umas poucas emoções,
por muitos anos que vivamos,
apesar de viagens, experiências, realizações, sonhos, saber...
Vivemos tudo — o humano e universal —
nuns pequenos instantes, obscuros e essenciais.

Todos os dias assim, de chuvinha fina,
penso em velhas cenas da infância:
a tarde em que comia um pedaço de maçã
e conheci o arco-íris;
o livro em que estudava francês,
com uma gravura de crianças felizes, que riam para o ar:
La pluie;
a minha solidão com tesouras, cola e cartolina:
"Brinquedos para os dias de chuva..."

Tudo isso vem à minha memória, como visitantes inesperados.
Interrompo o que estou fazendo, tenho uma pena imensa de mim.
Depois, penso em velhos poemas chineses, curtos e leves.

Sou como quem mira uma antiga coleção de cartões-postais.

Setembro, 1955

Desenho sem título

Aonde ias tu, que me deixavas,
nessa noite fosforescente da infância,
quando entre nuvens aureoladas
corria a lua como um galgo branco,
e as pedras da rua faiscavam com falsas estrelas...?

Aonde ias tu, apressada e silenciosa,
sem dizeres se voltavas ou não...?
Embaixo das laranjeiras, já não brincávamos, porque era tarde,
dentro de casa, ainda não dormíamos, porque estavas longe.

Desapareceste numa esquina, e eu te via andar, sem te ver,
eu te via, como no encalço da lua,
que perseguia as nuvens, o vento, a noite, o céu...

1741

Aonde ias, que me deixavas tão triste,
porque o caminho era tão longo, e os meus pés tão pequenos...?
Aonde ias, com a tua sombra pelas paredes de trepadeiras
pelas janelas baixas das casas,
pelos portões de ferro, num mundo de silêncio e estátuas...?

Para onde ias, deixando meu coração ferido,
minhas mãos estendidas à toa,
esmagada como um pequeno grão
entre pedras de medo e saudade,
pequeno grão de amor e lágrima eternamente dolorido?
Ias atender a algum doente? Velar algum morto?
Consolar que agonia?

Dispersos

Embora tenhas voltado, esta noite ficou desenhada,
e não me esqueço.
Ias pela noite fosforescente,
e a lua como um galgo branco saltava pelas nuvens,
e a minha memória atrás de ti saltava o tempo...

Novembro, 1955

Mensagem a um desconhecido

Teu bom pensamento longínquo me emociona.
Tu, que apenas me leste,
acreditaste em mim, e me entendeste profundamente.

Isso me consola dos que me viram,
a quem mostrei toda a minha alma,
e continuaram ignorantes de tudo que sou,
como se nunca me tivessem encontrado.

Fevereiro, 1956

Com pena penso em ti, que não me atendes

Com pena penso em ti, que não me atendes,
que não me amas, criatura de meu sangue,
que me envolves em névoa, noite, espinhos.

Dos meus braços de amor fazes serpentes,
pisas no pó meu coração constante,
meu lábio acusas, por vencer seus gritos.

Oh! que mão, que poder, que força infrenes
virão quebrar o tormentoso liame
dos aparelhos vagos e sombrios
que fazem com que eu sofra e tu não penses,
e te levam de mim para esse grande
reino que a morte planta em chão de instintos?

Semana Santa, março-abril, 1956

Diálogos do jardim

Debaixo de tanto calor,
o pássaro arranjou um ramo verde e fresco,
e pôs-se a falar.

O pássaro perguntava-me:
"Lembras-te das grandes árvores,
com lágrimas douradas de resina?"

Respondi-lhe que sim, que me lembrava,
que naquele tempo ouvíramos falar em âmbar,
e queríamos fazer colares de resina:
mas em nossas mãos ela perdia a transparência.

"Lembras-te dos cajus maduros,
caindo fofamente na folhagem morta do chão?"

Respondi-lhe que sim, que ainda os via,
muito longe, amarelos e túrgidos,
às vezes, rebentados, na queda,
escorrendo, perfumosos, sumo doce.

"Lembras-te das rodelinhas douradas
que a folhagem e o sol balançavam por cima dos livros?"

Respondi-lhe que sim, e que eram livros de histórias,
e foram depois romances, e um dia poemas,
e mais tarde pensamentos difíceis...

E o passarinho perguntava:
"Lembras-te da tua voz devolvida pelo eco?"

E eu me lembrava, mas não das palavras,
só que as respostas eram sempre incompletas.

"E o recorte da montanha, no horizonte,
lembras-te como era azul e negro? E as palmeiras?
E as sebes de flores encarnadas?"

E eu me lembrava de tudo, e sentia o aroma da tarde,
e o canto das cigarras, e o lamento dos sabiás
e das rolas,
e via brilhar a bola azul do telhado, que amei tanto,
e sentia, tão doce, a minha perpétua solidão.

E perguntei ao pássaro: "Onde estavas,
para me perguntares tudo isso?
Também já viveste tanto?"

E ele me respondeu: "Não, tudo isso está no fundo dos teus
[olhos.
Eu só vou perguntando o que estou lendo...
E, porque o leio, canto."

Abril, 1956

Tempestade

O pára-raios colheu na mão aquela árvore de estrondos,
aquela árvore de fogo que se quebrava entre o céu e a terra.

Houve uma grande mudez de medo,
e as casas se encolheram debaixo da tarde,
escondendo-se da tempestade que avançava,
atirando ao vento grandes sementes de cristal.

Só no alto da colina um cãozinho ladrou assustado
e continuou a procurar de olhos aflitos
o desenho do raio desaparecido.

Maio, 1956

Manuel em pelote domingueiro

*Para Manuel Bandeira que, no dia 1º de junho de 1956
(por ocasião do lançamento do meu disco de poesia),
me apareceu com um paletó muito engraçado.
(E como paródia a Anchieta.)*

Dia 1º de junho
na casa do bom livreiro,
vi Manuel todo faceiro
e deixo o meu testemunho
nestes versos que desunho:
Manuel, no dia primeiro,
em pelote domingueiro.

Para que não lhe suceda
ter o pelote furtado,
aqui fica retratado:
é de lã, não é de seda,
proceda de onde proceda,
não é de nenhum moleiro
seu pelote domingueiro.

Este sim, vos asseguro,
que é pelote de poeta,
não de gente analfabeta
que se vista com apuro.
Brilha como ouro, no escuro,
cor de tigre verdadeiro,
seu pelote domingueiro.

De botões não tem um monte
nem veste mil cachopinhos,
mas vêm mirá-lo os vizinhos,
até sumir no horizonte,
e eu me faço Xenofonte,
do pano e do costureiro
do pelote domingueiro.

O pelote foi-lhe dado
para o domingo, somente.
Mas bem sabe toda gente
que é domingo e feriado
se Manuel está presente.
(Que ele já nasceu arteiro
sem pelote domingueiro.)

1747

Se lhe roubam o pelote
(pois anda fazendo frio)
tumulto haverá no Rio,
com ou sem General Lott.
Brigamos pelo capote
que custou tanto dinheiro:
o pelote domingueiro.

Pode haver pancadaria,
falta de luz e de bondes,
prisões de duques e condes
e greves de livraria.
"Onde estás, que não respondes?"

Dispersos

clamará Carlos Ribeiro
ao pelote domingueiro.

"Invejosos e gatunos,
procurai outros negócios,
ide roubar os beócios,
imbecis, cretinos e hunos
— mas não sejais importunos,
ocultando o paradeiro
do pelote domingueiro!"

Tem dono e é bem empregado
o pelote justo e certo,
cor de tigre e de deserto,
e tão bem abotoado,
que só falta ser rajado
para ninguém chegar perto
do caro Manuel, fagueiro
no pelote domingueiro!

Inscrição

Para R. Mélot du Dy

Se te avistar, amigo,
que seja como quando nos separamos,
que afetuosa acene tua mão,
e haja, nos nossos olhos, alegria.

Que seja como naquele momento sem tristeza,
só de esperança:
quando mesmo a chuva parecia verde,
entre as tuas árvores altas.

Prometemos encontrar-nos:
mas onde será que se encontram
os que a morte de repente separa,
sem aviso nem despedida?

Em qualquer idioma dirás teu pensamento gracioso.
É verdade que os poemas já chegam antes das palavras.
As almas, antes dos poemas.
Tudo chega antes, posto que tudo já é.

Clara mão de adeuses no jardim cintilante:
nunca sabemos quando estamos sendo definitivos.
Fôssemos sempre assim perfeitos,
para não recordarmos com pena o último instante casual!

21, junho, 1956

Banho imaginário

Para Dulce

Minha amiga desabrochará na sua banheira egípcia,
chinesa ou persa,
na sua banheira que tem lótus por fora

e é como barca de deusa:
corpo invisível, apenas o rosto róseo acima da água,
seus vagos olhos com pinta de ouro
sobrevoando um tempo de princesas incertas.

Desnastrados pelos ombros seus espessos cabelos.

Sua mão tirará os anéis que tinha esquecido,
e cheia de espuma tomará uma esponja cor-de-rosa,
que irá passando lentamente pelos braços.

No quarto de cortinas brancas,
haverá um sossego imenso, alheio ao mundo.

1750

Minha amiga, dentro d'água, prolongará sua solidão,
como se já não fosse humana,
mas de outro reino
— bosque de coral construindo-se,
de olhos fechados, muda.

21, junho, 1956

Inscrição

Para Maria Cecília

Não perturbem minha amiga que brinca no bosque.
Seus sapatinhos verdes, entre as ervas.
Seu cabelo negro, entre melros e amoras.

Não perturbem minha amiga que brinca feliz
com as crianças, as suas crianças nascidas com tanto gosto
[de seu corpo,
feitas de flores, chuva, ternura de aldeias sossegadas.

Não perturbem minha amiga, que é tímida;
tem medo dos pretos cozinheiros seus de Angola,
do trovão, do relâmpago e do mau-olhado.

Não a perturbem, que brinca, sorridente,
com pedrinhas, folhas, formigas,
conta histórias de outras crianças, e de árvores e rios.

Não perturbem minha amiga que brinca no bosque:
é mais novinha que suas filhas pequenas,
e adora o cheiro da terra e as coisas simples do mundo.

Não a perturbem — para que dance com os sapatinhos verdes
e cante de mãos dadas com suas filhas, e o sol e o vento:
venham vê-la, os que ainda querem amar a pureza da vida,

mas não a perturbem, que ela está vivendo o seu sonho,
fora do tempo, entre as paredes leves do bosque,
como nós, sob longínquas pálpebras.

Junho, 1956

Dispersos

Inscrição natalícia

A Armando Cortes-Rodrigues

Aquele que caminha ao longo das praias
e vai dando a volta à sua Ilha
fala com pescadores e sereias
com a maior naturalidade.
Regressa do mar, de seu barco de flores,
com puros versos em sua rede,
e ali à beira das ondas põe-se a contar
as infinitas coisas que sabe.

Sabe de presépios de freiras,
de festas de santos,
procissões, balhos, violas, doces,
vinhos que os Papas bebem,
águas que correm para cima,
fontes frias, quentes e tépidas,
malvas onde se penduravam bois inteiros,
hortênsias da mesma altura e da mesma força,
noivas que conversam com os noivos
de uma ilha para outra, só de sinais,
lagos de duas cores, presos que cantam em latim,
tecelãs encantadas que vivem em cavernas
e tecem lãs com raios de sol,
lãs de que se fazem belas roupas para doutores
e professores de liceus!

Oh, aquele que caminha ao longo das praias
e que se agarra ao mar como um rochedo
conversa com os ventos e as espumas bravas.

Por onde andais, olaias de Violantes e Briolanjas?

Aquele que caminha ao longo das praias
fala para mil lugares sem telefone nenhum:
tem seu mapa de afetos, sua linguagem de canções,
sopra endereços no vento,
depois de assinar com letra pequenina:
Armando Cortes-Rodrigues.

Junho, 1956

1753

Elegia dos boêmios

Nós estamos chorando, comovidos e calados,
pensando no julgamento de Deus
e na melancolia da morte,

eles, porém, os boêmios,
ateus, frívolos e amargos,
dançam nos caminhos largos
com alegrias de criança
em dia de ganhar prêmios:
— pois nunca tiveram nada,
nem sorte nem esperança,

nenhuma espécie de herança,
só a triste vida havida
e tristemente levada.

Sobre o nosso choro obscuro
cai a sua gargalhada:
como a luz do sol num muro.

Os boêmios estão rindo
de tanta formalidade!
de que tudo seja lindo
de cima do catafalco!

Outro é o mundo, outra, a cidade,
quando se sobe a esse palco!
A morte traz meias pretas,
sapatos envernizados
e perpétuas e violetas
para os mais abandonados.

Enquanto choramos, ouvimos as vozes longínquas
dos grandes solitários, que nunca esperaram
ser chorados pelos amigos, sequer.

Eles acham excessivos
todos os cuidados nossos
que sem darmos nada aos vivos
daremos tanto aos seus ossos!
Descruzariam os dedos
para em orquestras aéreas

rirem-se, nos seus degredos,
de nossas caras tão sérias.

E em triste contraponto insistimos em nossa mágoa,
queremos que se contemplem misticamente,
que entendam a vida com o nosso coração.

Eles, porém, os boêmios,
em suas estradas novas,
recordam tempos e provas,
e os camaradas e os grêmios,
e dançam suas tristezas
e cantam gozos perfeitos,
por sua fome — sem mesas
e por seu sonho — sem leitos.
Todos hoje são doutores
em leis da vida e da morte.

1755

São boêmios superiores
de uma inacessível coorte.
Riem-se deste aparato
— e de nós que devotamente acompanhamos sua lembrança
[com lágrima
de velas, preces e lutos:
porque eles são absolutos
com seu próprio sindicato...

E assim não sabemos se continuamos a chorar, se continuamos
[a pedir
o perdão de que os supomos necessitados.
Oh, não, que esses tristes mortos
hoje em claras avenidas

Dispersos

dizem que em caminhos tortos
endireitaram as vidas.
Nós os julgamos por fora,
incompreensíveis criaturas:
mas dentro de rochas duras,
de nossos olhos ausente,
que centelha acaso mora?
Enxugaremos, pois, com os nossos lenços negros, o pranto e
[a mágoa,
e voltaremos para os nossos caminhos, como se nada houvesse
[acontecido.

E deixaremos os boêmios
entregues à sua sorte,
em férias de vida e gente,
no vasto país da morte
onde perambulam juntos
os alcoólatras e abstêmios;
onde, como os nossos vivos,
se recreiam os defuntos,
inocentes e perversos,
loucos e contemplativos,
sonhando glórias e amores,
com vodca, uísque e madeira,
e achando uma brincadeira
remorsos, culpas e dores.

E seguiremos nostalgicamente o nosso tempo,
o nosso ritmo, o nosso insolúvel mistério,
e a saudade será uma flor que vai murchando em nossos dedos.

Pois os boêmios vão cantando
contra o nosso pensamento.
E cada qual tem seu pólo
num mundo que vai rodando.

E sem ouvirmos o solo
gritamos, de quando em quando,
precário acompanhamento...

Junho, 1956

Arqueologia

Minhas figuras amadas
foram sempre só muralhas
severamente guardadas.
Foram como fortalezas
no alto de rocas soberbas
com cruzes de fogo acesas.

Assim cantava o rei triste
em seu palácio arqueológico
para o ouvido das esfinges.

Minhas figuras amadas
não se rendiam com armas
— fossem lanças, punhaladas,
humilde lágrima pura.

Dispersos

Nessa batalha diuturna
morria a minha bravura.

    Assim triste o rei cantava
    em seu palácio arqueológico,
    sob areias encarnadas.

Minhas figuras amadas
jazem — tão belas e raras! —
junto às eqüíneas ossadas.
Mas não se encontram na terra
seus perfis, de seta adversa
na nossa incansável guerra...

    Assim cantava o rei triste
    em seu palácio arqueológico
    onde o sol pasta seus tigres.

Minhas figuras amadas
teriam almas e asas
sob as máscaras fechadas...
Buscando-as, foi-se-me a vida.
E morto padeço ainda
por gente desconhecida.

    Assim triste o rei cantava
    em seu palácio arqueológico
    entre pedaços de estátuas.

1956

Prisão

Nesta cidade
quatro mulheres estão no cárcere.
Apenas quatro.
Uma na cela que dá para o rio,
outra na cela que dá para o monte,
outra na cela que dá para a igreja
e a última na do cemitério
ali embaixo.
Apenas quatro.

Quarenta mulheres noutra cidade,
quarenta, ao menos,
estão no cárcere.
Dez voltadas para as espumas,
dez para a lua movediça,
dez para pedras sem resposta,
dez para espelhos enganosos.
Em celas de ar, de água, de vidro
estão presas quarenta mulheres,
quarenta ao menos, naquela cidade.

Quatrocentas mulheres,
quatrocentas, digo, estão presas:
cem por ódio, cem por amor,
cem por orgulho, cem por desprezo
em celas de ferro, em celas de fogo,
em celas sem ferro nem fogo, somente
de dor e silêncio,

quatrocentas mulheres, numa outra cidade,
quatrocentas, digo, estão presas.

Quatro mil mulheres, no cárcere,
e quatro milhões — e já nem sei a conta,
em cidades que não se dizem,
em lugares que ninguém sabe,
estão presas, estão para sempre
— sem janela e sem esperança,
umas voltadas para o presente,
outras para o passado, e as outras
para o futuro, e o resto — o resto,
sem futuro, passado ou presente,
presas em prisão giratória,
presas em delírio, na sombra,
presas por outros e por si mesmas,
tão presas que ninguém as solta,
e nem o rubro galo do sol
nem a andorinha azul da lua
podem levar qualquer recado
à prisão por onde as mulheres
se convertem em sal e muro.

1956

Esta vaga infelicidade

Esta vaga infelicidade
erra no sonho como um triste
pássaro detrás de uma grade.

Ah! que lamento formulamos?
— se há luz em todos os caminhos
e flores em todos os ramos?

Morre-nos, longe, algum amigo?
— que sombra pára à nossa porta
como o édito de um castigo?

Que fantasmas alongam braços
para pedidos desditosos
por intransponíveis espaços?

Tão triste, o sangue em nossa vida
vai caminhando, por um caule
de inconsolável despedida.

Isto são que nublosas guerras?
É um som de que dorido mundo?
Que mar devora inermes terras?

Que mães, que filhos, que monarcas
vão naufragando em águas negras,
na cinza de que horríveis barcas...?

Olhos meus, de sal carregados,
fechai-vos sobre os pensamentos
que apontam por todos os lados

Dispersos

o rosto imenso da desgraça:
oh! tudo tão longe... E que sombra
de tão longe, tão perto passa...

                    1956

Cantar ao cantor

Cantar, cantar, bem cantavas.
Mas o cantar é veloz,
e já ninguém mais se lembra
das nuvens da tua voz.

E entre palavras cantadas
e o poço amargo da vida
havia espaços enormes
de pura invenção perdida.

Tristemente contemplamos
a voz da tua canção
que passa pelos ouvidos
e não chega ao coração.

Ó cantor que assim cantaste,
ó inútil cantar cantado...
Antes tivesses sofrido,
antes tivesses chorado!

                    1956

O jardim sobre a mata

À noite, pousava em nossa porta um vaga-lume.
Encontrávamos o caminho, no corredor, por aquela esmeralda.

Os pássaros deixavam-se cair,
de terraço em terraço, iguais a folhas secas desprendidas.

Às vezes, uma criança descobria
o céu, o ar, as flores,
e abria os braços, corria, gritava,
subitamente louca de felicidade.

E uma tarde,
como eu contemplasse as casuarinas
e esperasse ouvir nelas apenas a voz do vento,
— que surdina de harpas! —
um pássaro gorjeou dentro delas com tal violência
que parecia uma rosa encarnada.

Foi nesse lugar que um menino me pediu, humildemente:
"Vamos passear daquele lado, onde cantam as cigarras?"

Lá conversavam as senhoras:
"Embora seja uma coisa natural,
a morte não deixa de ser triste."

A outra respondia:
"É uma saudade."

1956

Dispersos

Pregão do infortúnio

Não sairemos à rua
para apregoar o infortúnio:
dentro da sombra ficaremos,
debaixo de negros tetos
escarvaremos o silêncio com a nossa
memória.

Escarvaremos o silêncio.

Nossos olhos sem pálpebras
irão crescendo em marés vermelhas.
E a nossa boca sem voz
será uma ferida calma,
inútil no enorme tempo.

No enorme tempo.

O pregão do infortúnio
para nós mesmos o fazemos.
É incomunicável, como todas
as verdades humanas.

Horríveis seremos,
com a face de cinza,
os lábios negros, arena triste
onde os pensamentos se debatem,
desfalecem e morrem em lágrimas.

O pregão do infortúnio
nós mesmos o ouviremos,
incansáveis,
até perdermos as forças.

Até morrermos o que se pode morrer
conservando a vida.

Vivos, ouvindo a morte.

1956

O chapéu impossível

No crepúsculo de uma velha cidade desconhecida,
ansiosamente procurarás comprar um chapéu:
a neblina da noite começa a pesar sobre a tua cabeça.
Talvez no dia seguinte amanheças doente — e estás longe,
[sozinho, tão longe!

Na meia luz da tarde, ouvirás teus passos nas ruas de pedra.
Sentirás teus olhos investigando uma loja antiqüíssima,
pintada de amarelo e preto, com umas portas tão altas;
verás um silencioso ancião que abre e fecha caixas redondas,
[abre e fecha caixas...

Timidamente dirás o número de tua cabeça ostentada no ar
[cinzento de mofo.

E o ancião pescará com a ponta de um gancho mais uma caixa,
[de uma alta prateleira.
Mas o chapéu não é este, nem aquele. Queres maior, queres menor,
de outra cor, de outra qualidade, e com outra fita,
[com outro laço, com outro laço.

Todas as caixas irão sendo pescadas pelo ancião vagaroso
[— enquanto a noite aumenta muito,
uma noite amarela e preta, de luzes mortiças, e espelhos infelizes,
[inatuais.
Nenhum chapéu te servirá — ficarás muito triste, na loja tristíssima.

Sairás sob a neblina, ouvirás a porta da loja fechar-se,
[e morrerás amanhã de manhã,
por um chapéu impossível! (Pela fita, pelo laço de um vago
[chapéu impossível.)

1956

Não há mais daqueles dias extensos

A Carlos Drummond de Andrade

Não há mais daqueles dias extensos,
com o tempo suficiente para acompanharmos o
[amadurecimento dos frutos,
e contemplarmos os pombos em seus movimentos pelos telhados.

Ah! não temos mais desses dias,
para sentirmos as cores que se levantam na espuma,
e esperarmos as constelações, no céu que roda sobre a nossa cabeça.

Em lágrimas dizemos adeus à memória:
não há mais desses dias para acompanharmos, sequer,
[no rosto que amamos,
o mapa das rugas, com os dizeres que as explicam...

Não há mais daqueles dias extensos
largamente abertos para o livro que chega, para a saudade
[que chama,
para as inúteis palavras que, tristes e amorosas, enchiam
[horas e horas.

Não há mais, ó terra, ó sol, não há mais esse espaço luminoso
— jardim, coluna, pórtico — onde a idéia se reclinava,
onde a sabedoria vinha conversar com os homens.

Como um bando perseguido nos apressamos.
Quem corre atrás de nós, com o passo de um exército ou de
[um temporal?
O redondo horizonte do sonho que é o carro de Deus:
mas nós pensamos ser apenas o surdo trovão da Morte,
[precipitando-se.

1767

1956

Contaria uma história simples

Contaria uma história simples,
facílima:
a história da minha vida.
E todos pensariam que dramatizava
um fabuloso feito,
um mito arqueológico ou inverídico,

Dispersos

e não diriam: "que criatura da dor!"
mas: "que imaginativa criatura!".

Então, prefiro devolver ao silêncio
essa espécie de monstruosa aventura
que invisivelmente acontece
e sobre a qual todos se sentiriam
capazes de opinar,
sem a conhecerem.

Outubro, 1956

Tarde de chuva

A nuvem negra
é uma outra noite precoce
que chega do Oeste.

As mães chamam pelos filhos
exatamente como se aquela sombra
fosse um exército inimigo.

Os pássaros fogem
por todos os lados
e os jasmins deixam cair
suas brancas estrelas
ao vento que frisa
a água verde do tanque.

As margaridas inclinam-se
tontas, tontas.

Cai uma chuva alegre,
que não apaga o trinar dos pássaros.
O tijolo bebe cada gota,
instantaneamente.

Esta é uma chuva
das que trazem colar de arco-íris.
Esta é uma chuva
dançarina de cristal.
Mas, de repente, o trovão fala, severamente.
E tudo presta atenção.

A nuvem negra
chega do Oeste
e é como a noite,
em plena tarde,
no meu jardim.

E o vento desce
nas margaridas,
e se arredonda
entre as mangueiras
e se desfolha
na leve sebe
e é verde e branco.

9.1.1957

Oh! como está triste aquele

Oh! como está triste aquele,
como está triste,
que descobriu neste instante
que a morte existe!

Como estão tristes seus olhos,
tristes de vê-lo;
que a morte é uma estrela fria
no meu cabelo...

Oh! como está triste agora...

Triste embora — brilhe tanto
a estrela pura,
que acalme, encante, converta
sua amargura!

Janeiro, 1957

Dona Lília

Na janela do chalé verde,
Dona Lília,
mostrai vossos braços tão claros
e vossa trança tão comprida.

Na varanda do chalé verde,
Dona Lília,
passeai vossas batas bordadas
e as saias de barra franzida.

Pelo pátio do chalé verde,
Dona Lília,
com ar de gravura chinesa,
vinde aos pássaros dar comida.

E no piano do chalé verde,
Dona Lília,
cantai modinhas de saudade
para a família reunida.

Porque agora no chalé verde,
Dona Lília,
a noite e o dia são de sonho
e a morte fez-se pura vida.

(Porque agora no chalé verde,
Dona Lília,
a chave de uma estrela eterna
abre portas sem despedida.)

Janeiro, 1957

Dispersos

Sobre a floresta verde

Sobre a floresta verde,
as casas brancas.
Ao longo das ruas barrentas,
os muros brancos.
Ah! como voam brancos
os pombos entre o céu e a terra!
Na terra, os jardins de jasmins brancos,
no céu, as nuvens que sobem,
tão brancas!

Fevereiro, 1957

A lua

Mesmo se eu disser que a lua
é uma porta de diamante,
ninguém verá como eu vejo
este próximo esplendor
até o distante horizonte.

Por essas escadas brancas
de luz, entre o céu e a terra,
descem límpidos os que adoro,
desconhecidos e amigos,
pessoas de outros lugares,
de outros séculos: e logo
nítidos nos reconhecemos,

e no chão do luar, secreto,
inverossímil e exato,
continuamos a conversa
por mortes interrompida.

Fevereiro, 1957

Fábula

O jasmineiro frágil
de mil pupilas brancas
não vê nuvem nem pombo
nem borboleta ou abelha.

Vive a profunda noite
em diálogo amorável
com o desenho celeste
(enganador espelho)!

Fevereiro, 1957

A palmeira

Palmeira sem história,
anônima na mata
unida ao verde, a tantas
ramagens recostada
e a seu destino presa,

Dispersos

quando te olho recordo
uma vila distante
de amarelo crepúsculo,
onde os pássaros vinham
pousar na minha mesa;

quando te amo compreendo
que és a sombra daquela
perdida em tarde e névoa
e o amor que por ti sinto
é saudade e tristeza.

Fevereiro, 1957

1774

Zodíaco

Tarde das cigarras,
crótalos e flautas,
resinas e aragens,
e o chorar das árvores,
e as líquidas harpas
brancas das cascatas.

Ao longo de estradas,
por dentro das matas,
terras encarnadas,
lodacentas águas
— o sol dança viagens
de ouro, imaginárias.

Morrem as cigarras
no cristal das asas.

Ó paisagem vária,
mundo sem saudades!
Do horizonte se alçam
as estrelas claras.
E noutros lugares
outras festas ardem
cheias de cigarras.

Fevereiro, 1957

Mapa falso

1775

Quantas coisas pensei sublimes,
merecedoras de longas lágrimas!
Quais eram?
As lágrimas recordo,
e as pensativas planícies
por onde estenderam seus longos rios.

Mas não levam nenhuma voz, essas águas.
Tudo foi afogado e sepulto.

Maiores que as coisas choradas
eram as lágrimas que as choravam.

E sua imagem, de longe, é uma solidão sem mais nenhum sentido:
mapa falso que a nossa viagem abandona,
pois vamos sempre além de tudo, para mais longe...

Junho, 1957

Hoje, é a voz do pássaro a minha companhia

Hoje, é a voz do pássaro a minha companhia.
Esta voz que lá fora debate seus pequenos problemas sob a noite.
E que não sabe, certamente, a que se dirige.
Eu poderia ser seu deus.

É minha companhia a noite redonda pousada nos horizontes.
A noite, que não é pessoa nem coisa, nem nada,
e a quem fazemos tristes confidências.

Hoje será meu companheiro um sonho que não sei de onde vem,
que sou eu mesma transfigurada, o meu tempo, o meu destino,
a minha ordenação, por entre confusas cegueiras.

E abraçada a meu sonho assistirei silenciosa
a muitos cataclismas,
e serei uma pupila imóvel, sem nenhuma névoa,
apesar de tanta tristeza e tanto amor.

Outubro, 1957

O mundo dos homens envolve-me

O mundo dos homens envolve-me,
porém não me abraça.

Eu não tenho nada com a onda,
mesmo que naufrague dentro dela.

Se tu não sentes esta coisa simples que eu sinto,
esta unidade que não se rompe,
mesmo quando compreende e participa...

(Então, ó deuses, de que somos, de quem somos, quem somos,
e como provaremos sermos todos irmãos?)

1777

Outubro, 1957

Eis o menino de sal

Eis o menino de sal,
o menino de sal que pesa no meu coração.

Olhai o fundo dos meus olhos,
por este prisma de lágrimas,
olhai, olhai, e avistareis
o menino de sal,
o outrora azul menino de doce rosto
em que tanto desejei pregar
asas de Amor e de Anjo.

Dispersos

Eis o menino de sal,
que os bruxos arrebatam,
que os saltimbancos pousam num fio tênue,
que as feras cobiçam, de dentes à mostra,
num horizonte amargo.

Vede no fundo dos meus olhos
o menino de sal
que se vai fundir em oceanos desvairados.

Falo-vos de um menino que adivinhava o mundo,
que queria vencer a morte,
que acordava alta noite, com pesadelos sôfregos
de florestas, matilhas e espingardas.

Falo-vos de um menino límpido,
que amava a água e o jasmim,
que queria ressuscitar os mortos,
que pairava entre as primeiras palavras
incerto como a lua no lábio das nuvens.

Eis o menino de sal
que de muito longe me estende as mãos
sobre um tempestuoso deserto,
sobre uma noite sem margens...
Pensareis que falo de um menino morto...

Falo-vos de um menino de sal,
de um menino banhado em lágrimas,
de um menino sozinho num campo de duros combates,

de um menino de olhos abertos no inferno,
imóvel entre vampiros, sonâmbulos e loucos.

Falo-vos de um menino que ninguém poderá salvar,
se a luz do céu não descer por dentro dele
e não arder brilhante e firme como um divino arco-íris
e não for sua bússola e sua alma,
sua respiração, sua voz, sua vontade e seu ritmo.

Eis o menino de sal,
o outrora azul menino,
subitamente esquecido, desamado, flor cortada que ainda
[não sente
que a arrancaram da terra e entretêm sua vida
em provisória água falaz.

1779

14.10.1957

Como se morre de velhice

Como se morre de velhice
ou de acidente ou de doença,
morro, Senhor, de indiferença.

Da indiferença deste mundo
onde o que se sente e se pensa
não tem eco, na ausência imensa.

Na ausência, areia movediça
onde se escreve igual sentença
para o que é vencido e o que vença.

Dispersos

Salva-me, Senhor, do horizonte
sem estímulo ou recompensa
onde o amor equivale à ofensa.

De boca amarga e de alma triste
sinto a minha própria presença
num céu de loucura suspensa.

(Já não se morre de velhice
nem de acidente nem de doença,
mas, Senhor, só de indiferença.)

Dezembro, 1957

Discurso aos infiéis

Por que chorar de saudade,
se me resta o longo mar sonoro e vário,
a flor perfeita, a estrela certa,
e a canção que o pássaro vai bordando no vento?

Por que chorar de saudade,
se me resta um jardim de palavras,
e os bosques do eco
e estes caminhos da memória me pertencem?

Por que chorar pelo que me levais,
se é maior o que fica:

se a sombra em que vos recordo é mais bela que o vosso vulto,
se em vós morreis e em mim ressuscitais?

É melhor não ficar jamais com quem nos ama.

O amor é um compromisso de grandeza,
o amor é uma vigília incansável
e aparentemente vã.

Passai, parti, deixai-me, vós que, no entanto,
parecestes um momento mais adoráveis
que o mar, que a flor, que a estrela,
que a canção que um frágil pássaro vai bordando no vento...

Éreis o vento, apenas.

1957   1781 *

Fotografia do poeta morto

Penso naquele que usava
o ar do oceano no cabelo,
o alto horizonte no olhar.

E cuja boca era um beijo
beijando a própria cantiga
antes de a desabrochar.

Seja o que ele for agora,
onde quer que esteja, vejo-o
para sempre nesse amor

Dispersos

pela efêmera palavra
que era a sua eternidade
em forma breve de flor.

1957

Manhã de chuva na infância

Ao longo do muro, as campânulas escorrem,
gelatinosas,
ainda coradas,
ainda cheirosas,
e já mortas.

Eu sou a menina que vai para a escola
com o seu casaquinho vermelho,
e os seus livros forrados de papel azul.

A chuva continua a bater nas flores,
a avivar as cores dos muros,
a gorgolejar nas calhas,
a correr para os negros bueiros.

Eu sou a menina que vai para a escola
feliz, com os cabelos molhados
e o rosto frio.

A chuva é uma alegria, com suas agulhas de vidro
voando por todos os lados.
A chuva cheira a jasmim e a flor "boa-noite!"

Eu sou a menina que de repente fica triste,
porque ao longo do muro as campânulas escorrem,
gelatinosas,

cor de coral, cor de marfim,
perfumadas ainda,
e já mortas.

1957

Tarde de chuva na infância

Esta tarde é feita de trovões redondos,
dentro de morros de água.

É uma tarde de goiabas maduras, em cima da mesa.

De calda que ferve, com cravo e canela.

E que perfume no ar tempestuoso!

É uma tarde com um vento molhado que bate nos bambus.

Com um galo sonolento que fecha os olhos de vez em quando
e torna a abri-los, para ver se a chuva passou.

É uma tarde para ler os primeiros livros,
e procurar entender os enigmas da vida:
"Nem por muito madrugar amanhece mais cedo",

Dispersos

"Duro com duro não faz bom muro",
"Uma andorinha só não faz verão".

1957

Santo Humberto

O caçador vem da caça,
com o cão, o saco e a espingarda.
Que caçou? — Nada.

Oh! nem cutia nem paca...
(já não falo de onça brava)
— O que se passa?

É o perdigueiro que falha?
Ou a arma que não dispara?
Ou vista fraca?

(É Santo Humberto que aclara
o homem na sombria mata
com sua fala.)

O caçador vem da caça,
mudo, de cabeça baixa.
Que caçou? — Alma.

1957

Biografia

Escreverás meu nome com todas as letras,
com todas as datas
— e não serei eu.

Repetirás o que me ouviste,
o que leste de mim, e mostrarás meu retrato
— e nada disso serei eu.

Dirás coisas imaginárias,
invenções sutis, engenhosas teorias
— e continuarei ausente.

Somos uma difícil unidade,
de muitos instantes mínimos
— isso seria eu.

1785 *

Mil fragmentos somos, em jogo misterioso,
aproximamo-nos e afastamo-nos, eternamente.
— Como me poderão encontrar?

Novos e antigos todos os dias,
transparentes e opacos, segundo o giro da luz
— nós mesmos nos procuramos.

E por entre as circunstâncias fluímos,
leves e livres como a cascata pelas pedras.
— Que mortal nos poderia prender?

1957

Dispersos

Como alguém que acordou muito tarde

Como alguém que acordou muito tarde,
e sente falta do dia passado,
do dia desconhecido
que esteve sobre os seus olhos fechados
repleto de movimento e dança,
todos os dias choramos,
secretamente, sem lágrimas nem consciência,
alguma coisa que se passou fora de nós.

E suspiramos com um suspiro vazio,
e entristecemos, de repente.

1957

A morta

Tudo é vestígio:
o óleo de amêndoas que resta no vidro.
O papel violeta para as cartas que não escreveu.
O vestido de mangas duplas e o lencinho de seda que
[cai de repente.
O vestido-princesa cor de romã.
O de lãzinha cinzenta, com galões pretos.
(Andava entre muitos lutos.)
As roupas de linho que bordara e desfiara:
as fronhas, com seu monograma,
a barra dos lençóis e das toalhas...

(Fora um casamento tão curto!)
No bastidor ficou interrompida a miniatura de uma tapeçaria.
Tudo é vestígio:
seu nome nos livros com maiúsculas tão belas.
No compasso de madeira, inscreveu para sempre:
"Meu Deus, tende compaixão!"

Sua sombra vivia nos vestidos do armário.
Seu passo era apenas o pequeno sapato preto de pompom.
De sua voz, era apenas caminho a partitura um pouco rasgada.
E os espelhos, os espelhos, como tinham ficado vazios!
(Tão rápida fora a sua vida.)

Mas tão longo, o vestígio!
Esse, posso levá-lo por onde quiser.
É um leve fantasma um pouco surpreendido
do que viu em tão pouco tempo.

Um fantasma pequenino,
com os meus olhos,
os meus cabelos,
um fantasma jovem,
que podia ser meu filho.
Talvez eu esteja pensando por ele.
Talvez experimente ainda a vida em mim.
(Tudo fora tão repentino!)

1957

Dispersos

A velhice pede desculpas

Tão velho estou como árvore no inverno,
vulcão sufocado, pássaro sonolento.
Tão velho estou, de pálpebras baixas,
acostumado apenas ao som das músicas,
à forma das letras.

Fere-me a luz das lâmpadas, o grito frenético
dos provisórios dias do mundo.
Mas há um sol eterno, eterno e brando
e uma voz que não me canso, muito longe, de ouvir.

Desculpai-me esta face, que se fez resignada:
já não é a minha, mas a do tempo,
com seus muitos episódios.

Desculpai-me não ser bem eu:
mas um fantasma de tudo.
Recebereis em mim muitos mil anos, é certo,
com suas sombras, porém, suas intermináveis sombras.

Desculpai-me viver ainda:
que os destroços, mesmo os da maior glória,
são na verdade só destroços, destroços.

1958

Da solidão

Estarei só. Não por separada, não por evadida.
Pela natureza de ser só.

No entanto, a multidão tem sua música,
seu ritmo, seu calor,
e deve ser uma felicidade, às vezes,
ser na multidão o que o peixe é no oceano.
Ah! mas quem sabe das solidões que haverá nessas águas enormes!

Estarei só. Recordarei essas cidades, esses tempos.
Recordarei esses rostos. Pode ser que recorde
alguma palavra.
Nada perturbou o meu estar só. Por vezes, com o rosto nas mãos,
pode ser que sentisse como os desertos amontoavam suas areias
entre meu pensamento e o horizonte.
Mas o deserto tem sua música,
seu ritmo, seu calor.

1789

Era uma solidão que outrora se levava nos dedos,
como a chave do silêncio. Uma solidão de infância
sobre a qual se podia brincar,
como sobre um tapete.
Uma solidão que se podia ouvir, como quem olha para as árvores,
onde há vento.
Uma solidão que se podia ver, provar, sentir,
pensar, sofrer, amar,
uma solidão como um corpo, fechado sobre a noção que temos
                                              [de nós:
como a noção que temos de nós.

Dispersos

E andava, e sorria, cumprimentava e fazia discursos,
dava autógrafos, abria a janela, conhecia gavetas,
chaves, endereços, comprava, lia,
recordava, sonhava,
às vezes pensava — Solidão — e logo seguia,
tinha até dinheiro comigo, tinha palavras, também,
que escolhia, dava, usava, recusava...

Solidão — dizia: fechava a tarde de mil portas,
andava por essas fortalezas da noite,
essas escadas, essas plataformas, essas pedras...
E deitava-me sobre o mar, sobre as florestas,
deitava-me assim — aldeias? cidades?
O sono é um límpido deserto — deitava-me nos ares,
onde quer que estivesse deitada.

Deitava-me nessas asas. Ia para outras solidões.

Se me chamares, responderei, mas serei solidão.
Serei solidão, se me esqueceres ou lembrares.
Qualquer coisa que sintas por mim, eu te retribuirei:
como o eco.
Mas és tu que vens e voltas:
a tua solidão e a minha solidão.

1958

Pelo horizonte de areias

Pelo horizonte de areias,
reclina-se a voz do canto.
A moça diz muito longe:
"Eu sou a rosa do campo..."

O beduíno pára e escuta,
vestido de pensamento,
sozinho entre as margens de ouro
do ar e do deserto imenso.

"Eu sou a rosa do campo..."
E olhando para as ovelhas
sente o chão verde e macio
e flores pelas areias.

"Eu sou a rosa do campo..."
Mas tudo o que ouve e está vendo
é poeira, apenas, que voa:
o vento da voz ao vento.

1958

Astrologia

Abgar Renault

Vem ver as cascas das conchas
nas praias que as vão reduzindo a areia!

Dispersos

Oficina do vagaroso tempo...

Vem ver os pedaços dos mastros
boiando pela última vez na violenta vaga!

Oficina da rápida tormenta...

Vem ver teu lenço rasgar-se entre o sol e o vento
dos seculares adeuses!

Oficina exata da vida...

Vem ver os rostos e as nuvens desmanchadas
entre dunas e lágrimas invencíveis.

Alta oficina das estrelas!

1958

A mocidade gasta em lágrimas inúteis

A mocidade gasta em lágrimas inúteis:
todos os sonhos debruçados para túmulos,
os dias e as noites abrindo-se e fechando-se
sobre as mesmas lutas de Anjos e Demônios;

a voz guardada — porque o lamento é sempre
uma língua estrangeira;

a alma levantando-se a si mesma, e ao seu corpo,
depois de cada queda,

e as vastas solidões.
E as festas longe, e outras glórias,
e este mundo incoerente.

Ah, guardiães da vida silenciosos,
tereis ao menos olhos que vejam estas cenas,

e aqueles por quem lutamos apuparem o esforço,
e aqueles por quem choramos rirem das nossas lágrimas,
e aqueles por quem vamos morrer
dançarem zombeteiros,
e nos acusarem da morte que nos dão
como de uma liberdade que conquistássemos afinal?

1793

1958

Dei de comer aos pássaros

Dei de comer aos pássaros,
dei de beber à terra.
Procurei os trabalhos do mundo:
não conduzem a nada.
Ninguém é feliz à custa de outrem.
O próximo fica muito distante
e alheio ao nosso amor.
Os pássaros comeram

Dispersos

e a terra bebeu pelas minhas mãos.
Mas os homens ouviram meu pensamento
e gostaram apenas das minhas palavras,
sem fome nem sede.

1958

Tudo isso agora é como um som de outro idioma

Tudo isso agora é como um som de outro idioma.
A cor do dia é uma lembrança já vencida
e os povos passam como nuvens incorpóreas.

Coisas sonhadas são desenhos sem sentido
que o vento leva, apaga, extingue tristemente.

Todo o passado é como ingênua, errante infância.
Que aprendizagem nos espera, em novos tempos,
depois do tímido exercício desta vida?

Novembro, 1958

Navio no ar

No alto do edifício construíram um navio enorme.

Não, não foram crianças nem loucos nem poetas!
Talvez antigos oficiais aposentados,

descobridores tardios,
gente da Escola de Sagres,
genoveses de olhos agudos,
batavos saudosos de lutas navais?
A orla do mar é ali, mas não se ouvem as sereias.
Não, não se ouvem mais.
O horizonte é logo adiante,
mas não há mais territórios desconhecidos
nem selvagens dançando
nem sultões enfardelados em diamantes
nem criancinhas negras penteando crocodilos...

Oh, não, tudo está descoberto, tudo tem dono,
acabou-se a navegação.

Nem há mais portos de adeuses
nem corações para naufrágios
nem acasos de saque
nem destinos de Fé.

No trapézio dos planetas
funâmbulos mecânicos
traçam outras cartografias.

Navio no ar, pousada do vento,
lar de nautas fantasmas,
cemitérios de ontens, de exílios e despojos...

1795

Dispersos

Uma chuva de datas inúteis cai pelos seus mastros.
Seria preciso o dilúvio, para este navio ter sentido.
Mas nem o dilúvio faria os homens
de novo humanos?

1959

Arlequim

A grande sala estava constantemente vazia.
O piano, às vezes, ficava aberto
e exalava um cheiro antigo de madeira, seda, metal.

As estátuas seguravam seus mantos,
olhando e sorrindo, altas e alvas.
E eu parava e ouvia o silêncio:
o silêncio é feito como de muitos guizos,
leves, pequeninos,
campânulas de flor com aragem e orvalho.

Quando abriam as cortinas,
pela vidraça multicor o sol passava
e deitava-se no sofá como um longo Arlequim.

Meu coração batia quase com o mesmo som
daquele relógio de cristal

que então se via brilhar
entre suas pequenas colunas brancas e douradas.

Naquele sofá o Arlequim de luz dormia.

1959

Exercício com rosa, amor, música e morte

Minha filha quis oferecer-me uma rosa.
Mas esqueceu-se da rosa no carro.
Fazia muito calor. O carro estava muito quente.
Estava muito quente, o carro, para uma rosa.

Essa rosa, além de cor e perfume, trazia amor.
O amor às vezes pode estar numa rosa.
O amor é breve e incerto como a vida da rosa.
Se a rosa morresse, no carro, certamente com ela morria o amor.

Tomei a rosa nas mãos, e estava quase, quase seca.
Dei-lhe água, dei-lhe música: "Ouve, dizia-lhe, ouve, ó múltipla
criatura de tantos lábios, tantos ouvidos, tantas pálpebras,
ouve, decantada flor, o que se pode ouvir de mais belo."

E a rosa seca docemente mantinha seu fim de vida:
entre água e ar passavam flautas e harpas e veludosos pianos.
Entre água e ar passavam as horas e o meu olhar entristecido.
O dia inteiro esteve a rosa assim, à beira da música, à beira
[da morte.

Dispersos

Não se sabe quando morreu: talvez na meia-noite escura.
Morreu sem desabar suas cascatas de pétalas:
morreu sem dispersão: roxa, secreta, toda em si mesma
[equilibrada,
com folhas, espinhos, pétalas, perfume, amor, música e morte.

Junho, 1959

Sombra da fama

E teu nome em tantas bocas!
Teu nome, luz de diamante:
mas teu nome em tantas bocas
como um álcool sem linhagem,
sem perfume nem centelha...

Teu nome em bocas nefastas,
nem amado nem amante,
teu nome! Em flores nefastas,
surdas ao sentido e à imagem
do mel entre o sol e a abelha...

E teu nome em tantas bocas!
A eternidade no instante...
Pois teu nome em tantas bocas
é letra só... não linguagem,
e a nada em ti se assemelha...

Junho, 1959

A sombra

Encostava-se à tarde
o poeta e contemplava
as mãos desesperadas,
ele, o senhor das harpas.

E cantar não cantava
e seus olhos deixavam
correr lembranças e alma.
Que em sua mãe pensava.
E por pensar chorava.
Que nenhuma palavra
lhe servia de nada.
Em silêncio traçava   1799
na água do tempo, vasta,
a água frágil das lágrimas,
música desnastrada,
franjas pelo ar, amargas.

E uma sombra flutuava
tão longe e despojada
da dor, da vida salva...
Que já nem a alcançavam
ataduras, e máscaras,
morte, lágrimas, harpas...

1959

Dispersos

Elegia

Destes obscuros canteiros da alma,
destes bosques do coração,
desta melancolia da morte
sobem as vozes, com ramos de lágrimas.

Assim partis,
sem terras, ares, mares:
só pela invisibilidade,
sem saberdes sequer que estais partindo.

Não nos podemos mais saudar nem despedir,
ó amigos,
nem repartir o pão da nossa mesa
e a luz dos nossos sonhos.

Sois agora como estátuas
em solidões silenciosas,
entre solenes paredes de saudade,
em sítios suspensos do pensamento.

Mais longe que aquela nuvem.
Mais longe que qualquer céu.
Podemos pensar mais longe.
E quereríamos que um dia voltásseis,

para sermos outra vez amigos.
(Ramos de lágrimas, as vozes.)

1959

Juramento

Fácil é dizer: "Minha alma..."
Difícil, saber o que pode ser nosso
no mundo e além.

Difícil saber que alma vemos, que alma existe,
a que alma dirigimos o nosso amor.

Fácil é dizer: "...eu te amo..."
Difícil, saber que amor sentimos,
damos, desejamos,
que poder é esse que obriga o sangue, o pulso, a vida,
em que obscuras direções.

Fácil é dizer: "...para sempre..."   1801
Difícil saber até onde ressoa
tão grande juramento.
E onde está para nós a eternidade, o firme
bronze onde inscreveremos nossa voz.

"Minha alma, eu te amo para sempre..."

Letras de lágrimas balbuciamos.

1959

Agora

Não, já não é como outrora,
quando até os mendigos cantavam
e havia tempo de ver as flores novas nos campos
e as pedras nos verdes mares...

Não, não, já não é como antes,
quando as moças falavam de um baile
como quem tivesse embarcado num sonho
e apenas começassem a abrir os olhos
na praia azul do dia seguinte...

Não, não, não, tudo é triste de uma tristeza diferente.
Sem suspiros, sem lágrimas, sem essa doce névoa antiga,
com certas palavras, com certos sons, com certos gestos.

Agora é assim como um plano de um escritório,
como um cartaz de propaganda,
como um horário de estrada de ferro,
como um sistema de vendas a crédito,
como um aparelho de refrigeração,
um projétil, uma vacina.

Agora, agora, agora, somos um número de porta,
um número de telefone,
um número no teatro, na enfermaria,
um número no cartão de identidade,
talvez um número no cemitério:

depois de muitos, antes de muitos,
um número qualquer, na ordem numérica infinita.

1959

A diferença é que não temos os endereços

A diferença é que não temos os endereços.
Pode ser que estejam até mais perto
esses nossos amigos mortos.
Pode ser que estejam nesta cidade, nesta rua,
nesta sala...
Mas não temos os endereços: essa é a diferença.

1803

Não ouvimos mais suas vozes,
não recebemos mais suas cartas:
se ainda não nos esqueceram,
se ainda nos amam como outrora,
quem sabe? como o saberemos?

E quando sairmos agora do mundo,
virão, por acaso, ao nosso encontro,
como nos cais e aeroportos?
Estarão à nossa espera, abrirão os braços,
para nos receberem?

Ou teremos de procurá-los, melancolicamente,
cegos e suplicantes, como esses tristes mendigos

Dispersos

que batem palmas, que batem palmas
em cidades mal conhecidas
diante das grandes casas
de janelas e portas fechadas?

Junho, 1959

Elegia

Porque a bela se movia
como no mar a fragata
e no campo a flor do dia
e no ar a noite de prata.

Porque a bela dançava com seus olhos negros
e seus negros cabelos com grinaldas de vento
e seu corpo com largos vestidos brilhantes
era um fino vaso com grandes ramos debruçados
e suas mãos e seus braços e seu pescoço recobertos
de ouro e diamantes iluminavam as salas de festa
e os pássaros de seu riso voavam de sedas e flores
e cantavam pelos tapetes e pelas janelas.

Porque ela era assim vistosa, festiva, inconseqüente,
dona de primaveras, cobiçosa de venturas,
um pouco gitana de pálpebras muito supersticiosas,
um pouco guerreira, com suas flechas de amor sobre o horizonte,
porque era um jardim com muitas folhas desconhecidas,
armada de finos venenos e de espadas flamejantes,

porque era um pouco Vênus ao espelho e Diana dos prados,
é triste ouvir seu nome letra por letra chamado
para o solene ofício dos mortos.

E não se acredita que venha, sem ser com seu passo dourado,
carregada de fátuos emblemas deliciosos e inúteis,
toda presa às mil essências do mundo, enredada em suas fitas,
cativa de jóias e perfumes, com seu calendário repleto
de datas resplandecentes, em cenas de cristais e músicas.

Porque a bela se movia
como no mar a fragata
e o girassol sobre o dia
e no ar a lua de prata.

1805

E agora passa por esta porta de sombra, entre silêncios,
e todos nós e ela mesma estamos tristes e admirados,
porque ela podia dançar cem anos, e sorrir e cantar sem descanso,
e amar e ser amada infinitamente em bosques de paixão, de sonho:
e é como se um incêndio devorasse de súbito um palácio,
e um oceano desarvorasse uma frota embandeirada,
e um ciclone arrastasse nos braços uma ilha verdejante.

E é levada imóvel, surda, muda, branca, de olhos fechados,
e desaparece e nunca mais voltará: e os salões ainda têm as
[mesmas cortinas
e os espelhos, nos mesmos lugares, ainda se lembram de seu rosto,
e ninguém acredita que seja pelo seu nome que a Morte chama
[assim de repente.

Dispersos

Porque a bela se movia
como os cisnes e a fragata
e o sol nos degraus do dia
e as nuvens no céu de prata.

Porque seus olhos negros voavam como pombos veludosos.
E sua boca era um clarim na madrugada marítima.
E tudo isso a Morte mata.
Vede a bela ardente — fria,
na sala da melancolia,
que em saudades se dilata...

Junho, 1959

1806

Esgueiro-me por entre a pedra e a nuvem

Esgueiro-me por entre a pedra e a nuvem:
belas cidades, deixai-me passar.
Ai dos meus encontros!

Esgueiro-me por entre fatos e notícias:
acontecimentos, deixai-me passar.
Ai dos meus encontros!

Por esses encontros, esgueiro-me, fujo
por entre palavras, por entre pessoas.
Ai dos meus encontros!

Que encontros são esses? com quem? e onde? e quando?
Comigo. No sempre dos longes e pertos.

Ai dos meus encontros!
Deixai-me passar.

1959

Canção

Belo era o tempo
e a flor abriu-se
à margem do rio.

1807 *

Bela era a flor
e o menino inclinou-se
e escorregou para as águas.

Belo era o menino
e o pai quis salvá-lo
entre limos e espumas.

Bela era a morte,
mensageira de Deus
na corrente do amor.

Belo era o tempo.

Dispersos

Bela era a vida.

Bela era a flor.

1959

Canção das vítimas

Não se morre para sempre,
meu amor.
Mata-me devagarinho:
há muito tempo de dor.

Mata-me só por enquanto,
desta vez...
Vai-se aos poucos contemplando
o que no mundo se fez.

E, quem sabe, se arrepende
tua mão
com mais punhais do que o espaço
que existe em meu coração?

1959

Além das paredes, dos móveis

Além das paredes, dos móveis,
principalmente o espelho,
principalmente o relógio,

além das portas com seus caminhos,
além das janelas com seu pensar,

estão as palavras.

As palavras pousadas aqui e ali,
sem poeira.
Límpidas, nítidas, como objetos de ouro.

Sobre elas amanhece e anoitece.
São invulneráveis.
Fiéis a si mesmas.

As palavras não morrem.
Tão leves e cheias de eternidade.

E assim estão em redor de nós,
com sua substância,
e há dentro delas eternos olhos
que nos fitam.

1959

Flor jogada ao rio

Entre eclusa e esparavel
faremos a canção triste
para uma flor de papel.

O esparavel a amparar-te,
a eclusa a esperar por ti
e o tempo amargo a quebrar-te.

Flor imaginária — flor
que vais viver para sempre
só de imaginário amor.

Por isso, entre o esparavel
e a eclusa ficas tão triste
como a canção num papel.

1959

Campeonato

O campeão levanta nas mãos quinhentos quilos
e sua.

Há um campeão que levanta nos olhos dois rios de lágrimas
e sorri.

Um campeão que levanta na alma o inferno todo
e ama.

Ama, perdoa, e não tem aplauso nem louro
e cala-se.

E levanta o peso do céu constelado
no seu pequeno coração.

1959

Rua dos rostos perdidos

Este vento não leva apenas os chapéus,
estas plumas, estas sedas:
este vento leva todos os rostos,
muito mais depressa.

Nossas vozes já estão longe,
e como se pode conversar,
como podem conversar esses passantes
decapitados pelo vento?

Não, não podemos segurar o nosso rosto:
as mãos encontram o ar,
a sucessão das datas,
a sombra das fugas, impalpável.

Dispersos

Quando voltares por aqui,
saberás que teus olhos
não se fundiram em lágrimas, não,
mas em tempo.

De muito longe avisto a nossa passagem
nesta rua, nesta tarde, neste outono,
nesta cidade, neste mundo, neste dia.
(Não leias o nome da rua — não leias!)

Conta as tuas histórias de amor
como quem estivesse gravando,
vagaroso, um fiel diamante.
E tudo fosse eterno e imóvel.

1959

Passagem do misterioso

Antes que a noite chegue:
antes que se escureça a vista:
antes que tudo se confunda:
antes que o teu nome clamado
de horizonte a horizonte

não possa mais receber a resposta
da tua boca.

Antes, antes, antes
que não possas, ou não queiras,
não saibas, não devas
ouvir mais a voz dos vivos.

Antes disso, dá-nos o teu recado humano,
para seguires sem lágrimas
o teu caminho,

fora deste pequeno mundo.

1959

Cavalo à música

1813

As lavadeiras vão abrindo
— ah! com que braços tão belos —
lençóis brancos na manhã verde.

O cavalo de ouro pasta
entre margarida e trevo,
pelas pétalas roçando
as pensativas pestanas,
a larga narina morna.

Muito longe, muito longe,
passam músicas festivas.
(Sons de clarins e tambores:

Dispersos

bruscas abelhas que pousam
nos ouvidos do cavalo.

Ácido tempo de guerras
que na confusa memória
seus labirintos alastra.)

Mas as lavadeiras levantam
— ah! com que braços tão belos —
lençóis brancos no azul do dia.

E a brisa enfuna as bandeiras
brancas dos lençóis abertos.

Arroio distante, rola
a música, e imóvel pensa
o áureo cavalo, e hesitante
move as orelhas, confuso.

Disse-me o cego na estrada

Disse-me o cego na estrada,
sem nenhum constrangimento,
que andar à beira do abismo
é difícil, mas que a luz
avisa, fora das pálpebras,
e a direção se conhece
pela brisa sobre a barba.

Ele andava pelos muros,
à beira dos precipícios,
funâmbulo e equilibrista,
com o vento aberto na barba
e o sol nas fanadas pálpebras.

Os videntes caminhavam
agarrando o muro e o chão,
pisando a sombra do cego
e as palavras que dizia.

Se algum vidente caísse,
com toda a certeza, o cego
rápido o levantaria.

1815

Morte da formiga

Levantou-se como um cavalo furioso
e abriu no ar seus bracinhos tênues.

Menor que qualquer letra:
mais fina que qualquer fio.

E eu pensei como seria o sofrimento
naquele corpo mínimo?
Porque sempre se sofre.

E eu pensei que seria o sol que a queimava
no ardente ladrilho.

Dispersos

E aproximei-lhe uma gota d'água
e um grão de terra fresca.
E ela se retorceu entre a água e a terra.
E era um silêncio terrível o da sua pequenez.

Depois caiu vencida.
Menor que um cílio. Menor.
E nem ela certamente
— mas apenas eu, e por quê? —
soube da sua morte.

Alto, vasto, azul,
como era belíssimo o céu
em redor deste mundo!

1816

Captura do dançarino

Por onde cercaremos o dançarino?
Pois se me arrebata seu passo tão límpido,
não consigo esquecer-lhe o perfil quieto e fino.

Corri para um lado e vi-lhe o flanco ardente.
Do outro, porém, seu braço era firme e solene
e comandava um mar de música na sua frente.

Sei que se erguesse o olhar encontraria
inscrito o céu na sua testa lisa,
com os grandes astros brancos da alegria.

Sei também — como o sei! — que do alto de seus
[ombros
se vê sua sombra de rastros tão longos
que é um rio, uma noite, uma cascata de escombros.

O adolescente só por belo

O adolescente só por belo
não morreu.
Íntegro está, puro e singelo,
nu, vertical e paralelo
mármore de museu.

Amaremos sua beleza
secular
com profundíssima tristeza:
em pedra a sua vida presa.

1817

Arena

Companheiros da ardente quadrilha,
qual era a cor das arenas de Sevilha?

Brilhavam as flores das nossas jaquetas
e o sangue das feras em rios luzia.
Bandarilhas soltas, dançávamos leves,
em roda do mundo, na curva do dia.

Dispersos

Cavalos alados montávamos todos;
espada de estrelas nossa mão cingia.
Deus vinha na capa, no ferro e no golpe:
éramos apenas uma alegoria!

Companheiros da ardente quadrilha,
qual foi a cor das arenas de Sevilha?

Rodaram as praças repletas de povo,
e as nuvens beberam sua algaravia.
Quando o sol se inclina? Quando o último touro
de bruços desaba, vertendo agonia?

Cintilamos sérios, pálidos, imóveis,
sentindo que a lida já não principia.
Que clarins não soam? Que portas não se abrem?
Que pés não se movem na arena vazia?

Companheiros da ardente quadrilha,
qual é a cor das arenas de Sevilha?

Nossos gestos de ouro tocam céus quebrados.
Onde crava a espada nossa mão tão fria?
Por onde deixamos hoje os cegos passos
que um touro de fogo silencioso guia?

Ai, companheiros da ardente quadrilha,
não serão estas as arenas de Sevilha?

*1818

Mensagens

Eis que meus cabelos assumem
espessuras e cheiro de antigas árvores
e neles me reclino
para ouvir rumores de asas
e conversas de pássaros.

Houve o tempo do sultão Mahmud.

E eis que o meu corpo é uma colina,
uma terra escura e calma
por onde caem flores flácidas
de amendoeiras, amarelas e roxas.

Quando os pássaros falavam.

1819

E agora pode vir o mar aos meus olhos
ou a luz da noite imaterial.
Pode vir o mundo com seus soldados.
Eu estou cantando um tempo doce de amor.
Só deixarei de cantar para morrer,
que ainda é mais doce.

E as mensagens pousavam no meu coração.

Como alguém que encontrou um povo em ruínas

Como alguém que encontrou um povo em ruínas
e sua casa incendiada

Dispersos

e seu mundo vencido
e se recusou a morrer de dor
e levantou muros
e ressuscitou mortos
e abriu janelas
e acendeu luzes
e semeou campos
e pregou no céu novas estrelas
e trabalhou cheio de lágrimas
e amou o que tinha feito
e desejou cantar
— assim me encarou o rosto de olhos líquidos
no alto da noite.

Como alguém que recebeu a morte
daqueles que ressuscitou,
entre os muros erguidos
e as janelas abertas,
e as luzes acesas
e os campos ondeantes
e as estrelas gloriosas,
e desejou sorrir
— assim me encarou o rosto de olhos líquidos
no alto da noite.

O mártir

Foi assaltado e amarrado
e à fúria insofrida exposto.

Era o Amor o seu pecado.
Que era o Amor? Amargurado
e maduro de desgosto,
lembrava-se do passado.
E silêncio era o seu rosto.

As cordas afrouxaria
um nome que murmurasse.
Mas tal nome não dizia.
Com seu segredo morria,
por injusto que o encontrasse.
E era o seu último dia
que lhe cortavam na face.

A humilhação derradeira   1821 *
não era a pior ou a mais forte.
Fora assim mesmo a primeira.
Fora assim a vida inteira.
Olhava de frente a sorte,
sem orgulho nem cegueira.
E via chegar a morte.

Culpa não tinha consigo.
O nome que o sufocava
fora o do maior amigo.
Uma rosa de perigo
coroava-lhe a testa brava.
Por amor a um bem antigo
morria, mas não falava.

Dispersos

Seu corpo sozinho e obscuro
a seu martírio amarrado,
entre presente e futuro,
entre presente e passado
era um corpo desgraçado.
Mas seu claro sonho puro
ninguém via do outro lado,
nem seu perdão — vasto muro
com um negro nome gravado.

Aurora

1822

Sobe o canto dos galos entre os bosques da noite:
diáfana lança devastando as flores do ar.

Desce o canto dos galos em frouxas redes lânguidas
à procura do sol do outro lado do mar.

Passa o canto dos galos sobre o sono dos homens,
ferindo sonhos que se armavam devagar.

Cessa o canto dos galos e a ruiva aurora se ergue:
nas janelas do céu principia a brilhar.

(Quem me tirou do abismo onde dormente estava?
Por que devo acordar?)

Balada do pobre morto

Quem seja o morto é segredo.
Porém, amigo ou inimigo,
ia só, trouxe-o comigo.
Seu caixão não me dá medo.
Seu corpo é já sem perigo.
De sua alma não sei nada.
Aonde foi levada?

Pela tarde, pela rua,
rolava a triste carreta
onde na caixa violeta
estava a solidão sua.
(Retrato numa gaveta.)
Da alma não se via nada.
Quando foi levada?

Pelo caminho cinzento,
na algazarra da cidade,
era uma infelicidade
ir sem acompanhamento,
sem fala e sem claridade.
A alma não valia nada?
Aonde era levada?

Então, disse: "Vem comigo,
vem como estás, em segredo,
que eu de ti não tenho medo,

1823

nem que sejas inimigo.
Já sei todo o humano enredo.
Só das almas não sei nada.
E a tua é levada.

Como vais assim sozinho,
de tal solidão coberto,
pensei que, ficando perto,
te ajudava no caminho.
Caminho teu certo ou incerto?
Do da alma não vejo nada.
Já foi levada?

E agora posso deixar-te,
já te disse o que podia.
Se me vires algum dia
— quem sabe? em alguma parte,
talvez seja uma alegria."

Jardim do precioso

Tenho dossel de Martírios
e alfombras de Amor-Perfeito.
— Que são Rosas? que são Lírios?
De Saudades é meu peito.
Aragem que assim me feres
— que são Lírios? que são Rosas?
O Cravo é que me cativa:
e ando com mãos dolorosas

em campo de Malmequeres
com sonhos de Sempre-vivas.

Ó borboleta que bordas
a luz do céu com teus giros.
— Que são Heras? que são Murtas?
vê se às estrelas recordas
que as horas do amor são curtas!
— Que são Murtas? que são Heras?
Os ramos dos meus Suspiros,
pela aragem desfolhados,
voam por todos os lados,
desmanchando Primaveras.

Canção

1825

A minha inquietação não tem mais nada, nada,
com o mundo geral em que se vive. Apenas

eu mesma com a minha voz armo e desarmo
labirintos de lágrimas e penas.

Eu mesma com mãos de silêncio transformo
protestos, debates, em pedras serenas.

A minha inquietação é um teatro sem povo,
com grandes cortinas por cima das cenas.

Dispersos

É uma espada invisível, que às vezes traspassa
os touros alados de vagas arenas.

Adeus — não para alguma separação

Adeus — não para alguma separação de mar ou terra nem mesmo
de astro, mas para além de tudo isso, no mapa que nós sabemos,
que está sobre a alma com todos os seus sinais.

Adeus — e sem lágrima de despedida pois que tudo é presente,
e assim somos serenos e por mais que as experiências se transformem flor e fruto são apenas outro nome para a semente.

1826

Adeus — onde nos encontrarmos nada será como agora, mas
nós, que seremos os mesmos, veremos que desde já estávamos
tão longe que durávamos em espera e esperança.

Adeus — a voz do nosso encontro parecerá simples, natural,
casual. E em nossa totalidade pensaremos nisto que hoje foi
a palavra *adeus* como quem estuda entre os dedos um velho,
remotíssimo fragmento.

Canto

Minha mãezinha de papel,
deste papel que envelhece como a pele dos vivos,
que se cobre de sombras, sardas...

Minha mãezinha de pétala
dentro dos livros. (Era uma rosa branca
vestida de amores-perfeitos.) Tão leve!

Minha mãezinha de seda
nas gavetas que cheiram a malva, a maçãs antigas,
a brisa dos bosques...

Minha mãezinha de cristal
nas taças festivas, nos espelhos profundos
com limos de ouro e prata...

Ah, minha mãezinha de sonho,
longe, alada, levitando noutro céu,
com seus pequenos sapatinhos em luas de saudade.   1827

Minha mãezinha sem corpo,
voada, evolada entre flores e luzes
e muitos olhos velando seu tênue tempo.

Minha mãezinha de amor,
aparece de vez em quando:
para veres que és sempre amada
e dizeres se algum dia nos encontraremos.

(O poeta ia cantando, sozinho, retirado
e muitas harpas invisíveis, de longe e de perto,
o acompanhavam pensativas, meigamente.)

1960

Dispersos

Por muitas esquinas

A Maria Germana Tânger

Por muitas esquinas
de muitas cidades
existem ruínas
de felicidades.

Pedras de esperanças.
Ventos de suspiros.
Oh, juras e giros
de antigas andanças!

Por muitas cidades
de muitas esquinas
ficaram neblinas
quase de saudades.

Aos fantasmas vivos
parecem estranhas
as coisas tamanhas
de que eram cativos.

Aquelas esquinas!
aquelas cidades!
aquelas divinas
inutilidades!

Não somos só brumas?
ruínas apenas

de sonhos e penas
nenhuns e nenhumas?

1960

Nesse lugar certamente nos encontraremos, Poeta

A Tasso da Silveira

Nesse lugar certamente nos encontraremos, Poeta.

Só pode haver um lugar
e o mesmo
para os que andaram na vida à procura
do que não se encontrava.
E será o nosso.

(Mas veremos de lá todas aquelas coisas já vistas?
Aquelas mesmas pessoas avistaremos,
nos seus antigos caminhos?
Teremos de ouvir para sempre o que diziam
— oh, o movimento dos lábios que mentem,
a inesquecível pupila traiçoeira,
a lâmina que os malvados levam no pensamento...)

Teremos no outro mundo
a melancólica lembrança
do que nos vai matando neste?

Poeta, certamente nos encontraremos nesse lugar.

E que sejamos apenas a humilde, a humilhada luz,
que tanto defenderemos
desse vento, dessa noite, desse peso brutal do mundo em
[que vivemos.
Ai!

1960

Máquina breve

1830

O pequeno vaga-lume
com sua verde lanterna,
que passava pela sombra
inquietando a flor e a treva
— meteoro da noite, humilde,
dos horizontes da relva;
o pequeno vaga-lume,
queimada a sua lanterna,
jaz carbonizado e triste
e qualquer brisa o carrega:
mortalha de exíguas franjas
que foi seu corpo de festa.

Parecia uma esmeralda,
e é um ponto negro na pedra.
Foi luz alada, pequena
estrela em rápida seta.

Quebrou-se a máquina breve
na precipitada queda.
E o maior sábio do mundo
sabe que não a conserta.

1960

Hoje, a alegria são estes jasmineiros

Hoje, a alegria são estes jasmineiros,
que nem me pertencem,
cumprindo-se em perfumosas estrelas brancas.

É este giro de marimbondos e borboletas,
este cantar de galos,
este sussurro de cigarras, longe,
na densidade da floresta.

Não é mais uma alegria de barcos:
— o mar está cheio de monstros
e os portos são mecanismos melancólicos.

Não é mais uma alegria de afetos:
— a terra eleva apenas majestosos cemitérios.

Dirijo espelhos em redor: não mais meus olhos.
E até os espelhos se cobrem de lágrimas.

Se eu disser em voz alta a minha dor,
todos estremecerão:
porque é uma dor de todos,
mas que nem todos vêem,
que nem todos contam,
nem todos choram,
todos sentem,
porém.

1960

"Todas as aves do mundo de amor cantavam..."

✱ 1832

"Todas as aves do mundo de amor cantavam..."
e os grandes horizontes se estendiam multicores
e os dias da vida eram tão raros ainda
que se podiam enumerar, só por suas lembranças.

"Todas as aves do mundo de amor cantavam..."
mas grandes mares se abriram para passagens belas como
[ritos,
e os dias se tornaram tão numerosos e densos e duros
como essas pedras das fortalezas em montanhas antigas.

E agora são na verdade os dias inumeráveis
e cada um com sua angústia, e todos eles se entrechocam,
e a noite vem mais cedo e há tempestades entre as nuvens.

E eu queria que todas as aves do mundo de amor cantassem,
mas um vasto silêncio, uma vigília de morte
estende céus frios, céus escuros sobre amargos corações.

1960

O pássaro mágico

De morte e inverno
a árvore era.
E vinha o pássaro
alto, aéreo, terno,
pousava nela,
cantava um cântico   1833
de tão eterno
som, de tão bela
força, que armava-se
a primavera.

Folhas e flores
de som, de música
nos ramos finos
vestiam a árvore
de alegres cores.
E entre os seus hinos
estava o pássaro
com seus divinos
poderes, rápido,
exato e hermético.

Dispersos

E nós ouvíamos,
víamos que era
ilusão frágil
a primavera,
mas tinham cores
os sons, pela árvore,
formavam flores
e em fogo o pássaro
gorjeava mágico.

1960

Menestréis tão conhecidos

1834

Dos menestréis que cantavam
— menestréis tão conhecidos! —
por um pedaço de pão,
houve alguns que só viveram
não pelo que recebiam
— mas pela própria canção.

Os outros hoje são outros:
— menestréis bem conhecidos! —
já não são mais menestréis.
Por humilhações antigas
constituíram seu mundo
com seus escravos (infiéis).

Hoje são duques e condes
— menestréis tão conhecidos! —
e entre os fossos do poder
e entre as pontes levantadas
com sócios e descendentes
morrem de tanto comer.

Mas aqueles que cantavam
(menestréis mal conhecidos)
pelo gosto da canção
cantam da mesma maneira,
pois com sua alma pagavam
o que lhes davam de pão.

Abril, 1960   1835

Pedido da rosa sábia

Olha-me só este instante,
só este instante:
minha linguagem é este aroma,
esta cor, esta veludosa escultura.

Falo-te de mim porque não me fiz:
apareci.

É só por um minuto.
Eu sou a tua imagem reduzida
em tempo e dimensão.

Dispersos

Antes de me entenderes
terei desaparecido:
e não pelo ar ou pelo chão, somente.

1960

Procurarei meu rosto na água, nos vidros, nos olhos alheios

Procurarei meu rosto na água, nos vidros, nos olhos alheios.
Duvidarei de mim, que me contemplo,
da água, dos vidros, dos olhos que me refletem.

Procurarei meu rosto com as mãos, como os cegos
e sempre me sentirei a mesma e sempre me encontrarei diferente.

Procurarei meu rosto dentro da terra, no chão do planeta onde
[vou ficar.
Procurarei meu rosto num lugar eqüidistante de todos os
[planetas.
Em que pólo te poderei alcançar, ó rosto meu, incerto e fixo,
ó fugitivo predeterminado,
ó eterno mortal?

Procuro-te — para sentir o molde de onde vieste,
ó cópia dolorida.

Que conseguiste, afinal, preservar da essência a que pobremente
[serves?
Abril, 1960

Canção

Se não chover nem ventar,
se a lua e o sol forem limpos
e houver festa pelo mar
— ir-te-ei visitar.

Se o chão se cobrir de flor,
e o endereço estiver claro,
e o mundo livre de dor
— ir-te-ei ver, amor.

Se o tempo não tiver fim,
se a terra e o céu se encontrarem
à porta do teu jardim
— espera por mim.

1837

Cantarei minha canção
com violas de eternamente
que são de alma e em alma estão.
— De outro modo, não.

Maio, 1960

Quem leva a donzela

Quem leva a donzela
de nome de flor?
Leva-a amor.

Dispersos

Em nuvens caminha
sozinha,
por estrelas salta
muito alta,
como em sonho cega
navega
descomprometida
com a vida.

Quem leva a donzela?
(Não lhe façam tal,
que lhe fazem mal.)

Estames desata
de prata.
Desfaz-se a coroa,
que voa.
Por loucura e brisa
desliza
entre desalinhos
de espinhos.

Quem leva a donzela
que era toda flor?
Ai, o amor.

A que mundo chega
e a entrega?
Já seu frágil passo
no espaço

entre enigmas corre
e morre.
E ainda a primavera
a espera.

Quem leva a donzela?
Quem a arrebata?
— O amor que mata.

1960

Essas doces mortes visitam-nos quando?

Essas doces mortes visitam-nos quando? 1839
Ocultas e calmas.
Doces mortes de todo o momentâneo
que brandia chamas.
Doces mortes livres do peso de prantos
— com mais finas armas.
Caladas como a primavera nas plantas.
Doces mortes: ah, sereias que já não cantam.
Que agora desprendem as almas
(compassivas)
dos derradeiros enigmas do seu canto.
Doces mortes vivas,
visitando-nos.

1960

Rosa

Vim pela escada de espinhos.
(Mais durável esse esforço
que o esplendor.)

Depois de ascensão tão longa,
qualquer vento, qualquer chuva
converte-me em queda e pó.

Quando se vê a coroa
que eu trazia, já não sou.

Entre espinhos e derrotas,
qual é meu tempo de flor?

> 1960

Não vamos começar a cantar

Não vamos começar a cantar,
porque eu já sei que há uma corda partida
na harpa.

Não vamos começar a cantar,
porque a melodia vai ter aquele som frustrado
na harpa.

Não vamos. Não vamos. Caminhemos para a noite,
últimos trovadores de cidades fechadas,
para os enormes aposentos do sonho intacto.

Países de outras harpas
ai! talvez de outros ouvidos.

1960

Coroa altiva

Coroa altiva,
coração fechado;
romã cheia de lágrimas.

1841

Para sempre viva
esse recatado
sonho de além-mágoas.

Lágrimas de sangue.
Romã de silêncio.
Coração fechado.

1960

Serva sou: mas que serviço

Serva sou: mas que serviço
pode ser o meu?

São estes os campos,
com suas extensas vidas desenrolando-se?

São estas as casas,
com seus enigmas acumulados?

São estas as criaturas,
trançadas de desejos e agonias?

Serva sou: mas quem precisa
de serviço meu?

Do que sei, ninguém quer; do que querem, não sei.
Que estranhos países, que estranhos habitantes!

Serva sou: mas só num reino interior
recebo certo salário, que ninguém mais aceita.

1960

Tristeza gloriosa

Tristeza gloriosa:
a lua nas nuvens,
a noite na rosa.

Nem por sonho me visitas,
tão longe estão nossas ruas
intrincadas e infinitas.

A morte tem seus países:
e a sua cartografia
nem por símbolo me dizes.

Como foste ou como vieste?
E como soam teus passos
na jurisdição celeste?

E os pombos do ar, em que viagem
poderão ler o endereço
escrito em cada mensagem?

1843 *

Ai, como é triste
a alegria de pensar-se
que eternamente se existe.

Tristeza gloriosa:
a noite do mundo
pousada na rosa.

1960

Confessor medieval

Irias à bailia com teu amigo,
se ele não te dera saia de sirgo?

Dispersos

Se te dera apenas um anel de vidro
irias com ele por sombra e perigo?

Irias à bailia sem teu amigo,
se ele não pudesse ir bailar contigo?

Irias com ele se te houvessem dito
que o amigo que amavas é teu inimigo?

Sem a flor no peito, sem saia de sirgo,
irias sem ele, e sem anel de vidro?

Irias à bailia, já sem teu amigo,
e sem nenhum suspiro?

1844

1960

Negra terra consolante

Negra terra consolante
que se fecha sobre a vida
com peso de despedida.

Doce terra entristecente
que põe nas árvores tranças,
nas flores, olhos, lembranças.

Negra terra consolante
que leva a longes raízes
lágrimas tão infelizes.

Doce terra entristecente
que vai chorando nos ramos
quando já nem mais choramos...

                                    1960

Para onde é que vão os versos

Para onde é que vão os versos
que às vezes passam por mim
como pássaros libertos?

Deixo-os passar sem captura,
vejo-os seguirem pelo ar
— um outro ar, de outros jardins...

Aonde irão? A que criaturas
se destinam, que os alcançam
para os possuir e amestrar?

De onde vêm? Quem os projeta
como translúcidas setas?
E eu, por que os deixo passar,

como alheias esperanças?

                                    1960

Dispersos

Ida e volta

De horizonte sem razão,
meus suspiros vêm.

Sem aquém e sem além,
meus suspiros vão.

Sem rotas de coração,
meus suspiros vêm.

Sem fatos e sem ninguém,
meus suspiros vão.

Meus suspiros vêm,
vieram e virão.

Meus suspiros vão,
para sempre. Amém.

1960

Hieróglifo

Seria preciso um clima extremamente seco:
e nós estamos ainda muito inundados de lágrimas.

Seria preciso uma linguagem clara, nítida, indiscutível:
e nós falamos unicamente por elipses.

Seria preciso um leitor atento, aprendiz humilde e crédulo:
todos, porém, morreram, na guerra dos homens com os
[monstros.

Abramos, pois, a varanda, ó escriba, e gravemos no vento,
na memória do vento, alado, solitário a memória da Esfinge.

Abril, 1960

Vigília das mães

Nossos filhos viajam pelos caminhos da vida,
pelas águas salgadas de muito longe,
pelas florestas que escondem os dias,   1847
pelo céu, pelas cidades, por dentro do mundo escuro
de seus próprios silêncios.

Nossos filhos não mandam mensagens de onde se encontram.
Este vento que passa pode dar-lhes a morte.
A vaga pode levá-los para o reino do oceano.
Podem estar caindo em pedaços, como estrelas.
Podem estar sendo despedaçados em amor e lágrima.

Nossos filhos têm outro idioma, outros olhos, outra alma.
Não sabem ainda os caminhos de voltar, somente os de ir.
Eles vão para seus horizontes, sem memória ou saudade,
não querem prisão, atraso, adeuses:
deixam-se apenas gostar, apressados e inquietos.

Dispersos

Nossos filhos passaram por nós, mas não são nossos,
querem ir sozinhos, e não sabemos por onde andam.
Não sabemos quando morrem, quando riem,
são pássaros sem residência nem família
à superfície da vida.

Nós estamos aqui, nesta vigília inexplicável,
esperando o que não vem, o rosto que já não conhecemos.
Nossos filhos estão onde não vemos nem sabemos.
Nós somos as doloridas do mal que talvez não sofram,
mas suas alegrias não chegam nunca à solidão de que vivemos,
seu único presente, abundante e sem fim.

1960

Falai de Deus com a clareza

Falai de Deus com a clareza
da verdade e da certeza:
com um poder

de corpo e alma que não possa
ninguém, à passagem vossa,
não o entender.

Falai de Deus brandamente,
que o mundo se pôs dolente,
tão sem leis.

Falai de Deus com doçura,
que é difícil ser criatura:
bem o sabeis.

Falai de Deus de tal modo
que por Ele o mundo todo
tenha amor

à vida e à morte, e, de vê-Lo,
O escolha como modelo
superior.

Com voz, pensamentos e atos
representai tão exatos
os reinos seus   1849 *

que todos vão livremente
para esse encontro excelente.
Falai de Deus.

Canção

Escrevo teu nome na minha memória,
mas inutilmente, mas inutilmente:
pois é tua mão ela mesma que o apaga,
ela mesma que o apaga.

Escrevo o teu nome na vida e na morte,
mas inutilmente, mas inutilmente,

Dispersos

que o tempo da vida, que o tempo da morte
é o tempo que o apaga.

Escrevo teu nome no meu pensamento,
mas inutilmente, mas inutilmente,
que o meu pensamento, ele mesmo, o apaga,
ele mesmo o apaga.

Não há esperança nenhuma em teu nome,
não há duração, firmeza, verdade.
De pura inconstância é teu nome feito,
ele mesmo se apaga, ele mesmo se apaga.

1961

Tudo isto é um tempo de rápidas inconstâncias

Tudo isto é um tempo de rápidas inconstâncias,
cheio de lágrimas que nem chegam a ser choradas,
porque elas mesmas se extinguem na vertigem do sofrimento.
Apenas deixam sua salgada lembrança na alma depositada.

Ó salinas, salinas desse país das lembranças,
campo branco a evaporar suas profundidades,
seus desenhos de vento e as vozes que um dia
deixaram nesse inteligível espaço o sulco do eco.

É muito longe, imensamente, e agora cavalgamos,
e os adeuses são brumas, e o vocabulário desmancha-se
arcaico, estrangeiro, desumanizado.

Adeus! Adeus! (Ninguém sabe o que quer dizer o giro do som.)
As árvores desarmam sua provisória arquitetura.
Nós estamos no tufão de sal, na cegueira, no solitário instante.

1961

Borboleta violenta

Não penseis que seja do tempo ou do vento ou da chuva:
nada disso — os jasmins caídos
foram destroçados por uma só borboleta.

1851

Chegou como um invasor, grande, amarela, poderosa,
assaltou com avidez as flores tranqüilas,
brancas em seu leito verde,
deixou-as cair, passou adiante,
saciou-se com desespero,
voou para longe,
desapareceu por outros jardins,
deixou despregadas as pequenas corolas
que rolaram como estrelas
e aí estão perfeitas e brancas, sem saberem que já estão mortas.

Dispersos

Tudo isso para nós foi um brevíssimo instante:
não sei, no tempo das borboletas e das flores,
no alto relógio de Deus.

                                                          1961

Copo da puma de prata

Trago a minha sede ao copo:
mas a puma,
a puma de prata que mora no vidro
abre a boca em meia-lua.

Esta água azul não é minha:
é da puma!
E incerta oscila em seus níveis,
da minha boca à sua.

Deixo a sede em frente ao copo,
que é da puma.
(Puma que não bebe nem deixa que eu beba
e no vidro avança e recua.)

Vinde, pumas de ouro e prata,
selva e lua!

Bebei vossas águas! Bebei vossas sedes,
que a minha já não é nenhuma.

                                                          1961

Família

Temos uma família desfeita na terra:
(ó ternos corações, ó fechados olhos onde costumávamos
[habitar!)
mas dessa não temos notícia:
e o nosso amor é uma rosa sobre muros de sombra.

Temos uma família muito distante,
em aposentos que não vemos, em países que jamais iremos
[visitar!
Dessa temos notícias, eventualmente:
mas o nosso amor é uma rosa que murcha incomunicável.

Temos uma família próxima, algumas vezes,
que se move, e nos fala, e nos vê,
mas entre nós pode não haver notícias:
e o nosso amor é um muro sem rosas.

1853

Temos muitas famílias, havidas e sonhadas.
São as nuvens do céu que levamos sobre a alma,
as espumas do mar que vamos pisando.
Nós, porém, continuamos viajantes solitários:
e a rosa que levamos no coração, comovida,
também se desfolha.

(Ou pode ser que, afinal, a rosa seja unânime
e eterna,
em sobre-humana família.)

1961

Dispersos

A desconhecida

Um dia te falarão dessa pessoa triste,
contarão com outras palavras
fatos muito menores
de pequena amargura
e lamentarão o que inexplicavelmente aconteceu.

Se acaso tua memória estiver límpida,
nela verás teu gesto,
nela ouvirás tua voz
e em teu silêncio esclarecido
pensarás que houve fatos maiores,
amarguras imensas,
insuportáveis agravos
acontecidos — e além de qualquer lágrima —
diante dessa pessoa triste.

Mas pode ser que ninguém fale.
Mas pode ser que a tua memória não esteja límpida.

E certamente já não haverá ninguém mais triste.
Certamente.

1961

O mártir agonizante chora

Penso em ti:
face tão branda havia?
(Exército assim não houve.)

Vem beber nas minhas mãos a luz e o mel!
Vem ouvir no meu pulso a música da vida,
o andante grave, do nascimento à morte!
Tinhas uma fortaleza de pedra
com argamassa de morte.

Ó carros de tigres veementes!
Ó comandos de arqueiros ferozes!
Ó chuva de dardos por todos os lados!
Exército assim não houve,
em guerra contra o amor.

1855

Morre-se com as mãos cheias de luz e mel, precisamente.
(Oh, a batalha desigual com bandeiras de acaso!
Súbita e surda.)
Como foi que desabou tanta sanha
e quem é o inimigo tão grande?

Penso em ti:
face tão branda houvera?
Ias à frente, cometa furioso, ginete sanguinário. Irrefreável.
Poderás morrer na confusão de teus assaltos:
em fogo e setas contraditórias.

Dispersos

E morrerás sem esta luz. Sem este mel. Que imortalizam.
Por isso choro.

1961

Os elefantes negros

Um dia os elefantes negros trarão notícias.
Notícias de mim, notícias antigas.

Não havia correio nenhum, salvo os elefantes negros.
Um dia, uma tarde, uma noite,
eles chegarão.

Os elefantes negros que parecem tão leves e tão pesados,
lerdos e flutuantes,
de borracha e de chumbo,
um dia chegarão com essas notícias.

Será muito tarde, porque eles andam devagar, é o seu feitio.
Será muito tarde porque os caminhos eram de matos bravos,
de pedras, de paludes:
por isso mesmo os elefantes, ah, os elefantes negros
eram os únicos mensageiros possíveis.

Oh, como estarão cansados os elefantes negros!
cansados do seu itinerário, muito confuso;
do tempo que levaram a chegar, e durante o qual envelheceram;
cansados da mensagem que trazem,

porque suas breves linhas são muito mais pesadas
que florestas e séculos.

Os elefantes negros descansarão, ofegantes,
com esse ar de sorriso irônico dos elefantes,
como um patriarca diante de um sorvete.

E então lereis as notícias entre ohs e ahs,
ou em silêncio, mordendo um pouco a injusta imaginação,
a memória perplexa,
mordereis tudo isso, um pouco surpreendidos
como os cavalos remexendo o freio na boca...

Ah! mas os elefantes estarão sentados confortavelmente
como um patriarca numa cadeira de balanço.

1857

Depois tornarão a partir, porque há outras mensagens
e outros destinatários,
e são muito exatos, embora vagarosos,
os elefantes negros,
tão negros, mas tão elefantes!

1961

Manhã clara

Casas brancas
Nuvem branca

Pombos brancos
Jasmins

Tomo nas mãos a primeira folha de papel

Que se pode escrever de tão claro?

                                        1961

Habitamos este arquipélago

Habitamos este arquipélago
onde jamais se encontrou eco.

O mar é um labirinto de água,
porta só para quem naufraga.

De que horizonte nasceriam
cantoras sereias antigas?

Que voz nenhuma eleva agora
nem sons de agouro nem de glória?

Decerto o mar é só de lágrimas,
ah, lamentável mar sem barcas.

E estas ilhas de sal refletem
uma luz que é talvez celeste.

Que Anjo virá, certeiro e nítido,
explicar este labirinto?

E ao melancólico arquipélago
devolver as mensagens do eco?

Quando aparecerão as barcas
depois dos oceanos de lágrimas?

Gravo nas pedras as perguntas:
ilhas, céu, mar, solidões múltiplas!

          1961

As borboletas brancas

1859

As borboletas brancas
de vida tão breve
fogem duas a duas
entre o azul e o verde.
Tão paralelamente
e tão iguais de longe
(uma é a outra, uma é a outra...).
Ambas da mesma forma
e do mesmo tamanho,
ambas com o mesmo ritmo.
(uma é a outra, uma é a outra...).
O ar sustenta-as nos ares,
o ar separa-as nos ares,

Dispersos

como um reflexo na água,
uma é a outra, uma é a outra.
Flores de duas pétalas,
logo de quatro, de oito...
(uma e outra, uma e outra...).
Cada uma agora é dupla,
todas duas são uma...
chegam, juntam-se, afastam-se,
vêm, afastam-se, fogem...
... entre o azul e o verde
todas brancas desfolham-se...
(uma é a outra, uma é a outra...)
e passam de uma a outra,
e depois de uma e de outra
apenas são nenhuma.

Maio, 1961

Gato na garagem

Que imensa preguiça!
Um gato se estica
longo, de pelica,
de pluma e peliça.

A noite é de tubos
de rodas e cubos,
borracha e aço curvos
em subsolos turvos.

Que noite! uma poça
de sombra na boca.
Cega, se alvoroça
e infla a pupila oca.

Luminosos manda
seus olhos; verde anda
em luz: anda e nada
e é dono do nada.

A noite postiça!
E o gato se estica
em sua pelica,
em sua peliça.

1861

1961

Motorista sonhador

O motorista
do Embaixador
do Sol Nascente
comanda um carro
igual a uma
negra andorinha
com um ponto rubro
no peito.

Dispersos

Compenetrado
o motorista
fez-se amarelo
e transcendente
tão superior
guerreiro digno
de uma andorinha
voante.

As finas asas
negras pontudas
levam-no a jacto
de oriente a oriente
varando os lerdos
passos humanos
(de outro motor...)
prostrados.

O motorista
do Embaixador
mudo e amarelo
dono de tempo,
espaço, gente,
vai-se tornando
tão poderoso
que assusta.

Quando levanta
o olho caboclo
para o espelhinho

não tem certeza
se é o motorista
ou o Embaixador
que vai em frente:
e isso o confunde
um pouco.

Nessa andorinha
de peito rubro
apunhalada,
veloz, silente,
não será mesmo
o Imperador
pálido auriga
soberbo?   1863

Dono de chispas
de laca e vidro,
faróis, lanternas,
tanto fulgor
cromado e ardente,
não será mesmo,
calado e alado
o Sol Nascente
que surge?

Por experiência,
nessa andorinha
de cinco metros
o motorista

Dispersos

do Embaixador
acende e apaga
lucipotente
mil fogos.

1961

Miniatura do duque de Breslau

Que os músicos toquem tamborins e flautas,
flautas, tamborins,
que os cavalos dancem, azuis e vermelhos,
vermelhos e azuis!

1864

Hoje o duque volta de suas campanhas,
hoje o duque volta!
Oferta-lhe a dama coroa de flores,
oferta-lhe a dama.

Seu curvo cavalo tem gualdrapa de ouro,
seu curvo cavalo;
e as letras bordadas são A, M, O, R.
As letras bordadas.

Entre flores, letras, e as águias e as luas,
entre flores, letras,
um duque e uma dama vivem seus amores,
um duque e uma dama,

num tempo de amor, num tempo de guerras,
num tempo de amor;
flautas, tamborins, gualdrapas douradas,
flautas, tamborins.

Que vultos são esses que os séculos cobrem,
que vultos são esses?
Somente avistamos a hora da alegria,
somente avistamos.

Que os músicos toquem tamborins e flautas,
que os músicos toquem!
Que, azuis e vermelhos, os cavalos dancem,
azuis e vermelhos!

1865

1961

Esboço de cantiga

Subo e desço noite e dia,
noite e dia subo e desço
por mil escadas de nuvens
no castelo em que padeço.

Subo com ramos de flores,
e a água dos jarros esqueço,
há mil escadas de nuvens
no trabalho que ofereço.

Ai, que trabalho tão grande
nas nuvens que subo e desço
não só por águas e flores,
mas recados de mais preço,

que me mandam, que me chamam,
neste sem fim nem começo,
castelo entre a vida e a morte
de um dono que não conheço.

Subo e desço noite e dia,
gasto-me e desapareço...
Ai que castelo tão alto,
tão alto e sem endereço!

1961

Alba foliácea

Alba foliácea
das sedas brancas
desabrochadas.

Das jóias áureas
desnecessárias:
coroas pálidas
em louras tranças
do pólen, vagas
pérolas d'água;
seda, ouro, lágrimas,

lua nas franjas
das alvoradas
nuvem ou mármore
ou só cascata
de claras, fracas
pétalas alvas.
Alba foliácea.
Estrela-d'alva,
adeuses da alma.

1961

Vamos, vamos ser trovadores agora

1867

Vamos, vamos ser trovadores agora,
no áspero mundo dos javalis.
Vamos com os nossos diademas de versos,
e as nossas *vihuelas* e tamboris.

Os senhores se vão por mundos de espadas,
levando a morte no seu arnez.
Nós cantaremos, colheremos flores,
choraremos de amor, jogaremos xadrez.

Entre muitos latidos e muitos relinchos,
levantaremos docemente a voz.
Nesses muros de pedra, tão duros e frios,
não haverá quem se enterneça por nós?

Dispersos

O silvo das setas, o tropel das patas
abafará tão suave canção
como esta que vem dos ramos vermelhos
do nosso audacioso e tímido coração?

Vamos, vamos ser trovadores; passemos
as pontes, as portas, mesmo sem ninguém.
Cantemos esta canção de amor e melancolia
entre os cometas que vão e vêm...

1961

O que um dia foi imagem

O que um dia foi imagem
fez-se agora pensamento
e passa do breve tempo
à eternidade.

O que um dia foi saudade
depois de ser sofrimento
fez uma longa viagem
num mar imenso.

O que um dia foi presença
e que depois foi memória
regressa límpido, agora,
de outra essência.

Regressa com tal ausência
que mostra, na efígie nova,
os céus que há do que se prova
ao que se pensa.

Junho, 1961

Chovia muito esta noite

Chovia muito esta noite,
pássaro,
a árvore tremia, onde estavas,
mas dormiste na seda das folhas,
pássaro.

Hoje há muitas flores caídas,
chuva,
mas há sempre flores saindo
do tempo, formosas e novas,
chuva.

A água inundou pátios, casas,
pássaro,
mas nas poças limpas, nas pedras,
poderás limpar tuas penas,
pássaro.

Muita gente hoje está cansada,
chuva,

da noite vivida entre raios,
da verde tempestade inquieta,
chuva.

Mas teu mundo é noutros limites,
pássaro,
com leves pés, de muro em muro,
de um grão casual fazes teu canto,
pássaro.

E a água passa pelo seu corpo,
chuva,
sem tocar o alado vivente
que não distingue entre água e canto,
chuva.

Ó sem nome, que assim te moves,
pássaro,
com teus segredos e deveres
com máscara de liberdade,
pássaro.

Assim trazido, assim levado,
de aparência frívolo e belo,
com seu sobre-humano recado...

1961

Agora

A Andrade Muricy

Agora queria ser apenas este velho harpista,
pobre velho harpista sentado em sua cabana
tendo somente na parede
os retratos de seu pai e de sua mãe.

Agora eu diria: estas mãos não feriram,
não mataram, não roubaram, não prenderam,
não tocaram em nada para possuir.

Estas mãos que fizestes procuraram ser afetuosas,
trabalharam em muitos trabalhos,
conheceram muitíssimas lágrimas.
Agradeceram sempre imensamente.
Em sombra e silêncio uniram-se para agradecer.

1871

Estas mãos puderam fazer pequenas músicas
para dizer certas coisas
que pareciam melhores.
Ah, mas a música não é de quem a faz, é dos que a
[escutam...

Queria ser este velho harpista
com as mãos paradas na harpa
como abraçado à chuva
de longos fios paralelos.

Dispersos

Queria ser este harpista
com seu pai e sua mãe numa parede,
ouvindo-o, atentos
e com certeza compreensivos.

1961

Eis a casa

Eis a casa
menos que de ar
imponderável,
no entanto é branca de camélia
e tem perfume de cal

Com seus corredores

Suas escadas

O alpendre

As janelas uma a uma

Vê-se o mar. As montanhas. O trem passando. O gasômetro

Vêem-se as árvores por cima com suas flores

A casa imponderável

Mas de cimento madeira tijolos ferro vidro

A pintura prateada das grades cheira a óleo a fruta a luz

A água a pingar cheira a musgo,
soa metálica, trêmula
insetos pássaros líquidos
pequenas estrelas
clarins muito longe

Peitoris gastos de braços antigos

Sombras de borboletas

Eu sei quem comprou a terra
quem pensou nos desenhos
quem carregou as telhas

1873

Passam legiões de formigas pelos patamares

Eu sei de quem era a casa
quem morou na casa
quem morreu

Eu sei quem não pôde viver na casa

É uma casa
com seus andares
suas escadas

Dispersos

seus corredores
varandas
aposentos
alvenaria
muros

imponderável.

Uma casa qualquer.
Cruz que se carrega.
Imponderavelmente, para sempre, às costas.

1961

1874

O bisavô contava libras

O bisavô contava libras.

De ouro, as libras.
Para a terra.

O bisavô amava a terra e suas criações.

A terra e seus bens amoráveis.

O bisavô tinha paisagens nas libras
flor cemitério barca
o vento nórdico

o azul-mediterrâneo
e a estrela polar.

As libras estavam na mesa.

O bisavô sonhava terras
bosques
vergéis.
De sonho, as libras. Séculos de sonho.
À sombra das árvores
cantariam crianças.

Passariam mulheres
à sombra das árvores.

1875 ✳

Um cortejo de vestidos austeros
de mãos diligentes
de pálpebras
de desígnios.

Pilares de pedra.

O som das portas abrindo-se.
De saudade, as libras. De lágrimas.

Veríamos o mar
do alto dos paredões
sentiríamos longe o desenho das viagens,
o fumo dos adeuses
sirenas

Dispersos

e nunca mais a garra das âncoras
desprendendo-se dos corações.

Oh, nunca mais.

Vinhas: veludo cristal folhagem úmido bago.
Céu dos laranjais com estrelas de espinhos e flores.

Grandes muros em redor da vida, altas sebes
imensas grades, espadas, setas,
castelos inviolados,
grandioso tempo
e a tristeza para sempre javali vencido
com a inútil cerda na poeira
o dente mordendo a sua própria fúria.

O rosto de Deus em cada espelho
e enfim amor para sempre.
Libras de ouro, ganhas uma a uma. Vivas. Augustas. Com seu
[tempo humano.

1961

"Cata, cata, que é viagem da Índia..."

"Cata, cata, que é viagem da Índia..."

As horas da navegação, minha filha,
os adeuses dos lenços,

a morte nos barcos.
Rezemos pelos náufragos.
A ordem do rei,
o rei que Deus tenha na sua glória
— mas por que os reis querem ser donos do mundo?

Por que o rei queria o marfim e o ouro
e a seda e a prata,
e mandava seus galeões para tão longe,
ao lugar onde o sol nasce
e os ares são de jasmim?

Não se poderia viver sem cravo e cinamomo,
sem erva-doce e açafrão
e aquela curva pimenta coral?

1877

"Cata, cata, que é viagem da Índia..."

Estive olhando as nuvens e pensei:
por que os homens não bebem da sua água
e comem da sua terra?
Por que ir buscar tão longe os bens alheios?
Os grandes barcos foram cheios de povo:
alguns estão nos livros, outros não...

E as mulheres fizeram muitas desgraças de ausência.
Mas tábuas e velas também se queimavam nas águas
e aqueles orgulhos dos armadores se desfaziam no vento.
E as almas perdiam-se na viagem.

Dispersos

Por onde ficaram essas almas sozinhas?
Na rosa-dos-ventos.
Nem restavam os corpos,
para sempre vestidos apenas de ondas.
Que o Arcanjo São Miguel se compadeça.

Ai! por ali ficaram também sombras de meus avós, naquela
[sombra...
Ó águas negras! ó negros ares...
Tudo no Tenebroso.

"Cata, cata, que é viagem da Índia..."

E agora bebemos o louro chá, comemos o claro arroz.
1878   E agora nos banhamos em água de rosas.
E agora nos vestimos com sedas douradas,
e nos penteamos com pentes de marfim.
E agora pendem das nossas orelhas
lágrimas de pérola e esmeralda.
E assim nos retratamos em turvos ocidentes,
com pantufas bordadas, ganchos preciosos nos cabelos,
como uns ídolos sentados em cadeiras lavradas
e uma flor de magnólia nas mãos.

Não, não, antes a alma dos homens do mar
perdidos entre cordame e alcatrão,
suados e dobrados ao peso da derrota,
gritando nomes amados ao vento sem ouvidos,
depondo súplicas e prantos nas mãos líquidas do mar.
Vai, vai enastrar teus cabelos,

com esta saudade do marfim nas tranças,
este aroma de incensos tão distantes.

Vai pôr também teu vestido de seda,
teus sapatinhos de bico, marchetados.
As princesinhas morenas deviam ser como tu,
nos seus palácios de madrepérola.

Toma a agulha, menina, e vai contemplar
pássaros e flores das colchas e dos xales.
Não esqueçamos o preço da viagem:
tantos ossos misturados ao coral e às estrelas-do-mar.

"Cata, cata, que é viagem da Índia..."

1879

Cata: o mar não se compadece do pranto dos tristes;
o vento não responde ao suspiro do ausente;
o céu não diz o que viu, o que sabe, o que acontecerá.

Vai, menina, senta-te no tapete,
onde os rubis e as safiras e os diamantes
estão pintados, onde há caminhos para Golconda.

Com uma cestinha e cajus ao teu lado,
com tua herança de palidez no rosto
e de melancolia nas pestanas,
com teu corpo sutil de junco e mãos de tanta gentileza,
olha para o tempo passado e presente:

Dispersos

vão tirar o teu retrato quinhentos anos depois,
quando já morreram todos, reis e marinheiros,
tanta gente! e as infelicidades se dissolveram
em túmulos carregados de inscrições,
em livros densos de letras.

"Cata, cata, que é viagem da Índia..."

Vamos atrás dos antepassados,
cantando-lhes nossa estranha sorte,
divididos entre a manhã e a noite,
sonhando horizontes,
cercados de ausências,
entre mapas e portulanos, e aromas e vozes náuticas.

1880

"Cata, cata, que é viagem da Índia..."

E são milhares de olhos humildes, pelas espumas,
a chorar, a chamar, a chorar...

1961

Adivinhação do personagem

Algum tamanho e peso.
Densidade para as quedas.
No entanto, alguma luz.

As peças anatômicas em seus lugares certos.
Nada porém digno de extrema admiração:
Nem Apolo nem Adônis.
Personagem, porém, personagem.

Olha, vê, não vê, não sabe, não se sabe o que vê e não vê.
Fala, pensa, não pensa, não sabe, nem se sabe, se pensa e não
[pensa.
Olha, fala.

Move-se.
Ele mesmo não sabe, para onde.
Move-se contraditório
com os pés na terra, mas a cabeça ao vento,
na rosa-dos-ventos, a cabeça
e num mundo invisível de mil pólos.

1881

Personagem: sente-se, não se sente, não se sabe nem sabe como
[e por quê.

Pode estar em tantos lugares,
pode ser tantas vidas.
Homem, animal, planta, pedra,
tudo que inventar e quiser.
Poderá ser deus?
Sonha-se.

Personagem de cidades e eras arbitrárias,
com os seus idiomas confusos
em labirintos de idéias, de heranças, de ímpetos.

Dispersos

Ama, desama,
desmonta seus mecanismos, de repente, devagar.
Por quê? Sabe, não sabe, decide, arrepende-se.

Tem lágrimas inesperadas, alegrias —
quando vai ficar triste? quando vai ser feliz?

Personagem que lembra e esquece querendo e sem querer.

Tem quatro pés, dois pés, três pés.
Depois continua a marchar sem necessidade de pés,
e voa sem ter asas.

Com densidade para as quedas
e presságios de luz.
Todos os dias são de êxodo
para um lugar que a Esfinge se esqueceu de dizer.

Paciente, dolorido personagem.

1961

Personagem

São os espelhos que me revelam:
Sem eles eu talvez não soubesse de mim.

Personagem incerto:
alguma dimensão, para demarcar-me.

Densidade suficiente para as quedas.
Às vezes, uma perplexa luz.
De nome não se fala, por desnecessário.
De origem não se sabe o que dizer.
Esta unidade insuficiente,
que não consegue ser sozinha.
Sim, conseguiria, se tudo não fossem agressões,
de dentro e de fora.
Que obediência, que disciplina é preciso aceitar?
Que genealogias se impõem?
Flutua-se num rio caudaloso e baço: 1883
todas as gerações já passaram — e que souberam de
[proveitoso?
De onde provinham? Como se encadearam seus rostos?
Viveram suas obrigações. Que deixaram?
Tudo se perde na origem anônima,
nessa negra fonte cega.

Que posso eu ter com essas vidas passadas,
se elas nada afinal têm com a minha?
Que somos todos um sangue?
Ah! cada um vive o seu sangue separadamente!

Dispersos

Esta impaciência que me divide

Esta impaciência que me divide
esta melancolia que me entontece
este desejo pungente de estar um pouco em toda parte
esta incapacidade de aquietar-me
este sonho de ser, de ser depressa, antes da morte
de ser o quê?
de concluir que destino longamente esperado,
entrevisto na bruma de dias não vividos,
no sonho de noites calmamente extintas?
— de ser estritamente o servidor adequado,
o mensageiro que entrega a mensagem no exato instante
o servidor que dá conta de seu trabalho no prazo certo
o que ouve o chamado e vai,
recebe as ordens e cumpre,
e dá todos os dias de seu tempo humano
para esse fim obscuro,
e está continuamente correndo por dentro de si,
em varandas, passadiços, subterrâneos,
apenas entrevendo em adeuses a estrela que ama,
o pássaro que o comove,
a extensão da terra iluminada, do mar imenso
por onde, entre suas tarefas,
suspiro, saudade, esperança, obediência, renúncia,
em pensamentos foge,
em pensamentos volta,
subitamente enfermo da culpa
de assim fugir,
de assim voltar.

1961

Meus amores muitos

Meus amores muitos
mas por diversos assuntos.

Já não (jamais!) pelo humano
de claro desengano.
Pelo obscuro da vida
muito mais oculta
menos perdida.

Meus amores muitos
por insondáveis assuntos.

Pelos caminhos distantes
desamados de amantes.
Sem dia de chegada
prêmio, aplauso, festa,
resposta dada.

1885

Meus amores muitos
porém de adversos assuntos.

Floresta, mar —
o deserto,
o sempre longe perto.
Assim vamos andando
sombras extasiadas
sob algum mando.

Dispersos

Meus amores muitos
porém não meus os assuntos.

De que tristeza ou alegria
de que data em que dia
diremos que são nossos
alma sonho nome
e os próprios ossos.

Meus amores muitos
fora, porém, dos assuntos.

                              1961

1886

Morte no aquário

Veio a Morte ao pequeno aquário
onde os peixinhos de listra azul
iam e vinham no carrossel de água,
cintilantes ímãs sem norte nem sul.

Veio a Morte, a esse mundo líquido,
a essa humilde, transparente solidão,
ao raminho verde que era a sua floresta,
ao punhado de areia que era o seu chão.

E depois da Morte venho eu, tristemente,
sobre essas pequenas sombras cantar:

quem eram, deslizando na água, cintilantes
como as estrelas cadentes no ar?

Eis o que resta do brilho e do giro
das vírgulas de prata em gravitação:
a Morte veio de noite à beira do aquário,
a este ermo, a este silêncio, na escuridão.

O azul apagou-se, o vermelho descora,
o olho negro aumenta, sem nitidez.
Os peixinhos pararam no seu deserto líquido
sem saberem jamais o que a Morte lhes fez.

Ó meu Deus, meu Deus, que grandes aquários
se abrem nos meus olhos e dentro de mim   1887 *
para as sombras levíssimas, sem céu nem inferno,
luz e silêncio: começo e fim.

                                                            1961

Somos três

Somos três:
sombra, corpo, alma.
Cada um a seu modo vivendo
juntos os três andando.

Corpo vendo a sombra
corpo sonhando alma.

Dispersos

Corpo sofrendo com pena
da alma e da sombra,
impalpáveis
num mundo virtual.

Corpo querendo ser corpo,
e logo alma apenas.
Corpo, vulto, mistério,
fantasma adestrado
em artes de se julgar vivo,
no entanto mais efêmero,
talvez.

Corpo, no entanto, pensando-se.
Transferindo-se em alma,
em sombra.

Corpo sozinho entre enigmas.
Vastas areias do tempo
aladas.
Sobre o corpo e a sombra.

E alma também contempla.

1961

Do mar onde as colunas rolam

Do mar onde as colunas rolam,
onde as colunas se balançam,
nas ondas se embalam,
nas ondas que cantam;
onde as colunas se arredondam,
no tempo da água, na água incansável,
do mar onde as colunas bóiam,
como folhas leves, sem peso, dóceis,
subo a escada sem corrimão,
sem parapeito, sem patamares,
para o céu sem paredes,
para o pátio do ar azul.
Anjo torno-me.

1889

Longe em seus braços estão os pescadores dormindo.
Barcos redondos e coloridos.
Nem berços nem sepulcros; apenas barcos de pesca,
e as redes, lençóis de vento,
e os pescadores têm muitos séculos,
são de muitos séculos seus rostos morenos
de barba cerrada, seus olhos fechados,
conchas morenas de bordas franjadas,
conchas de sono, arqueológicos sonhos,
suseranos, lanças, cavalos caídos,
e um mar de baleias negras e grandes como noite,
barcos submersos, em viagem de sombra.
Pescador torno-me.

Dispersos

E as colunas rolam no mar,
balouçantes, leves, sem peso,
e o céu todo azul é um palácio sem pavimento
no fim da íngreme escadaria...

Agora sou pescador sonhando no meu barco de muitas cores.
Agora sou os olhos fechados.
Agora sou o sonho que estou sonhando.
Agora vou parar meu sonho,

vou ficar esquecida
na rede, na água, no céu sem paredes,
no ar sem o azul,
em que me torno.

Agosto, 1961

A tarde toda de chuvas suspensas

A tarde toda de chuvas suspensas:
de frias chuvas cinzentas.
E cinzentas e frias as pedras
chuvosas dos muros,
das ruas, das rochas de linfas
suspensas.

Mas a moça de verde, de verde-claro,
entre os pios dos pássaros,
no verde-escuro, no verde-negro,

na tarde cinzenta, chuvosa, fria,
de nuvens suspensas.

A moça de verde, andando, andando,
cheia de esmeraldas, turquesas,
primaveras claras, halos lunares,
côncavos de vagas verdes, turmalinas
na cinzenta, chuvosa, cinérea tarde fria
sob a franja das chuvas declinantes,
entre os pios dos pássaros nos bosques turvos,
na espessura lanosa e fosca...

A moça de verde que andava, andava
para um horizonte diverso,
para uma festa muito longe,
sem chuvas nem franjas de nuvens suspensas:
uma festa de violas e flautas,
com pastores em casas brancas,
e danças no alto das montanhas.

1891

A moça de verde ia andando em claras
esmeraldas, turquesas, claras
primaveras, andando de verde, a moça,
e era o relâmpago da tarde chuvosa
nublosa, franjada de chuvas próximas,
com linfas na pedra suspensa,
com o pio dos pássaros riscando a cinza
das ruas, dos troncos, das nuvens, da tarde,
na ardósia da tarde, os riscos,

Dispersos

e a moça andando, desaparecendo,
e a tarde sendo noite, e as pedras,
as nuvens, os bosques, a linfa,
os pássaros, a rua, tudo sendo noite,
a noite de chuva escura,
a chuva escura da noite,
a escuridão chuvosa.

Tão longe, em que país? — a moça toda verde,
com suas esmeraldas,
onda côncava, aparecendo
na festa de pastores
violas, flautas
danças claras.
No alto das montanhas
em chão de flores.

1892

Agosto, 1961

O verso melancólico

O verso melancólico,
voz de ouro em penas plúmbeas,
pousa nos meus ciprestes,
chama-me, da penumbra.

Ó verso melancólico,
tenho a casa repleta

de palavras obscuras,
de cantigas herméticas!

Vai, verso melancólico,
mais longe com teus cânticos:
deve haver muitos olhos
procurando-te, em pranto.

(E o verso melancólico
no meu jardim noturno
por mim, para mim chora
seu tímido infortúnio.)

1961

1893

Uma pequena aldeia

No canto do galo há uma pequena aldeia
de mulheres risonhas e pobres
que trabalham em casas de pedra
com belos braços brancos
e olhos cor de lágrima.

São umas corajosas mulheres
que tecem em teares antigos,
são umas Penépoles obscuras
em suas casas de pedra
com fogões de pedra
nestes tempos de pedra.

Dispersos

Elas, porém, cantam com frescura,
a leveza, a graça, a alegria generosa
da água das cascatas,
que corre de dentro do mundo
pelo mundo
para fora do mundo.

No canto do galo há, de repente,
essa pequena aldeia,
com essas belas mulheres,
essas boas deusas escondidas,
essas criaturas lendárias
que trabalham e cantam
e morrem.

O amor é uma roseira à sua porta,
o sonho é um barco no mar
a vida é uma brasa na lareira
um pano que nasce, fio a fio.

A morte é um dia santo
para sempre no céu.

1961

Fecharam-se as casas

Fecharam-se as casas
apagaram-se as luzes

os veículos desapareceram
as ruas são negras
apenas com a luz da lua
desenhando árvores nos muros
e muros no chão.

O rápido cãozinho branco é o dono
de tudo isso agora.

O célere cãozinho branco anda depressa
pela calçada.

Onde é a sua casa? Como foi que fugiu?
Vai ou volta, na noite?

O cãozinho branco anda muito depressa
e completamente calado.

1895

Nem fazem rumor seus pés nem suas orelhas
e não tem guizo nem latido.

Anda, anda, anda para um lugar que ele sabe,
apesar de ser tarde, de tudo estar fechado,
de todos estarem dormindo.

O cãozinho branco
a marcha do cãozinho branco
pisando a luz da lua
a noite imensa

repleta de sonos, de sonhos,
de esquecimentos.

O cãozinho calado
apressado
na rua longa e negra como um túnel.
Que é de sua família?
Que é de seu dono?
Que é de sua coragem?
Só dispõe de solidão.

1961

Vai chover

Vai chover
é o que dizem as nuvens grandes elefantes
de cinza.

Vai chover
esperam as árvores graves baças imóveis
entre as casas.

Vai chover
e há muitos passarinhos piando nos beirais nos pilares
nos muros.

Vai chover
e um cãozinho late longe, onde o galo canta velhices

e infâncias:

Vai chover
e as duas cabrinhas brancas esticam-se para comer
no barranco.

Vai chover
e os carpinteiros estão colocando telhados
no horizonte.

Vai chover
e a ave amarela voa repentina para dentro
da mata.

Vai chover
e o meu pensamento do mundo à nuvem passa
livre e sozinho,
ninguém o vê, ninguém o conhece.
Eu vou no meu pensamento.

1961

Terrina

Não voltes para mim tua cabeça airosa,
Corça,
que eu não estou mais no reino da infância,
e não posso andar contigo e as eglantinas pela beira do lago.

Dispersos

Os castelos estão longe, em ruínas, com odor subterrâneo,
Corça,
não mais se encontram os degraus, a ponte, as altas galerias:
a Dama de Azeviche não mais se lembra do meu pequeno nome.

Não levantes para mim teus olhos saudosos,
Corça,
que as flores da memória são dálias trêmulas, lágrimas
desenhadas nos patamares e nas torres.

Não beijes as minhas mãos, só de perdas e adeuses,
Corça,
porque eu nada te dei, porque não te darei nada.
E nem chegarás a saber o que se pretendia.

Os castelos estão muito longe, embora caminhem os nossos olhos,
Corça,
embora estejamos dentro deles, em redor deles.

E ouçamos a Dama de Azeviche ainda chamar por nossos nomes...
Irmãzinha.

Janeiro, 1962

A enxurrada

A enxurrada leva os noivos com seus enxovais.
Há vestidos brancos no fundo dos rios.

Palavras de amor estão sendo arrastadas
na turva correnteza.

A enxurrada leva os meninos de colo.
Os meninos ao colo.
A enxurrada amamenta de águas, limos,
flores caídas, relâmpagos,
os meninos pequenos translúcidos na morte.

A enxurrada leva o grande boi operoso.
Seus olhos aumentam de água.
Seus horizontes vão-se desdobrando em ondas.
Em campos de água já não pesa: flutua.
Tão leve agora, na musculatura veloz da espuma!

A enxurrada atravessa os vários reinos da morte,
carregando o mais variado séquito:
a pomba, a pedra, a moça, a mesa.
A enxurrada traz suas ordens, cumpre suas leis.
Na escuridão da noite, onde ninguém nem a si mesmo se
[encontra,
a enxurrada passa, com seu exército invisível.
Surdos tambores, cavalos ofegantes, bandeiras de vento.
De um lado e de outro, há milhares adormecidos,
que nem a sentem passar nem a poderiam deter.

Janeiro, 1962

Meus dias foram aquelas romãs brunidas

Meus dias foram aquelas romãs brunidas
repletas de cor e sumo e doçura compacta.
Foram aquelas dálias, redondas colmeias
cheias de abelhas, de vento e de horizontes.
Meus dias foram aquelas negras raízes
escravas, caminhando por humildes subterrâneos.
Foram aquelas rosas duramente construídas
e logo sopradas por lábios displicentes.
Ah! meus dias foram aqueles sóbrios cactos
de raríssima flor encravada em coroas de espinhos.
Meus dias foram estes altos muros robustos,
este peso de enormes pedras, este cansado limite,
onde pousavam solidões, palavras, enganos
com o brilho, a inconstância desta incerta borboleta.

1962

Há delicadas músicas de harpa e de cravo

Há delicadas músicas de harpa e de cravo
e o sopro das flautas na noite
é longo, puro e azul.

Há delicadas músicas entre sedas e rosas,
e os olhos são claros, nas luzes,
e o lábio sabe sorrir.

Nós ouvimos os violoncelos densos, obscuros,
carregados de parábolas graves,
violoncelos de solidão.

Nós estávamos transidos na mocidade triste
carregados já de uma velhice amarga,
sabendo que íamos ficar

com o coração para sempre fechado, secreto,
como na caixa do violoncelo:
apenas com o oceano oculto de nossa voz.

1962

Agora tenho um braço de gesso

1901

Agora tenho um braço de gesso
branco e inflexível.
Meus netos se lembrarão de escrever nele
seus trêmulos hieróglifos.
Estranho obelisco.

Meus netos se rirão de um braço de gesso.
Deste meu braço inesperado:
que eu devia ter
mas ainda não sabia.

Dispersos

Por dentro dele jazem os abraços,
os abraços do sangue afetuoso,
ocultos e impedidos.

Mas isto cairá como casca de árvore,
reboco das paredes
e o braço novamente será movido
por instantâneos impulsos
de trabalho e afeto.

Por dentro dele, porém, jaz o braço de cal,
outro inflexível e branco,
outro inesperado braço.

Do qual não se rirão meus netos,
nem escreverão nele suas sentenças alegres.
Que não quererão ver,
por tristeza ou por medo.

Mas onde continuarão o trabalho e o afeto,
e os gestos vivos,
como fiéis pulseiras subterrâneas,
sobreviventes.

1962

Se os anjos falarem

Se os anjos falarem,
não ficaremos, por isso,
fora da terra,
como se as asas fossem nossas.

Se os cães uivarem,
não ficaremos, por isso,
fora do céu,
como se tivéssemos patas.

Saberemos ouvir,
e ficaremos por isso
de pé, ao sol da memória,
com a sombra do nosso corpo
como um traje caído.

1903

Abril, 1962

Vivian Leigh no Rio em tarde de maio

Entre os grandes botões de rosa
eis a suave mulher
casulo de seda e silêncio
róseo casulo cerrado, secreto.
Enigmática ternura.

Dispersos

De onde vem, por que vem,
entre os botões de rosa,
esta suave mulher de seda e silêncio?
A que mundo pertencem estes acontecimentos?
Que chamados nos conduzem?
Em que sonhos viajamos?
E que amor nos espera em algum lugar?

Começarão a desprender-se entre botões de rosa
borboletas verdes e outras,
— olhares, sorrisos de um único humano —
borboletas em palavras sérias e puras,
leves borboletas de adeuses,
não se sabe com que lembranças.

E a tarde de maio é um jardim
de botões de rosa
e um céu de borboletas desprendidas
das sedas finas do silêncio e do tempo
(oh! destinos e acasos fugitivos
um breve instante apenas revelados).

E logo a suave mulher de pétalas e de asas
vai sendo transportada,
muito além das rosas, das borboletas,
da tarde de maio,
por uns horizontes de saudade
e encantamento,
sucessivos,

pensativos,
para mundos incomunicáveis.

1962

Quarto de hospital

Mãos de algodão, frouxas,
sob o tênue sopro
da indecisa vida.

Mãos de ferro, exatas,
sob o peso amargo
de noites e dias.

Mãos de terra e pedra,
longos alicerces
de dor e alegrias.

Mãos aéreas de ouro,
sobre tanto sonho,
sobre tanta lida!

27, Maio, 1962

Dispersos

E assim passamos a tarde

E assim passamos a tarde
conversando coisas banais,
da superfície do mundo.

E estamos cheios de mistérios
que não comunicamos.

E assim morreremos, decerto.
E não dais por isso.

Julho, 1962

Estou na idade em que se morre

Estou na idade em que se morre.
Depressa o tempo passou
e eu só vivi nos intervalos dos fatos inúteis.

Ah! Deus, se existem anjos no céu,
deixai-me cantar com eles
ou saber que canções eles cantam.

Julho, 1962

Canção de Taxfin

Pelas ribas do mar fragosas,
pelas ribas do mar,
vestido com as roupas da noite
pelas ribas do mar me vou.
Meus navios aparelhados
pelas ribas do mar
junto à fortaleza me esperam, e eu pelas pedras,
pelas ribas do mar me vou.

Pelas ribas do mar fragosas,
pelas ribas do mar,
vestidos de noite meus olhos,
pelas ribas do mar me fui. 1907
Meus navios aparelhados
pelas ribas do mar
não sabem ainda que no meu cavalo
pelas águas do mar me fui.

Pelas ribas do mar fragosas,
pelas ribas do mar,
ia o meu império oculto na noite:
pelas águas do mar tombou.
Meus navios aparelhados
pelas ribas do mar
saberão que seremos apenas espuma
de um mar que também tombou.

Setembro, 1962

Dispersos

Navegação

Éramos feitos de um leite casto,
repleto de suspiros.

Feitos de canções docemente entoadas
sob vagas iluminações.

De brinquedos poéticos, sob as estrelas,
em varandas e laranjais.

Tínhamos olhos cheios de flores e pássaros,
a boca de preces, a testa de beijos.

1908

Pisávamos no mundo com leveza de anjo,
e iríamos, certamente, para além do horizonte.

Escolhíamos as palavras de dizer, com grande enlevo,
porque falar já era ser.

Amávamos na viagem a estrela que ia na proa
tanto como a espuma que nos seguia.

Com tantos ontens e amanhãs, não combatíamos pelo hoje:
ele ia sendo por si, harmonioso, entre uns e outros.

E éramos tudo, divinamente, e com gracioso esquecimento.
E nem tomávamos, porque éramos feitos de dar.

Assim morremos, dos contrastes que matam os homens.
A seta cravada no peito e o diamante oferecido na mão.

1962

Tapeçaria de Dame Gisèle

Meu tempo visigótico estremece:
Dame Gisèle,
tão bem bordada! da tapeçaria desce.

Vem nas pontas dos pés de cetim, séria e atenta,
a esses degraus de musgo que o crepúsculo inventa.

Ela mesma é de musgo e de alga e verdes ondas,
de noites musicais sob luas redondas.

Passa como um suspiro. E sabemos que passa
por sua sombra de melancolia e graça,

por seu modo de olhar, das varandas floridas,
o vão convívio das estátuas reunidas,

pela paciência de seguir, de sala em sala,
o eco de sonho que o ar a cada instante exala,

porque a vemos pesar, em balança dourada,
flor esquecida, ausência e voz, tristeza amada...

1909

Dispersos

E sabemos que passa. E antes que enfim regresse
Dame Gisèle,
tão bem bordada, à tapeçaria, se enternece

meu tempo visigótico. E estremece.

1962

Meu pasto é depois do dia, dos horizontes

Meu pasto é depois do dia, dos horizontes.
Meu pasto é depois da noite, para além dos sonhos ainda
[cativos.
O dono do meu pasto protege-me:
em sua mão imensa pasto.

Pasto as minhas esperanças derrotadas.
As desventuras. Seu gosto é doce e delicado.

Pasto palavras, figuras como erva tenra
e tênue flor.

Pasto a minha vida, a mocidade triste.
Aquelas solidões da infância, longos caules de outras eras,
sementes de cemitério,
alimento sagrado.

Pasto o mundo inteiro, bosques, enseadas,
areias do mar, pedras, rochedos.
Palavras que me disseram. Presentes que recebi. Navios.

*1910

Pasto as nuvens, as chuvas, a ramagem dos relâmpagos.
Os olhos dos desconhecidos. As vozes de mil idiomas.
Pasto o casebre e o palácio.
Pasto os infinitos templos.

Pasto o subterrâneo e o aéreo.
Pasto o que vi e o que não vi.
Retratos, antigüidade, rostos apenas de papel,
seculares conjeturas. Amores de cinza.

Pasto na grande mão que se oferece ao meu dócil
assombro.
À minha aceitação de olhos fechados.
Ao meu rendido coração.

1911

Pasto amigos e inimigos.
Essas diversas invenções mui vagas,
intercadentes.
Pasto o princípio do mundo.
O inaugurado Paraíso.

Tudo é terra e céu e orvalho
na grande mão que me sustenta.
Dissolve-se tudo, nessa infinita mão.
Nessa mão invisível por onde pasto.
Nessa mão eterna,
cheia de mundos que vão e vêm, como anéis soltos,
obedientes anéis.

Dispersos

Não vejo o rosto do dono
da mão que protege o meu pasto.
E bebo num rio pequeno,
pouco maior que uma lágrima,
sem travo algum,
e que vai conduzindo o que resta de mim,
rebanhos de ar sem mesmo adeuses,
pelo sidéreo pasto.

1962

Lição de história

1912

Ai! mas um amor sonhando-te.

E a tua vinda por estes campos
estrangeiros
e tu, bastarda, e os reis e infantes
e os condes e cavaleiros.
E as crinas e as patas e os arneses
e a calma
chegada a estes lugares ardentes.
E o corpo e a alma.

E logo os destinos levantados
e a guerra
e os gritos e os golpes e os agravos
que revolvem a terra.

E o teu amor mirando-te.

E as grandes árvores e os rios
e a canção.
Ai, que são palavras? Mas os belos sítios
estes são
lugar de batalhas: parentes
armados.

Fontes vermelhas que vão correndo;
cansados
cavalos tristes, no pó, feridos,
setas: aves
que atravessam o peito com silvos
suaves.

Ai, mas o amor seguindo-te.

1913

Na altura, oscilantes castelos.

E tu, quem és,
pálida rosa de olhos belos
e fugitivos pés
e as mãos de delicados dedos
abertas no ar,
e as pestanas de ouro entre as labaredas
a brilhar?
Tu, de fina, móvel, inquieta cintura
entre os destroços,
curva lua, estrela absoluta
sobre montes de ossos.

Dispersos

Ai, mas o amor salvando-te.

E as negras pedras, torres e escadas
e o marfim
do teu rosto, quem és, límpida e clara
sem mal nem fim?
E a canção que te chega entre o lábio e o saltério
persuade:
leve é sobre a pedra e o sangue e o ferro
sua verdade.
Por ela terás o reino e a coroa
e a sorte:
não tua só: da dinastia toda
até a morte.

1914

Ai, o teu amor amando-te.

Cantai, trovadores, ó torres constantes,
em guerra e paz,
antes e depois, para sempre, e até quando
só em Deus serás.
Sob o túmulo da terra e o do tempo
cantada,
quando amores, cantores, coroas e reinos
não são nada,
ai, o teu amor cantando-te, chorando-te, para ninguém
esquecer que o amor é uma eterna palavra,
contigo ficará, Senhora Infanta! Amém.

Depois das traições, do fogo e do saque,
e da conquista,
quando o grito de glória não se ouve e o estandarte
não se avista.

Setembro, 1962

Mulher de leque

Para longe o que falo:
o que sonho, o que penso.
Para o reino do vento.

Para longe o que calo: 1915
para o único momento
que se há de ver imenso.

Entre o que falo e calo,
há um leque em movimento.
Mas eu, a quem pertenço?

Setembro, 1962

Do mar ao céu para onde sobem

Do mar ao céu azul para onde sobem
de azul a azul, estas escadas

Dispersos

pássaros antigos caídos
com suas asas encarnadas
ainda abertas, ainda estendidas,
em si mesmas desmoronadas...

Ó castelos de cavaleiros,
sangue e poeira das Cruzadas.
O mar e o céu nas aberturas
destas paredes arrombadas.
Os rostos, não, nem grito ou lança.
Mas, entre o azul e o azul, escadas.

Setembro, 1962

A sombra da abelha

A sombra da abelha
obscurece o sol.
Eclipse pequeno
na rosa vermelha.

No entanto, mantêm-se
o perfume, o mel,
o sol que é vencido
e a abelha que o vence.

Setembro, 1962

Aquele cordeirinho que eu vi nascer

Aquele cordeirinho que eu vi nascer
numa feira, um dia,
entre pastores de capas de pele
e cajado,
aquele cordeirinho tão virgiliano,
formoso e brando,
ai! certamente já não existe.

Para onde o levaram? a quem o venderam?
quem o tosquiou,
quem teve a coragem de o matar ou de o comer?

Penso na praça, no leilão, nos negócios,   1917
ó mundo triste,
mas também na ternura dos homens que então o olhavam,
que se curvavam para ele
como para um meninozinho: e que o amaram.

Doce instante do amor nas almas.

E agora sinto a passagem do tempo,
entre os mistérios,
como um ruflar de asas incontíveis
numa escuridão.

Setembro, 1962

Dispersos

Ó meu Deus

Ó meu Deus,
se esta é a distância
que separa a mocidade
da infância,
se são teus
estes modos da verdade,
que outros hei de querer meus?

Ó meu Deus,
se este é o caminho
que traça a tua bondade,
devagarinho
farei seus
meu amor, minha saudade,
e em tudo serei adeus.

*1918

Setembro, 1962

Os homens rústicos rezavam

Os homens rústicos rezavam:
em seus lábios quase de pedra
passavam palavras aladas
como delicadas libélulas.

E por delicadas libélulas
seus olhos eram poços de alma

que uma água ia enchendo, secreta,
profunda, de infindáveis lágrimas.

Setembro, 1962

Chovia e eu estava como numa floresta de harpas

Chovia e eu estava como numa floresta de harpas:
que música tocarão meus inábeis dedos nas águas celestes?

Nós somos uns grandes cometas com véus de acontecimentos
arrastados atrás de nós, e cada dia dilatados.

1919 *

Nós somos uns solitários faróis projetando-nos sobre a noite.
Deixai-me tocar a música de hoje, inábil, que fica entre o que
[passou e o que talvez não venha.

Setembro, 1962

Os vivos afastam os vivos

Os vivos afastam os vivos.
Isto é uma floresta cheia de vento,
empurrando para longe o amoroso visitante.
Partimos para longe, entristecidos,
com a roupa empapada de frio,
com as mãos feridas e o canto recusado.

Dispersos

Iremos, pois, pelos cemitérios amáveis,
sem acordar muito os que dormem,
sem os ressuscitar: apenas para lhes acender no sonho
certas luzes de pensamento,
o que lhes diríamos se estivessem vivos e sem violência:
o que talvez entendam, pois que já estão mortos.

Outubro, 1962

Glórias do vento

Naquele tempo univalve
havia a música: havia
o ir e o vir da alegria
com seu nome e clave.

A pedra do eco, essa pedra
palpitante de ar, mandava
suaves recados à brava
solidão da terra.

E dos hinos e dos prantos
restavam serenas vozes
e os instantes mais atrozes
tinham som de humanos.

Depomos agora as harpas,
já que os muros de cimento

matam as glórias do vento
sob muitas capas.

Outubro, 1962

E agora que farei do velho céu azul
e das longas montanhas?

E agora que farei do velho céu azul e das longas montanhas?
Que farei dos campos com suas anêmonas,
das montanhas com suas oliveiras e abelhas,
das colinas com seus ciprestes?
que farei dos jardins atravessados por pavões
e das areias de onde o camelo se alevanta
e por onde os rebanhos procuram algum caminho?

1921

Que farei dos monumentos e palácios,
de tantos templos vazios e tantas escadarias vãs?
Que farei dos museus com mil retratos fitando-me,
com mil corpos de mármore hirtos, frios de imobilidade?

Ah, que farei da poeira de tantos rumos, das ondas de tantas
[navegações?
Aonde levarei as armaduras ocas
e os esculpidos sarcófagos?

Para onde transportarei a coluna e a jóia?
Como guardarei os nomes, unidos de letra em letra,
colares de letras antigas, irreconhecíveis,
nomes de ontem, já sem objeto, uso ou dono,
tudo isso que transborda das múltiplas mãos da minha memória?

Dispersos

Fontes que deixais perderem-se as vossas águas,
sabeis como é triste não haver quem vos aproveite.
Assim morremos em abundância melancólica,
sem campo lavrado, ou inteligente boca.

Talvez na profunda noite
ladrões mascarados bebam dessas águas amadas:
em negros corações talvez desponte
uma pequena estrela.

Outubro, 1962

Sepulcro

1922

Durmamos, pois, à nossa própria sombra,
e que alcancem os nossos pés esses lugares do sonho,
não do sonho da terra, mas de outros, mais distantes.

E que alcancem as nossas mãos não os bens do mundo,
mas as doces belezas que não se terrenizam
e que foram o estímulo do nosso viver.

E que os nossos cabelos se destrancem
e alonguem suas frondes inúmeras sobre a solidão nossa,
e abram-se, enfim, as flores do que amávamos,
flores de pensamentos, felizes
de se saudarem, próximas, compreensíveis e heterogêneas.

Outubro, 1962

Já não sou eu, mas a flor

Já não sou eu, mas a flor
que um dia se tem na mão.
O que me resta de amor
é de um outro coração.

Ainda que pise este chão,
ando tão alheia a mim
que já não sei aonde vão
os motivos por que vim.

Já não sou eu, mas a voz
que outros não escutarão:
o hino que se eleva após
a dor do Sim e do Não.

1923

Assim foi feito. E aonde for
já não mais me encontrarão.
Perde-se em perfume a flor
um dia aberta na mão.

Outubro, 1962

A cama era uma barca

A cama era uma barca:
o relógio, um castelo.
Das torres caía o tempo,

Dispersos

em baques surdos,
com lampejos de ouro. E a lua.

A barca movia-se num mar intocável.

Começava-se a ver o outro mundo,
de figuras transparentes,
com seus vestidos de névoa,
seus movimentos de brisa.

Ia-se, ia-se, ia-se...

Das torres caía o tempo,
com lampejos de ouro. E o sol.

A barca atracava na manhã
marginada de pássaros.
A barca atracava sob as árvores em flor.

Era uma cama de mortes e nascimentos.
De espessa madeira, nobre e simples.
Cheirava a maçãs, a sonho, a linhos rendados.
Parecia ter braços, rosto, olhos...

Viste algum dia um carvalho? perguntava.
Parecia uma floresta,
uma casa num lugar muito antigo.

E das torres do relógio
o tempo soltava pombos mensageiros.

1962

As escadas medievais, sem balaústre e sem patamares

As escadas medievais, sem balaústre e sem patamares,
convidam-me e afligem-me.

As colunas derrocadas que o mar vai acabando de tornear
vão sendo torneadas também por meus olhos.

Há os vestíbulos sem palácios, que as estátuas gravemente
guardam — decapitadas.

Há os anjos sem asas e as madonas sem mãos,
e a sandália sem dança,

e há o alaúde sem os dedos, o nome sem a pessoa,
o canto sem voz
e muito mais lágrimas que olhos.

Há o aceno de séculos no ar que apenas se abre
e logo se recompõe.

Daqui a cem anos, a cem dias, a cem horas,
a menos de cem instantes, tudo é sem o mesmo dono,
o mesmo destino.

1925 *

1962

Dispersos

É preciso não esquecer nada

É preciso não esquecer nada:
nem a torneira aberta nem o fogo aceso,
nem o sorriso para os infelizes
nem a oração de cada instante.

É preciso não esquecer de ver a nova borboleta
nem o céu de sempre.

O que é preciso esquecer é o nosso rosto,
o nosso nome, o som da nossa voz, o ritmo do nosso pulso.

O que é preciso esquecer é o dia carregado de atos,
a idéia de recompensa e de glória.

O que é preciso é ser como se já não fôssemos,
vigiados pelos nossos próprios olhos
severos conosco, pois o resto não nos pertence.

1962

Ainda havia soluços

Ainda havia soluços
em todos os quartos:
havia soluços mansos e escuros
como pequenos pássaros.

Nos mármores estavam, nesses
espelhos baços,
e na madeira e nas rendas e em todos
os panos e vasos.

E não se via de onde chegavam,
pelo relógio, sobre os retratos,
no ar e no sol que as janelas mediam
com seus compassos e esquadros.

Oh! como eram vagos e dúcteis,
leves e pesados
os soluços perdidos por todos os cantos
dos imensos quartos.

E em meu rosto batiam e nos meus ouvidos
suas penas escuras, seus laços
de crepe, sua fadiga.
Ai! e os ecos dos muros dos velhos palácios!

1927

1962

Tentativa

Ao apoiar-me a esta grade, ao derramar os olhos
pelos verdes e azuis, e ao contornar montanha
e floresta e igreja e casa e muro e trem e pedra e cão,
ao amar a flor e o inseto e, se for consentido,

Dispersos

o passante com seu guarda-chuva, a menina com seu livro,
sei que tenho a mesma atitude que mil pessoas a esta hora
certamente assumem em quantas cidades dos outros continentes,
e que há uma ternura nossa, possivelmente vã no tempo,
que só se interessa em dar, em ser, em ir-se, e que foi sempre
como agora, independente da História e da Geografia,
do regime político, do calendário e do relógio...
Então vale a pena viver este momento: quando os olhos
[complacentes
voam como dois pombos por cima do mundo tumultuoso,
e são como a carícia da mão fina de uma criança
tentando deslizar pelo perfil de um javali.

1962

1928

Écloga

Que nem os morgados de tamanco e chapéu de palha
a tangerem seus bois, descuidosos de baixelas e alfombras;
que nem os morgados antigos, sentindo a vaidade desfeita
da glória e da riqueza sob os dedos.

E apenas dedicados à terra e ao céu, por enquanto duráveis,
talvez eternos. E ao trabalho. Que a vida é uma coroa de ferro,
uma outra espécie de charrua, com a infância, a mocidade,
a velhice, tudo rodas a lavrarem campo sempre de outro dono.

Que nem os morgados, assim, vou tangendo palavras:
não tão pacientes, não tão sólidas, mais inquietas e ardentes,
olhando para a frente e para trás, sensíveis a rostos,
sensíveis a vozes, estranhos aguilhões.

E é solitário o campo, e não sabemos se nos espera nem onde
abrigo nosso. Nossos, porém, são os trovões, plantando hastes
                                        [de fogo
na terra desamparada. Nosso o cheiro da erva molhada, e o
                                        [crepitante
sol e a brisa que encrespa a tarde, e o puro azul, e o flácido
deslizar da água nas pedras. E nossa a indefesa nudez
da paisagem sem portas, sem endereços, sem resposta nenhuma.

Que nem os morgados de tamanco e chapéu de palha,
como o mais simples dos humanos, malgrado ilíadas e eneidas,
bíblias e pantchatantras, e livros de horas e canções de amar
e maldizer, ai, sobretudo de maldizer e amar,
assim tangemos ainda as palavras, enquanto sobem engenhos
para os planetas, e os hospitais estão cheios de gemidos,
e em qualquer lugar se morre, em campo alheio ou próprio,
e o rebanho se espalha indeciso, desaparelhado, a perder-se
no horizonte contínuo, para morrer também, ao desamparo,
ou sentir que outra mão se levanta e talvez o ordena e o conduz...
(Ah! se soubésseis ir pelo caminho certo!)
E foi tudo uma sucessão de noites e dias, no ar.

1929

1962

Deito-me à sombra dos meus cabelos

A Maria Helena Vieira da Silva

Deito-me à sombra dos meus cabelos.
Floresta que será branca,
cheia de vozes e recordações.

Dispersos

As pessoas? — amados tempos!
Os tempos? — amadas pessoas!

Sob esta floresta vai-se-nos a vida.
Por dentro dela cantamos, pensamos.
Sofremos.

E tudo, por fim, adormecerá,
tudo, sob a mesma floresta.
Grandes ventos terão passado.
Para as raízes, o nome das coisas é outro.

Se então sonhássemos,
não seria alegre nem melancólico:
na verdade, há uma outra claridade,
completamente divina,
sobre esses sonhos profundos.

Das tempestades, resta somente a luz.
Todos os rumores são cânticos.
E evaporam-se em bailes aéreos
os velhos perfis sombrios das emboscadas.

1930

1962

Desenhos

I

Faz tanto frio
que a água estremece arrepiada.
Cada garça branca
é um floco de neve que às vezes voa.

As garças brancas
recortam com as asas, no brejo escuro,
suas imagens nítidas.

O crepúsculo nubloso
é uma xilogravura móvel, que se vai fazendo.

1931

II

O barco apodrece no cais,
como um peixe aberto,
com suas espinhas de madeira.
Tão morto que nem às águas se move.

Tão morto que até as crianças o desprezam,
embora tivessem desejado habitá-lo
no tempo em que navegava,
como um grande brinquedo novo.

Dispersos

III

Qualquer barco é maior que as casas dos pescadores.
Os meninos balançam os pés na água.
Grande é o céu, grande é o mar.
Não se precisa de casa nenhuma neste mundo:
entre o mar e o céu se pode nascer, viver, morrer.
E o homem é um pequeno instante.

1962

Vinde, ó anjos, com as vossas espadas

1932

Vinde, ó anjos, com as vossas espadas,
as vossas espadas e as vossas balanças,
para pesar estas vidas pesadas
de tristes sonhos, mas não de esperanças.

Vinde com as vossas estrelas e flores
enfrentar animais flamejantes.
Ai! que campinas só de desamores,
que universos de só desamantes!

Os mortos sobem as escadas

Os mortos sobem as escadas,
sorrindo com seus claros dentes.
Alegrias que nunca tiveram

quando eram vivos e presentes,
felicidades que apenas sonharam
e foram lágrimas somente.

Os mortos sobem as escadas:
inesperados visitantes
vindos de reinos sem fronteiras
às nossas casas, dessemelhantes.
Ai, bem se vê que não estão vendo
que um vivo é um morto mais distante!

Morro do que há no mundo

Morro do que há no mundo:
do que vi, do que ouvi.
Morro do que vivi.

1933

Morro comigo, apenas:
com lembranças amadas,
porém desesperadas.

Morro cheia de assombro
por não sentir em mim
nem princípio nem fim.

Morro: e a circunferência
fica, em redor, fechada.
Dentro sou tudo e nada.

Janeiro, 1963

Plantaremos estes arbustos

Plantaremos estes arbustos
que darão flor apenas
daqui a três anos.

Plantaremos estas árvores
que darão fruto um dia
mas só depois de dez anos.

Não plantaremos jardins de amor,
porque imediatamente
abrem tristeza e saudade.

Não plantaremos lembranças,
porque estão desde já e para sempre
carregadas de lágrimas.

1934

1963

Aquele que aproxima os que sempre estarão

Aquele que aproxima os que sempre estarão
distantes e desunidos
e separa os que pareceriam
para sempre unidos e semelhantes

enxuga meus olhos
no alto da noite de mil direções.

Encostada a seu peito,
contemplo transfigurada
o negro curso da vida

como, um dia,
do alto de uma fortaleza
vi a solidão das pedras milenares
que desciam por suas arruinadas vertentes.

Janeiro, 1963

Epitáfio

Com máscaras de ouro 1935
e faixas de tempo,
conservou-me o sono
no deserto imenso.

Ó máscaras, faixas
em que não me encontro!
(Não busqueis mais nada
do que foi meu corpo!)

Do que fui eu mesmo,
nem nome, nem data:
e só permaneço
pelo que me falta...

1963

Dispersos

Dizei-me com poucas palavras

Dizei-me com poucas palavras
aquilo que vos atormenta:
que são pressurosas e bravas
as águas do meu pensamento.

 profundo soluço é breve;
a morte é um relâmpago apenas.
Não deixeis que se alongue a febre
instantânea da vossa pena.

Dizei com tão justa eloqüência
que haja um círculo, um campo, um halo,
que se veja, em pleno silêncio,
no que dizeis o que se cala.

Abril, 1963

Urnas e brisas

Entre estas urnas tão claras e lisas,
escolherei a das minhas cinzas,

embora me pareça que as brisas
são urnas mais claras, mais lisas, mais finas,

e levem mais longe essas leves cinzas
que restarem de tão breves ruínas...

1963

Ai, que se nos foi a vida em cavalgar...

Ai, que se nos foi a vida em cavalgar...
Um para a serra, outro para o mar.
Como podíamos conversar?

Ai, que se nos foi a vida em cavalgar...
Impérios vagos, areias e ar.
Mal nos podíamos avistar.

Ai, que se nos foi a vida em cavalgar.
Mortos sonharemos, se há o que sonhar.
E talvez possamos chorar.

1963   1937 *

Por essas ruas que não têm chão

Por essas ruas que não têm chão,
corre a criança com seus pés incansáveis.

Por aí nos encontramos, em nosso caminho eterno,
procurando o que não dizemos.

Ela olha para mim com todos os olhos que já existiram,
humanos e zoológicos.

Todos têm a mesma pupila meditativa,
sagrada e triste.

Dispersos

Que vida vivemos nessas ruas sem chão,
de lugares fora do mapa?

Que verdades são as nossas? Sem palavras nos entendemos.
Em destino sobrenatural nos fundimos.

Habitamos o altíssimo vento,
somos tão simples, carregados de séculos e nomes.

Somos tão pobres e solitários, nesse mundo só de idéias.
Não temos nem o peso dos nossos pensamentos.

E estamos longe de tudo, do céu e da terra e do que se conhece
mesmo de nós, absurdamente longe.

Março, 1963

Horário de trabalho

Depois das treze poderei sofrer:
antes, não.
Tenho os papéis, tenho os telefonemas,
tenho as obrigações, à hora certa.

Depois irei almoçar vagamente
para sobreviver,
para agüentar o sofrimento.

Então, depois das treze, todos os deveres cumpridos,
disporei o material da dor
com a ordem necessária

para prestar atenção a cada elemento:
acomodarei no coração meus antigos punhais,
distribuirei minhas cotas de lágrimas.

Terminado esse compromisso,
voltarei ao trabalho habitual.

8, Maio, 1963

Viagem nas cores 1939

Penetraremos no azul e no vermelho.
Mais que a abelha na flor,
nossos olhos viajarão pelos reinos das cores:
nesses campos e oceanos de safira e rubi.

Conheceremos a surda profundidade,
o peso do brilho, da luz contidos no vermelho e no azul.
É outro mundo, de outro sol, com densidades de água e veludo.
Iremos, de horizonte em horizonte,
iremos transpondo esses mapas geométricos
de quadrados, triângulos, rosáceas, estrelas...
Iremos pelos vitrais ardentes, de intenso fogo,
iremos pelo sufocado fogo dos cintilantes tapetes.

Dispersos

(Quando nossos olhos voltarem, seremos, no cotidiano crepúsculo,
como pássaros e sereias
orvalhos de estrelas e ondas
e caídos na areia fosca.)

1963

Rua da Estrela

1940

Rua da Estrela,
só pelo nome,
como eu te amava!

Rua serias
da estrela Vésper?
Da estrela-d'Alva?
Ou alguma estrela
em ti brilhava?

E conheci-te.
E procurava
nos longos muros,
nas grandes casas,
a estrela nunca,
jamais achada...

Quase sem corpo,
quase só alma,
no leve tempo
da infância vaga,

pelos caminhos
que a ti levavam,
vendo e sonhando,
só descobria
jardins de flores,
chácaras largas
com seus perfumes
de terra e vento,
de folhas e águas...
E clarabóias
tão altas e alvas...
Porões sombrios,
com seus fantasmas
que a noite apenas
ressuscitava...

1941

Rua da Estrela!
Nesses caminhos,
pelas fachadas,
nas platibandas,
pelas escadas,
lúcidas, mudas,
brancas estátuas
(mas não a estrela
que no teu nome
se anunciava!).

O som dos pianos
ia e voltava
pelas escalas...
Negras alegres

Dispersos

me festejavam.
Bêbados tristes
me entristeciam,
pelas calçadas.

Tudo isso havia
pelos caminhos
que atravessa.
Mas essa estrela,
Rua da Estrela,
com que o teu nome
me deslumbrara,
essa eu não via.
Talvez chegava
pela alta noite?
De madrugada?

Por essa estrela,
Rua da Estrela,
mesmo invisível,
é que eu te amava.

Cantar de vero amor

A Heitor Grillo

I

Assim aos poucos vai sendo levada
a tua Amiga, a tua Amada!

*1942

E assim de longe ouvirás a cantiga
da tua Amada, da tua Amiga.

Abrem-se os olhos — e é de sombra a estrada
para chegar-se à Amiga, à Amada!

Fecham-se os olhos — e eis a estrada antiga,
a que levaria à Amada, à Amiga.

(Se me encontrares novamente, nada
te faça esquecer a Amiga, a Amada!

Se te encontrar, pode ser que eu consiga
ser para sempre a Amada Amiga!)

1943

II

E assim aos poucos vai sendo levada
a tua Amiga, a tua Amada!

E talvez apenas uma estrelinha siga
a tua Amada, a tua Amiga.

Para muito longe vai sendo levada,
desfigurada e transfigurada,

sem que ela mesma já não consiga
dizer que era a tua profunda Amiga,

sem que possa ouvir o que tua alma brada:
que era a tua Amiga e que era a tua Amada.

Ah! do que se disse nada mais se diga!
Vai-se a tua Amada — vai-se a tua Amiga!

Ah! do que era tanto, não resta mais nada...
Mas houve essa Amiga! mas houve essa Amada!

São Paulo, janeiro, 1964.

Cantata da cidade do Rio de Janeiro
A mui leal e heróica cidade de São Sebastião

A Carlos Lacerda

✳ 1944

Levantemos a cidade, que ficará por memória do nosso heroísmo e exemplo de valor às vindouras gerações, para ser a rainha das províncias e o empório das riquezas do mundo.

(Frase atribuída a Estácio de Sá, por ocasião da fundação da cidade, 1565.)

I / A fundação

Terra do bravo tamoio, círculo de aldeias em torno da água
[redonda:
água coberta de ilhas, altas montanhas, florestas longas.

Pau-brasil! Pau-brasil! E os ares cheios de asas amarelas,
[verdes, azuis
e pelo chão as cobras, o caititu, o tapiraçu...

Ali, o rio que vem da montanha, ali, as igaras, as redes, as flechas,
maracás, tacapes, a cantiga, a dança, o combate, a festa...

"Venham todos para festa,
venham devorar um bravo:
a sorte da guerra é esta..."

ou

"Cobrinha, um momento pára:
quero imitar teu primor
e fazer cintura rara
para dar ao meu amor."

No céu, as estrelas; nas águas, os peixes, também a brilhar: 1945
acaraguaçu, acará-mirim, curimã...

Terra do bravo tamoio, tão bem cobiçada, tão mal conhecida!
De bem longe chegam naus de gente estranha, falando outras
[línguas.

Oh, rio enganoso... pois a água redonda é seio do mar,
enseada, baía, Guanabara, Guana-bará...

(Entre as flechas que voam, os portugueses descobridores
desembarcaram, com a fé e a coragem de um punhado de homens.

Aqui, entre os morros, começaremos a fortaleza:
bateremos os invasores, roçaremos a terra, cortaremos madeira
[para a cerca.

Dispersos

E fortes seremos, por D. Sebastião, o futuro rei,
e por S. Sebastião, que de setas crivado também morreu.)

"Levantemos a cidade que ficará por memória do nosso heroísmo..."

II / O século XVII

Levantávamos a cidade! Casas de barro, cana, mandioca,
flechas de tamoios, tiros de arcabuzes por cima das casas e roças...

Anchieta, o Santo; Estácio, o herói, índios e cristãos,
ó cidade de setas, te haviam fundado, por D. Sebastião e por
[S. Sebastião!
Levantávamos a cidade! Capelas, ermidas, mosteiros, igrejas e igrejas...
Missas, cerimônias, curumins dançando... e a artilharia nas fortalezas.

E vinham governadores, e vinham prelados... Festas, procissões...
Levantávamos a cidade, a Leal Cidade de S. Sebastião.

"Por memória do nosso heroísmo e exemplo de valor às futuras
[gerações..."

III / O século XVIII

Levantávamos a cidade: entre paludes, lagoas, brejos.
Estradas solenes de Bispos. Cresciam palácios, igrejas, colégios...

Toque de rebate! Invasores entram! Ai! o assalto, o saque, a traição...
Mas resgataremos a Cidade, a Leal Cidade de S. Sebastião!

*1946

Faremos baluartes, armaremos os fortes, reforçaremos os muros.
Secaremos os brejos, traçaremos as ruas, construiremos aquedutos...

Levantávamos a Cidade, levantávamos a Cidade!
Os próprios Santos tomavam parte nos nossos combates!

"... POR MEMÓRIA DO NOSSO HEROÍSMO E EXEMPLO DE VALOR ÀS
[VINDOURAS GERAÇÕES..."

IV / O século XIX

Levantamos a Cidade: de águas pantanosas, nasceram jardins.
Tempo de Vice-Reis. O palácio, a estátua, a fonte, o chafariz...

Brancos, mamelucos, negros, todos juntos a Cidade construíram.
Nela os poetas cantaram, os mártires morreram. Mas a cidade
[vivia!

1947 ✳

(Lá vem a nau da Rainha
que venceu o temporal:
vêm príncipes, vêm princesas,
— a Corte de Portugal.)

Levantamos a Cidade: sobrados, museus, chácaras, carruagens...
Casamentos reais, festas, luminárias, mucamas e pajens.

(Ai, quem é que canta num sopro tão manso?
É a negra embalando o menino branco.

Que barulho é este, de música surda?
É o negro dançando pela noite escura...)

Dispersos

Levantamos a Cidade. Navios que trazem sábios e artistas.
Navios que partem com o Rei e a Corte. E o Príncipe que fica.

Levantamos a Cidade. Hinos, modinhas, proclamações imperiais.
Cidade de S. Sebastião, Heróica e Mui Leal.

Os teatros que surgem. Os livros que se abrem. Cidade de
                                 [ciências, de artes e ofícios.
Mil vozes cantando missas, ladainhas, óperas e hinos...

Fogos de artifício. Máscaras. Carnavais. Inaugurações.
Levantamos a Cidade sobre esperanças de independência e
                                         [libertação...
Pianos, árias, sermões, orações cívicas, aerostatos.
Ruas e ruas novas, e as sinhazinhas que se separam de seus
                                                [escravos.
        (Pisei na pedra,
        a pedra balanceou:
        o mundo estava torto.
        Princesa endireitou...)

(Quem canta com todo esse contentamento?
É o negro que já ficou livre do cativeiro!)

"...LEVANTAREMOS A CIDADE PARA SER A RAINHA DAS PROVÍNCIAS..."

V / O século XX

Levantamos a Cidade! por todos os lados a levantávamos:
uma parte, no mapa estendida: outra parte elevada nas almas.

* 1948

Mais alto que Reino, que Império e República, a estrela de luz,
a estrela dourada da Cidade, pintada no campo azul.

Levantamos esta Cidade festiva onde os povos da terra
[encontram bondade:
cidade sadia, sem males, sem ódios, com a força do sonho, do
[espírito da arte.

Cidade de ricos e pobres, arquitetura de música e amor,
que envolve no mesmo abraço o que há de vir e o que já
[foi (ou: o que passou).

Cidade nossa heroína e leal,
metade morro, metade mar,
capaz de sofrer sem se queixar, 1949
ferida de setas por lei natural,
cidade de S. Sebastião,
que não teme as setas do mal,
como o seu Santo e o seu Capitão.

Levantaremos todos os dias esta Cidade, sempre maior e mais
[bela,
pois os seus naturais aumentam mais a beleza da terra.

LEVANTAREMOS ESTA CIDADE, RAINHA DAS PROVÍNCIAS E EMPÓRIO DO
[MUNDO
e nela marcaremos a nossa vontade, o nosso destino, o nosso
[rumo.

São Paulo, fevereiro, 1964

Dispersos

Todos acordamos tristes e impacientes

Todos acordamos tristes e impacientes:
que melancolia desceu na chuva da noite?
Que sonhos teve cada um de nós,
já esquecidos e ainda atuantes?
Que anjos amargos ficaram à nossa cabeceira?
Todos acordamos com o coração pesado
e os lábios aflitos.
Que bebida acerba nos foi vertida dos céus?
Que confidências nos fizeram os mortos e os Santos?
Nossos olhos abriram-se a custo, sob muito sal.
Nossos braços estavam sem força, ao despertar do dia.
Por que montanhas caminhamos, de íngreme pedra?
Que desertos atravessamos, de vento e areia?
Em que mares deixamos a sombra do nosso vulto?
Acordamos despojados, divididos, dolentes,
e, exaustos, começamos a recompor
aquilo que, sem nenhuma certeza,
supomos, no entanto, ser, em alma e esperança.

São Paulo, março, 1964

Parusia

Morrerei sem assistir àquela chegada:
quando os céus se abririam em feixes de luz
e a Presença desceria do Mistério.

Quando ficássemos todos alegres e ditosos:
— o coração como um ramo de flores,
os olhos com todas as constelações.

Não: a Parusia ficou naquele livro dourado
com páginas tão lidas, tão viradas, tão gastas,
com pequeníssimas pregas nos cantos.
O livro que vivia entre os teus dedos antigos.
Lá eu vi a Presença, a Luz do Céu, a felicidade do mundo.

O resto aparece apenas na minha alma.

São Paulo, abril, 1964

Vôo

1951

A Darcy Damasceno

Alheias e nossas
as palavras voam.
Bando de borboletas multicores,
as palavras voam.
Bando azul de andorinhas,
bando de gaivotas brancas,
as palavras voam.
Voam as palavras
como águias imensas.
Como escuros morcegos
como negros abutres,
as palavras voam.

Dispersos

Oh! alto e baixo
em círculos e retas
acima de nós, em redor de nós
as palavras voam.

E às vezes pousam.

Abril, 1964

Rimancim para Lélia Frota

*(Agradecendo-lhe um presente
de formas de alfenim)*

1952

Saltando do cavalim
daquele reino sem fim
que se chama Eudesalvim,
Dona Lélia veio a mim.

Subiu por este jardim
e, ao chegar ao meu fortim
(que eu digo ser um *fraquim*
e outros, torre de marfim),
soprou no seu cornetim:
tarará tará tatchim!

Logo ao seu encontro vim.
Dissemos "pois não", "pois sim"
(em português e em latim...).

Como em país abexim,
servi-lhe café (mui ruim!),
não guaraná nem cauim!

Cada uma no seu coxim,
Dona Lélia disse assim:
"Organizei um festim,
ouro e seda carmesim:
tocaremos tamborim,
harpa, flauta, bandolim;
uns virão de palanquim,
outros no seu bergantim.
Diremos versos em *im*,
algum provérbio ou anexim,
e comeremos, alfim,
não alfim, mas alfenim..."

(E em suas mãos de cetim
vi, claras que nem jasmim,
as formas desse doce, in-
venção de algum serafim...)

"Vinde, Dona Lélia, vin-
de depressa ao meu fortim!
Comecemos o festim
que nem sonhou Aladim!"

Maio, 1964

1953

O pássaro obediente

A Graciela Fuenzalida

Para o alto da noite negra,
da noite muito negra,
partiu o delicado pássaro
que só na extrema solidão
do último ramo
se atreve a cantar,
porque diz a sua canção:
"Eu te amo! Eu te amo! Eu te amo!"

Mas do cimo da noite negra,
da sua janela mais negra,
a plácida voz responde:
"Dorme! Dorme! Dorme!"
E o pássaro de asas fechadas
cai sem saber onde.
Cai no meu coração.
(Nem teve tempo de beber a lágrima enorme
que os olhos formarão.)

1954

1964

Linha reta

A Cassiano Ricardo

Não tenteis interromper o pássaro que voa em linha reta
de leste a oeste. Alto e só.

Não lhe pergunteis se avista cidades, mares, pessoas
ou se tudo é um liso deserto. Vasto e só.
Ele não passa para contemplar essas coisas do mundo.
Ele vem de leste, ele vai para oeste. Alto e só.

Ele vai com sua música dentro dos olhos fechados.
Quando chegar ao fim, abrirá os olhos e cantará sua música.
Vasta e só.

1964

Casa antiga

A Nora e Paulo Rónai

1955

Forrarei tua casa já tão antiga
com um papel que imita as paredes de tijolo.
Ficará tão lindo como se estivéssemos na Holanda.

Forrarei tua casa assim, por dentro.
De modo que, longe de todas as vistas,
será como se estivéssemos ao ar livre, no jardim.

E deixarei uma parede quebrada — não uma porta, não uma
[janela:
uma parede quebrada, por onde passe um ramo de goiabeira,
carregado de flores e vespas.

Dispersos

Parecerá que estamos sonhando,
e estamos sonhando mesmo,
e parecerá que estamos vivendo.
E a vida não é mesmo um sonho impossível?

1964

Tempo de Gisèle

*(Agradecendo a uma amiga um relógio
dourado em forma de ferradura)*

O tempo de Gisèle é o da esbelta amazona
que cavalga o pégaso ajaezado
com gualdrapa de franjas, e pérolas nas crinas.

O tempo de Gisèle é o passo dourado do seu cavalo
sobre as flores e as dores do mundo,
entre as finas areias negras e azuis da noite e do dia.

O tempo de Gisèle não pára, mas não se move.
Essa é a incoerência do tempo de Gisèle:
— vai sendo sempre outra coisa, sobre uma coisa eterna e
[invariável.

São Paulo, 1964

Três orquídeas

Para D. Marcos Barbosa

As orquídeas do mosteiro fitam-me com seus olhos roxos.
Elas são alvas, todas de pureza,
com uma leve mácula violácea para uma pureza de sonho
[triste, um dia.

Que dia? que dia? dói-me a sua brevidade.
Ah! não vêem o mundo. Ah! não me vêem como eu as vejo.
Se fossem de alabastro seriam mais amadas?
Mas eu amo o eterno e o efêmero e queria fazer o efêmero
[eterno.

As três orquídeas brancas eu sonharia que durassem,   1957
com sua nervura humana,
seu colorido de veludo,
a graça leve do seu desenho,
o tênue caule de tão delicado verde.
Se elas não vêem o mundo, que o mundo as visse.
Quem pode deixar de sentir sua beleza?
Antecipo-me em sofrer pelo seu desaparecimento.
E paira sobre elas a gentileza igualmente frágil,
a gentileza floril
da mão que as trouxe para alegrar a minha vida.

Durai, durai, flores, como se estivésseis ainda
no jardim do mosteiro amado onde fostes colhidas,
que escrevo para perdurardes em palavras,
pois desejaria que para sempre vos soubessem,

alvas, de olhos roxos (ah! cegos?)
com leves tristezas violáceas na brancura de alabastro.

Agosto, 1964

1958

Índice de títulos e primeiros versos

A alcachofra, o vinho, as paredes de pedra, 1131
A alegria 682
A alma ao nível da terra: 1367
A amiga deixada 438
A avó 1490
A avó do menino 1490
A bailarina 1474
A bailarina era tão grande 1235
À beira d'água moro, 1215
A bela bola 1469
À bela dama despojada 1640
A Belém! 17
— A Belém! A Belém! — E pela estrada 17
"A cama era uma barca"* 1923
A casa cheirava a especiarias 1014
A chácara do Chico Bolacha 1489
A chuva chove... 38
A chuva chove mansamente... como um sono 38
A chuva coloca no bico dos pássaros 1641
A chuva que a noite molha 212
A desconhecida 1854
"A diferença é que não temos os endereços" 1803
A doce canção 348
A dona contrariada 384
A égua e a água 1513
A égua olhava a lagoa 1513
A elegia do fantasma 44
A engrenagem trincou pobre e pequeno inseto. 318
A enxurrada 1898

A enxurrada leva os noivos com seus enxovais. 1898
A espuma escreve 1511
A estrada — pó de açafrão que o vento desmancha. 984
"A festa foi no alto do mundo" 1657
A flor amarela 1486
A flor com que a menina sonha 1477
A flor da pimenta é uma pequena estrela, 1491
A flor e o ar 678
A flor que atiraste agora, 678
A folha na festa 1503
A gente morena é pouca, 194
A grande sala estava constantemente vazia. 1796
À hora do teu destino, 1565
À hora em que os cisnes cantam... 34
A inominável... 52
A lágrima que se acumula e tolda momentaneamente a vida 1732
A lágrima que se acumula... 1732
A língua do nhem 1498
A lua 1772
A lua é do Raul 1476
A lua nos nossos ombros 650
A mão que tímida pousa 196
À margem do prato com o peixe pintado 1713
À memória de José Bruges 1705
A menina de preto ficou morando atrás do tempo, 249
A menina e a estátua 574
A menina enferma 311

---

* Sempre que o poema não tiver título autônomo ele será identificado por seu primeiro verso, que virá entre aspas.

A menina enferma tem no seu quarto formas inúmeras 311
A menina translúcida passa. 600
A mim, o que mais me doera, 862
A minha inquietação não tem mais nada, nada, 1825
A minha melancolia 218
A minha princesa branca 35
A minha vida se resume, 300
"A moça pecadora apareceu-me de branco" 1291
"A mocidade gasta em lágrimas inúteis" 1792
A morta 1786
A moura e o vento 1605
A mulher e a tarde 349
A mulher e o seu menino 439
A nau que leva ao degredo 912
"A ninguém preciso dizer adeus" 1733
A noite 1441
A noite é essa escuridão tão envolvente 1441
A noite não é simplesmente um negrume sem margens nem direções. 710
À noite, pousava em nossa porta um vagalume. 1763
A nuvem negra 1768
A onda que se levanta 190
A palavra que te disse, 628
A palmeira 1773
A pombinha da mata 1496
À que há de vir no último dia... 42
A raiz era a escrava, 1516
A senhora tão séria sentou-se no trem 1386
A serviço da Vida fui, 333
A solidão das morenas 198
A sombra 1799
"A sombra da abelha" 1916
A taça foi brilhante e rara, 262
"A tarde toda de chuvas suspensas" 1890

À tarde, o cavalinho branco 1468
A terra toda seca. Os rios — valas amarelas. 1004
A todos os deuses rezo 214
A tristeza desta vida 179
A tristeza era a imensa lápide 1735
A tua raça de aventura 272
A última cantiga 235
A vastidão desses campos. 801
A velhice pede desculpas 1788
A ventania misteriosa 309
A vida só é possível 411
A vizinha canta 359
A voz do profeta exilado 562
Abajur de Lina 1696
Abraçava-me à noite nítida, 709
"Abracemos a noite" 1295
Abri na noite as grandes águas 601
Abriu-se a janela 1077
Acabou-se aquele tempo 795
Acalanto 554
Aceitação 241
Acônito 30 1624
Acontecimento 288
Acordai, descuidadas, 602
Acostumei minhas mãos 377
"Adeus — não para alguma separação" 1826
Adeus a Roma 1131
Adeus, 365
Adeus, Jaipur, 1028
Adeuses 1040
Adivinhação do personagem 1880
Adolescente 992
Adolescente romano 1161
Adormece o teu corpo com a música da vida. 122
Adormeço em ti minha vida, 361
Adozinda 1581
Adozinda, a linda, 1581
Aedo 1112
Agitato 48

1960

Agora (*Dispersos*)1802, 1871
Agora a tarde está cercada de leões de fogo, 995
Agora chego e estremeço. 731
Agora é como depois de um enterro. 261
Agora é o Hudson: 1421
Agora é santo o soldado 1413
Agora podeis tratar-me 728
Agora queria ser apenas este velho harpista, 1871
Agora tenho saudade daquele anônimo guia 1156
"Agora tenho um braço de gesso" 1901
Agora, o cheiro áspero das flores 344
Agora, quando penso em ti, ó Eilath, 1416
Agosto 334
Ah! com que extremado esforço nos elevamos 1453
Ah! menina tonta, 1470
Ah! nem mais rogo nem promessa 960
Ah! Santa Maria... 1148
"Ah, se recuperássemos tudo o que amamos e perdemos!" 1727
Ai daquele que é chegado 738
Ai doce terra morena, 203
Ai! A manhã primorosa 282
Ai! mas um amor sonhando-te. 1912
Ai, a filha da Marianinha! 933
Ai, deixa as coisas defuntas 211
Ai, não te espantes 182
Ai, palavras, ai, palavras, 879
Ai, pelo Old Square, ai, pelo Old Square, 1327
Ai, por debaixo de que rios, 1590
Ai, que rios caudalosos, 792
"Ai, que se nos foi a vida em cavalgar..." 1937
Ai, se Deus fosse moreno, 201
Ai, senhor, os cavalos são outros, 1214
Ai, terras negras d'África, 916
Ainda correm lágrimas pelos 1657
"Ainda havia soluços" 1926

Ainda vai chegar o dia 794
Alabastro 1129
"Alba foliácea" 1866
"Além das paredes, dos móveis" 1809
Alentejo 1375
(Alfombras de prata 604
"Alguém se torna presente" 1593
Algum parente meu vai embarcar esta tarde? 1385
Algum tamanho e peso. 1880
Alheias e nossas 1951
Alma divina, 255
Alta noite, lua quieta, 350
Alta noite, o pobre animal aparece no morro, em silêncio. 424
Alto, onde a poeira quase não alcança, 1565
Alucinação 434
Aluna 371
Alva 250
Alvura 580   1961
Amanhã irão os vitelos 1408
Amanheceu pela terra 355
Amar por uns dois meses, 202
Amém 432
Amor, ventura, 1100
Amor-Perfeito 527
Anatomia 1435
Andávamos bem correndo 1547
Andei buscando esse dia 433
Andei pelo mundo no meio dos homens: 307
Andei por símbolos e enigmas, 1713
Ando à procura de espaço 336
Ando em ti, Roma de altos ciprestes e largas águas, 1150
Ando tão agradecida 194
Anjo da guarda 558
Anoitecer 1039
Antes eu tivesse partido 67
Antes que a noite chegue: 1812
Antes que o sol se vá 388

Índice de títulos e primeiros versos

Antieclesiaste 1621
Antiga 438
Antônio e Cleópatra 19
Anunciação 229
Ao apoiar-me a esta grade, ao derramar os olhos 1927
Ao longe, amantes infelizes 1254
Ao longo do bazar brilham pequenas luzes. 1039
Ao longo do muro, as campânulas escorrem, 1782
Aonde é que vai o praça 1508
— Aonde é que vais, Vitoriano, 848
Aonde ias tu, que me deixavas, 1741
Aparecimento (*Mar absoluto e Outros Poemas*) 539
Aparecimento (*Poemas Escritos na Índia*) 1014
Apelo 601
Apenas uma sandália 1247
"Apolo! Júpiter! Vênus!" 1585
Apontamentos 1287
Apresentação 606
"Aquele cordeirinho que eu vi nascer" 1917
"Aquele que aproxima os que sempre estarão" 1934
Aquele que caminha ao longo das praias 1752
Aqui a ventania não dorme, 1024
"Aqui chegaram, Senhor, as cegas" 1663
Aqui está minha vida — esta areia tão clara 606
Aqui esteve o noivo, 881
"Aqui estou nos vales da terra" 1309
Aqui estou, junto à tempestade, 288
Aqui me refugio, 1142
Aqui se detêm as sereias azuis e os cavalos de asas. 1608
Aquilo que ontem cantava 625
Ar livre 600

Arabela 1480
Aranhol 1565
Araribóia visita o governador Salema 1525
Arco 1127
Arco de pedra, torre em nuvens embutida, 1267
Arena 1817
Ária 665
Arlequim 1796
Arqueologia 1757
Arrematai o machinho 886
Árvore da folha bela, 175
Árvore da noite 603
Árvore de sofrimento, noite e dia enterrada, 1685
As árvores, secas, 1121
As avozinhas acordaram 102
"As borboletas brancas" 1859
As canéforas de Tomar 1412
As duas velhinhas 1482
"As escadas medievais, sem balaústre e sem patamares" 1925
As escravas etíopes, lentamente, 19
As faces estão irreconhecíveis: 1127
As formigas 573
As imensas rochas cinzentas 1006
As lavadeiras vão abrindo 1813
As meninas 1480
As morenas mais esquivas 208
As ordens da madrugada 298
As ordens já são mandadas, 864
As orquídeas do mosteiro fitam-me com seus olhos roxos. 1957
As palavras estão com seus pulsos imóveis. 1272
As palavras estão muito ditas 391
As pérolas 1722
"As setas desta Cidade" 1535
As solas dos teus pés. 992
As três meninas são muito leves 1308

As três Princesas silenciosas 110
As valsas 610
Asas tênues do éter 1225
Ascensão 1590
Assembléia de Pórfiro 1139
Assim aos poucos vai sendo levada 1942
Assim moro em meu sonho: 1088
Assim n'água entraste 1241
Assovio 304
Astrologia 1791
Até morrer estarei enamorada 1631
"Até quando terás, minha alma, esta doçura" 1733
Átila 24
Atitude 265
Através de grossas portas, 810
Atravesso este momento, 1122
Auriceleste manhã com as estrelas diluídas 987
Auriga 1110
Aurora 1822
Ausência 650
Auto-retrato 456

Baile vertical 494
Balada a Philip Muir 1330
Balada das dez bailarinas do cassino 617
Balada de Ouro Preto 648
Balada do pobre morto 1823
Balada do soldado Batista 495
Banho dos búfalos 989
Banho imaginário 1749
Bárbara flor, ó flor de escândalo, 100
Barquinhos do Tejo, 1411
Basta-me um pequeno gesto, 315
Bateram na noite escura, 196
Bazar 990
Beatitude 34
"Bebiam os homens" 1686
Beira-mar 488
"Bela cidade de prata, pálida" 1425

Belo era o tempo 1807
"Bem de madrugada" 997
Bem sei que, olhando pra minha cara, 316
Bem-te-vi que estás cantando 308
Bendito seja Aquele 73
Berceuse para quem morre 49
Biografia 1785
Blasfêmia 517
Bolhas 1470
Borboleta violenta 1851
Brâmane 16
Brancas eram as tuas sandálias, Bhai, 1028
Breve elegia ao Pandit Nehru 1431
Brilhou a rosa 606
Briônia 1622
"Brisa da beira do Minho" 1371
Brota esta lágrima e cai. 426
Buda, Jesus, Maomé, 202

Cabecinha boa de menino triste, 246
Caçador que andas na mata, 758
Cada palavra uma folha 1247
Cai a voz do Arcanjo. 1251
"Calmamente recolheremos estas palavras" 1592
Caminhante 1150
Caminho 651
Caminho do campo verde, 396
Caminho do pensamento, 214
Caminho pelo acaso dos meus muros, 1267
Campeonato 1810
Campo (*Viagem*) 258
Campo (*Mar Absoluto e Outros Poemas*) 560
Campo da minha saudade: 258
Campo na Índia 1717
(*Campo perdido.* 332
Campos verdes 398

1963

Canavial 1001
Canção (*Viagem*) 237, 239, 243
Canção (*Mar Absoluto e Outros Poemas*) 476, 550, 555
Canção (*Retrato Natural*) 626, 628, 631, 640, 643, 662, 669, 681
Canção (*Ou Isto ou Aquilo*) 1507
Canção (*Dispersos*) 1607, 1633, 1693, 1736, 1807, 1825, 1837, 1849
Canção a caminho do céu 386
Canção da flor da pimenta 1491
Canção da indiazinha 1526
Canção da menina antiga 331
Canção da tarde no campo 396
Canção das vítimas 1808
Canção de alta noite 350
Canção de Dulce 1500
Canção de outono 1635
Canção de Sorrento 1163
Canção de Taxfin 1907
Canção desilusória 37
Canção do Amor-Perfeito (*Retrato Natural*) 627, 644
Canção do caminho 342
Canção do Canindé 1527
Canção do carreiro 390
Canção do deserto 412
Canção do menino que dorme 979
Canção dos três barcos 423
Canção excêntrica 336
Canção fluvial 1411
Canção mínima 359
Canção nas águas 377
Canção no meio do campo 600
Canção para remar 414
Canção para Sarojíni 1012
Canção para Van Gogh 1366
Canção póstuma 629
Canção quase inquieta 337
Canção quase melancólica 347
Canção quase triste 606

Canção romântica às virgens loucas 623
Canção suspirada 353
Canção triste 50
Cançãozinha de Haiderabade 1038
Cançãozinha de ninar 360
Cançãozinha para Tagore 1023
Canções 1067
Canções do mundo acabado 346
Canindé azul, Canindé azul, 1527
Canta o meu nome agreste, 366
Canta, canta, pela sombra, 1528
Cantar 291
Cantar ao cantor 1762
Cantar de beira de rio: 291
Cantar de vero amor 1942
Cantar guaiado 549
Cantar saudoso 532
Cantar, cantar, bem cantavas. 1762
Cantara ao longe Francisco, 1047
Cantarão os galos 607
Cantarão os galos, quando morrermos, 607
Cantata da cidade do Rio de Janeiro 1944
Cantata matinal 602
Cantata vesperal 615
Cântico 121
Cântico à Índia pacífica 1399
Cantiga (*Viagem*) 282, 308, 311
Cantiga da babá 1504
Cantiga do véu fatal 367
Cantiga outonal 42
Cantiga para adormecer Lúlu 1501
Cantigas 1681
Cantiguinha (*Viagem*) 251
Cantiguinha (*Vaga Música*) 426
Canto 1826
Canto aos bordadores de Cachemir 1033
Canto do Acauã 1528
Captura do dançarino 1816
Caramujo do mar 477
Carnaval 1573

Caronte 511
Carta 522
Casa antiga 1955
Casa de Gonzaga 1364
Casas brancas 1857
Castelo de Maurício 1396
Casulo 1565
"Cata, cata, que é viagem da Índia..." 1876
Catedral 1389
Cátedras 1450
Cavalariças 1015
Cavalgada (*Viagem*) 283
Cavalgada (*Mar Absoluto e Outros Poemas*) 498
"Cavalgávamos uns cavalos" 1323
Cavalo à música 1813
Cavalo branco 1084
Cave Canem 1138
Cave Canem! — avisa o mosaico, 1138
Cego em Haiderabade 1011
Cem mil pupilas houve: 1128
Cenário (*Romanceiro da Inconfidência*) 746, 797, 908, 955
Cerejas na prata 1300
Ceres abandonada 1121
Cerrai-vos, olhos, que é tarde, e longe, 615
Cesto de peixes no chão. 1466
Chama o Alexandre! 1505
Chamei Deus bem docemente, 213
Chão verde e mole. Cheiros de selva. Babas de lodo. 354
Chega e canta. 1126
Chega o verão 1643
Chorai, negras águas, 614
Chorinho 415
Chorinho de clarineta, 415
Choro de pena, 181
Chovem duas chuvas: 1230
Choveu tanto sobre o teu peito 248
"Chovia e eu estava como numa floresta de harpas" 1919

"Chovia muito esta noite" 1869
Chuva 1720
Chuva fina, 1217
Chuva na montanha 570
Chuva nas nuvens, 1621
Chuva no Palácio dos Doges 1153
Cidade colonial 1611
Cidade não vejo, não. 1614
Cidade seca 984
Cidadezinha perdida 289
Ciência, amor, sabedoria 1734
Cigarra de ouro, fogo que arde, 399
Cingem-lhe a fonte pálida e serena 18
Cinza pisamos, cinza. 1252
Cinza. 1001
Cismo, cismo, cismo 177
Clara 1048
Clara de olhar, 184
Clara no escutar, 173
Claro rosto inexplicável, 713
Coisa que passas, como é teu nome? 357
Colar de Carolina 1466
Coliseu 1128
Com a nossa imagem vária, cômica e divina. 1422
"Com agulhas de prata" 1302
"Com as minhas lições bem aprendidas" 1444
Com desprezo ou com ternura, 739
Com esperança e prazer, 1681
Com máscaras de ouro 1935
Com os teus dedos feitos de tempo silencioso, 1573
Com palavras quase eruditas 1363
"Com pena penso em ti, que não me atendes" 1742
Com saudade de mim inclino-me na noite. 1450
Com seu colar de coral, 1466
Com sua agulha sonora 1231
Comentário do estudante de desenho 621

1965

Índice de títulos e primeiros versos

"Como alguém que acordou muito tarde" 1786
"Como alguém que encontrou um povo em ruínas" 1819
Como chegavas do casulo, 608
Como é teu nome, ó amiga estrangeira, 1589
Como estão as montanhas 1093
Como estes rostos 797
Como eu preciso de campo, 387
Como num exílio, 1078
Como o companheiro é morto, 611
Como os passivos afogados 1069
Como os reis tiveram o orbe no alto do cetro, 1460
Como os senhores já morreram 1237
Como pequena flor que recebeu uma chuva enorme 372
Como se desfazem as valsas 610
"Como se morre de velhice" 1779
Como subir a grande escada, 1153
Como trabalha o tempo elaborando o quartzo, 1271
Como um pastor apascento 732
Como um tambor fechado. 1682
Companheiros da ardente quadrilha, 1817
Comprei lentes de diamante 211
Compromisso 461
Comunicação 635
Concerto 1665
Confessor medieval 1843
Confissão 401
"Conheço a residência da dor" 1722
Conservo-te o meu sorriso 371
Constância do deserto 548
Consultório 1684
"Contaria uma história simples" 1767
Contemplação 453
Convém que o sonho tenha margens de nuvens rápidas 237

Conveniência 237
Convite 1046
Convite melancólico 470
Convívio 1529
Copo da puma de prata 1852
Coração que desfalece 209
Cores 1141
"Coroa altiva" 1841
Corpo mártir, conheço o teu mérito obscuro: 356
Corpo no mar 266
Corrida mexicana 1363
Corta-me o espírito de chagas! 34
Criança 246
Criatura do sorriso, (Morena, Pena de Amor) 213, 214
Cronista enamorado do sagüim 1531
Cruzaste a Morenaria, 211
Cruzaste a noite chuvosa 200
Curvar-me até o chão, 81

Da Bela Adormecida 419
Da flor de oiro 100
Da solidão 1789
Dai-me algumas palavras, 1091
Dalila e Lélia, 1506
Dança bárbara 46
Dança cósmica 1426
Daquele que antes ouvistes, 729
Daqui por diante, o céu não é mais apenas o reino das nuvens, 1456
Dar a serenidade dos meus olhos 80
Das avozinhas mortas 102
"Das minhas mãos, que são tão firmes" 1652
Das três princesas 110
Das tuas águas tão verdes 341
De borco 1507
De dia, te andei buscando, 186
De Holofernes o exército assedia 20
De horizonte sem razão, 1846

De longe te hei de amar 1094
De longe, de longe mandei-lhe mensagens!
1705
De longe, podia-se avistar o zimbório e os minaretes 980
De manhã, solto o cabelo 180
De morte e inverno 1833
De noite e de dia, 838
De Norte a Sul, ao longo dos muros esculpidos, 1426
De Nossa Senhora 99
De que onda sai tua voz, 359
De que são feitos os dias? 1087
"De repente, a amargura sobe" 1594
De um lado cantava o sol, 1080
De um lado, a eterna estrela, 337
Debaixo de tanto calor, 1743
Declaração de amor em tempo de guerra 670
Dedicatória 171
Defronte da janela em que trabalho, 15
"Dei de comer aos pássaros" 1793
Deitei-me com alegria, 207
"Deito-me à sombra dos meus cabelos" 1929
Deixai passar pela margem da tarde 1124
Deixai-me andar por muito tempo 619
Deixaram meu rosto 409
Deixa-te estar embalado no mar noturno 255
Deixei meus olhos sozinhos 250
Deixei passar a ronda lenta 66
Delírio e morte de Estácio de Saa 1535
Dentro do perfume vamos: 1665
Depois das treze poderei sofrer: 1938
Depois do sol... 45
Depois que os teoremas ficam demonstrados, 1454
Derramam-se as estudantes pela praça, 1008
Desamparo 246

Desapego 494
Descansa, peito sereno, 189
Descrição (*Viagem*) 264
Descrição (*Vaga Música*) 355
Descrição (*Poemas Italianos*) 1135
Desde o tempo sem número em que as origens se elaboram, 281
Desde que o sonho de Sagres 1575
Desejo de regresso 471
Desejo uma fotografia 400
Desenho (*Viagem*) 313
Desenho (*Mar Absoluto e Outros Poemas*) 523
Desenho (*Retrato Natural*) 603, 655
Desenho (*Poemas de Viagens*)1386
Desenho (*O Estudante Empírico*)1455
Desenho colorido 1028
Desenho leve 675
Desenho quase oriental 1642
Desenho sem título 1741
Desenhos (*Dispersos*) 1694, 1931
Desenhos da Holanda 1367
Desenhos do sonho 1319
Despedida (*Viagem*) 322
Despedida (*Vaga Música*) 365, 430
Destes obscuros canteiros da alma, 1800
Destino 292
Desventura 269
Deus dança 429
Deusa 1022
Deusa dos olhos volúveis 252
Deviam ser Vênus 276
Dez bailarinas deslizam 617
Dia 1º de junho 1746
Dia claro, 390
Dia de chuva 559
Dia de cristal 1040
Dia submarino 637
Diálogo 268
Diálogos do jardim 1743
Diana (*Mar Absoluto e Outros Poemas*) 487

1967

Índice de títulos e primeiros versos

Diana (*Poemas Italianos*) 1162
Dias da rosa 1677
Digo-te que podes ficar de olhos fechados sobre o meu peito, 246
Discurso (*Viagem*) 229
Discurso (*Dispersos*) 1632
Discurso ao ignoto romano 1118
Discurso aos infiéis 1780
Discurso de sonho 1313
Disposições finais 1723
"Disse-me o cego na estrada" 1814
Disseram que ele não vinha: 407
Distância (*Viagem*) 257
Distância (*Mar Absoluto e Outros Poemas*) 472
Ditosos os que chegaram 1151
Divertiam-se as raparigas 1123
"Dizei-me com poucas palavras" 1936
Dizei-me vosso nome! Acendei vossa ausência! 1279
Dizem que atrás dele 825
Dizem que saiu dessa casa 906
Dize-me tu, montanha dura, 621
Dizem-me Morena 222
Do caminhante que há de vir... 93
Do chão dos nascimentos esquecida, 1162
Do crisântemo branco 112
Do lado de oeste, 335
Do mar ao céu azul para onde sobem 1915
Do mar ao céu para onde sobem 1915
"Do mar onde as colunas rolam" 1889
Do meu outono 97
Do pano mais velho usava. 1051
Do teu nome não sabia, 692
Do trigo semeado, da fonte bebida, 351
Doce cantar 491
Doce estudo. 1299
Doce peso 414
Dois apontamentos para Fayek Niculá 1401

Dois poemas mais ou menos obsoletos, que deviam ter sido bordados numa tapeçaria que não existiu 1646
Dolorosa 95
Domingo de feira 392
Domingo na praça 538
Dona Lília 1770
Donzelinha, donzelinha 773
Dorme, meu menino, dorme, 761
Dorme... Dorme... Rolam pelas 49
Dormem os homens com as mãos no peito, a espada do mundo na testa. 1664
"Dormirei para avistar-te" 1303
Dos campos do Relativo 1098
Dos cravos roxos 107
Dos desesperos a norma 206
Dos dias tristes 106
Dos jardins suspensos 24
Dos menestréis que cantavam 1834
Dos meus retratos rasgados 616
Dos pobrezinhos 101
Duas velhinhas muito bonitas, 1482
Dulce, doce Dulce, 1500
Duração 1664
Durmamos, pois, à nossa própria sombra, 1922

É a menina manhosa 1487
É a moda 1467
E a noite inteira, baixinho, 1053
E a noite passava sobre palácios e torres. 714
"E agora que farei do velho céu azul e das longas montanhas?" 1921
E aqui estou, cantando. 229
E assim no vosso convívio 734
"E assim passamos a tarde" 1906
E diz-me a Desconhecida: 39
E é de novo madrugada, 1106
É mais fácil pousar o ouvido nas nuvens 241

E o Canal a oscilar as longas águas plúmbeas, 1163
"É preciso não esquecer nada" 1926
...E sobre os joelhos pérfidos da amante, 21
E teu nome em tantas bocas! 1798
É triste ver-se o homem por dentro: 1435
É um frêmito espontâneo. O vento cessa 24
Ecce homo! 18
Écloga (Dispersos) 1621, 1928
Eco (Vaga Música) 424
Eco (Pequeno Oratório de Santa Clara) 1047
Ecos do Rio das Mortes, 947
Edifica-te: 1571
Edite 579
Eis a bela cabeça de bronze do remoto adolescente: 1161
"Eis a casa" 1872
Eis a estrada, eis a ponte, eis a montanha 797
Eis o Ganges que vem de longe para servir aos homens. 1021
Eis o insigne varão, todo magoado, 1536
"Eis o menino de sal" 1777
Eis o pastor pequenino, 1246
Eis que chega ao Serro Frio, 779
Eis que meus cabelos assumem 1819
Eis um povo que anda e fala, 1144
Ela estava ali sentada, 384
Elas são nove meninas, 1706
Ele virá tão tarde e tão sozinho, 93
Elegia (Vaga Música) 410
Elegia (Mar Absoluto e Outros Poemas) 583
Elegia (Dispersos) 1800, 1804
Elegia a uma pequena borboleta 608
Elegia dos boêmios 1753
Elegia sobre a morte de Gandhi 1608
Eleito, ó Eleito, (Nunca Mais e Poema dos Poemas) 68, 82

Eles eram muitos cavalos, 962
Eles vieram felizes, como 1060
Eleva, 72
"Em algum lugar me encontro deitada" 1286
Em cima, é a lua, 418
Em colcha florida 1216
Em grandes bandejas de clara prata 1300
Em lã pesada e escura, 1399
Em maio, outra vez em maio, 929
Em que longos abismos dançavam? Em que longos salões 712
Em Roterdão, quando esperávamos o barco, 1390
Em seda tão delida, 1250
"Em sonho anunciam a minha morte" 1314
Em sonho vireis delicadamente 1288
Em voz baixa 352
Embalo 361
Embalo da canção 352
Embora chames burguesa, 1242
Emigrantes 624
Enchente 1505
Encomenda 400
Encontro 281
Encostava-se à tarde 1799
Encostei-me a ti, sabendo bem que eras somente onda. 282
Enquanto não têm foguetes 1492
Então, à tarde, vêm os jumentinhos 1003
Enterro de Isolina 531
Entrai. Bem longe anda o cavaleiro. 1396
"Entre a bruma opaca" 1692
Entre as montanhas e o rio, 1376
Entre eclusa e esparavel 1810
Entre estas urnas tão claras e lisas, 1936
Entre lágrimas se fala 1074
Entre mil dores palpitava a flor antiga, 1277
Entre mil jorros de arco-íris e entrelaçados arroios, 1030

Entre mim e mim, há vastidões bastantes 271
Entre nuvens e águas vibra 220
Entre o desenho do meu rosto 340
Entre o eixo e as pontas do compasso, 621
Entre o Pão de Açúcar 1524
Entre os grandes botões de rosa 1903
Entre os meninos tão nus 1019
Entre palácios cor-de-rosa, 981
Entre vassalos de joelhos, 958
Entusiasmo 652
Epigrama (*Vaga Música*) 333, 387
Epigrama (*Mar Absoluto e Outros Poemas*) 482
Epigrama do espelho infiel 340
Epigrama nº 1   227
Epigrama nº 2   234
Epigrama nº 3   242
Epigrama nº 4   249
Epigrama nº 5   258
Epigrama nº 6   265
Epigrama nº 7   272
Epigrama nº 8   282
Epigrama nº 9   289
Epigrama nº 10 300
Epigrama nº 11 309
Epigrama nº 12 318
Epigrama nº 13 323
Epigramas 1640
Epitáfio (*Dispersos*)1657, 1935
Epitáfio da navegadora 328
Equilibrista 1111
Era astrólogo ou simples poeta? 1031
Era de família patrícia, 1170
Era em maio, foi em maio, 918
Era o vento sul que soprava inesperado e cálido. 1728
Era uma vez uma donzela, 96
Eram muitos mais os sócios: 855
Eram trovões nos espaços, 197
Éramos feitos de um leite casto, 1908

Eras um rosto 626
Éreis tão fluidas, tão inquietas, 623
És precária e veloz, Felicidade. 234
Esboço de cantiga 1865
Escreverás meu nome com todas as letras, 1785
Escrevo teu nome na minha memória, 1849
Escutai, nobres fidalgos: 1049
Escuto a chuva batendo nas folhas, pingo a pingo. 587
"Esgueiro-me por entre a pedra e a nuvem" 1806
Espaço 1456
Espada entre flores, 612
Espectros 15
Espelho cego 1725
Espera-se o anestesiado 1223
Esperávamos pelo menino 1253
Esperei-te, não vieste. 195
Esperemos o embarque, irmão. 624
Espólio 1146
(Essa, que sobe vagarosa 954
"Essas doces mortes visitam-nos quando?" 1839
Esse rosto na sombra, esse olhar na memória, 1280
Esse teu corpo é um fardo. 123
Esses adeuses que caíam pelos mares, 1281
Esta chuva que vem, numa triste ternura 42
Esta conta não pagarás: 1160
Esta é a dos cabelos louros 331
Esta flor 1503
"Esta impaciência que me divide" 1884
Esta noite, quando, lá fora, 107
"Esta que em silêncio" 1726
Esta tarde é feita de trovões redondos, 1783
"Esta vaga infelicidade" 1760

Estácio de Saa 1532
Estácio de Saa flechado em Uruçumirim 1534
Estarei só. Não por separada, não por evadida. 1789
Estátua 525
Estava a moura escrevendo, 1605
Este é o caminho de todos que virão. 126
Este é o começo do dia, 1731
"Este é o homem loquaz 888
Este é o lenço 473
"Este odor da tarde, quando começa o cansaço dos homens" 1673
Este peso das casas, das pontes, dos arcos, 1364
Este vento não leva apenas os chapéus, (Poemas de Viagens) 1420
Este vento não leva apenas os chapéus, (Dispersos) 1811
Estendo os olhos aos mares: 35
"Estes branquinhos do Reino 852
Estes meus tristes pensamentos 317
Estirpe 306
Estou cansada, tão cansada, 273
"Estou na idade em que se morre" *1906*
Estou vendo aquele caminho 230
Estou vendo, lado a lado, os dois perfis da tua cabeça partida: 1597
Estrela 268
Estrelinha de lata, 288
Estudantes 1008
Estudo a morte, agora 1213
Estudo de figura 1399
Estudo na loja do sonho 1299
Eternidade inútil 1631
Etusa 1625
Eu canto porque o instante existe 227
Eu estava livre de imagens 736
Eu estou sonhando contigo, 184
Eu falava no mar como alguém que recorda 1665
Eu fui a de mãos ardentes 302

Eu mesma sou a culpada 628
Eu mesma vejo o meu sepulcro. 1316
Eu não tinha este rosto de hoje, 232
Eu nasci num dia sete, 172
Eu queria pentear o menino 1504
Eu sei de alguém, de um pobre alguém desconhecido, 113
Eu sempre te disse que era grande o oceano 622
Eu sou a folha arrancada 174
Eu sou essa pessoa a quem o vento chama, 1273
Eu tinha esta alma toda iluminada, 40
Eu vejo o dia, o mês, o ano, 1098
Eu venho de desterrados; 190
Eu vi a rosa do deserto 975
Eu vi as altas montanhas 730
Eu vi as pedras nascerem, 1013
"Eu vi na verdade o céu romper-se" 1313
Eu vi o raio de sol 627
Eu vim de infinitos caminhos, 302
Eu, estudante empírico, 1452
Eu, mulher dormente, na líquida noite 1319
Eu, pastora, que apascento 679
Evelyn 489
Evidência 550
Evocação 25
Évora branca, marmórea, ebúrnea, 1373
"Exausta, Espírito, exausta" 1674
Excursão 230
Exercício com rosa, amor, música e morte 1797
Exílio 341
Existe mar, noite escura, 205
Explicação 406
Êxtase 255

Fábula 1637
Fábula 1773
Face do muro tão plana, 267

1971

Fácil é dizer: "Minha alma..." 1801
Fadiga 273
Faisão prateado 661
Fala 1004
Fala à antiga Vila Rica 797
Fala à Comarca do Rio das Mortes 938
Fala aos Inconfidentes mortos 967
Fala aos pusilânimes 866
Fala inicial 744
"*Falai de Deus com a clareza*" 1848
"Fala-me agora, que estou cansado" 1654
Falar contigo. Andar lentamente falando 1265
Falo de ti como se um morto apaixonado 1269
Falou-me o afinador de pianos, esse 1216
Família 1853
Família hindu 1032
Fantasma 417
Faz tanto frio 1931
Fecha os meus pobres olhos, 69
Fechai os olhos, donzelas, 1046
"*Fecharam-se as casas*" 1894
Feitiçaria 297
"Felizes os que podem mover facilmente os olhos, sem os ver transbordar" 1737
Fênix marroquina 1380
Festa 1391
Festa dos tabuleiros em Tomar 1412
Fez tanto luar que eu pensei nos teus olhos antigos 262
Fez-se noite com tal mistério, 45
Ficava o cavalo branco 1248
Figurinhas 1493
Filha de Araquém, tu eras para a Jurema... Tu eras para Tupã... 1569
Fim (Viagem) 245
Fim (Pistóia) 1052
Final 113
Finas pestanas 179
Fino corpo, que passeias 313

Finos dedos ágeis, 1033
Fio 247
Firme na sela do ginete arfante, 21
Fiz uma canção para dar-te; 629
Flor jogada ao rio 1810
Florista 1124
Foi assaltado e amarrado 1820
Foi trabalhar para todos... 892
Fontana di Trevi 1142
Foram montanhas? foram mares? 386
Formou-se uma rosa 1082
Forrarei tua casa já tão antiga 1955
Fotografia do poeta morto 1781
Frágil ponte: 362
Fragilidade 672
Fragmento 1665
Fuga 1049
Fui chorar minha saudade 1698
Fui fechar a janela ao vento. 1736
"Fui mirar-me num espelho" 630
Fui visitar a Rainha, 1372
Futuro 514

Gaita de lata 364
"Galiza, quem te alcançara" 1579
Ganges 1021
Gargalhada 244
Gato na garagem 1860
Gente que andar pela vida 175
Geografia 1142
Gesta de Men de Saa 1536
Ginástica 1453
Glória 1055
Glórias do vento 1920
Glorificação de Estácio de Saa 1542
Gloriosa é a sorte 1542
Golconda 1027
Gosto da gota d'água que se equilibra 258
Grandes jogos são jogados 870
Granja 1132
Grilo (*Viagem*) 263, 288

Guerra 541
Guitarra 256

Há coisas que me emocionam, sem nenhuma razão clara: os grandes salões com cheiro de casa fechada. Os jarros de porcelana que não foram comprados agora, que ninguém sabe quem comprou, e os empregados limpam, displicentes, com um pano velho, sem saberem que valor têm. Limpam como desde o princípio do mundo, sem ninguém mandar, sem ninguém ver... Os jarros que os criados mesmo assim amam, por hábito, e não desejam quebrar. 1688
"Há delicadas músicas de harpa e de cravo" 1900
Há longos labirintos, fontes frias, 1646
Há mil rostos na terra: e agora não consigo 1264
Há muitas mãos neste mundo 216
Há muito mais noite do que sobre as torres e as pontes: 720
Há muito tempo o cantor está morto. 1653
(Há névoa) 419
Há o sol que chegou cedo à montanha ventosa 1018
Há três donzelas sentadas 943
Há três espécies de gente 218
Há um lábio sobre a noite: um lábio sem palavra. 1276
Há um nome nas águas: 1147
Há um nome que nos estremece, 1079
Há uma água clara que cai sobre pedras escuras 264
Há uma canção que já não fala, 631
"Habitamos este arquipélago" 1858
Habitantes de Roma 1144
Haiderabade: 1038
Havia a viola da vila. 1512
Havia deuses, foro, termas, 1133
Havia uma velhinha 1498
Havia várias imagens 775
"Havia, na Suíça, a linda menina" 1383
Hei de bordar-vos um lenço 924
Herança 302
Herodíada 19
Hieróglifo 1846
História 302
História de Anchieta 1543
Hoje acabou-se-me a palavra, 432
"Hoje desaprendo o que tinha aprendido até ontem" 1442
Hoje é tarde para os desejos, 319
Hoje eu quero cantar o jovem Fayek Niculá, 1401
Hoje! Hoje de sol e bruma, 591
"Hoje, a alegria são estes jasmineiros" 1831
"Hoje, é a voz do pássaro a minha companhia" 1776
Homem ou mulher? Quem soube? 844
Homem que descansas à sombra das árvores, 1090
Homem vulgar! Homem de coração mesquinho! 244
Homens que ordenaram? Mãos que obedeceram? 1146
Homeopatia 1623
Hora do chá 1451
Horário de trabalho 1938
Horizonte 1004
Horóscopo 276
Houve guerras. Fui vencê-las. 218
Houve um poema, 1249
Houve um tempo de oiro e de rosas, 50
Humildade (Poemas Escritos na Índia) 984
Humildade (Dispersos) 1730

Ia tão longe aquela música, Bhai! 1007
Ida e volta 1846
Ida e volta em Portugal 378

1973

Índice de títulos e primeiros versos

Idílio 387
Imagem (*Vaga Música*) 425
Imagem (*Retrato Natural*) 673
Imagem (*Poemas de Viagens*) 1378
Imaginária serenata 928
Imensas noites de inverno, 240
Improviso (*Retrato Natural*) 628, 636, 650
Improviso (*Dispersos*) 1629
Improviso à janela 1731
Improviso do Amor-Perfeito 639
Improviso para Norman Fraser 645
Inclina o perfil 632
Inclina o perfil amado 632
Inesperadamente, 1068
Infância 634
"Infelizmente, falharam as fotografias" 1396
Inglesinha de olhos tênues, 402

*1974 Inibição 516
Inicial 91
Inscrição (*Mar Absoluto e Outros Poemas*) 543
Inscrição (*Retrato Natural*) 641, 660
Inscrição (*Dispersos*) 1748, 1750
Inscrição na areia 345
Inscrição natalícia 1752
Instrumento 481
Interlúdio 391
Interlúdio terrestre 1387
Intermezzo 40
Interpretação 507
Inverno 248
Irei por saudade 683
Irias à bailia com teu amigo, 1843
Irrealidade 466
Ísis 39
Isso é o que diz o embargo, 877
(Isso foi lá para os lados 784
Isto é o meu grito de desespero, 1574

Isto que vou cantando é já levado 1274
Itinerário 422

Já chega um próprio de longe: 790
Já foi isto, mais aquilo, 192
Já muitos sóis 76
Já não há mais dias novos, 1107
Já não se pode mais falar!... 37
"Já não sou eu, mas a flor" 1923
Já não tenho lágrimas: 1071
Já partiram cavaleiros 1049
Já plangem todos os sinos, 807
Já quarenta anos passaram: 1052
Já se ouve cantar o negro, 768
Já se preparam as festas 765
Já seus olhos se fecharam. 1055
"Já tivemos Gautama e Gandhi 1004
Já vem o peso do mundo 876
Jaipur 1028
Jardim da igreja 1506
Jardim de flores adversas 220
Jardim do precioso 1824
Jardins de raciocínio: 1391
Jaz um Poeta 1707
Joana d'Arc 21
Jogo de bola 1469
Joguinho na varanda 576
Jornal, longe 581
Judite 20
Juliana de Mascarenhas, 925
Juramento 1801
Juro por Santa Maria (*Morena, Pena de Amor*) 210, 210

Lá na distância, no fugir das perspectivas, 91
Lá vai o negrinho de mãos nos bolsos, 1379
Lá vai, sem qualquer palavra, 600
Lá vêm, lá vêm os dias lentos, 106
Lá, fomos felizes, 1649
Lá, na raiz das lágrimas, 1095

Lá, onde Tu moras, 59
Lamento da mãe órfã 509
Lamento da noiva do soldado 481
Lamento do oficial por seu cavalo morto 540
Lâmpada acesa 219
Lavradeira de ternuras, 431
Lei 1729
Lei do passante 974
Leilão de jardim 1471
Lembrai-vos dos altares, 815
Lembrança de Patna 994
Lembrança rural 354
Leonoreta, (Amor em Leonoreta) 695, 699
Levam-me estes sonhos por estranhas landas, 1219
Levanta meu lábio 633
Levanta-me da cinza em que me encontro, 1134
"Levantam-se do mar os planetas" 1457
Levantou-se como um cavalo furioso 1815
Levaram as grades da varanda 634
Leve... — Pluma... Surdina... Aroma... Graça... 52
Leveza 514
Lição de história 1912
Lima rima 1510
Linda é a mulher e o seu canto, 279
Linha reta 1954
Logo no mês de janeiro, 181
Logo que pôde, a azaléia abriu-se. 1637
Loja do astrólogo 1031
Longe 1667
Longe nas eras 1667
Longe, meus amores, 1075
Lua adversa 413
Lua branca da Suíça, 1381
Lua de prata, 177
Lua depois da chuva 1492
Lua, lua marinheira, 193

Luar 267
Luar póstumo 1636
Lúcia-azul — 1676
Lúlu, lúlu, lúlu, lúlu, 1501
Lustre 1149
Luz 1054

Madrigal da sombra 397
Madrugada 572
Madrugada na aldeia 513
Madrugada no campo 460
Mahatma Gandhi 986
Maio das frias neblinas, 840
Mais louvareis a rosa, se prestardes 1232
Mais que a mão do amor, 681
Mais que as ondas do largo oceano 977
Manaém volta do ergástulo. Ofegante, 19
Manhã 1018
Manhã clara 1857
Manhã de Bangalore 987
Manhã de chuva na infância 1782
Manuel em pelote domingueiro 1746
Mãos de algodão, frouxas, 1905
Mapa de anatomia: o Olho 1436
Mapa falso 1775
Máquina breve 1830
Máquina de lavar roupa 1682
Máquina de ouro a rodar na sombra, 263
Mar absoluto 448
Mar em redor 330
Mar tamanho, mar tamanho, 208
Marcha 298
Maria Antonieta 22
Maria do Egito, Maria, 1180
Marinha 1039
Mas a pequena areia caminha com seu passo invisível; 721
Mas acontece que não basta colher 1451
Máscara que me puseram 220
Mau sonho 374
Me chamam Morena 172
Medida da significação 284

1975

Índice de títulos e primeiros versos

Meditação sobre o Inferno 1553
Melhor negócio que Judas 835
Melodia para cravo 604
Memória 372
Memória de horizontes dourados, 1129
Menestréis tão conhecidos 1834
"Menina do sonho" 1305
Meninas sonhadas 1308
Menino 998
Menino, não morras, 369
Meninos líricos 1390
Mensagem 1156
Mensagem a um desconhecido 1742
Mensagens 1819
Mesmo se eu disser que a lua 1772
Metamorfose 321
Meu amor e minha pena 210
Meu avô me deu três barcos: 423
Meu berço jaz num campo altivo 1616
Meu coração tombou na vida 425
Meu marfim amorenado, 221
"Meu parente disse consigo" 1595
"Meu pasto é depois do dia, dos horizontes" 1910
Meu peito é mesmo Golconda: 1027
Meu sangue corre como um rio 283
Meu tempo visigótico estremece: 1909
"Meus amigos de vento e nuvem" 1307
"Meus amores muitos" 1885
Meus companheiros amados, 1697
"Meus dias foram aquelas romãs brunidas" 1900
Meus olhos andam sem sono, 346
Meus olhos eram mesmo água, 251
Meus olhos ficam neste parque, 638
Meus olhos são duas folhas 221
Meus ouvidos estão como as conchas sonoras: 330
Meus pés, minhas mãos, 343
Mexican List and Tourists 394
Mil bateias vão rodando 756

Milagre 1052
Mimetismo 1443
Minha amiga desabrochará na sua banheira egípcia, 1749
Minha canção não foi bela: 636
Minha esperança perdeu seu nome... 265
Minha família anda longe, 372
Minha filha quis oferecer-me uma rosa. 1797
Minha mãezinha de papel, 1826
Minha Mãezinha, que foste embora 95
Minha primeira lágrima caiu dentro dos teus olhos. 584
Minha sombra 465
Minha ternura nas pedras 412
Minha tristeza é não poder mostrar-te as nuvens brancas, 586
Minha tristeza é só comigo, 213
Minha vida 185
Minha vida bela, 272
Minhas figuras amadas 1757
Minhas palavras são a metade de um diálogo obscuro 268
Miniatura do duque de Breslau 1864
Miraclara desposada 553
Mirávamos a jovem lagartixa transparente, 1245
Miséria 319
Moda da menina trombuda 1467
Modinha 385
Monólogo 416
Monólogo de Olímpia 1616
Morador da solidão, 216
Morena de qualidade, 186
Morena e ruiva. 1137
Morena gente que rema, 217
Morrerei sem assistir àquela chegada: 1950
Morrerei, se suspirares. 697
"Morro do que há no mundo" 1933
Morte da formiga 1815

Morte no aquário 1886
Motivo 227
Motorista sonhador 1861
Mudo-me breve 556
Muitas velas. Muitos remos. 329
Muitos campos tênues 1070
Mulher adormecida 478
Mulher ao espelho 533
Mulher de leque 1915
Mulher de pedra, 439
Mulheres de Puri 1034
Multidão 977
Munumail 1698
Mural risonho 1123
Murmúrio 242
Muros de Roma 1145
Museu 464
Música *(Viagem)* 232
Música *(Vaga Música)* 335
Música *(Poemas Escritos na Índia)* 1007
Música *(Dispersos)* 1639
Música matinal 1648
Mutilados jardins e primaveras abolidas 242

Na 1500
Na água viscosa, cheia de folhas, 989
Na almofada de borlas, 1239
Na alta noite deslumbradora, 46
Na canção que vai ficando 294
Na chácara do Chico Bolacha, 1489
Na grande noite tristonha, 90
Na Ilha que eu amo, 1407
Na insônia feliz é que se conhece o aroma certo 1655
Na janela do chalé verde, 1770
Na noite profunda, 665
Na ponta do morro, 1076
"Na Ponte dos Vestidos de Gaze" 1324
Na quermesse da miséria, 401
Na sacada da casa 1500

Na sua cama dourada, 787
Na, na, 1526
Nadador 1111
Namorados 1125
Não ames como os homens amam. 124
Não busques para lá. 132
Não cantes, não cantes, porque vêm de longe os náufragos, 277
Não deixaremos o jardim morrer de sede. 1020
Não descera de coluna ou pórtico, 978
(Não digas nada, 185
Não digas onde acaba o dia. 122
Não digas que és dono. 131
Não digas: "o mundo é belo". 125
Não digas: Este que me deu corpo é meu Pai. 133
Não é preciso que me visitem, se estiver doente, 1723
Não está no mármore o teu nome. 1118
Não faças de ti 133
Não faleis nesse rosto 663
Não fales as palavras dos homens. 127
Não fiz o que mais queria. 1212
Não há mais daqueles dias extensos, 1766
Não há quem não se espante, quando 375
Não mais a pessoa: o interstício do tempo 686
Não me adianta dizer nada, 1104
Não me digam quem é 1648
(Não me digas nada, (Morena, Pena de Amor) 175, 176, 183
(Não me digas nada: (Morena, Pena de Amor) 178, 187
Não me ouvirás... É vão... Tudo se espalha 41
Não penseis que seja do tempo ou do vento ou da chuva: 1851
Não perguntavam por mim, 1209
Não perguntes nada, 173
Não perturbem minha amiga que brinca no bosque. 1750

1977

Não por mim, pelo teu rosto 643
Não posso mover meus passos 744
Não queiras ser. 128
Não queiras ter Pátria. 121
Não sairemos à rua 1764
Não são caracteres desconhecidos —
  1439
"Não se chora apenas com a noite estendida
  sobre o sono dos homens" 1630
Não se morre para sempre, 1808
"Não sei distinguir no céu as várias cons-
  telações" 1438
Não sei o que quero ao certo: 206
Não sei que tempo faz, nem se é noite ou
  se é dia. 48
Não sejas o de hoje. 121
Não sobre peito ou companhia humana:
  1244
Não te fies do tempo nem da eternidade,
  640
Não te sirvas, pastor, do meu pascigo,
  1621
Não tem mais lar o que mora em tudo.
  130
Não temos bens, não temos terra 1242
Não tenteis interromper o pássaro que voa
  em linha reta 1954
Não tinha havido pássaro nem flores 297
Não tinha vinte anos 1534
Não vale muito o rosilho: 833
"Não vamos começar a cantar" 1840
Não voltes para mim tua cabeça airosa,
  1897
Não, já não é como outrora, 1802
"Não: já não falo de ti, já não sei de sau-
  dades" 1675
Naquela nuvem, naquela, 639
Naquele reino cinzento 641
Naquele tempo univalve 1920
Naquele tempo, o que eu mais desejava era
  uma árvore. 1738

Narciso, foste caluniado pelos homens,
  387
Narrativa 433
Nas grandes paredes solenes, olhando,
  986
Nas noites tempestuosas, sobretudo 15
Nas quatro esquinas estava a morte, 1232
Nas tardes mornas e sombrias, 101
Nasce da sombra o dançarino, 642
Natureza morta 545
Natureza quase viva 1130
Naufrágio antigo 402
Navegação 1908
Navio no ar 1794
Negra pedra, copiosa mina 1257
"Negra terra consolante" 1844
Nem o aroma das flores, nem o aroma da
  cera, nem o aroma do incenso. 1634
Nem palavras de adeus, nem gestos de
  abandono. 34
Nem sei se é lua, se apenas um rastro de
  nuvem 641
Neroniano 17
Nesse caminho de Alcobaça, 392
"Nesse lugar certamente nos encontraremos,
  Poeta" 1829
Nesta cidade 1759
Nesta sombra em que vivo, 60
Nesta vida é mesmo assim, 189
Nestas pedras caiu, certa noite, uma lá-
  grima. 265
Nestas pedras, caiu, certa noite, uma
  lágrima. 1578
Neste crisântemo em que ponho olhos
  tristonhos, 112
Neste longo exercício de alma... 1734
Neste lugar só de areia, 1042
Neste mês, as cigarras cantam 585
New Orleans 1329
Ninguém abra a sua porta 304
"Ninguém me venha dar vida" 1606

No alto da montanha já quase chuvosa 1237
No alto do edifício construíram um navio enorme. 1794
No azul do cais, em descanso, 1694
No canto do galo há uma pequena aldeia 1893
No claro jardim 1493
No crepúsculo de uma velha cidade desconhecida, 1765
No degrau do inverno turvo, 1125
No desequilíbrio dos mares, 243
No fio da respiração, 247
"No fruto quase amadurecido" 1446
No fundo de um poço 682
No fundo do mar 637
No jardim que foi de Gonzaga, 908
No meio do campo, longe, 1010
No mistério do Sem-Fim, 359
No monte, 1518
No palácio da Cachoeira, 823
No perfume dos meus dedos, 339
No primeiro dia, foi apenas um mistério de seda e nácar. 1677
No topo da cascata, sussurrante, 1135
No último andar é mais bonito: 1481
Noções 271
Noite (*Viagem*) 228
Noite (*Mar Absoluto e Outros Poemas*) 547, 572
Noite de Coimbra 23
Noite fresca e serena. Aberta a gelosia 25
Noite no rio 530
Noite perdida, 232
Nós e as sombras 557
Nós estamos chorando, comovidos e calados, 1753
Nos muros da urbe desenham-se as árvores 1145
Nos sertões americanos, 751
Nós somos como perfume 311

Nossa Senhora já não ouve 99
Nossas meninas brincavam 1529
Nossos filhos viajam pelos caminhos da vida, 1847
Noturno (*Viagem*) 270, 296
Noturno (*Nunca Mais... e Poema dos Poemas*) 452, 515
Noturno de amor 51
Nova Madona em Sorrento 1151
Nove padres vão rezando 952
Novo improviso à janela 1732
Novo poema da tristeza 66
Num dia que não se adivinha, 235
Num domingo de sol, mataram os três bois, 1587
Num langour de volúpia, o sol declina 24
Numa noite de lua escreverei palavras, 1636
Nunca eu tivera querido 239
Nuvem, caravela branca 278
Nuvens dos olhos meus, de altas chuvas paradas 1271

O "homem bom" Francisco Velho 1558
"O adolescente só por belo" 1817
O afogado 655
O alto vento moveu com tal donaire 1629
O andrógino 667
O aquário (*Mar Absoluto e Outros Poemas*) 577
O aquário (*Poemas de Viagens*) 1422
O azul do céu finíssimo... — o azul próximo 1132
O barco é negro sobre o azul. 1039
O bem da gente morena 199
O bem da morena sorte 185
"O bisavô contava libras" 1874
"Ó bom chefe, nosso aliado, 1525
Ó Briônia, ó musgosa planta, 1622
O caçador vem da caça, 1784
O campeão levanta nas mãos quinhentos quilos 1810

1979

O canto da jandaia 1569
O carneirinho que em sonho 1294
O carrasco 1719
O casal deixara o campo, 1157
O cavalinho branco 1468
O cavalo morto 676
O cego vai sendo levado pelo menino. 1011
O céu tem suas morenas 210
O chão e o pão 1506
O chão. 1506
O chapéu impossível 1765
O choro vem perto dos olhos 249
Ó cinérea Princesa, as vossas flores 646
O convalescente 507
O denso lago e a terra de ouro: 349
Ó Deus Nosso Senhor, ponde 1550
Ó dimensões do Inferno, desmedidas, 1553
O doente quis ajudar o diagnóstico. 1684
"Ó Dona tão bem cantada, 1690
O eco 1518
O elefante 1009
O enorme vestíbulo 619
O escafandrista cai por dentro do mar. 1619
O estudante empírico 1452
Ó flores do verde pino, 1693
O frio arrepia 1514
O garagista, meio louco, 1380
O globo 1460
O gosto da Beleza em meu lábio descansa: 1268
O gosto da vida equórea 1211
Ó grandes oportunistas, 957
O grilo da minha sala 1639
O hirto cipreste com pássaros escondidos na rama crespa. 1720
O impassível marinheiro 666
O jardim 567
O jardim sobre a mata 1763
O jasmineiro frágil 1773

O lagarto medroso 1515
O lagarto parece uma folha 1515
Ó linguagem de palavras 735
O lugar 1524
Ó luz da noite, descobrindo a cor submersa 1273
O mal que no mundo existe 197
O mar o convalescente mira. 360
"Ó mármore de ar" 1311
O mártir 1820
O mártir agonizante chora 1855
O menino azul 1479
"O menino dos ff e rr" 1499
O menino pergunta ao eco 1518
O menino quer um burrinho 1479
O mercador dizia-me que as pérolas deste colar levaram dez anos a ser reunidas. 1722
O meu amor não tem 345
"Ó meu Deus" 1918
O meu dia — terça-feira. 172
Ó minha dor, ó minha dor, 78
O morto 1638
O mosquito escreve 1475
O mosquito pernilongo 1475
O motorista 1861
"O mundo dos homens envolve-me" 1777
O músico a meu lado come 645
Ó noite, negro piano 1092
Ó noite, ó noite, ó noite! 1287
O Olho é uma espécie de globo, 1436
O outono vai chegar... Neva a névoa do outono... 97
O P tem papo, 1495
O país da Arcádia 799
O pára-raios colheu na mão aquela árvore de estrondos, 1745
O pássaro mágico 1833
O pássaro obediente 1954
Ó pedras de Florença, 1159
O peixe 1597

O pensamento é triste; o amor, insuficiente; 406
O pequeno vaga-lume 1830
Ó peso do coração! 1090
O principiante 668
O prisioneiro 1685
O quadro-negro 1454
O que amamos está sempre longe de nós: 1270
O que andou preso me disse 850
O que é preciso é entender a solidão! 1729
O que é que Ouro Preto tem? 1613
O que há de belo no mundo 205
O que me disse o morto de Pompéia 1134
O que te digo está dito 215
O que tu viste amargo, 134
"O que um dia foi imagem" 1868
O ramo de flores do museu 646
O Rei do Mar 329
O ressuscitante 343
"O rio farfalha as vestes escuras" 1664
O ritmo em que gemo 328
O rosto 663
O rosto em que me encontro 1092
O rugoso elefante pousa as patas cuidadoso nas pedras, 1009
O rumor do mundo vai perdendo a força, 708
O sábio no jardim sorria 1443
O sagüim é um animalzinho assaz bonito: 1531
O Santo 1157
O Santo no monte 1518
O Santo passou por aqui. 1000
"O sol está numa tal posição" 1440
O sonho e a fronha 1497
Ó sorte amorenecida, 215
O tempo 1510
"O tempo arranca os ponteiros 188
O tempo de Gisèle é o da esbelta amazona 1956
O tempo do temporal 1510

O tempo gerou meu sonho na mesma roda de alfareiro 297
O tempo no jardim 487
O tempo que foi passado 218
O tempo seca a beleza, 644
Ó tempos de incerta esperança 245
O teu começo vem de muito longe. 131
O último andar 1481
O único ruído é o dos socos amarelos 1393
O vento 568
O vento voa, 289
"O verso melancólico" 1892
"O vestido de Laura" 1486
O violão e o vilão 1512
Ó vós que longe vivedes, 1672
Obsessão de Diana 524
Oferenda (Nunca Mais... e Poema dos Poemas) 54
Oferenda (Baladas para El-Rei) 115
Oh noite encantadora! Além desliza, 23
Oh! "El Charro" com seus sarapes, 394
"Oh! como está triste aquele" 1770
Oh! nem de leve me recordes esperanças... 103
Oh, quanto me pesa 1220
Old Square 1327
Oleogravura napolitana 1119
Olha 1486
Olha a bolha d'água 1470
Olha a chuva: 1492
Olha-me só este instante, 1835
Olhas o céu, que é a flama azul do olhar de um santo. 111
Olhavas-me tanto 58
Olhei as águas 1331
Olhos morenos, 184
Olhos verdes, olhos verdes, 173
Olival de prata, 378
Onda 301
Onde a face de prata e cristal puro, 1725
Onde é que dói na minha vida, 259

Índice de títulos e primeiros versos

"Onde estão as violetas?" 1304
Onde, o gado que pascia 938
Oração da noite 44
Oráculo 442
Orfandade 249
Origem 297
Oropacan 1545
Os anjos vêm abrir os portões da alta noite, 1243
Os aquedutos 1155
Os azuis estão cantando 1366
Os carneirinhos 1473
Os cavalinhos de Delhi 981
Os cavalos do Marajá 1015
"Os chineses deixaram na mesa" 1421
Os dias felizes 566
Os dois lados do realejo 1384
Os elefantes negros 1856
Os galos cantam, no crepúsculo dormente... 105
Os gatos brancos, descoloridos, 647
Os gatos da tinturaria 647
Os grãos de Etusa 1625
Os homens gloriosos 545
Os homens passam pelas ruas misteriosas... 1570
"Os homens rústicos rezavam" 1918
Os jumentinhos 1003
Os mendigos maiores não dizem mais, nem fazem nada. 306
Os meus morenos suspiros 176
Os militares, o clero, 895
Os mortos 528
"Os mortos sobem as escadas" 1932
Os outros 683
Os peixes de prata ficaram perdidos, 330
Os pescadores dormiam 1517
Os pescadores e as suas filhas 1517
Os presentes dos mortos 484
Os que nunca te viram, 1399
Os sáris de seda reluzem 1032
Os sonhos são flores altas 1096

Os soterrados 1672
Os teus ouvidos estão enganados. 125
Os três bois 1587
Os violinos choram, soturnos, 48
"Os vivos afastam os vivos" 1919
Ou isto ou aquilo 1483
Ou se tem chuva e não se tem sol, 1483
Ouro Fala. 944
Outono. As árvores pensando... 42
"Outro dia sonhei que o coche fúnebre" 1293
— *Ouves no papel a pena?* 910
Oysters. Oysters. Oysters. 1329

Página 1030
Paisagem com figuras 1393
Paisagem e silêncio 1720
Paisagem mexicana 653
Palavras 612
Palmeira sem história, 1773
Panorama 418
Panoramas além... 48
Panos flutuantes de todas as cores 990
Pão de antiga festa, 1626
Papéis (*Dispersos*) 1649, 1662, 1688, 1738
Para a minha morta 108
Para El-Rei 103
Para espanto 186
Para ir à Lua 1492
Para longe o que falo: 1915
Para Lúcia Machado de Almeida 1676
Para mim mesma 92
Para o alto da noite negra, 1954
"Para onde é que vão os versos" 1845
Para onde vais, assim calado, 417
Para onde vão minhas palavras, 416
"Para os livros, cujo perfume" 1679
Para os meus olhos, quando chorarem, 92
Para pensar em ti todas as horas fogem: 1266

"Para que a escrita seja legível" 1458
Para quem pintas teus olhos 1633
Para uma cigarra 399
Parada 1016
Pardal travesso 575
Parecia bela: 1214
Parecia que ia morrendo 1238
Parei a uma porta aberta 648
Parei as águas do meu sonho 347
Paris 1379
Participação 980
Partida 351
Parusia 1950
Passado 1735
Passagem do misterioso 1812
Passam anjos 397
Passam anjos com espadas de silêncio 397
Passante quase enamorado, 974
Passaram os reis coroados de ouro, 323
Passaram os ventos de agosto, levando tudo. 319
Passarinho no sapé 1495
Pássaro 625
Pássaro azul 502
Pássaro da lua, 360
Passei pela terra seca, 653
Passei por aqui. 1012
Passei por essas plácidas colinas 746
Passeio (*Viagem*) 309
Passeio (*Poemas Escritos na Índia*) 995
Passou um louco, montado. 828
Pastora de nuvens, fui posta a serviço 292
Pastora descrida 679
Pastoral I 1403
Pastoral II 1405
Pastoral III 1405
Pastoral IV 1406
Pastoral V 1407
Pastoral VI 1408
Pastoral VII 1409
Pastoral VIII 1410

Pastorzinho mexicano 469
Pausa 261
Pedido 529
Pedido da rosa sábia 1835
Pedras 1013
Pedras de Florença 1159
"Pedras de Jerusalém" 1415
Pedras não piso, apenas: 1140
Pedrina minha, eu não te vejo há quantos anos! 108
Pela campanha romana caminha os aquedutos. 1155
Pela celeste ampulheta,(*Amor em Leonoreta*) 698, 700
Pela estrada de Santiago, 651
"Pela flor amarela viajaremos" 1320
Pela noite nemorosa, 691
Pelas ondas do mar, pelas ervas e as pedras, 1263
Pelas ribas do mar fragosas, 1907
"Pelo horizonte de areias" 1791
Pelo lado de cima, *1384*
"Pelo luar azul, entre montes e águas" 1296
Pelo mar azul, 655
Pelo mar inquieto ressoam-lhe os passos 1532
Pelo monte claro, 817
Pelos vales de teus olhos 1221
Penetraremos no azul e no vermelho. 1939
Pensamento 1578
Penso em ti: 1855
Penso naquele que usava 1781
Pequena canção 360
Pequena canção da onda 330
Pequena flor 372
Pequena lagartixa branca, 635
Pequena meditação 614
Pequena suíte 1428
Pequeno poema de Ouro Preto 1613
Pequeno poema fúnebre 1586

1983

Índice de títulos e primeiros versos

Pequeno ramo 678
Perdoa-me, folha seca, 1635
Pergunta (*Viagem*) 317
Pergunta (*Vaga Música*) 368
Perguntarão pela tua alma. 129
Perguntei quem era. 434
"Pergunto-te onde se acha a minha vida" 1636
Périplo 563
Permite que feche os meus olhos, 278
Perseguição 1049
Personagem (*Viagem*) 305
Personagem (*Dispersos*) 1882
Perspectiva 238
Perto da tua sepultura, 410
Pesca do arenque 1385
Pescador tão entretido 655
Pescaria 1466
Philip Muir cruza o Atlântico em seu navio. 1330
Pintura de Veneza 1163
Pisávamos claros brasões antigos. 1389
Plantaremos estes arbustos 1934
Plena mata. Silêncio. Nem um pio 16
Pobreza 978
Pode ser mulher que voa 1556
Poeira 993
Poema 1574
Poema a Antonio Machado 492
Poema da ansiedade 57
Poema da despedida 68
Poema da dor 78
Poema da dúvida 60
Poema da esperança 59
Poema da fascinação 56
Poema da grande alegria 58
Poema da humildade 81
Poema da renúncia 80
Poema da sabedoria 84
Poema da saudade 77
Poema da solidão 76

Poema da ternura 62
Poema da tristeza 63
Poema das bênçãos 73
Poema das lágrimas 70
Poema das súplicas 69
Poema do nome perdido 1589
Poema do perdão 72
Poema do regresso 82
Poema dos desenganos 67
Poema dos inocentes tamoios 1547
Poema entrelaçado 1373
Poema na água 1619
Poemas 1571
Poemas do meninozinho 1626
Pois o enfermo é triste e doce 1224
Pomba em Broadway 641
Pompéia (*Poemas italianos*) 1133, 1137
Ponte 362
Por aqui ninguém caminha 203
Por aqui passava um homem 829
Por aqui passou Pamplona, 874
Por aqui vou sem programa, 342
Por baixo dos largos fícus 483
Por causa do teu chapéu, 367
Por cima de que jardim 654
"Por detrás do muro" 1310
"Por enquanto, devoro apenas" 1446
"Por essas ruas que não têm chão" 1937
"Por fluidos países passeio" 1301
Por longo tempo de amor, 187
Por mais que estejas servindo 1148
Por mais que sacuda os cabelos, 993
Por mais tarde que seja, 650
Por mim, e por vós, e por mais aquilo 430
"Por muitas esquinas" 1828
Por nascer morena, 174
Por onde cercaremos o dançarino? 1816
Por que chorar de saudade, 1780
Por que desejar libertar-me, 353
"Por que eu te quero tanto, tanto," 44
Por que me destes um corpo, 427

Por que nome chamaremos 1083
Por ser morena de raça, 209
Por ser morena, não danço 175
Por terras de Moçambique, 922
Por todos os lados, 178
Por um santo que encontrara, 1054
Por uns caminhos extravagantes, 652
Porque a bela se movia 1804
Postal 654
Pousa sobre esses espetáculos infatigáveis 227
Praia 278
Praia do fim do mundo 1042
Pranto no mar 622
Prazo de vida 455
Pregão do infortúnio 1764
Pregão do vendedor de lima 1510
Prelúdio (*Mar Absoluto e Outros Poemas*) 480
Prelúdio (*Dispersos*) 1678
Prelúdio da monção 1602
Prenúncio em Pompéia 1160
Presença 686
Primeiro, foram os verdes 422
1º improviso 1613
1º motivo da rosa 470
Primeiro pássaro 1126
Prisão 1759
Procissão de pelúcia 1508
"Procurarei meu rosto na água, nos vidros, nos olhos alheios" 1836
Procurei-me nesta água da minha memória 284
Procuro a rua 1318
Profunda, a noite dorme. E no antro, que avermelha 26
Profundidade 659
Profundidade da insônia 1655
Província 289
Pungia a Marília, a bela, 932
Punhal de prata já eras, 256

Pus o meu sonho num navio 237
Pus-me a cantar minha pena 348

Quadras 294
Qual é a cidade que, vista ao contrário, está no coração? 1142
Quando as estradas ficarem prontas, 1034
Quando eu fiquei só, 70
Quando eu não pensava em Ti, 57
Quando meu rosto contemplo, 1091
Quando o lustre se acendeu, 1149
Quando o sol ia acabando 257
Quando os homens na terra sofrerem 130
Quando passarem os dias, 659
Quando sua mãe sonhava, 898
Quando uma morena chora, 178
Quantas coisas pensei sublimes, 1775
Quanto mais ando ocupada, 204
Quarto de hospital 1905
4º motivo da rosa 524
Quase à meia-noite, 1545
Que a dor venha, quando quiser, como quiser, 1724
Que a voz adormeça, 352
"Que densidades, que obediência" 1457
Que em redor de ti os ventos se imobilizem, 1164
Que fugisse, que fugisse... 872
Que imensa preguiça! 1860
Que importa quanto se diga? 857
"Que jamais seja um sofrimento" 1694
Que nem os morgados de tamanco e chapéu de palha 1928
Que o alado capitel e a serena cornija em nuvens 659
Que os músicos toquem tamborins e flautas, 1864
Que pálpebra se levanta 1600
Que pastoral é a minha, ao longo de campos decrépitos, 1403

1985

Queluz 1372
Quem desce ao adormecimento 363
Quem diz mágoa diz espinho, 222
Quem é a dona que toca? 1613
Quem falou de primavera 301
Quem fora pastor de outrora, 176
"Quem leva a donzela" 1837
Quem lhe ensinara o sorriso 658
Quem me compra um jardim 1471
Quem me leva adormecida 309
Quem me quiser maltratar, 1218
Quem nasceu mesmo moreno, 174
Quem passou na minha vida? 181
Quem ri desde que desperta, 212
Quem sabe o que pensa o preso 885
Quem se deleita em tornar minha vida impossível 660
Quem seja o morto é segredo. 1823
Quem sorriu para o ar sereno 204
Quem tem coragem de perguntar, na noite imensa? 718
Quem trouxe o faisão prateado 661
Quem veja cara morena, 203
Quem viu aquele que se inclinou sobre palavras trêmulas, 268
Quente é a noite, 979
"Quero ir-me embora daqui!" 1689
Quero roubar à morte esses rostos de nácar, 1275
Quero subir pelos ares, 202
Quero um dia para chorar. 662
Quero uma solidão, quero um silêncio, 1265
Quero ver-te à luz do dia, 217
Quieta coruja do bosque negro, 442
5º motivo da rosa 542

Raio de lua. 1476
Rama das minhas árvores mais altas, 260
Ramo de adeuses 678
Realejo 272
Realização da vida 493
Recado aos amigos distantes 1697
Recitativo próximo a um poeta morto 1707
Recordação (*Vaga Música*) 344
Recordação (*Retrato Natural*) 674
Regresso 332
Reinvenção 411
Relógios certeiros: 664
Renova-te. 127
Renúncia 260
Repara na canção tardia 234
"Reparei que a poeira se misturava às nuvens" 1285
Réquiem 1634
Resíduo 659
Resigno-me a deixar pender meu rosto 1647
Respiro teu nome. 1072
Responder a perguntas não respondo. 1645
Ressurreição 277
Retiro Espiritual de Men de Saa 1550
Retrato 232
Retrato de Cunhambebe 1556
Retrato de Marília em Antônio Dias 954
Retrato de mulher triste 1644
Retrato de uma criança com uma flor na mão 658
Retrato em luar 638
Retrato falante 375
Retrato obscuro 500
Rezando estava a donzela, 774
Ribeira da minha vida, 1081
Rimance (*Viagem*) 259
Rimance (*Vaga Música*) 427
Rimancim para Lélia Frota 1952
Rio na sombra 1473
Rios 1421
Ritmo 328
Ritmo de Nápoles 1122

Roda a carreta vagarosa. E nela, 22
Roda de junho 426
"Roda na rua" 1508
Rola a chuva 1514
Roma — romã, dourada pele de tijolo, 1154
Roma (Poemas Italianos) 1137, 1154
Roma incendeia-se. Em lufadas passa 17
Romance açoriano 1706
Romance de uma Dona muito velha 1690
Romance I ou Da revelação do ouro 751
Romance II ou Do ouro incansável 756
Romance III ou Do caçador feliz 758
Romance IV ou Da donzela assassinada 758
Romance V ou Da destruição de Ouro Podre 761
Romance VI ou Da transmutação dos metais 765
Romance VII ou Do negro nas catas 768
Romance VIII ou Do Chico-Rei 770
Romance IX ou De vira-e-sai 772
Romance X ou Da donzelinha pobre 773
Romance XI ou Do punhal e da flor 774
Romance XII ou De Nossa Senhora da Ajuda 775
Romance XIII ou Do Contratador Fernandes 779
Romance XIV ou Da Chica da Silva 784
Romance XV ou Das cismas da Chica da Silva 787
Romance XVI ou Da traição do Conde 790
Romance XVII ou Das lamentações do Tejuco 792
Romance XVIII ou Dos velhos do Tejuco 794
Romance XIX ou Dos maus presságios 795
Romance XX ou Do país da Arcádia 799
Romance XXI ou Das idéias 801
Romance XXII ou Do diamante extraviado 805

Romance XXIII ou Das exéquias do Príncipe 807
Romance XXIV ou Da bandeira da Inconfidência 810
Romance XXV ou Do aviso anônimo 813
Romance XXVI ou Da Semana Santa de 1789 815
Romance XXVII ou Do animoso Alferes 817
Romance XXVIII ou Da denúncia de Joaquim Silvério 823
Romance XXIX ou Das velhas piedosas 825
Romance XXX ou Do riso dos tropeiros 828
Romance XXXI ou De mais tropeiros 829
Romance XXXII ou Das pilatas 832
Romance XXXIII ou Do cigano que viu chegar o Alferes 833
Romance XXXIV ou De Joaquim Silvério 835
Romance XXXV ou Do suspiroso Alferes 836
Romance XXXVI ou Das sentinelas 838
Romance XXXVII ou De maio de 1789 840
Romance XXXVIII ou Do embuçado 844
Romance XXXIX ou De Francisco Antônio 846
Romance XL ou Do Alferes Vitoriano 848
Romance XLI ou Dos delatores 850
Romance XLII ou Do sapateiro Capanema 852
Romance XLIII ou Das conversas indignadas 855
Romance XLIV ou Da testemunha falsa 857
Romance XLV ou Do padre Rolim 860
Romance XLVI ou Do caixeiro Vicente 862
Romance XLVII ou Dos seqüestros 864

Romance XLVIII ou Do jogo de cartas 870
Romance XLIX ou De Cláudio Manuel da Costa 872
Romance L ou De Inácio Pamplona 874
Romance LI ou Das sentenças 876
Romance LII ou Do carcereiro 877
Romance LIII ou Das palavras aéreas 879
Romance LIV ou Do enxoval interrompido 881
Romance LV ou De um preso chamado Gonzaga 885
Romance LVI ou Da arrematação dos bens do Alferes 886
Romance LVII ou Dos vãos embargos 888
Romance LVIII ou Da grande madrugada 890
Romance LIX ou Da reflexão dos justos 892
Romance LX ou Do caminho da forca 895
Romance LXI ou Dos domingos do Alferes 898
Romance LXII ou Do bêbedo descrente 902
Romance LXIII ou Do silêncio do Alferes 904
Romance LXIV ou De uma pedra crisólita 906
Romance LXV ou Dos maldizentes 910
Romance LXVI ou De outros maldizentes 912
Romance LXVII ou Da África dos setecentos 916
Romance LXVIII ou De outro maio fatal 918
Romance LXIX ou Do exílio de Moçambique 922
Romance LXX ou Do lenço do exílio 924
Romance LXXI ou De Juliana de Mascarenhas 925
Romance LXXII ou De maio no Oriente 929
Romance LXXIII ou Da inconformada Marília 932
Romance LXXIV ou Da Rainha prisioneira 933
Romance LXXV ou De Dona Bárbara Eliodora 943
Romance LXXVI ou Do ouro fala 944
Romance LXXVII ou Da música de Maria Ifigênia 947
Romance LXXVIII ou De um tal Alvarenga 949
Romance LXXIX ou Da morte de Maria Ifigênia 951
Romance LXXX ou Do enterro de Bárbara Eliodora 952
Romance LXXXI ou Dos ilustres assassinos 957
Romance LXXXII ou Dos passeios da Rainha louca 958
Romance LXXXIII ou Da Rainha morta 960
Romance LXXXIV ou Dos cavalos da Inconfidência 962
Romance LXXXV ou Do testamento de Marília 966
Romancinho 407
Romantismo (*Mar Absoluto e Outros Poemas*) 468, 505
Romãs 1020
Rômulo rema 1478
Rômulo rema no rio. 1478
Rosa 1840
Rosa do deserto 975
Rosa escrita 1714
Rosto perdido 409
Rua 1318
"Rua da Estrela" 1940
Rua dos rostos perdidos (*Poemas de Viagens*) 1420
Rua dos rostos perdidos (*Dispersos*) 1811

S. Sebastião entre as canoas 1558
"Sacudia o meu lencinho 758
Saí mui morenamente, 207
"Saio do sonho, da noite, do absurdo" 1297
"Sais pelo sonho como de um casulo e voas" 1315
Sala de espera 1644
Saltando do cavalim 1952
Salvas de ouro fusco, 1141
Sangue dos corpos morenos 205
Sansão e Dalila 21
Santa Bárbara, 1716
Santa Ifigênia, princesa núbia, 772
Santidade 1000
Santo Humberto 1784
São altitudes cinzentas, 1449
"São Jerônimo, Santa Bárbara Virgem..." 1716
São Jorge, santo querido, 206
São os espelhos que me revelam: 1882
Saudação a Eilath 1416
Saudação à menina de Portugal 1575
Saudade 506
Saudade dos teus olhos diáfanos 77
Se agora me esquecer, nada que a vista alcança 1275
Se amanhã perder o meu corpo, 368
Se de novo passares, 669
Se Deus quisesse ser gente 202
Se estive no mundo 1086
Se eu fosse apenas... 671
Se eu fosse apenas uma rosa, 671
Se já vai longe a alvorada, 890
Se me atravessas a espada, 1097
Se me quisesses deveras, 191
Se não chover nem ventar, 1837
Se não houvesse montanhas! 1068
Se o amor ainda medrasse, 364
Se o Brasil fosse um reinado, 951
Sê o que renuncia 134

"Se os anjos falarem" 1903
Se te abaixasses, montanha, 1607
Se te avistar, amigo, 1748
Se te perguntarem quem era 328
Se Tu fosses humano, 62
Se um pássaro cantar dentro da noite 1250
Se vós não fôsseis os pusilânimes, 866
Sedosas vacas, majestosos cavalos: 1405
Sei de um capitão pirata, 192
Sei que toda a vizinhança 188
2º improviso 1614
2º motivo da rosa 485
"Sem corpo nenhum" 1653
Sem fim 96
Sem podridão nenhuma, jazerá um afogado 722
Semeei plantas de amores, 189
Sempre que me vou embora 352
Senhor São João, 426
Senhora de olhos tão verdes 1313
Senhora, eu vos amarei numa alcova de seda, 670
Sensitiva 534
(Sentada estava a Rainha, 955
Sentada estava Shakúntala, 1395
Sentaram-se em redor da mesa ainda com os cabelos ásperos, 1387
Sepulcro 1922
Sereia 279
Sereia em terra 1628
Serenata (Viagem) 234, 278
Serenata (Retrato Natural) 621
Serenata (Pequeno Oratório de Santa Clara) 1046
Serenata ao menino do hospital 369
Serenata para Verlaine 1588
Seria preciso um clima extremamente seco: 1846
"Serva sou: mas que serviço" 1842
Seus curvos pés em movimento 429

1989

Índice de títulos e primeiros versos

Sfad, com crianças azuis e vermelhas 1428
Shakúntala 1395
Simbad, o poeta 536
Só tu sabes usar tão diáfano mistério: 1269
Sob a tua serenidade... 41
"Sob as árvores da infância, altíssimas, passearemos" 1459
Sob os verdes trevos que a tarde 1234
Sobe o canto dos galos entre os bosques da noite: 1822
"Sobre a floresta verde" 1772
Sobre as casas fechadas, a chuva. 1720
"Sobre as muralhas do mar" 1424
Sobre o campo verde, 398
Sobre um passo de luz outro passo de sombra. 1277
Sobrevivência 1734
Sobrevivente 1734
Sobriedade 535
Soledad 388
Solidão 240
Solidão, solidão que o vento navega: 1375
Solilóquio do novo Otelo 380
Som (*Viagem*) 255
Som (*Ou Isto ou Aquilo*) 1473
Som da Índia 976
Sombra 1570
Sombra da fama 1798
Sombra que passas, eu sei que és sombra, 397
Somos todos fantasmas 1036
"Somos três" 1887
Soneto antigo 1645
Sonhaste as ilhas, a vaga, a lua 666
"Sonhei com a bela moça que está longe" 1290
Sonhei com um pessegueiro. 1288
"Sonhei um sonho" 1290
Sonho com carneirinhos e falas meigas 1294

Sonho com plantas e gestos amáveis 1288
Sonho de Maria Alice 1288
Sonho de Olga 1511
Sonho de sepulcro 1316
Sonho risonho 1497
"Sonho sofrimento. Enlaçados" 1321
Sonhos da menina 1477
Sono sobre a chuva 1222
Sopra, vento, sopra, vento, 334
Sorrento, Sorrento, 1163
Sorriso 633
Sortilégio 26
Soturna 111
Sou de mar, em mar andava, 1628
Sou mais alta que esse morro, 209
Sou Nabucodonosor 374
Sou triste porque sonhei 63
Soupault nos diz sorrindo, com voz simples: 1586
Sua face é o corpo 667
Sua mão mal se movimenta, 668
Suave morta 486
Suavíssima 105
Súbita vigília 1600
Súbito pássaro 321
Subo e desço noite e dia, 1865
Subo por uma montanha, 207
Sugestão 463
Supérfluo 1641
Surdina 571
Surpresa 509
Suspiraram as rosas 1035
Suspiro 479
Suspiro do vento, 296

Taj-Mahal 1036
Tal qual uma árvore: copa, tronco, 1696
"Também já sonhei com uma ponte colorida" 1293
Tanta tinta 1470
Tão aflita, perguntava-me: "Por que vim? Por que vim?" 1662

Tão brando é o movimento 673
"Tão dolorida, tão dolorida..." 1578
Tão gorda que era, a cantora, 1119
Tão gordo, tão gordo 846
Tão velho estou como árvore no inverno, 1788
Tapeçaria de Dame Gisèle 1909
Tapete 575
Tarde amarela e azul 982
Tarde das cigarras, 1774
Tarde de chuva 1768
Tarde de chuva na infância 1783
Tarde, inverno, lua 1381
Tardes da Índia, quando pára o trabalho em redor do poço; 1410
Tardio canto 366
Taverna 316
Tecelagem de Aurangabade 1019
Têm sempre as vidas morenas 201
Temos uma família desfeita na terra: 1853
Tempestade (*Poemas Escritos na Índia*) 1035
Tempestade (*Dispersos*) 1745
Tempestade. O desgrenhamento 39
Tempo 1428
Tempo celeste 664
Tempo de Gisèle 1956
Tempo em que a aldeia rescendia a incensos, 1428
Tempo viajado 616
Tenho dossel de Martírios 1824
Tenho fases, como a lua. 413
"Tenho nos lábios o dia" 1718
Tenho pena de estar contigo, 1101
Tentativa (*Viagem*) 307
Tentativa (*Dispersos*) 1927
3º motivo da rosa 503
Terra 252
Terra de tantas lagoas! 836
Terra do bravo tamoio, círculo de aldeias em torno da água redonda: 1944

Terra seca de Espanha, 1409
Terrina 1897
Teu bom pensamento longínquo me emociona. 1742
Teu nome é quase indiferente 305
Teu nome nas águas 672
Teu rosto passava, teu nome corria 338
Teus olhos tristes, d'Agnus Dei, 115
Tigre está rugindo 770
Timidez 315
Tinham-me ensinado que a vida 84
Toca essa música de seda, frouxa e trêmula 229
"'Todas as aves do mundo de amor cantavam...'" 1832
"Todas as coisas têm nome" 1437
"Todos acordamos tristes e impacientes" 1950
Todos dizem que têm penas, 183
Todos os dias vinha o carrasco e dizia-lhe: 1719
Todos querem ser pastores, 1473
Todos queremos ver a Deusa. 1022
"Tomar a substância do dia" 1681
Tomara mesmo que exista 193
Tomaremos Dulcamara, 1623
Tomo nos olhos delicadamente 1278
Trabalhei, sem revoltas nem cansaços, 44
Trabalhos da terra 431
Traça a reta e a curva, 1455
Tradução 1439
Trago a minha sede ao copo: 1852
Trago-te o luar e as folhas secas 1588
Transeunte 537
Transformação do dançarino 642
Transformações 511
Transição 504
Trânsito 552
Transparente dia. Traz a voz dos galos de antigas infâncias. 1732
Trapezista 1110

1991

Índice de títulos e primeiros versos

"Traspassamos o cristal" 1448
Trazei-me pinhos e trigos 1255
Traze-me um pouco das sombras serenas 242
Três canções da Espanha 1376
Três meninos na mata ouviram 1496
Três orquídeas 1957
Treva da noite, 967
"Trinta anos no vale de exílios da sombra" 1322
Trinta anos sobre a música. 1678
Triste pena, triste pena 966
Tristes 1226
"Tristeza gloriosa" 1842
Trouxe um menino. 998
Tu és como o rosto das rosas: 269
Tu ouvirás esta linguagem, 129
Tu tens um medo: 124
Tua passagem se fez por distâncias antigas. 238
Tuas palavras antigas 385
Tudo cabe aqui dentro: 589
Tudo é vestígio: 1786
Tudo era humilde em Patna: 994
"Tudo isso agora é como um som de outro idioma" 1794
"Tudo isto é um tempo de rápidas inconstâncias" 1850
Tudo jaz, diluído e cintilante, numa profunda névoa. 716
Tudo vai e vem. 380
Tumulto 39
Turismo 551
Turquesa d'água 1006

U.S.A. – 1940 1331
Um dia os elefantes negros trarão notícias. 1856
Um dia te falarão dessa pessoa triste, 1854
Um dia, veio o Anticristo, 1052
Um jardineiro desconhecido se ocupará da simetria 587
Um moreno de alta classe 195
"Um navio dá voltas em canais sinuosos" 1317
Um negro desceu do Serro. 805
"Um pássaro pia sob a chuva noturna" 1626
Um pranto existe, delicado, 1229
Um soldado santo 1413
Uma boca de outrora, onde mirávamos as palavras nascerem, 1714
Uma borboleta que voa 1642
Uma flor quebrada 1516
"Uma flor voava" 1298
Uma gota de Acônito 30   1624
"Uma noite me balancei no céu" 1292
Uma palmada bem dada 1487
Uma pequena aldeia 1893
Uma pequena rosa para aquele que gostava de trazer um botão de rosa ao peito. Para aquele que trazia uma rosa no coração, aberta a generosos ventos. Uma pequena rosa. 1431
Uma pessoa adormece: 1230
Uma pobre velhinha franzida e amarela 1378
Uma roda dourada trinca o silêncio. 1644
Uma vida cantada me rodeia. 1279
Uma voz cantava ao longe 1046
Úmido gosto de terra, 228
Única sobrevivente 1099
Uns passeiam descansados 1210
Urnas e brisas 1936

"Vai chover" 1896
Vai chover muito. 1602
Vais ficando longe de mim 322
Valsa 262
Vamos abrir as janelas ao vento salgado do mar. 1643

"Vamos, vamos ser trovadores agora" 1867
"Vão saindo da tua cabeça as campinas sangrentas" 1601
Vão-se acabar os cavalos! 1228
Varre o chão de cócoras. 984
Vê formarem-se sobre todas as águas 126
Vede as moças nas varandas, 1611
Vede o Santo Anchieta, 1543
Vede por onde passava 733
Veio a Morte ao pequeno aquário 1886
Veio por mar tempestuoso 949
Veio uma carta de longe, 813
Vejo o cavalo parado 674
Vejo-te passando 928
Velho estilo (*Vaga Música*) 356, 357
Velhos muros romanos, apagai-vos, 1130
Vem de manso... de leve... e suave e doce 51
Vem ver as cascas das conchas 1791
"Venho do Sono" 1289
Vens sobre noites sempre. E onde vives?
   Que flama 1263
Ventania 1024
Vento 319
Vento sul 1728
Venturosa de sonhar-te, 1073
Veremos os jardins perfeitos 1016
Vestiu-se para um baile que não há. 1644
Vi a névoa da madrugada 676
Vi descer a tempestade, 1105
Vi o penitente 902
Vi teus vestidos brilharem 719
Via Appia 1140
Viagem 339
Viagem nas cores 1939
Viajo entre poços cavados na terra seca.
   (Poemas Escritos na Índia) 982
Viajo entre poços cavados na terra seca.
   (Dispersos) 1717

Via-se morrer o amor 675
Vida 1051
Vigilância 459
Vigília 611
Vigília das mães 1847
Vigília do Senhor Morto 338
Vim pela escada de espinhos. 1840
Vimos a lua 497
"Vinde, ó anjos, com as vossas espadas" 1932
Vinho 262
Viola 544
Virgem, no teu coração, 1089
Visita da chuva 569
Visitação 1724
Visitante 363
Vista aérea 1449
Vitrola 1653
Vivian Leigh no Rio em tarde de maio 1903
Volta 1050
Voltaram os cavaleiros, 1050
Volto a cabeça para a montanha 270
Vôo 1951
Vós, os que vistes Deus, como ficastes? 1137
Vosso rosto, que já não vive, 1632
Voto 1164
Vou a Ti 56
"Vou-me a caminho do Rio, 832
"Vou trabalhar para todos!" 904
Voz 1053
Voz luminosa da noite, 1048

"Writ in Water..." 1147

Xadrez 490

Zimbório 1010
Zodíaco 1774

1993

Índice de títulos e primeiros versos

Este livro foi impresso em São Paulo, em junho de 2009,
pela Lis Gráfica e Editora para a Editora Nova Fronteira.
O papel do miolo é offset 56g/m2.

Amsterdão, 31 de Outu[bro]

GO A Holan[da]
A   me, — vou
    ficar aqui
       Janeiro de Franç[a]
quem avião da K.L.M.
de partida, dando o n[úmero]
[...], mas há uma [...]
e sempre uma [...]
preciso... A Fernanda
nos separaremos, pois e[la]
da Companhia holandes[a]
Amsterdão. — Já come[cei]
landêses que não vão [...]
[per]der tanto tempo com[...]
Peço-lhes que me con[...]
[...] eu fugi para qualq[uer]
[...] haverá quem me d[...]
[...] que não lhe escrev[o]
[...]mente, relojín da Espa[nha]
        Mande-lhe com[...]
[...] as coisas mais lind[as]
[...] fabulosos, [...] f[...]
[...]emente tocada por [...]
[...]qua, pois... Adeus!